STUDIEN ZUR KUNSTVERMITTLUNG 3

Alexander Henschel

Was heißt hier Vermittlung?

Kunstvermittlung und ihr umstrittener Begriff

zaglossus

Diese Arbeit wurde 2018 an der Fakultät für Sprach- und Kulturwissenschaften der Carl-von-Ossietzky Universität Oldenburg als Dissertation im Fach Kunst angenommen.

Gefördert durch das Institute for Art Education der Zürcher Hochschule der Künste.

Zürcher Hochschule der Künste
Institute for Art Education

Bibliografische Information der Deutschen Nationalbibliothek
Die Deutsche Nationalbibliothek verzeichnet diese Publikation in der Deutschen Nationalbibliografie; detaillierte bibliografische Daten sind im Internet über http://dnb.dnb.de abrufbar.

1. Auflage 2020

Druck: Prime Rate Kft., Budapest
Printed in Hungary
ISBN 978-3-902902-64-1

Zaglossus e. U.
Vereinsgasse 33/12, A-1020 Wien
E-Mail: info@zaglossus.eu
www.zaglossus.eu

WAS HEISST HIER VERMITTLUNG?

KUNSTVERMITTLUNG UND IHR UMSTRITTENER BEGRIFF

zaglossus

Vorwort

von Carmen Mörsch und Eva Sturm

Wenn ich sage, ich sei Kunstvermittlerin, muss ich mich erklären. Ich muss beschreiben, möglicherweise rechtfertigen, was ich damit meine. Kein einfaches Geschäft ist das, die Kunstvermittlung, schon gar nicht der Begriff. Endlich nimmt den einer unter die Lupe.

Und das genau zum richtigen Zeitpunkt: In dem Moment, in dem der Begriff ›Kunstvermittlung‹ seines widerständigen Potentials, mit dem wir ihn seit den 1990er Jahren verwendet zu haben glaubten, und seiner von Alexander Henschel sehr genau herausgearbeiteten Komplexität öfter einmal entleert zu werden scheint: Kunstvermittlung als kommerzielles Handeln mit und als vereindeutigendes Erklären von Kunst hat Konjunktur.

Zu beobachten ist die neoliberale Vereinnahmung des Begriffs, um Besuchermassen auf Kunst loslassen zu können, die Unwissenden befriedend und erheiternd. Vermittlung wird zum Teil von Marketing.

Und dann gibt es jene Stimmen, die jegliche Form der Kunst-Vermittlung als Vermeidungstechniken abqualifizieren, sich mit Kunst zu konfrontieren. Das Vermitteln sei verwerfliche Abkürzung. Und also sei das Kind mit dem Bade auszuschütten und der Begriff zu Grabe zu tragen.

Alexander Henschel entlarvt letztere Abwertung von, oder, wie er es zugespitzt formuliert, des »Hasses« auf Vermittlung im Kunstfeld als Zurückweisung von Komplexität und Uneindeutigkeit und damit als Ressentiment, das aus einem autoritär strukturierten Wunsch nach Reinheit resultiert. Er zeigt dessen Verwandtschaft mit Nationalismus und Antisemitismus auf, und macht damit darauf aufmerksam, was sich eine*r mit diesem Ressentiment einhandelt. Und er schlägt vor, Kunstvermittlung stattdessen als eigenständige Theorie und Praxis zu begreifen, der nicht zuletzt auch ein Veränderungspotential bezogen auf die Kunst innewohnt.

Beides – eine auf Harmonisierung und Komplexitätsreduktion ausgerichtete Kunstvermittlung und eine binär strukturierte, auf Reinheit bedachte Kunst – interessiert Alexander Henschel also nicht. Beidem setzt er seine Begriffsarbeit entgegen.

Und beides hat eine Kunstvermittlung nie interessiert, die an Widersprüchlichkeit, Mehrdeutigkeit, Sprachlosigkeit und Unauflösbarkeit interessiert ist. Weder am Begriff entlang, noch im Handeln.

Soweit die Positionierung des Autors innerhalb des bis dato verfügbaren diskursiven Rahmens innerhalb bekannter und eingespielter fachlicher Oppositionen. Seine Positionierung hat er für das hier vorliegende Buch explizit gemacht und klar bestimmt: Er zeigt den Leser*innen, welche Stelle(n) des Spielfeldes er einnimmt, von wo aus er spielt respektive denkt und – vermittelt.

Doch er macht auch noch einiges anderes, nämlich bis dato Ungewohntes. Er bringt Kunstvermittlung in Kontakt mit ihrer eigenen Begriffsgeschichte und zeigt, wie sich die jeweiligen Konzeptionen von Vermittlung auf Verständnisse von Kunstvermittlung in der Gegenwart übersetzen. Und gleichzeitig bringt er Kunstvermittlung in Kontakt mit logischer Philosophie. Damit macht er deutlich, dass Kunstvermittlung noch nie bloß einfach und eindeutig, sondern schon seit ihrer Entstehung immer auch komplex und ambivalent war.

Alexander Henschel entdeckt, um die Aristotelische und die Hegelsche zweiwertige Logik zu verlassen, als Argumentationsgefährten Gotthard Günther und seine mehrwertige Logik. Das ist ein Herzstück des Buchs. Es geht um das Ausgeschlossene, das Erweiternde, und in der Folge um Verstörung und Rahmen-Sprengung, sobald das binäre Denken verlassen wird.

Denn Günthers streng logisch-mathematisches Verständnis von Vermittlung entwirft letztere nicht mehr als binäres Geschehen und auch nicht mehr nur als zwischen drei Positionen (gleich der christlichen Trinität) artikuliert. Sondern er versteht sie als n-wertig und damit als unabschließbar sowie als nicht hierarchisch. So wird Vermittlung zum Vehikel von Komplexität.

Und dann macht Alexander Henschel einen weiteren Schritt: Er liest den rein technisch interessierten Gotthard Günther zusammen mit der feministischen Biologin, Wissenschaftsphilosophin und Literaturwissenschaftlerin Donna Haraway, welche in ihrem Cyborg Manifesto die Dimension sozialer Ungleichheit mit Überlegungen zu gegenwärtigen technischen Entwicklungen und zu Verantwortung verschränkt. Diese Verknüpfung bildet die Basis für sein eigenes paradigmatisches Verständnis von Vermittlung, das er schließlich auf einen Entwurf für eine transformative Kunstvermittlung in der Gegenwart übersetzt. In diesem

Entwurf bietet er der Praxis der Kunstvermittlung fünf Orientierungspunkte an: Ambivalenz, Äquivalenz, Komplexität, Offenheit und soziale Korrelation.

Um zu erläutern, was gemeint sein könnte, breitet er Beispiele aus, denn auch in der Vermittlung kann – wie in der Kunst – immer nur singulär betrachtet, analysiert, gesprochen werden; noch ein Herzstück des Buchs – vielfach fortsetzbar.

Gleichzeitig positioniert sich Alexander Henschel nicht nur mit einer Haltung im Diskursfeld der Kunstvermittlung, sondern auch als Autor-Subjekt. Er lässt aufscheinen, wie eigene, auf hegemoniale Anrufungen antwortende Subjektivierungsprozesse mit seiner Positionierung als Kunstvermittler und als Theoretiker verwoben sind. Wie sie mitbestimmen (wenn auch nicht determinieren), was eine*r wissen wollen kann und wie eine*r vermitteln wollen kann. Wie Ambivalenzen in der Subjektposition beim Herausarbeiten der Ambivalenzen im Begriff das Begehren antreiben.

Sein Buch ist damit ein Plädoyer für ein differenztheoretisch informiertes Verständnis von Subjekten und von Kunstvermittlung, das eben nicht auf Harmonisierung und Versöhnung setzt. Sondern das gerade widerstreitende Bedeutungen, Leerstellen und die Unmöglichkeit eines absoluten und abschließenden Verstehens als Ausgangspunkt für die Arbeit nimmt, ohne dabei die soziale Dimension und die Verstrickungen von Kunstvermittlung in Macht- und Herrschaftsverhältnisse aus den Augen zu verlieren.

Interessante Vermittler*innen sind gute Gesprächspartner*innen. Das macht sie begehrlich. Denn es heißt, sich in eine Gesellschaft zu begeben, in der das Fixierte beleuchtet wird, um verschoben werden zu können. Das Gewohnte gerät ins Rutschen, wird verhandelbar. Das ist anstrengend – so wie interessante Kunst – mitunter. Und die*der Vermittler*in wandert auf einem Grad, in dem das Erklären verführerisch beruhigend winkt. Wie die Spannung halten?

Die*der Vermittler*in möge gleichzeitig praktisch und als Theoretiker*in das Publikum / die Leserschaft an der Hand leiten, durch unwegsames Gelände führen, da sein, wenn der Boden wegbricht, wenn Bilder und Begriffe nicht mehr halten und Ent-Bildungsprozesse angestoßen sind. Gerade wenn und weil sie*er als Vermittler*in selbst auf der Suche ist, zu erläutern versucht, nach Begriffen ringt und an die Grenzen des Sag- und Darstellbaren gerät, ist der Weg so schwierig und aufregend, so singulär und riskant.

Alexander Henschel ist das Wagnis eingegangen. Möge sein so klug-komplexes Unternehmen ansteckend wirken.

Inhaltsübersicht

Inhalt

Einleitung

Kunstvermittlung ist nicht auf den Begriff zu bringen. Was im derzeitigen Kultur- und Bildungsbetrieb mit Kunstvermittlung‹ bezeichnet wird, zerfällt in diverse Handlungsfelder, die nicht unbedingt miteinander kompatibel sind. Der Begriff wird als Marker für kunstbezogene Bildungsarbeit in verschiedensten institutionellen Settings ebenso verwendet wie für Formen des Curatings, der Kunstkritik, des Galerieverkaufs oder des Kulturmanagements. Weder bei dieser noch bei anderen Aufzählungen wird erkennbar, wo die Grenzen der Begriffsbedeutung verlaufen – der Marker ›Kunstvermittlung‹ ist, wie Eva Sturm festgestellt hat, »uferlos«.[1]

Trotz – oder vielleicht auch *wegen* – dieser Bedeutungsindifferenz wird mit dem Begriff Politik gemacht. Der schillernde Begriff der Kunstvermittlung steht im Zentrum der Auseinandersetzungen um Deutungshoheit und Ressourcen

1 So Eva Sturm in einem gemeinsamen Text mit Carmen Mörsch: Mörsch, Carmen/Sturm, Eva: »Vermittlung Performance Widerstreit«. In: *Art Education Research* Nr. 2 (2010), hier S. 1; online unter https://intern.zhdk.ch/fileadmin/data_subsites/data_iae/ejournal/no_2/Art_Education_Research_1__2__Moersch_Sturm.pdf (abgerufen am 19.5.2019).

an den Schnittstellen zwischen Kunst und ihren Öffentlichkeiten und wird in unterschiedlichster Weise in Anschlag gebracht. Sei es abwertend, weil mit dem Begriff der Kunstvermittlung didaktische oder ökonomische Diskurse verbunden werden, gegen die es sich abzugrenzen gilt; sei es instrumentalisierend, weil Kunstvermittlung, verstanden als Bildungsangebot öffentlich geförderter Institutionen, zunehmend eingefordert wird und entsprechend symbolisches wie ökonomisches Kapital verspricht; sei es, um kritische Positionen zu markieren und durch Kunstvermittlung Widerstand gegen bestehende gesellschaftliche Verhältnisse der Ungleichheit zu artikulieren.[2]

Der Grund für diese auseinanderdriftenden Begriffspolitiken liegt dabei nicht nur im scheinbar grenzenlosen Begriffsradius von ›Kunstvermittlung‹, sondern vielleicht noch mehr in inkommensurablen Vermittlungslogiken, die mit dem Begriff verbunden werden. Auf der einen Seite wird ›Kunstvermittlung‹ vom Versprechen auf Harmonisierung, Verbindung und Vereindeutigung getragen, mit dem es etwa gilt, ›Brücken‹ zwischen Kunst und Publikum zu bauen, Hilfe zum Verständnis anzubieten und Ausgleich zwischen widerstreitenden Interessen zu erreichen.[3]

---

2 Vgl. zur abwertenden, instrumentalisierenden und zur widerständigen Weise der Inanspruchnahme von Kunstvermittlung den Band *Die Bildung der A_n_d_e_r_e_n durch Kunst* von Carmen Mörsch (DBdA).

3 Vgl. für einen harmonistischen Begriff von Kunstvermittlung bes. Kirschenmann, Johannes/Stehr, Werner: »Die Kuh muß zurück aufs Eis. Gegenwartskunst, Kunstbetrieb und Vermittlung am Beispiel der documenta X«. In: dies. (Hg.): *Materialien zur documenta X*. Ein Reader für Unterricht und Studium. Osterfildern-Ruit: Cantz 1997, S. 7–15. Vgl. zur Metapher der Brücke etwa Birgit Mandel, die schreibt: »Kulturvermittlung baut Brücken zwischen künstlerischer Produktion und Rezeption«. Mandel, Birgit: »Kulturvermittlung als Schlüsselqualifikation auf dem

Auf der anderen Seite begreifen Autor*innen wie Pierangelo Maset und Eva Sturm Kunstvermittlung unter einer differentiellen Logik und kritisieren aus kunstbezogener Perspektive Vorstellungen von abschließbaren Verstehensprozessen ebenso wie Phantasien der Übermittelbarkeit und bruchlosen Verbindung.[4] Unter einer vergleichbaren Logik der Differenz unterziehen Carmen Mörsch und Nora Sternfeld verstärkt jene Herrschaftsverhältnisse einer kritischen Analyse, die durch harmonieorientierte Verhältnisse erst hergestellt werden. Zentrum der Kritik von Mörsch ist dabei die »diskursive Herstellung von defizitär verstandenen A_n_d_e_r_e_n« (DBdA 15), die durch Kunstvermittlung zu gesellschaftskonformen Subjekten gebildet werden sollen. Nicht die Brücke, sondern der Riss ist eine passende Metapher für die Vermittlungslogik dieser kritischen Analysen, bei der Kunstvermittlung, gedacht als Verständnishilfe und Einladung zur Teilhabe, nicht selten ihr Gegenteil erreicht – Brüche im Verständnis ebenso einleitet wie sozialen Ausschluss.[5]

Weg in eine Kulturgesellschaft«. In: dies. (Hg.): *Audience Development, Kulturmanagement, Kulturelle Bildung. Konzeptionen und Felder der Kulturvermittlung.* München: kopaed 2008, S. 17–72.

4 Vgl. exemplarisch Maset, Pierangelo: »Fortsetzung Kunstvermittlung«. In: ders./Reuter, Rebekka, Steffel, Hagen (Hg.): *Corporate Difference. Formate der Kunstvermittlung.* Lüneburg: edition HYDE 2006, S. 11–24, bes. S. 11. Vgl. für Sturm exemplarisch VKa, S. 187.

5 Vgl. Henschel, Alexander: »Die Brücke als Riss. Reproduktive und transformative Momente von Kunstvermittlung«. In Mandel, Birgit/Renz, Thomas (Hg.): *Mind the gap! Zugangsbarrieren zu kulturellen Angeboten und Konzeptionen niedrigschwelliger Kulturvermittlung.* Hildesheim: o.V. 2014, S. 141–154; online unter https://www.uni-hildesheim.de/media/fb2/kulturpolitik/publikationen/Tagungsdokumentation_Mind_the_Gap_2014.pdf (abgerufen am 14.5.2019).

In Koinzidenz zu diesen Kritiken formulieren Maset, Mörsch, Sturm und Sternfeld unter dem Begriff der Kunstvermittlung Potenziale der Widerständigkeit. Sie zeigen mit jeweils unterschiedlichen Voraussetzungen, wie Kunstvermittlung mit einem differentiellem Verständnis Möglichkeiten zu einer Praxis der Störung, Emanzipation und Öffnung bietet, und halten gleichzeitig am Anspruch fest, nicht selbst Harmonisierungsabsichten ungebrochen fortzusetzen.[6]

Damit stehen sich beide Logiken der Vermittlung, Harmonisierung und Differenz, in scheinbar unvereinbarer Bedeutungskonkurrenz gegenüber. Kunstvermittlung erscheint, wie Eva Sturm ebenfalls festgestellt hat, als »unmöglicher« Begriff.[7] Je nachdem, auf welche Seite der Logik man sich schlägt, tritt die Möglichkeit der gegenteiligen Seite ans Licht, die gleichfalls mit dem Begriff der Kunstvermittlung bezeichnet wird: »Jammer der ›Vermittlung‹, die in ihrem Begriff schon die gegenteilige Hoffnung verspricht.« (IE 251)

Auf diese undurchsichtige Ausgangslage, die Uferlosigkeit und Unmöglichkeit des Begriffs der Kunstvermittlung, richtet sich die vorliegende Arbeit und will Orientierung anbieten. Anspruch dieser Arbeit ist es, durch begriffsgeschichtliche Untersuchungen die Verwobenheit der scheinbar uferlosen Handlungsfelder und der scheinbar unvereinbaren Logiken herauszustellen. Es geht darum, einen Kunstvermittlungsbegriff herzuleiten, der Antworten auf die Frage anbietet, was die dermaßen unterschiedlichen

---

6 Vgl. Sturm, Eva: »*Kunstvermittlung und Widerstand*«. In: Schöppinger Forum der Kunstvermittlung (Hg.): *Transfer. Beiträge zur Kunstvermittlung*, Bd. 2. Schöppingen: Stiftung Künstlerdorf Schöppingen 2003, S. 92–110, hier bes. S. 107.

7 Eva Sturm in: Mörsch/Sturm: »Vermittlung Performance Widerstreit«, S. 1.

Sprachspiele[8] der Kunstvermittlung verbindet, als nur die gemeinsame Bezeichnung oder der zumindest im Wort liegende Bezug auf Kunst.

Kernannahme dieser Arbeit ist, dass die jeweiligen Verständnisse von Kunstvermittlung nicht nur von bestimmten Bildungs- oder Kunstverständnissen getragen werden, sondern insbesondere vom jeweiligen Vermittlungsverständnis bestimmt sind. Vermittlung ist, wie ich im Verlauf dieser Arbeit zeigen werde, nicht nur in der Kunstvermittlung, sondern auch in sozialpolitischen, ökonomischen und philosophischen Feldern ein Streitbegriff, der sich in seiner Historie scheinbar mühelos auf gegenteilige Versprechen beziehen ließ; der Formen totaler Kontrolle ebenso benannt hat wie Politiken permanenten Widerstands; mit Hass ebenso verbunden ist wie mit Versöhnung. Besonders in der philosophischen Geschichte des Begriffs wird deutlich, dass der Begriff von uneinholbarer Ambivalenz getragen ist, die – um an dieser Stelle vorläufig noch eine binäre Metapher zu bemühen – zwei Seiten derselben Medaille[9] zu zeigen scheint: Brücke *und* Riss.

8 Ludwig Wittgenstein hat den Begriff des Sprachspiels geprägt und versteht darunter alle sprachlichen Äußerungen, die konkret auftreten. Wittgenstein sucht dabei nicht nach tiefer liegenden Bedeutungen von sprachlichen Äußerungen, sondern beobachtet die ›Regeln des Spiels‹ während sie auftreten, bzw. die rahmenden Handlungen, die mit den Äußerungen einhergehen: »Ich werde auch das Ganze: der Sprache und der Tätigkeiten, mit denen sie verwoben ist, das ›Sprachspiel‹ nennen.« Wittgenstein, Ludwig: »Philosophische Untersuchungen« (1945). In: ders.: *Werkausgabe*, Bd. 1. Frankfurt/Main: Suhrkamp 1984, S. 225–580, hier S. 241.

9 Vgl. Block, Friedrich W.: »Dich im Unendlichen zu finden ... Der Vermittlungsbegriff und seine Anwendung in Kunst und Erziehung«. In: ders./Funk H. (Hg.): *Kunst Sprache Vermittlung*. München: Goethe Institut 1995, S. 29–42, hier S. 34.

Eine der zentralen Orientierungslinien in dieser Arbeit richtet sich demnach auf die Ambivalenz des Begriffs der Vermittlung, um von dort aus, gewissermaßen als Rückübersetzung, die Begriffsfunde in bestehenden theoretischen Auseinandersetzungen mit Kunstvermittlung zu verorten. In der Folge gehe ich davon aus, dass der beschriebene Bedeutungszerfall von Kunstvermittlung kein misslicher Zufall ist, weniger Resultat beliebiger Setzungen, sondern Ausdruck für die Komplexität jenes Theorie- und Praxisfeldes ist, auf das er sich bezieht. Der Begriff zeigt nicht nur an, dass im Kontext von Kunstvermittlung ökonomische, pädagogische, politische und ästhetische Diskurse in Wechselbeziehung stehen, sondern auch, dass sich die Logik der Vermittlung nicht festsetzen lässt.

Die Ambivalenz des Begriffs der Kunstvermittlung lässt sich nicht hintergehen. Sie lässt sich allenfalls zugunsten von Reinheitsvorstellungen von Kunstvermittlung verschleiern, die auf der Eindeutigkeit ihres Begriffs beharren. Das kann harmonisierte Vorstellungen von Kunstvermittlung ebenso umfassen wie differenzorientierte Setzungen.[10]

Kunstvermittlung ist also nur insofern nicht auf den Begriff zu bringen, wie sie Bedarfe an Eindeutigkeit nicht einlösen kann, noch sich auf ein fest umrissenes Konzept festsetzen lässt. Der Anspruch, den ich an diese Arbeit richte, ist demnach selbst widersprüchlich: Mir geht es darum, die Ambivalenz und Offenheit des Begriffs zu bewahren und dabei gleichzeitig Begriffsarbeit zu leisten, die möglichst genau ist.

10 Vgl. hierzu etwa Carmen Mörsch in DBdA, S. 18 f.

Begriffsklärungen Kunstvermittlung: Rückblick, Stand der Dinge und Anknüpfungspunkte

Die vorliegende Arbeit ist das Ergebnis von Forschungsarbeiten, die ich 2007 begonnen habe. In diesem Jahr hatte sich die Lage um den Begriff insofern zugespitzt, als mit der Setzung der *documenta 12*, Vermittlung zu einem thematischen Kern des Ausstellungsprogramms zu machen, einer der Höhepunkte in der Konjunktur von Kunstvermittlung zu beobachten war. Carmen Mörsch hat dabei festgestellt, dass Kunstvermittlung nicht unbedingt von ihrem eigenen Hype profitiert.[11] Während der Begriff zunehmend symbolisch aufgeladen wurde, hatte sich die untergeordnete Position und Sichtbarkeit von Kunstvermittler*innen in den Kunstinstitutionen kaum verändert.

Gleichzeitig waren in dieser Zeit die Kunstvermittlungsdiskurse der 1990er-Jahre noch stark präsent, die von vielen Akteur*innen als entscheidender Impuls für die Etablierung des Begriffs ausgemacht werden. So schreibt Nora Sternfeld im Rückblick, dass »die Selbstbezeichnung ›Kunstvermittlung‹ zum Zeitpunkt ihrer zunehmenden Verbreitung in den 1990er Jahren attraktiv [schien], um die Zukunft des Berufsstandes neu zu denken – gerade als Gegenbegriff zu einer verstaubt erscheinenden Museumspädagogik«.[12] Der Begriff wurde strategisch eingesetzt, um Widerstand gegen die Abwertung von Bildungsarbeit innerhalb des Kunstsystems zu markieren.

---

11 Vgl. Mörsch, Carmen: »Educational Einverleibung, oder: Wie die Kunstvermittlung vielleicht von ihrem Hype profitieren könnte«. In: NGBK (Hg.): *40 Jahre NGBK*. Berlin: o.V. 2009, S. 244–257.

12 Sternfeld, Nora: *Verlernen vermitteln*. Hamburg: o.V. 2014, S. 9.

Dabei ging es auch um einen Platz der Theoriebildung. Das Bilden von Theorie für die Bedingungen und Zusammenhänge zwischen Kunstinstitutionen und Öffentlichkeiten sollte nicht mehr ausschließlich der Kunsttheorie, der Fachdidaktik oder der Soziologie überlassen werden. Vielmehr galt es ein eigenständiges Feld zu entwickeln, in dem Bezüge zwischen diesen Disziplinen hergestellt werden sollten. Es galt anzuerkennen, dass der Theorie- und Praxisraum zwischen Kunst und Publikum pädagogisch, kunsttheoretisch *und* politisch informiert sein müsse. Dieses Feld setzte sich nicht nur disziplinarisch von anderen ab, sondern auch begrifflich und trug den Namen ›Kunstvermittlung‹.

Die Gegenbewegung der 1990er fand also eine eigene Bezeichnung, die der Kunstvermittlung, um sich begrifflich abzuheben und auch dadurch einen eigenen Platz zu erkämpfen. In der Folge entstanden, so rekapituliert Rahel Puffert, »Mitte der 1990er Jahre zahlreiche Tagungen, Diskussionen, Foren und Workshops explizit und implizit zum Thema Kunstvermittlung«.[13] Der Kunstvermittlungsbegriff wurde mit symbolischem Kapital ausgestattet, fand Interesse und Begehren bei den unterschiedlichsten Akteur*innen des Kunstsystems und schien dabei seine Deutbarkeit zu vervielfältigen. Nicht auf die kritische Bildungsarbeit im Museum wurde der Begriff beschränkt, sondern ebenso bezogen auf das Verkaufen von Kunst, auf das Kuratieren von Ausstellungen, auf Presse- und Öffentlichkeitsarbeit oder auf das Management von Kulturveranstaltungen.

---

13 Puffert, Rahel. *Die Kunst und ihre Folgen. Zur Genealogie der Kunstvermittlung*. Bielefeld: transcript 2013, S. 26.

Effekt dieser Entwicklung war auch die Indifferenz des Begriffs – »die Bedeutung [...] wurde zunehmend diffus«.[14] Die Selbstbezeichnung ›Kunstvermittlung‹ verlor ihr Versprechen auf Distinktion, auf Widerständigkeit. »Die inflationäre Thematisierung von Vermittlung«, so Puffert, »die Umstrittenheit, Wendigkeit, Schlüpfrigkeit sowie die Unbestimmtheit des (Alles und Nichts vereinnahmenden) Begriffs und seines Gebrauchs beförderte den Wunsch nach Klärung.«[15]

Seitdem hat sich der Stand der Begriffsklärung durch die fortschreitende Theoretisierung des Feldes insofern verändert, als dass die Klärung des Begriffs nicht nur weiter angemahnt, sondern immer wieder auch in Angriff genommen wurde. Bei der Aufarbeitung dieser Begriffsklärungen sind mir drei Strategien begegnet:

Begriffsklärungen der ersten Strategie legen dar, welche Handlungs- und Diskursfelder sie unter dem Begriff ›Kunstvermittlung‹ subsumieren.[16] Mithilfe dieser Strategie werden auch Abgrenzungsbewegungen unternommen, die etwa die Begriffe Kunstvermittlung und Kunstpädagogik voneinander

---

14 Ebd.

15 Ebd., S. 27.

16 Vgl. exemplarisch Ulli Seegers im Sammelband *Was ist Kunstvermittlung?*: »Wir verstehen Kunstvermittlung im denkbar weitesten Sinne. Überall dort, wo Kunstwerke an die Öffentlichkeit gelangen (zum Beispiel aus dem Atelier oder der privaten Sammlung heraus ins Museum) bzw. anderweitig gesellschaftlich sichtbar werden (zum Beispiel in der Galerie oder im Auktionshaus) oder Gegenstand der öffentlichen Auseinandersetzung sind (zum Beispiel im Kunstjournalismus, in der Kunstkritik oder der Kunstgeschichtsschreibung), wird interessengeleitet vermittelt.« Seegers, Ulli: »Vermitteln. Eine Einführung«. In: dies. (Hg.) *Was ist Kunstvermittlung? Geschichte – Theorie – Praxis*. Düsseldorf: Düsseldorf University Press 2017, S. 7–15, hier S. 9. Vgl. für eine ältere Position Bering, Kunibert: *Kunst und Kunstvermittlung als dynamisches System*, Münster/Hamburg: LIT 1993, bes. S. 75–83.

unterscheiden sollen.[17] Der Begriff wirkt dabei als Container[18], als formloses Gefäß, das sich beliebig füllen lässt, ohne dass dabei ein Zusammenhang zwischen Wort und Bedeutung durchgearbeitet wird. So legitim diese Strategie für die beteiligten Diskurszusammenhänge ist, so werde ich sie hier kaum berücksichtigen, weil sie am Begriff vorbeigeht, den Weg zwischen Wort einerseits und konzeptuellen Zusammenhängen andererseits unbeachtet lässt.

Die zweite Strategie versieht zur Klärung und Abgrenzung den Begriff der Kunstvermittlung mit Zusätzen, um anzuzeigen, dass es jeweils um eine *bestimmte* Kunstvermittlung geht. Beispielsweise klärt der Ausdruck ›kritische Kunstvermittlung‹ seine möglichen Bedeutungen durch den Zusatz ›kritisch‹: Diese Bezeichnung betont, dass, so Carmen Mörsch, »Vermittlung hier nicht dienend zur Kunst« entworfen wird, sondern einen eigenen Platz behauptet und von dort aus das Geflecht aus Akteur*innen, Interessen und Machteffekten, das Kunstbetrieb wie Kunstvermittlung auszeichnet, kritisch befragt und gegebenenfalls auch verändert.[19] Über den Begriffszusatz ›kritisch‹ wird so eine Markierung vorgenommen, die den Distinktionscharakter des

17 Vgl. exemplarisch hierzu Preuss, Rudolf: »Kunstpädagogik im institutionellen Kontext. Zauberwort Kunstvermittlung?«. In: Engels, Sidonie/Preuss, Rudolf/Schnurr, Ansgar (Hg.): *Feldvermessung Kunstdidaktik. Positionsbestimmungen zum Fachverständnis.* München: kopaed 2013, S. 49–63.

18 Vgl. Pritz, Anna/Sattler, Elisabeth: »›Was jetzt ... – Pädagogik, Kunst, Vermittlung, Kultur?‹«. In: Gaugele, Elke/Kastner, Jens (Hg.): *Critical Studies. Kultur- und Sozialtheorie im Kunstfeld.* Wiesbaden: Springer VS 2016, S. 143–165, hier S. 144.

19 Mörsch, Carmen: »Verfahren, die Routinen stören«. In: Baumann, Sabine/Baumann, Leonie (Hg.): *Wo laufen S(s)ie denn hin?! Neue Formen der Kunstvermittlung fördern.* Wolfenbüttel: Bundesakademie Wolfenbüttel 2006, S. 20–34, hier S. 22. Vgl. auch Carmen Mörsch in Ssw, bes. S. 60–66.

Begriffs zurückgewinnen soll. Weitere Begriffszusätze, die aktuell verwendet werden, sind etwa ›pädagogische‹, ›differentielle‹, ›künstlerische‹, ›affirmative‹, ›reproduktive‹, ›dekonstruktive‹ oder ›transformative‹ Kunstvermittlung.[20] Ich werde diese zweite Strategie der Begriffsklärung einbeziehen, um anzuzeigen, dass es nicht die eine Kunstvermittlung mit Allgemeingültigkeitsanspruch gibt, sondern dass es sinnvoll sein kann, verschiedene Diskurse der Kunstvermittlung durch Begriffszusätze zu unterscheiden, um sich so auch effektiver positionieren zu können. Gleichwohl tangiert auch diese Strategie den Begriff der Kunstvermittlung selbst nicht und bildet demnach nicht den Kern meines Anliegens.

Erst die dritte, bisher selten eingeschlagene Strategie der Begriffsklärung geht direkt auf den Begriff. Diese habe ich verfolgt. Sie befragt den Begriff der Vermittlung auf seine wortgeschichtliche Herkunft oder seinen Gebrauch in anderen Bedeutungsfeldern und wendet diese auf das Feld der Kunstvermittlung an.

In einem der wenigen Beispiele für diese Strategie verweisen Johannes Kirschenmann und Werner Stehr auf die Bedeutung von Vermittlung als Wissensvermittlung, die »von der Weitergabe [eines] know-hows« ausgeht,[21] sowie auf die

20 Vgl. etwa für ›pädagogische Kunstvermittlung‹ Ehmer, Hermann K.: »Kunstvermittlung. Über pädagogische Kunstvermittlung und ihre verborgene Opposition gegen die kunstgeschichtliche Kunstrezeption«. In: *Kunst und Unterricht* Hft. 109 (1987), S. 13–16; für ›differentielle Kunstvermittlung‹ vgl. VKa, S. 187, sowie Maset: »Fortsetzung Kunstvermittlung«, S. 11; für ›künstlerische Kunstvermittlung‹ vgl. Mörsch, Carmen: »Künstlerische Kunstvermittlung: Die Gruppe *Kunstcoop*© im Zwischenraum von Pragmatismus und Dekonstruktion«. In: Kittlausz, Viktor/Pauleit, Winfried (Hg.): *Kunst – Museum – Kontexte* (2006), S. 177–193; für ›affirmative, reproduktive, dekonstruktive wie transformative Kunstvermittlung‹ vgl. AK, S. 9 f.

21 Kirschenmann/Stehr: »Die Kuh muß zurück aufs Eis«, S. 7.

Bedeutung von ›Vermitteln‹ im Sinne von ›zu etwas verhelfen‹ und ›schlichten‹.[22] Entsprechend der letzteren Bedeutung verorte sich Kunstvermittlung zwischen verschiedenen Interessen, wie etwa denen eines Publikums und dem einer kuratorischen Leitung, zwischen welchen es gelte, durch Kunstvermittlung Beziehungen herzustellen. Zentrale Aufgabe von Kunstvermittlung sei dabei, die Konflikte zwischen den Beteiligten zu befrieden und auszugleichen. Kirschenmann und Stehr stützen sich bei dieser Auffassung auf die etymologisch hergeleitete Deutung, nach der Vermittlung jene Bemühung sei, »zwischen zwei Polen und aus einem Feld der Neutralität heraus [zu] versuchen, einen Ausgleich zu schaffen«.[23] Bezogen auf den Wortsinn ›Wissensvermittlung‹ gehe es darum, »ein vorhandenes Informationsgefälle, das durchaus auch als Spannung oder Unbehagen sich äußern kann, zwischen *Kunstwerken und ihrer Rezeption* abzubauen«.[24] Auf diese Weise schreibt sich der Begriff ein in einen harmonistisches Verständnis von (Kunst-)Vermittlung.

Demgegenüber haben Inga Eremjan, Nora Sternfeld, Eva Sturm und ich auf Begriffsbedeutungen verwiesen, die statt auf Logiken der Harmonisierung auf solche der Differenz schließen lassen. Sternfeld und Eremjan verweisen etwa auf den differentiellen Charakter des Präfixes ›ver‹, der einer »Idee einer einfachen Übermittlung«[25] zuwiderlaufe. Sich

---

22 Vgl. hierzu ausführlich Kap. 2.2 *Vermittlung als Harmonie*, und Kap. 2.2 *Exkurs: Harmonie, Reinheit und Ausschluss der Ambivalenz* in diesem Band.

23 Kirschenmann/Stehr: »Die Kuh muß zurück aufs Eis«, S. 7.

24 Ebd., Herv. i.O. Kirschenmann und Stehr merken zwar kritisch das defizitäre Motiv dieser Auffassung von Vermittlung an, gehen aber begrifflich nicht mehr darauf ein.

25 Sternfeld: *Verlernen vermitteln*, S. 9. Vgl. auch Henschel, Alexander: »Die Brücke als Riss«.

damit von der Idee unidirektionaler Wissensvermittlung ebenso abzusetzen wie von der berühmten wie unseligen Sender-Empfänger-Metapher, scheint Konsens differenzorientierter Diskurse zu sein.[26] So schreibt Heinz von Foerster aus einer radikal-konstruktivistischen Perspektive dazu:

> Aber schon mit der Idee von Wissensvermittlung will ich nichts zu tun haben. Wissen lässt sich nicht vermitteln, es lässt sich nicht als eine Art Gegenstand, eine Sache oder ein Ding begreifen, das man – wie Zucker, Zigaretten, Kaffee – von A nach B transferieren kann, um in einem Organismus eine bestimmte Wirkung zu erzeugen.[27]

Statt *Ver*-Mittlung solchermaßen als *Über*-Mittlung zu verstehen, fasse ein auf differenzielle Bedeutungsebenen rekurrierender Vermittlungsbegriff Momente der Störung

---

26 Claude E. Shannon und Warren Weaver entwarfen in den 1940er Jahren ein bis heute breit rezipiertes und diskutiertes Kommunikations-Modell, nach dem eine Sender einen Kanal öffnet und eine Nachricht an einen Empfänger transferiert. Vgl. Shannon, Claude E./Weaver, Warren: *The Mathematical Theory of Communication*. Urbana/Illinois: University of Illinois Press 1949. Eine 1:1-Übertragung auf soziale Interaktion war von den Autoren jedoch nie angedacht; es galt vielmehr ein technisches Problem des US-Militärs zu lösen. Dass sich das Sender-Empfänger-Modell nicht ohne weiteres auf soziale Kommunikation übertragen lässt, darin waren sich auch schon differenzorientierte Kommunikationstheorien der 1970er und frühen 1980er einig. Vgl. u.a. Luhmann, Niklas: *Soziale Systeme. Grundriß einer allgemeinen Theorie*. Frankfurt/Main: Suhrkamp 1984, bes. S. 193–201, zu Shannon und Weaver bes. S. 195, dort Anm. 5. Gleichwohl arbeiten sich differenzorientierte Diskurse der Kunstvermittlung immer wieder an diesem Modell ab. Vgl. etwa Sturm, Eva: »Kunstvermittlung als Dekonstruktion«. In: NGBK (Hg.): *Kunstcoop©. Künstlerinnen machen Kunstvermittlung*. Berlin: vice versa 2001, S. 27–36, hier S. 27, oder Eremjan, Inga: *Transkulturelle Kunstvermittlung. Zum Bildungsgehalt ästhetisch-künstlerischer Praxen*. Bielefeld: transcript 2016, S. 271.

27 So von Foerster in einem Interview mit Bernhard Pörksen. Foerster, Heinz von/Pörksen, Bernhard: *Wahrheit ist die Erfindung eines Lügners. Gespräche für Skeptiker*. Heidelberg: Auer 2004, S. 10.

und Erschütterung.[28] Vermittlung eröffne die Möglichkeit, »Brüche und Widersprüche sichtbar« zu machen, statt sie auf Eindeutigkeit und Vorhersehbarkeit einzurichten.[29] In der Folge verbindet Eremjan mit dem Begriff der (Kunst-)Vermittlung prinzipiell eine »Haltung der Offenheit«[30] – offen für die mitbestimmende Involvierung aller an Kunstvermittlung Beteiligten, aufgrund seiner Mehrdeutigkeit und Unbestimmtheit.[31]

Aus dieser letzten Zuspitzung scheint hervorzugehen, dass ein Kunstvermittlungsbegriff der Differenz harmonistische Sprachspiele eindeutig ausschließt, dass die Öffnung der Schließung gegenübersteht. Was sich dabei aber nicht erklärt, ist, warum eine so verstandene Kunstvermittlung der Differenz dermaßen von harmonistischen Sprachspielen abweicht, die gleichfalls diskursive Realität beanspruchen und mit einer Begriffsbesetzung nicht einfach aus dem Weg zu räumen sind.[32]

In Orientierung an Eva Sturm wird es mir dagegen darum gehen, die Bedeutungskonkurrenz konstitutiv zu setzen.[33] Sturm hat mehrmals die etymologische Nähe von

28 Vgl. Sternfeld: *Verlernen Vermitteln*, S. 9 f.

29 Eremjan: *Transkulturelle Kunstvermittlung*, S. 262.

30 Ebd., S. 260.

31 Vgl. ebd., S. 263.

32 Vgl. Klein, Josef: »Kann man ›Begriffe besetzen‹? Zur linguistischen Differenzierung einer plakativen politischen Metapher«. In: Liedtke, Frank/Wengeler, Martin/Böke, Karin (Hg.) *Begriffe besetzen. Strategien des Sprachgebrauchs in der Politik*. Opladen: Westdeutscher Verlag 1991, S. 44–69.

33 Zum Begriff der Bedeutungskonkurrenz vgl. Klein, Josef: »Wortschatz, Wortkampf, Wortfelder in der Politik«. In: ders. (Hg.): *Politische Semantik. Bedeutungsanalytische und sprachkritische Beiträge zur politischen Sprachverwendung*. Opladen: Westdeutscher Verlag 1989, S. 3–50.

›Vermittlung‹ und ›Medium‹ eingebracht und so darauf verwiesen, dass sich Vermittlung ambivalent vollzieht, als Vorgang, in dem Trennung wie Verbindung stattfindet, nach dem nichts unmittelbar gewusst werden kann, sondern nur vermittelt. Von dort aus kann sie Figuren der Kunstvermittlung in ihrem ambivalenten Gehalt beschreiben, die ebenso trennen wie sie verbinden, stören wie helfen. (Vgl. VKa 121–123)

In kritischer Distanz zur Philosophie Georg W. F. Hegels, der den Vermittlungsbegriff selbst in Spannung zwischen Synthese und Differenz anlegt, schreibt Sturm, dass eine Kunstvermittlung, die ihre eigenen Widersprüche anerkennt, die etwas erzeugt, »das nicht in einer Synthese aufgeht, sondern etwas übrig lässt, das in Unruhe zu versetzen vermag« (VKa 256), »die nicht stilllegen, sondern etwas fortsetzen will«, kaum »durch den Namen ›Vermittlung‹« zu kennzeichnen sei. (VKa 116) Gleichzeitig gibt sie den Begriff der Kunstvermittlung aber nicht auf, sondern setzt ihre Arbeit an der Theorie unter diesem Namen fort.

Auf diese Weise baut Sturm ein begriffliches Spannungsfeld auf. Sie goutiert den Begriff der Vermittlung einerseits und deutet auf dessen ambivalente Qualitäten hin. Sie lehnt ihn andererseits ab, weil sie ihn auf transferable bzw. synthetisierende Leistungen bezieht. Wie sich dieses Spannungsfeld aber aus dem Begriff und seiner Geschichte im Genauen herleitet und welche Orientierungen daraus gezogen werden können, ist nach wie vor ein weißer Fleck auf dem Theoriefeld der Kunstvermittlung.

An diesem Stand der Begriffsklärung hakt meine Arbeit ein. Sie geht den bereits vorliegenden Begriffsarbeiten nach, ordnet Spuren, fasst Stränge zusammen und bezieht bislang nicht oder wenig berücksichtigte Kontexte mit ein. Eine für mich entscheidende Spur, die sich an Sturms Überlegungen anschließen lässt und sich im Laufe meiner Forschungsarbeit als besonders produktiv erwiesen hat, ist der Zusammenhang zwischen dem Begriff der Vermittlung und seinen Bedeutungszusammenhängen in der Philosophie, speziell in der Philosophie des Deutschen Idealismus mit den Schriften Hegels als zentralem Bezugspunkt. Weil dieser Zusammenhang hier von großer Bedeutung sein wird, will ich den Forschungsstand dazu anführen.

Der Begriff der Vermittlung ist in der Philosophie bereits breit aufbereitet worden.[34] Davon zeugen etwa ausführliche Lexikoneinträge zum Lemma ›Vermittlung‹ in zentralen Nachschlagewerken der Philosophie, wie dem *Historischen Wörterbuch der Philosophie* oder der aktuelleren *Enzyklopädie Philosophie*.[35] Daneben sind in den letzten 25 Jahren mehrere Studien zum Vermittlungsbegriff und dessen Begriffsumfeld entstanden, wie etwa *Vermittlung als Gott* von Christoph

34 Interessanterweise ganz im Gegensatz zu Pädagogik und Erziehungswissenschaft. So findet sich in kaum einem Lexikon dieser Felder ein Lemma ›Vermittlung‹. Eine Ausnahme dieser Regel bietet ein erziehungswissenschaftliches Wörterbuch aus der ehemaligen DDR. Vgl. Laabs, H.-J.: *Pädagogisches Wörterbuch*. Berlin: Volk und Wissen 1987, S. 402). Als Ausnahme in Form von begriffsreflexiven erziehungswissenschaftlichen Studien vgl. Gruschka, Andreas: *Didaktik. Das Kreuz mit der Vermittlung. Elf Einsprüche gegen den didaktischen Betrieb*. Wetzlar: Büchse der Pandora 2002 und Kade, Jochen: »Vermittlerbar/nicht vermittelbar. Vermitteln: Aneignen. Im Prozeß der Systembildung des Pädagogischen«. In: Lenzen, Dieter/Luhmann, Niklas (Hg.): *Bildung und Weiterbildung im Erziehungssystem*. Frankfurt/Main: Suhrkamp 1997, S. 30–70.

35 Vgl. hierzu Arndt, Andreas: Art. »Vermittlung«. In: Ritter, Joachim/Gründer, Karlfried/Gabriel, Gottfried (Hg.): *Historisches Wörterbuch der Philosophie, Bd. 11. Darmstadt: Wissenschaftliche Buchgesellschaft, Sp.* 722–726, *sowie* Schürmann, Volker: Art. »Vermittlung/Unmittelbarkeit«. In: Sandkühler, Hans Jörg (Hg.): *Enzyklopädie Philosophie*, Bd. 3. Hamburg: Felix Meiner 2010, S. 2886–2891.

Türcke (VaG), *Unmittelbarkeit* von Andreas Arndt (U), *Logik, Widerspruch und Vermittlung* von Stefan Müller,[36] sowie *Abdrift des Wollens. Eine Theorie der Vermittlung* von Helmut Draxler.[37] Quer zu den genannten Artikeln und Studien haben sich in meiner Lektüre drei Beobachtungen verdichtet.

Erstens: Jeder der genannten Texte bezieht den Begriff der Vermittlung auch auf logische Ordnungen und Probleme, genauer: Der Begriff der Vermittlung im philosophischen Sinne ist mit der Entwicklung der binären Logik verwoben, mit deren Kritik und Transformation. Das ist für den hier vorliegenden Problemzusammenhang deshalb so bedeutsam, weil differenzorientierte Theorien der Kunstvermittlung immer wieder abheben auf eine Kritik binärer Logik und deren Zurichtung gesellschaftlicher Realität, vollzogen etwa als heteronormative Binarität der Geschlechter oder als binäre Ordnung im Rahmen rassistischer Diskurse.[38] Aber nicht nur Kritik, sondern auch die Transformation eurozentrischer Regeln der Logik, wie sie etwa in queer-feministischen wie auch in postkolonial informierten Diskursen der Kunstvermittlung eine tragende Rolle spielen, sind impliziter Bestandteil philosophischer Texte, so etwa in der bislang

36 Vgl. Müller, Stefan: *Logik, Widerspruch und Vermittlung. Aspekte der Dialektik in den Sozialwissenschaften*. Bielefeld: Springer 2011.

37 Vgl. Draxler, Helmut: *Abdrift des Wollens. Eine Theorie der Vermittlung*. Wien: Turia + Kant 2016.

38 Für binäre Logik im Zusammenhang zu Geschlecht vgl. etwa Butler, Judith: *Das Unbehagen der Geschlechter, übers. von Kathrina Menke. Frankfurt*/Main: Suhrkamp 1991 (1990). Für binäre Logik im Zusammenhang zu Rassismus vgl. etwa Mecheril, Paul: *Migrationspädagogik*, hrsg. von Andresen, Sabine/Hurrelmann, Klaus/Palentien, Christian et al. Weinheim/Basel: Beltz 2010, bes. S. 177. Zur Wirkmächtigkeit von logischen Ordnungen und sozialen Verhältnissen vgl. auch Elster, Jon: *Logik und Gesellschaft. Widersprüche und mögliche Welten*, übers. von Walter Rosenthal. Frankfurt/Main: Suhrkamp 1981 (1978).

kaum rezipierten »Vermittlungstheorie«[39] des Philosophen und Mathematikers Gotthard Günther. Insofern schließt auch meine Arbeit immer wieder an logische Überlegungen an, die durch den Begriff der Vermittlung angestoßen werden und sich an die kritisch-transformativen Ansätze der Kunstvermittlung anbinden lassen.

An diese aufscheinende Verwobenheit zwischen Vermittlung, Logik und sozialer Realität lässt sich zweitens die Beobachtung knüpfen, dass sich der Begriff der Vermittlung nicht in disziplinarischer Reinform klären lässt. Beinahe jede der genannten philosophischen Artikel und Studien stellt Zusammenhänge zu kulturtheoretischen, pädagogischen, ökonomischen und sozialpolitischen Feldern her. Ich habe dies mit als einen von vielen Hinweisen darauf gewertet, dass der Begriff der Vermittlung an und für sich nicht zu klären

39 So Rudolf Kaehr über Gotthard Günthers transformatorische Logik. Kaehr, Rudolf: »Disseminatorik: Zur Logik der ›Second Order Cybernetics‹. Von den ›Laws of Form‹ zur Logik der Reflexionsformen«. In: Baecker, Dirk (Hg.): *Kalkül der Form*. Frankfurt/Main: Suhrkamp 1993, S. 152–196, hier S. 189, vgl. hierzu auch ebd. S. 189–191. Mit ›kaum rezipiert‹ meine ich die Rezeption von Günthers Texten außerhalb der Philosophie. Als Ausnahmen sind hier die Soziologie von Niklas Luhmann zu nennen (vgl. etwa Luhmann, Niklas: *Die Gesellschaft der Gesellschaft*, Bd. 2, Frankfurt/Main : Suhrkamp 1997, S. 751), der Anschluss der nicht-aristotelischen Logik Günthers an das postkoloniale Konzept des Dritten Raums bei Homi K. Bhabha (Ikas, Karin/Wagner, Gerhard: »Postcolonial Subjectivity and the Trasclassical Logic of the Third«. In: dies. (Hg.): *Communication in the Third Space*. New York: Routledge 2009, S. 96–103) sowie die Entwicklung einer auf Günther bezogenen Semiotik durch Nina Ort. Vgl. Ort, Nina: *Reflexionslogische Semiotik*. Weilerswist: Velbrück 2007. Auf der anderen Seite fällt auf, dass in philosophischen Begriffsgeschichten des Ausdrucks ›Vermittlung‹ Günthers Vermittlungslogik nicht auftaucht. Wegen dieses doppelten Desiderats und der vielfach möglichen Anschlüsse an Kunstvermittlungstheorien der Differenz werde ich dem Vermittlungsbegriff bei Günther und seinen Anwendungen in Kunstvermittlung hier großen Raum geben. Vgl. Kap. 7 *Transformative Vermittlung* in diesem Band.

ist. Erst in Anwendung auf etwas, wie etwa die Zusammenhänge mit denen sich die Kunstvermittlung beschäftigt, lässt sich fassen, was jeweils unter Vermittlung verstanden werden kann.

Drittens erweisen sich quer zu den genannten Texten Hegels Schriften zur Vermittlung als zentrale Bezugspunkte. So haben sich viele differenztheoretische Entwicklungen, die auch in den Theorien der Kunstvermittlung wiederholt Anwendung finden, explizit wie implizit an Hegel und dessen Vermittlungsbegriff abgearbeitet.[40] Nicht nur wegen der vielfältigen Bezüge zu Autor*innen, die aktuell für Theorien der Kunstvermittlung relevant sind, kommt die vorliegende Arbeit an Hegel nicht vorbei, sondern auch, weil dessen Schreiben über Vermittlung in einen Diskurs fällt, in dem Vermittlung einerseits als Begriff der Aufklärung entworfen und mit einem emanzipatorischen Anspruch versehen wird, und andererseits gerade in der Aufklärung der europäischen Philosophie Grundlegungen des modernen Rassismus gesetzt wurden, an denen auch Hegels Schreiben teilhat.[41] Es gilt demnach nicht nur, das emanzipatorische

---

40 Als Referenz für die vorliegende Arbeit wären etwa zu nennen: Die Theorie der politischen Ökonomie von Karl Marx, die Kritik eurozentrischer Philosophietraditionen von Gilles Deleuze, die kritische Sozialtheorie von Theodor W. Adorno, die postkolonialen Studien Homi K. Bhabhas sowie die Dekonstruktion Jacques Derridas. Diese Positionen zeugen von vielfacher Abarbeit an Hegels Texten sowie dessen Vorstellungen zum Verhältnis von Identität und Differenz, auf das sich der Vermittlungsbegriff bezieht. Auch Gotthard Günther entwirft seine transformatorischen Vermittlungslogik gleichfalls als Abarbeit an Hegels Begriff der Vermittlung.

41 Vgl. Mascat, Jamila M. H.: »Hegel and the Black Atlantic: Universalism, Humanism and Relation«. In: Dhawan, Nikita (Hg.): *Decolonizing Enlightenment: Transnational Jusitce, Human Rights and Democracy in a Postcolonial World*. Opladen: Barbara Budrich 2014, S. 94–114.

und differenzorientierte Erbe des Vermittlungsbegriffs nachzuzeichnen, sondern ebenso dessen ideologische, z.B. koloniale Einlassungen. So birgt gerade die Lektüre der Texte Hegels den Hinweis, dass auch der Entwurf einer Kunstvermittlung der Differenz ambivalent gedacht werden muss.

So zentral Hegels Schriften für das Folgende sind, so ist doch keine philosophische Arbeit im engeren Sinne zu erwarten. Es geht mir nicht darum, Hegels Denken darzustellen, um in diesem Diskurs Position zu beziehen. Position will ich vielmehr im Rahmen einer Theorieentwicklung der Kunstvermittlung beziehen, für die ich die Texte Hegels als produktives Medium nutze, durch das sich zentrale Probleme des Begriffs sowohl aufwerfen als auch Hinweise zur weiteren Orientierung geben lassen.

Um nicht in eine formalphilosophische Begriffsdiskussion abzudriften, war es deshalb entscheidend, die philosophisch konzentrierten Teile der Untersuchungen zumindest schlaglichtartig durch sozialhistorische Hintergründe zu konturieren – denn die ambivalente Logik des Vermittlungsbegriffs nimmt mal abweichende, mal vergleichbare Wendungen, wenn sie im deutschen Nationalismus des 19. Jahrhunderts oder in Texten zur Kritik des globalen Kapitalismus in den 2000er-Jahren aufscheint. Diese Wendungen gehen auch am Begriff der Kunstvermittlung nicht vorbei, der sich wesentlich weiter zurückverfolgen lässt als bis in die 1990er-Jahre. Kunstvermittlung findet nicht außerhalb gesellschaftlicher Verhältnisse statt, und widerstreitende Vermittlungsbegriffe, die Gesellschaften in ihrer Geschichte jeweils prägen und geprägt haben, entfalten ebenfalls in der Kunstvermittlung Wirkung. Genau hier, im Spannungsfeld zwischen begriffs- und sozialhistorisch hergeleiteten Bedeutungskonkurrenzen und ambivalenten

Einlassungen des Begriffs, muss ein Kunstvermittlungsbegriff, der sich differenzorientiert versteht, meiner Auffassung nach verortet und entwickelt werden.

Die Frage nach dem ›hier‹: vorausgesetzte Perspektiven

Meine nun vorliegende Arbeit ist in mehrfacher Hinsicht voraussetzungsvoll. So markiert der Ausdruck ›hier‹ meiner Frage ›Was heißt *hier* Vermittlung?‹ nicht nur die Aufforderung, sich zu erklären und zu positionieren, wenn es um den Begriff der Kunstvermittlung geht. ›Hier‹ ist auch die Anzeige einer noch nicht näher benannten Perspektivierung meiner Arbeit. Nicht Vermittlung mit einem Allgemeingültigkeitsanspruch wird befragt, es gilt – das ist die banalste Antwort auf die obige Frage – den Begriff im Feld der Kunstvermittlung zu verorten.

Die Frage nach der Vermittlung ist zudem unter bestimmten Theorievoraussetzungen perspektiviert. Wenn es mir darum geht, ›Kunstvermittlung‹ im Konfliktfeld widerstreitender Sprachspiele zu beleuchten, ohne den Begriff auf ein festgelegtes Konzept zuzuschneiden, dann muss der Theorierahmen diesem Vorhaben angemessen sein. Entsprechend ist der Blick durch Theorien der Differenz geprägt. Maßgebend sind also theoretische Zugänge, deren Erkenntnisinteresse sich nicht von der Identifizierung ihrer Forschungsgegenstände leiten lässt, sondern die sich auf das richten, was sich nicht festsetzen, nicht zweifelsfrei benennen lässt.[42]

42 Vgl. etwa Kimmerle, Heinz: *Philosophien der Differenz. Eine Einführung*. Würzburg: Königshausen & Neumann 2000.

Für eine begriffshistorische Arbeit ist diese Ausgangslage in mehrerlei Hinsicht bedeutsam. Es bedeutet erstens, dass sich der Gegenstand meiner Forschung, der Begriff der Kunstvermittlung, nicht gültig fassen lässt, sondern sich auch durch meine Konstruktionsleistungen mit herstellt und doch immer wieder entzieht. Es kann von dieser Warte aus demnach nicht um Festsetzung gehen, sondern eher um wiederholtes Aufgreifen sich ähnelnder Konzepte, um dadurch die Verschiebung von Begriffsbedeutungen kenntlich zu machen, die heute zu dermaßen undurchsichtigen Begriffspolitiken geführt haben. Durch die vielen Umwege in meiner Arbeit und Wiederholungen von Begriffskonflikten in wechselnden Kontexten soll der Begriff der Vermittlung *gebrochen* werden, um ihn darauf aufbauend zu differenzieren. Diese paradoxe Methode beziehe ich auf Theodor W. Adorno:

> Der Begriff wird solange hin- und hergewendet, bis sich ergibt, daß er mehr ist, als er ist. Er geht in die Brüche, sobald er auf sich beharrt, während doch nur die Katastrophe solcher Beharrung die Bewegung stiftet, die ihn zu einem anderen macht. (DSH 363)

Es geht einerseits darum, Ambivalenz und Beweglichkeit des Begriffs der Kunstvermittlung herauszuarbeiten und andererseits einen Begriff vorzulegen, der *genau* ist. Dabei meint ›genau‹ aber gerade nicht, Identität zwischen Sachverhalt und Wort herzustellen, sondern meint die Herstellung von Nähe.[43] Etymologisch betrachtet ist mit dem Streben nach Genauigkeit also nicht der Moment zweifelsfreier Identifikation gemeint, sondern der Versuch, einem Sachverhalt

43 Vgl. Grimm, Jacob/Grimm, Wilhelm: Art. »genau«. In: dies.: *Deutsches Wörterbuch*, Bd. 4, Abt. 1,2. Leipzig: S. Hirzel 1897, Sp. 3348–3360.

möglichst nahe zu kommen, ohne ihn jemals ›treffen‹ zu können. Es geht demnach um Gegenstandsangemessenheit, nicht um Übereinstimmung.

Die differenztheoretische Grundierung prägt zudem das Geschichtsverständnis meiner begriffshistorischen Untersuchung. Ich gehe dabei nicht von einer linear nachzuerzählenden Geschichte aus, die ihre Ursprünge identifiziert, um das Aktuelle als Höhepunkt beschreiben zu können. Mit Michel Foucault interessiere ich mich vielmehr dafür, wie das, was als ›Identität‹ beschrieben werden könnte – sei es die eines Subjekts, einer Institution oder eben eines Begriffs – zerfällt, wenn seine historische Verwobenheit mit unterschiedlichen Herkünften aufgedeckt wird:

> Das komplizierte Netz der Herkunft aufdröseln heißt [...] festhalten, was in der ihr eigenen Zerstreuung geschehen ist; es heißt die Zufälle, die winzigen Abweichungen – oder totalen Umschwünge –, die Irrtümer, falschen Einschätzungen und Fehlkalkulationen nachvollziehen, die hervorgebracht haben, was für uns existiert und Geltung besitzt [...].[44]

Dementsprechend habe ich mein Erkenntnisinteresse nicht davon leiten lassen, wie sich eine lückenlose oder strikt systematische Geschichte des Begriffs der Kunstvermittlung erzählen lässt, sondern eher von tastenden Bewegungen in historische Zusammenhänge hinein, die nach dem gefahndet haben, das Foucault Abweichungen, Umschwünge und Irrtümer nennt, und wie sich diese im Zusammenspiel verschiedener historischer wie aktueller Quellen darstellen lassen.

44 Foucault, Michel: »Nietzsche, die Genealogie, die Historie« (1970), übers. von Michael Bischoff. In: Foucault, Michel: *Schriften. Dits et Ecrits*, Bd. II, 1970–1975, Frankfurt/Main: Suhrkamp 2002, S. 166–191, hier S. 174.

Die Frage nach dem ›hier‹ bezieht sich zudem auf meine Situiertheit als forschendes und schreibendes Subjekt.[45] Ich lege diese Arbeit nicht als interessierter, aber weiter nicht involvierter Soziolinguist vor, sondern als Akteur im Feld der Kunstvermittlung. Von der Annahme ausgehend, dass die Begriffe, die wir zur Beschreibung und Ordnung von Realität verwenden, selbst realitätskonstituierend sind,[46] verstehe ich das vorliegende Buch nicht nur als wissenschaftliche Studie, sondern als Praxis, als Eingriff in den Diskurs der Kunstvermittlung. Meine Position in diesem Feld verstehe ich dabei selbst als differenzorientiert und beziehe mich auf Diskurse, die Kunstvermittlung kritisch und ergebnisoffen verstehen und gleichzeitig die Tendenz zu harmonisierenden und kontrollierenden Bewegungen mitreflektieren. Leitend hierfür ist der Gedanke von Carmen Mörsch, dass das Feld der Kunstvermittlung zwar Positionierungen erfordert, diese wegen der ins Feld eingeschriebenen Ambivalenzen aber in der Lage sein müssen, *sich selbst widersprechen* zu können, um etwa erneute Schließungsbewegungen aufzudecken.[47]

Die Möglichkeit, sich selbst widersprechen zu können, muss auch auf meine Positionierungen als forschendes und schreibendes Subjekt bezogen werden. Dabei trenne ich zunächst die Subjektpositionen, mit denen ich eindeutig

45 Vgl. Haraway, Donna: »Situiertes Wissen. Die Wissenschaftsfrage im Feminismus und das Privileg einer partialen Perspektive« (1987), übers. von Helga Kelle. In: Haraway, Donna: *Die Neuerfindung der Natur. Primaten, Cyborgs und Frauen.* Frankfurt/Main: Campus 1995, S. 73–97.

46 Vgl. hierzu etwa die soziolinguistische Position bei Girnth, Heiko: *Sprache und Sprachverwendung in der Politik. Eine Einführung in die linguistische Analyse öffentlich-politischer Kommunikation.* Berlin: De Gruyter 2015, S. 5.

47 Carmen Mörsch bezieht sich auf die feministisch-marxistische Position der Philosophin und Soziologin Frigga Haug. Vgl. Ssw, S.67.

angerufen werde und die ich auch lebe, von denen, die durch meine biografische Subjektivierung von Brüchen und Ambivalenzen durchzogen sind.[48]

So ist diese Arbeit zunächst durch meine Perspektive als *weiß*, männlich, heterosexuell und mehrheitsdeutsch gelesenes Subjekt geprägt. Begreife ich mein Schreiben selbst als Praxis in einem Diskurs, der sich kritisch auf Verhältnisse der Ungleichheit richtet, muss ich davon ausgehen, dass auch meine Position als Schreibender an diese Verhältnisse anknüpft. So ist Kunstvermittlung nach wie vor ein *weißes* und bürgerliches Arbeitsfeld, aber auch ein feminisiertes und abgewertetes.[49] Wenn aber ein zentraler Bestandteil meiner Untersuchung Philosophien mehrheitlich *weißer* Männer sind, kann es nicht Resultat meiner Arbeit sein, als männlicher Schreiber dem Feld den Begriff der Kunstvermittlung zu ›erklären‹ und auf diese Weise heteronormative Geschlechterordnungen ungebrochen zu wiederholen. Nicht nur, um diesem Ungleichgewicht entgegenzuwirken, habe ich (queer-)feministische Diskurse zur Kunstvermittlung als Gegengewicht herangezogen, die dem männlich *weiß* dominierten Philosophiediskurs, Rückspielen gleich, Gegengewicht bieten – auch um der oben bekundeten *Genauigkeits*-Absicht willen.

Lange schien es während meiner Arbeiten an diesem Text nahezuliegen, Hegels Vermittlungsphilosophie, wenn nicht

48 Vgl. zu dieser Unterscheidung der Subjektivierung instruktiv Wiede, Wiebke: »Subjekt und Subjektivierung«. In: *Docupedia-Zeitgeschichte. Begriffe, Methoden und Debatten der zeithistorischen Forschung*. Potsdam 2010; online unter http://docupedia.de/zg/Subjekt_und_Subjektivierung (abgerufen am 3.10.2019).

49 Vgl. Carmen Mörsch in DBdA, bes. S. 215; sowie Wenk, Silke: Einleitung zum Kap. »Mäzenin Muse Museumspädagogin. Kunstvermittlung als Frauenarbeit«. In: Lindner, Ines/Schade, Siegrid/dies. (Hg.): *Blick-Wechsel. Konstruktionen von Männlichkeit und Weiblichkeit in Kunst und Kunstgeschichte*. Berlin: Reimer 1989, S. 109–112.

als Lösung für viele Probleme des Begriffs herauszustellen, so doch als zentralen und produktiven Ausgangspunkt für differenzorientierte Begriffsentwicklungen zu setzen. Begünstigt durch mein eigenes *Weiß*sein lag die Verwobenheit Hegels in das koloniale Projekt lange in meinem toten Winkel. Doch schreiben sich Hegels Theorien der Differenz in Emanzipationserzählungen ebenso ein wie in die Legitimation der Sklaverei.[50] Eine daraus abgeleitete Arbeit am Vermittlungsbegriff muss deshalb die Dimension kritisch berücksichtigen, selbst *weißes* Wissen fortzuschreiben. Auch hier habe ich an entscheidenden Punkten der Arbeit Korrektive einbezogen, insbesondere postkoloniale Positionen, um nicht dermaßen die Verhältnisse zu wiederholen, auf die ein kritischer Diskurs der Kunstvermittlung sich gerade richtet.

Wegen meiner gelebten Subjektpositionierungen ist diese Arbeit demnach von eingeschränkten Perspektiven geprägt, die Gefahr laufen systematische Auslassungen zu wiederholen. Gleichzeitig sind meine Positionierungen als mehrheitsdeutsch und heterosexuell biografisch von Mehrfachzugehörigkeiten und Brüchen geprägt. Dies sind Erfahrungen, die das Erkenntnisinteresse meiner Arbeit, d.h. mein Fahnden nach Umbrüchen, Abweichungen und Ambivalenzen, mit leiten. Diese Arbeit ist daher wesentlich vom Begehren geprägt, nicht dermaßen Logiken der Eindeutigkeit entsprechen zu wollen und diesen möglichst genaue Theoriearbeit entgegenzusetzen.

Zusammengenommen habe all diese Perspektivierungen Auswirkungen auf die Zielsetzung meiner Arbeit und die Leistungen, die diese erbringen kann bzw. nicht erbringen kann. Wenn ich mich selbst als Akteur in einem

50 Vgl. Mascat: »Hegel and the Black Atlantic«.

differenzorientierten Diskurs der Kunstvermittlung begreife, ist auch mein analytischer Blick auf den Begriff nicht neutral, sondern versteht sich als Zuarbeit für diesen Diskurs. Den Gedanken von Carmen Mörsch, sich dabei selbst widersprechen zu können, als leitend zu begreifen heißt auch, dass die differenztheoretische Grundierung dieser Arbeit nicht bedeuten kann, den Begriff der Kunstvermittlung einfach in Differenz umzudeuten. Das würde nicht nur an harmonisierenden Sprachspielen vorbeigehen, die gleichfalls Realität sind, sondern eine eigene Reinheit behaupten, die sich selbst evident setzt und keine Widersprüche kennt.

Dabei erscheint der Begriff der Vermittlung aus differenztheoretischer Warte gleich doppelt problematisch. Er wirkt für diese zum einen unverdaulich, weil seine harmonisierenden Seiten nicht wegzuschreiben sind und damit Positionen der Differenz entgegenstehen. Zum anderen legt die Begriffsgeschichte von Vermittlung, wie ich sie hier vorlege, offen, dass der Begriff der Vermittlung nicht nur auf Emanzipationsgeschichten und Konzepte gesellschaftlicher Pluralität rekurriert, sondern gleichsam verstrickt ist in Konzepte *weißer* Vorherrschaft und deutsch-nationale Reinheitsvorstellungen. Abzuwägen wird also sein, ob Diskurse kritischer und differenzorientierter Kunstvermittlung nicht auf andere Begriffe abheben sollten, die auf anderen Geschichten gründen, statt auf Philosophien des Deutschen Idealismus – oder ob dieser auf europäische und deutsche Erkenntnisgeschichte bezogene Begriff gerade dadurch Möglichkeiten zur Dekonstruktion und Transformation jener Verhältnisse bietet, auf die sich eine differenzorientierte Kunstvermittlung richtet.

Vor einem möglichen Übergang zu anderen Begriffen ist es demnach angezeigt, die Aufarbeitung der Begriffsgeschichten von (Kunst-)Vermittlung anzugehen. Daran knüpfe ich zwei

Erwartungen: Beide lassen sie sich mit Jacques Derrida, einem Bezugsautor differenzorientierter Diskurse, formulieren. Er schreibt, dass ein begriffskritisches Programm nicht darin bestehen kann, »von einem Begriff zu einem anderen überzugehen, sondern darin, eine begriffliche Ordnung ebenso wie die nicht-begriffliche Ordnung, an der sie sich artikuliert« überhaupt erst zu erfassen, um sie dann »umzukehren, zu verschieben.«[51] Bevor ein Begriff fallengelassen werden solle, brauche es zunächst eine systematische Untersuchung seiner begrifflichen, wortgeschichtlichen Bedingungen, seiner historischen Kontexte. Welche Geschichten durchlief der Begriff der Kunstvermittlung und mit welchen Interessen und Ideologien wurde er verwoben? Welche Umdeutungen hat er erfahren, warum und vom wem wurde er abgelehnt oder befürwortet? Diese Fragen wurden bisher im Feld der Kunstvermittlung kaum aufgearbeitet.[52] Wenn nicht eindeutige Antworten, so doch begriffliche Rahmungen und Orientierungen für diese Fragen will die vorliegende Arbeit leisten, um – das ist die erste Erwartung – ein begriffshistorisch begründetes Verstehen von Kunstvermittlung zu ermöglichen.

Die zweite Erwartung liegt in Derridas Wendung, dass es nach dem Erfassen der begrifflichen Ordnung möglich sei, diese dann »umzukehren, zu verschieben.« Ob und wie dies angesichts der historischen Einschreibungen möglich sein könnte oder sollte, wird am Schluss zu klären sein.

---

51 Derrida, Jacques: »Signatur Ereignis Kontext« (1971), übers. von Gerhard Ahrens. In: Derrida, Jacques: *Randgänge der Philosophie*. Wien: Passagen 1999, S. 325–351, hier S. 350.

52 Möglicherweise auch deshalb, weil viele derzeitige Ansätze den Beginn des Diskurses der Kunstvermittlung in den 1990er Jahren verorten, bzw. sich auf diese Zeitspanne konzentrieren. Damit wird der historische Blick auf ideologische Wurzeln und Muster der Kunstvermittlung zusätzlich erschwert.

Statt also einer vorweggenommenen »Umdeutung des Vermittlungsbegriffs in Richtung Differenz« (VKa 187) oder der Ablehnung habe ich den Versuch von erweiterten Perspektiven unternommen, die viele Seiten zu Wort kommen lässt. Auf dieser Grundlage werde ich am Schluss dieser Arbeit Position zur Frage beziehen, ob sich der Begriff der Vermittlung sinnvoll für einen Diskurs in Anschlag bringen lässt, der sich abseits von harmonisierenden Vorstellungen versteht.

Auch die Grenzen dieser Arbeit gilt es am Schluss herauszuarbeiten. Denn die Situiertheit dieses Texts durch meine *weiße* Subjektposition lässt sich nicht einfach durch Korrektive ausgleichen, sondern muss anerkennen, dass das, was durch diese Arbeit nicht gesagt, nicht gesehen und ausgelassen wird, keinen Anspruch auf einen allgemeingültigen Begriff der Kunstvermittlung zulässt. Es wird am Schluss deshalb auch eine Frage sein, wie die Arbeit am Begriff der Kunstvermittlung über erweiterte Anschlüsse fortgesetzt werden kann, die über *weiße* Perspektiven hinausgehen.

Vorgehensweisen

Die zentralen Verfahren, die ich hier verwendet habe, entlehne ich dem theoretischen Ansatz der Begriffsgeschichte. Als deren Aufgabe nennt Reinhardt Koselleck die »Analyse von im Laufe der Geschichte auftretenden Konvergenzen, Verschiebungen oder Diskrepanzen des Verhältnisses von Begriff und Sachverhalt«.[53] Für den vorliegenden Text ist diese Setzung in vier Punkten bedeutsam.

53 Koselleck, Reinhart: *Begriffsgeschichten*. Frankfurt/Main: Suhrkamp 2006, S. 99.

Erstens ist mit dieser methodischen Entscheidung eine Einschränkung des Blicks dieser Arbeit vorgenommen, da sich die Konzentration auf einen Begriff nur durchhalten lässt, wenn auch nach dem konkreten Wort ›Kunstvermittlung‹ bzw. ›Vermittlung‹ gesucht wird.[54] Aufgrund dieser Einschränkung fallen viele Bereiche weg, die sich durch Studien aufbringen lassen, die Kunstvermittlung ideen- oder sozialhistorisch beobachten und sich in ihrer Quellenlektüre nicht in gleicher Weise an Vorkommnissen dieses einen Wortes orientieren müssen. Warum aber diese Einschränkung? Zum einen reagiere ich damit auf ein Forschungsdesiderat der Ideen- und Sozialgeschichte der Kunstvermittlung.[55] Zum anderen gehe ich in Bezug auf Adorno davon aus, dass jede Erkenntnis und damit jedes Theoriefeld von den Begriffen geprägt ist, die wir uns in Zusammenhang mit Erkenntnis machen.[56] Für ein eigenständiges Theoriefeld der Kunstvermittlung gilt, dass es seine eigenen zentralen Begriffe ausweisen muss – dem will ich zuarbeiten.

Zweitens avisiert Koselleck die Beziehung zwischen Begriff und Sachverhalt. Was aber sind die Sachverhalte, auf die ich mich beziehe? Dieses Verständnis ist zuerst durch

---

54 Mit Hans Georg Gadamer geht es in der Begriffsgeschichte darum, »den Weg vom Wort zum Begriff und zurück hin- und herzugehen und gangbar zu halten«. Gadamer, Hans-Georg: *Die Begriffsgeschichte und die Sprache der Philosophie*. Opladen: Westdeutscher Verlag 1971, S. 18.

55 Für bestehende historische Studien zur Sozial- und Ideengeschichte der Kunstvermittlung vgl. Carmen Mörsch in DBdA, sowie Penzel, Joachim: *Der Betrachter ist im Text: Konversations- und Lesekultur in deutschen Gemäldegalerien zwischen 1700 und 1914*. Berlin: LIT 2007, sowie Puffert: *Die Kunst und ihre Folgen*.

56 Vgl. Adorno, Theodor W.: »Einführung in die Dialektik« (1958), in: ders.: *Nachgelassene Schriften*, Abt. 4, Bd. 2, hrsg. von Christoph Ziermann. Frankfurt/Main: Suhrkamp 2010, S. 9–12.

das Forschungsmaterial bestimmt, das ich hier verwende, also Texte, mithin Aussagen über bestimmte Verhältnisse, etwa zwischen Kunstwerk, Kunstvermittler*in und Publikum. Wenn dabei unter dem Ausdruck ›Kunstvermittlung‹ einmal das Verhältnis durch einen Verkauf bestimmt wird, und einmal durch eine Kritik an den Distributionsverhältnissen des Kunstsystems, werden mit denselben Ausdruck – zunächst – unterschiedliche Sachverhalte benannt. Daraus könnte der Schluss gezogen werden, es handele sich um verschiedene Begriffe. Leistung meiner Arbeit soll sein, durch begriffsgeschichtliche Untersuchungen die Verwobenheit beider Sachverhalte herzuleiten, um von hier aus Erklärungen anzubieten, weshalb der Begriff der Kunstvermittlung heute so grenzenlos und indifferent erscheint.

Drittens bedeutet die Setzung Kosellecks, dass ein stabiler Einheitsbegriff nicht zu erwarten ist, weil der Begriff des Begriffs schon von Verschiebungen und Mehrdeutigkeiten ausgeht. Es bedeutet viertens, dass begriffshistorische Erkenntnisse nicht dafür herangezogen werden können, aktuelle Verwendungen des Begriffs der (Kunst-)Vermittlung der Falschheit zu bezichtigen. Vielmehr geht es darum, den Veränderungen und Brüchen in Bedeutung und Anwendung des Begriffs nachzuspüren. Wie jeweils ein Begriff zu einer bestimmten Zeit und in einem bestimmten sozialpolitischen Kontext verstanden und angewandt wurde, lässt Aufschluss über ebendiese Kontexte erhoffen. Daran anschließend ist Kern der Analyse zum einen, jene Bedeutungsmuster zu destillieren, die kontinuierlich stabil zu bleiben scheinen, und zum anderen, die Diskontinuitäten der Bedeutung und Anwendung von Begriffen, die nicht selten Ausdruck für einen sozialpolitischen Wandel oder auch für einen konzeptuellen Konflikt sind.

Von den Wandlungen, Bedeutungskonflikten und Vereinfachungen, die der Begriff über die Jahrhunderte durchlaufen hat, sind im aktuellen Sprachgebrauch immer wieder Spuren zu sehen: die »temporale[n] Schichten« eines Begriffs.[57] Hieraus leite ich meine zentrale Vermutung ab, dass sich die unterschiedliche Verwendung des Begriffs der Kunstvermittlung in aktuellen Zusammenhängen auf unterschiedliche temporale Schichten des Begriffs der Vermittlung und demnach auf unterschiedliche ideologische, konzeptuelle wie semantische Einlassungen bezieht. Diese Einlassungen gilt es aufzuspüren. So wird sich zeigen, dass die aktuell ungeordnet, beliebig und divers erscheinenden Verwendungen des Begriffs der Kunstvermittlung weniger mit Diffusität zu tun haben, als mehr mit der Komplexität der semantischen Muster und Konflikte, die in den Begriff eingegangen sind und im aktuellen Sprachgebrauch ihre Spuren hinterlassen.

Ergänzt wird die begriffsgeschichtliche Methodik der Arbeit zudem um Anleihen an diskursanalytische Perspektiven, für die gleichfalls die Perspektivierung von Diskontinuitäten im Zusammenhang zwischen Gesellschaft und Semantik im Zentrum steht.[58] Dabei wurde mir bei meiner Recherche und Lektüre in den ersten Jahren der Arbeit deutlich, dass sich am Begriff der Vermittlung sowohl wiederkehrende Muster als auch massive Verschiebungen in Gebrauchsweise und

57 Koselleck: *Begriffsgeschichten*, S. 95. Vgl. hierzu auch Koselleck, Reinhart: »*Hinweise auf die temporalen Strukturen begriffsgeschichtlichen Wandels*«. In: Bödeker, Hans E./Bevir, Mark (Hg.): *Begriffsgeschichte, Diskursgeschichte, Metapherngeschichte*. Göttingen: Wallstein 2002, S. 29–48.

58 Vgl. Foucault, Michel: »Über die Archäologie der Wissenschaften. Antwort auf den Cercle d´ épistémologie« (1968), übers. von Michael Bischof. In: Foucault, Michel: *Schriften in vier Bänden. Dits et Ecrits*, Bd. I. Frankfurt/Main: Suhrkamp 2001, S. 887–931, hier S. 890.

Bedeutungszuschreibung beobachten lassen. Die scheinbare Kontinuität des Begriffs, der sich als ambivalent und durch mehrere temporäre Wandlungen und Brüche geprägt erwies, erschien mir gerade geeignet, in einen aktuellen Diskurs zu intervenieren, in dem ›Kunstvermittlung‹ zuweilen als untauglicher Schirmbegriff für »Alles und Nichts« gilt und dennoch strategisch im Kampf um symbolisches wie ökonomisches Kapital eingesetzt wird.

Um die Gewaltförmigkeit sprachlicher Formationen berücksichtigen zu können, habe ich immer wieder Momente aufgezeigt, in denen Ordnungen und Machteffekte sichtbar werden – durch bestimmte Begriffsverwendungen, aber auch durch Ablehnungen und Nichtnennungen, sowie durch Gegenbegriffe. Zur begrifflichen Untersuchung meiner Arbeit gehört es demnach – neben den etymologischen, sozial- und ideengeschichtlichen Zusammenhängen um den Begriff der Vermittlung herum – auch, zumindest exemplarisch nachzuvollziehen, wer zu welchem Zeitpunkt den Begriff der Vermittlung mit welchem Interesse und verbunden mit welchen ideologischen Einschreibungen verwendet und aufgewertet bzw. abgewertet und abgelehnt hat. Ich gehe davon aus, dass sich durch das Nachzeichnen dieser historischen Auf- und Abwertungen und ideologischen Verstrickungen Rückschlüsse auf den aktuellen Gebrauch des Begriffs der Kunstvermittlung ziehen lassen.

Der berücksichtigte Quellenbereich erstreckt sich – bis auf eine Ausnahme aus der griechischen Antike – zurück in das 16. Jahrhundert und berücksichtigt vor allem publizierte Bücher sowie Lexikoneinträge und wird für das 20. und 21. Jahrhundert um Zeitungs- und Onlineartikel ergänzt. Damit ist eine weite Bandbreite abgesteckt, die ich durch die Setzung eingeschränkt habe, ›Kunstvermittlung‹ meist nicht in andere Sprachen zu übersetzen und vor allem deutsche und österreichische Quellen zu berücksichtigen. Dies war notwendig, bringt aber Erkenntnisgrenzen mit sich, die noch dazu durch meine Subjektposition als Mehrheitsdeutscher mitbestimmt werden. Dabei geht es mir nicht darum, dem Begriff der Kunstvermittlung Unübersetzbarkeit[59] zu unterstellen, sondern darum, die Begriffsgeschichte auf den in ihr eingeschriebenen Prozess des deutschen *nation-buildings* zu beziehen, ohne den die heutigen Verhältnisse um den Begriff nur schwer zu verstehen sind.

Textaufbau

Es geht also darum, die vielen unterschiedlichen Definitionsstrategien zu sammeln und zu ordnen, sie schlaglichtartig sozialhistorisch zu kontextualisieren und von dort aus eine Arbeit am Begriff der Kunstvermittlung vorzuschlagen, die den komplexen Sachverhalten, auf die sich der Begriff bezieht, angemessen ist.

Dafür bedarf es zweier Bewegungen. Ich habe einerseits die Begriffe ›Kunstvermittlung‹ und ›Vermittlung‹ verfolgt,

59 Für die Neigung auf Hegel bezogener Diskurse, deutschen Begriffen Unübersetzbarkeit und damit eine gewisse Überlegenheit zu attestieren vgl. kritisch Nikolchina, Miglena: »Sexual Difference and the Case of Aufhebung«. In: Reiche, Claudia/Sick, Andrea (Hg.): *Do not ~~exist.~~ Europe, woman, digital medium*. Bremen: Thealit 2008, S. 93–110. Ich danke Claudia Reiche für diesen Hinweis. Für eine auf Hegels Vermittlungsphilosophie bezogene Studie zur Kunstvermittlung im französischen Sprachraum vgl. etwa Lamizet, Bernard: *La médiation culturelle*. Paris: L'Armattan 1999. Für einen Versuch der Übersetzung von ›Kunstvermittlung‹ ins Englische vgl. Henschel, Alexander: »*The term ›mediation‹ in the context of art. An attempt at translation*«. In: Život umjetnosti Hft. 88 (2011), S. 22–33.

um die verschiedenen sozialen, logischen und ideologischen Einlassungen aufzuspüren, die die Begriffe geprägt haben und immer noch prägen. Ich habe andererseits ebendiese begriffsgeschichtlichen Einlassungen mit dem konfrontiert, was aktuell als Kunstvermittlung bezeichnet wird, habe also in sogenannten Anwendungskapiteln[60] begriffsgeschichtliche Erkenntnisse mit dem abgeglichen, was in zeitgenössischen Texten unter dem Namen ›Kunstvermittlung‹ verhandelt wird. Diese Konfrontation wird in meiner Arbeit mehrmals vollzogen, ist also von Wiederholungen geprägt. Mir war daran gelegen, den vorliegenden Text so zu konzipieren, dass die heute als diffus erscheinenden Abfolgen von Auf- und Abwertung des Vermittlungsbegriffs einsichtig werden, obwohl sich zum Teil nur Details in der Begriffsordnung verschieben.

Im ersten Kapitel wird zunächst eine Rekonstruktion der Begriffsgeschichte von Kunstvermittlung unternommen. Dabei zeigt sich, dass der Ausdruck ›Kunstvermittlung‹ bereits seit der Wende vom 19. ins 20. Jahrhundert geläufig ist und von Anfang an mit ökonomischen, politischen, pädagogischen und kunstimmanenten Interessen und Rahmungen verknüpft war. Auch aus dieser Geschichte entlehne ich die These, dass das, was jeweils als ›Kunstvermittlung‹ markiert

60 Ich beziehe den Begriff der Anwendung hier nicht auf eine rein pragmatische Perspektive, nach der Theorien auch ihre Anwendbarkeit im technischen Sinne herausstellen müssten. ›Anwendung‹ beziehe ich hier auf Jacques Derrida, womit hier ein Lektüreformat gemeint ist, das gerade nicht durch ein vorbestimmtes Ziel, sondern durch Unbestimmtheiten geprägt wäre: Es geht um »ein Konzept von Anwendung, das disseminiert, das fortsetzt [...], das etwas Unvorhersehbares erzeugt«. Jacques Derrida: *As If I were dead – Als ob ich tot wäre*, hrsg. und übers. von U. O. Dunkelsbühler, T. Frey, D. Jäger et al. Wien: Turia + Kant 2000, S. 29.

ist, nicht zuletzt von jenen Vorstellungen, Ideologien und Wertungen abhängt, die mit dem Ausdruck ›Vermittlung‹ in Verbindung gebracht werden. Ob er mit nationalem Konsens, der Weitergabe von Wissen, mit Teilhabe, ökonomischen Tauschbewegungen oder Kritik in Verbindung gebracht wird, hat Auswirkungen darauf, was jeweils unter *Kunst*vermittlung verstanden und wie dieser Ausdruck eingeordnet und bewertet wird. Von dieser Annahme ausgehend wird am Schluss des ersten Kapitels auf das weitere Verfahren der Arbeit umgestellt, nach dem es gilt, den Ausdruck ›Vermittlung‹ auf seine etymologischen, ideologischen und philosophischen Konzepte hin zu untersuchen, um von dort aus in den folgenden Anwendungskapiteln durchzuspielen, wie sich diese Konzepte verhalten, wenn sie auf aktuelle Theorien der *Kunst*vermittlung angewandt werden

Die Arbeit besteht demnach aus sechs weiteren begriffsgeschichtlichen Kapiteln, in denen Geschichten und Konzepten des Begriffs der Vermittlung nachgegangen wird. Auf jedes dieser Kapitel folgt ein Anwendungskapitel zur Kunstvermittlung.

Kapitel zwei geht zunächst auf die Wortgeschichte von ›Vermittlung‹ ein und berücksichtigt insbesondere die Wendungen in der Geschichte des Gebrauchs, die mit ›Vermittlung‹ mal das Trennen, mal das Verbinden in den Vordergrund rücken, mal die Versöhnungsleistung im Rahmen harmonistischer Vorstellungen, mal die Ablehnung von gesellschaftlicher Komplexität in antisemitischen und sexistischen Diskursen. Von diesen wortgeschichtlichen Rahmungen aus gehe ich im anschließenden Anwendungskapitel der Frage nach, wie sich die aufscheinenden Bedeutungskonflikte auf den Begriff der Kunstvermittlung auswirken können. Was könnte es für den Begriff der

Kunstvermittlung konzeptuell bedeuten, wenn ›Vermittlung‹ sich in einer solchermaßen großen Bedeutungsvielfalt zeigt? Was müssten die Episoden von Ausgrenzung und Diskriminierung, die in den Vermittlungsbegriff eingeschrieben sind, weiterführend für Theorien der Kunstvermittlung bedeuten?

An diese ersten Rahmungen, die Ambivalenzen des Vermittlungsbegriffs aufbringen, anschließend, greife ich in den folgenden Kapiteln chronologisch auf philosophische Diskurse zu, an deren Texten sich die Wendungen in Konzeption und Wertung des Vermittlungsbegriffs besonders gut ablesen und darstellen lassen. So lässt sich, wie im dritten Kapitel ausgeführt, der Begriff der Vermittlung mit der Entwicklung binärer Logik und Identitätsphilosophie in Verbindung bringen und wiederum die Frage stellen, wie diese Verbindung für verschiedene Verständnisse von Kunstvermittlung in Anschlag gebracht werden kann, wie binäre Logiken – und daran orientierte Kritiken – im Begriff der Kunstvermittlung thematisch werden.

Dass hierbei kein Vermittlungsbegriff der Differenz in Reinform zu erwarten ist, wird im vierten Kapitel herausgearbeitet, das Hegels Vermittlungsphilosophie ins Zentrum rückt. Hier wird ›Vermittlung‹ endgültig zu einem Streitbegriff im Spannungsfeld zwischen Identität und Differenz. Dies bildet sich auch in der auf Hegel bezogenen Sekundärliteratur ab, die in zwei extreme Lager getrennt zu sein scheint. Auf der einen Seite wird Hegels Vermittlungstheorie als Ausdruck totaler Identität gelesen, als Zwang, jeden gesellschaftlichen Konflikt stets nur in Hinblick auf die höchste Einheit zu betrachten. Auf der anderen Seite wird die Idee der Absolutheit von Vermittlung umgekehrt als Ausdruck totaler Differenz gelesen. Vermittlung sei dann gerade nicht

Ausdruck für zwanghafte Versöhnung, sondern bilde den Horizont für permanente Kritik. Angesichts dieser in zwei Lager auseinanderfallenden Literaturlage schlage ich vor, eine dritte Position einzunehmen: einen von Hegel ausgehenden reflexiv-unentschiedenen Vermittlungsbegriff, der anerkennt, dass jedes Vermittlungsmotiv in sein Gegenteil umschlagen kann, wenn es ungebrochen begriffen wird. Im darauffolgenden Anwendungskapitel führe ich aus, wie es sich im Kontext von Kunst und Gesellschaft zu diesem Spannungsfeld begrifflich verhalten lässt, wie also ein reflexiv-unentschiedener Kunstvermittlungsbegriff gedacht werden könnte.

Im Nachklang an Hegels Schriften zeigt sich der Vermittlungsbegriff, wie im fünften Kapitel ausgeführt, verändert. Nicht mehr ambivalent begriffen, sondern für bruchlose Identität und Versöhnung scheint Vermittlung nun zu stehen. Stattdessen wird von differenzorientierten Positionen der Begriff der Unmittelbarkeit in Anschlag gebracht, der nun für Störung und Kontrollentzug sprechen soll. Im Anwendungskapitel wird zu fragen sein, wie sich diese Umwertung der Begriffe Vermittlung und Unmittelbarkeit im Diskurs der Kunstvermittlung auswirkt.

Die wechselseitige Bedingung von Unmittelbarkeit und Vermittlung greift auch Adorno in seinen Hegelinterpretationen auf und entwirft Vermittlung gleichfalls als explizit ambivalenten Begriff, den er für die Kritik an den gesellschaftlichen Verhältnissen des industrialisierten Kapitalismus verwendet. Adornos kritischer Vermittlungsbegriff, der im sechsten Kapitel ausgeführt wird, ist dabei auf eine Struktur verkürzt, die zwischen zweien, nicht zwischen dreien statthat. Er spricht von Vermittlung in aufwertender Weise, wenn sie zwei Positionen involviert. Fungiert die Figur eines Dritten als Vermittler*in – etwa als Händler*in,

Pädagog*in oder Institution – wertet er den Vermittlungsbegriff ab. Diese Verkürzung zeigt Wirkung, wenn der Versuch unternommen wird, Konzepte und Begriffe kritischer Kunstvermittlung mit der Kritischen Theorie Adornos und dessen Vermittlungsbegriff zu lesen. Es ist also zu fragen, welcher Gewinn und welcher Verlust dabei angenommen werden muss.

Im letzten Kapitel wird mit Gotthard Günther ein Vermittlungsbegriff entworfen, mit dem eine transformative Logik formuliert wird, die binäre Logiksysteme nicht nur kritisiert, sondern verändert. Im daran anschließenden Anwendungskapitel wende ich diesen logisch fundierten Vermittlungsbegriff auf jene Texte zur Kunstvermittlung an, die sich ebenfalls mit der Übersteigung binärer Logik auseinandersetzen, indem sie deren gesellschaftliche Wirksamkeit reflektieren und kritisieren. Insbesondere für queer-feministisch wie für postkolonial informierte Theorien der Kunstvermittlung erwies sich eine solche Anwendung als produktiv, weil sich deren Konzepte durch die logische Ausdifferenzierung des Ausdrucks ›Vermittlung‹ begrifflich stützen lassen.

Gerade in diesem letzten Kapitel wird die korrektive Position deutlich, die die Anwendungskapitel innerhalb der Arbeit einnehmen sollen. Es geht auch darum, die Grenzen der Gültigkeit der erarbeiteten Begriffe aufzuzeigen. Die Fixierung von Hegel auf eine *weiße*, europäische Aufklärung, Adornos Abwertung der ›Dritten‹, wie auch Günthers ungebrochene Technikaffirmation sind Indizien dafür, dass auch hier kein Vermittlungsbegriff entworfen wird, der sich quasi ›unbedenklich‹ verwenden ließe. Insofern besteht der eigentliche Kern der Arbeit, mit dem ich mich positionieren will, aus den genannten Anwendungskapiteln.

Schreibweisen und Textfluss

Im Textfluss habe ich mehrere formale Konventionen angewandt, die inhaltlichen wie pragmatischen Überlegungen geschuldet sind und der Erläuterung bedürfen.

So habe ich mich in der Frage der Repräsentation von Geschlecht dazu entschieden, die Schreibweise mit Asterisk zu verwenden; auch deshalb, weil die Verwobenheit zwischen binärer Logik, Gewaltförmigkeit der Sprache und gesellschaftlicher Wirklichkeit ein Themenkomplex dieser Arbeit ist. Ich habe nur dort Abstand davon genommen, wo konkrete Akteur*innen genannt werden oder der historische Kontext es nahelegt.[61] Vorangestellte Artikel und Adjektive habe ich nicht mit Asterisk versehen und in der Deklination belassen, die sich auf die jeweils längere Form bezieht.

An die Frage der Repräsentation anschließend habe ich ›*weiß*‹ kursiv gesetzt, um auf die kulturelle Konstruiertheit dieser Zuschreibung hinzuweisen, die auch neuralgische Punkte der vorliegenden Arbeit betrifft. Auch die Ausdrücke *Wir* und *Andere* sind in Hinblick auf ihren Konstruktionscharakter kursiv gesetzt. ›Schwarz‹ habe ich hingegen als etablierte Selbstbezeichnung in der nichtkursiven Großschreibung verwendet.[62]

---

61 Vgl. hierzu Haug, Frigga: »Die Prekarität ist von Natur aus weiblich. Überlegungen zum Verhältnis von Produktionsweise, Geschlechterverhältnissen und dem großen Magen des Neoliberalismus«. In: Fink, Dagmar/Krondorfer, Birge/Prokop, Sabine et al. (Hg.): *Prekariat und Freiheit? Feministische Wissenschaft, Kulturkritik und Selbstorganisation.* Münster: Westfälisches Dampfboot 2013, S. 46–55, hier S. 47. Ich folge hier einem Hinweis von Carmen Mörsch. Vgl. DBdA, S. 36.

62 Vgl. Autor*innenKollektiv Rassismuskritischer Leitfaden: »Rassismuskritischer Leitfaden – zur Reflexion bestehender und Erstellung neuer didaktischer Lehr- und Lernmaterialien für die

Pragmatischen Überlegungen ist die Form der Zitation geschuldet. So habe ich im Fließtext die Langzitierweise und entsprechend die Fußnoten zur Quellenangabe verwendet. Ausnahmen davon bilden Publikationen, die mehr als zehnmal in der Arbeit genannt werden; in diesem Fall verwende ich Siglen, deren zugehörige Quellen im gesonderten Siglenverzeichnis gelistet sind. Wird ein Zitat wörtlich innerhalb eines Unterkapitels wiederholt, so setze ich dieses in Anführungszeichen, ohne die Quelle noch einmal zu nennen.

Ich gehe beim Umfang dieses Buches davon aus, dass es sich nicht in einem Zuge lesen lässt. Den möglichen Aus- und Einstieg bei der Lektüre habe ich hoffentlich dadurch begünstigen können, dass die einzelnen Kapitel zwar aufeinander Bezug nehmen, aber in sich weitgehend geschlossene Thematiken behandeln. Um den Überblick zu unterstützen, habe ich in den Fußnoten mehrfach Querverweise eingearbeitet, die es erleichtern sollen, einzelne Wiederholungen, wiederholte wörtliche Zitate oder inhaltliche Bezüge zu vorangegangenen Textstellen aufzufinden. Für die Lesefreundlichkeit, aber auch für die Kohärenz der Arbeit habe ich mich bemüht, Redundanzen zu vermeiden. Viele Redundanzen aber sind beabsichtigt, beziehen sich auf das grundlegende, oben genannte Verfahren der Arbeit, gerade durch die permanente Wiederholung von Begriffsproblemen und inhaltlichen Zusammenhängen jene Differenzen aufspüren zu können, die das Brechen des Begriffs überhaupt erst möglich machen.

---

schulische und außerschulische Bildungsarbeit zu Schwarzsein, Afrika und afrikanischer Diaspora«. Hamburg/Berlin: 2015; online unter https://www.elina-marmer.com/wp-content/uploads/2015/03/IMAFREDU-Rassismuskritischer-Leitfaden_Web_barrierefrei-NEU.pdf (abgerufen am 7.6.2019), S. 5, Anm. 2.

1. ›Kunstvermittlung‹ als Begriff – eine Geschichte

»Aus dem Nichts und im Freiflug« sei die Kunstvermittlung entstanden – so formuliert es Ulrich Schötker und setzt diesem Freiflug die 200-jährige Tradition der Kunsterziehung gegenüber.[1] Diese Idee einer plötzlichen Autogenese Mitte der 1990er-Jahre mag für eine bestimmte Idee der Kunstvermittlung gelten, jedoch nicht für deren Begriff. So lässt sich der Gebrauch des Begriffs der Kunstvermittlung seit dem Wechsel des 19. ins 20. Jahrhundert bis heute nachzeichnen. Der Ausdruck ›Kunstvermittlung‹ hat damit ein vergleichbares Alter wie jene Begriffe der ›Kunsterziehung‹ und der ›Museumspädagogik‹, die gleichfalls aus dem ausgehenden 19. Jahrhundert hervorgegangen sind.[2]

---

1 Schötker, Ulrich: »Das ist doch nicht neu. Das gab's doch früher schon«. In: Kunstverein Wolfsburg (Hg.) *Lokale Liaison 2008–2009. Kunstvermittlung im Kunstverein Wolfsburg*. Wolfsburg: o.V. 2010, S. 6–7, hier S. 6.

2 Zum Begriff ›Kunsterziehung‹ vgl. etwa Lange, Konrad: »Das Wesen der künstlerischen Erziehung«. In: *Kunsterziehung. Ergebnisse*

Zwar kann der Ausdruck ›Kunstvermittlung‹ kontinuierlich durch die Jahre seit etwa 1900 nachgewiesen werden, doch sind durchaus Häufungen und Flauten zu beobachten. Eine erste Häufung – oder besser: Welle – des Begriffs der Kunstvermittlung ist von der Jahrhundertwende bis zum Ende des NS-Regimes zu verzeichnen, eine zweite Welle in den 1970er-Jahren und eine dritte seit Mitte der 1990er – letztere immer noch andauernd. Ich werde im Folgenden meine Sicht der Geschichte des Begriffs der Kunstvermittlung von diesen Wellen ausgehend erzählen und einteilen, die Flauten bzw. Wellentäler aber nicht unerwähnt lassen, da jedes Wellental Aufschluss über die vergangene wie die kommende Welle gibt.

1.1. 1900 bis 1945

Mindestens dies unterscheidet Verwendungen des Ausdrucks ›Kunstvermittlung‹ im angehenden 20. Jahrhundert von aktuellen: ›Kunst‹ wird in jener Zeit meist noch im Sinne von ›die Künste‹ verwendet, so dass sich ›Kunstvermittlung‹ auf die Vermittlung von bildender Kunst, Literatur, Musik, Tanz und Theater gleichermaßen bezieht. Es werden erst die 1970er-Jahre sein, die für diese umfassendere Idee den Terminus ›Kulturvermittlung‹ verwenden und ›Kunstvermittlung‹ der bildenden Kunst allein zurechnen.

In einer Abhandlung des Musikwissenschaftlers Helmut Schultz von 1928 ist Folgendes über zwei mögliche Formen der Kunstvermittlung zu lesen:

---

und Anregungen des Kunsterziehertages in Dresden am 28. und 29. September 1901. Leipzig: Voigtländer 1902, S. 27–38, hier S. 29.

> In dem einen Falle ist der Schöpfer zugleich der Vertreter seiner Schöpfung, für die er sich mit seiner ganzen Persönlichkeit einsetzt, [...] im anderen Falle entlässt der Künstler sein Werk in die Welt, ohne es geleiten zu können oder zu wollen, er überantwortet das Geschaffene seinem Schicksal im Vertrauen, daß es sich auch ohne die Stütze seines geistigen Urhebers durchsetzen werde, ja daß es sogar besser sei, wenn der Schöpfer hinter seiner Leistung verschwinde und einem neutralen Mittler die Vertretung vor der Welt überlasse. Es ist kein Zweifel, daß die erste der angegebenen Möglichkeiten zugleich das historisch frühere und, wenn man so will, naturgewollte Verhältnis darstellt [...]. Demgegenüber ist die zweite Art bei allen der Vermittlung bedürftigen Künsten [...] auf eine fortgeschrittene Stufe der Arbeitsteilung angewiesen und beschwört, da sie den Zusammenhang zwischen Schöpfer und Schöpfung löst, die Gefahren einerseits des Ästhetentums, das lebensunfähige Scheingebilde schafft, und andererseits des Virtuosentums, das sich im Gefühl seiner Übermacht an dem vertrauten Werk vergreift, herauf. Dagegen muß jedoch wieder geltend gemacht werden, daß diese zweite, historisch spätere Art der Kunstvermittlung gleichzeitig der Struktur unseres Kulturlebens weitaus angemessener ist, ja daß sie es erst ermöglicht hat, Kunstübung und Kunstwirkung derart in die Breite (wenn schon nicht in die Tiefe) gehen zu lassen, wie es heute zu beobachten ist.[3]

Mehrere hier angesprochene Aspekte scheinen mir geeignet, um erste Rahmungen des Kunstvermittlungsbegriffs herauszulösen. Die Vermittlung, von der hier die Rede ist, benennt zunächst eine Dreierbeziehung. Auf der einen Seite steht ein »Werk« – ein Gedicht, ein Musikstück, ein Gemälde –, auf der anderen Seite die »Welt« und dazwischen

3 Schultz, Helmut: *Johann Vesque von Püttlingen. 1803–1883*. Regensburg: Gustav Bosse 1928, S. 9 f.

ein »Vertreter« (in diesem Beispiel entweder »der Schöpfer« selbst oder ein »neutraler Mittler«), der das Werk vor der Welt, der Gesellschaft, respektive dem Publikum vertritt.[4] Aufgabe des Vertreters ist es, das Werk »durchzusetzen«, ihm zu Erfolg und »Wirkung« zu verhelfen. Kunstvermittlung heißt hier also zunächst Vertretung, so dass der Kunstvermittler gleichsam als Anwalt der Künste fungiert. Ganz in diesem Sinne sind es vor allem Kunstkritiker, aber auch Museumsdirektoren, Kunstvereinsleiter und Kunsthändler, die in jener Zeit als Kunstvermittler bezeichnet werden. Kunstvermittlung in diesem Sinne vermittelt zwischen Kunstproduktion und Kunstrezeption.

»Der Struktur unseres Kulturlebens« nicht angemessen erscheint Schultz jene Variante, bei welcher der »Schöpfer« selbst sein Werk vertritt. Erst die »zweite, historisch spätere Art der Kunstvermittlung« ermögliche dagegen eine Wirkung »derart in die Breite«. Dies benennt eine Erwartung an Kunstvermittlung, die sich kontinuierlich durch die Jahrzehnte bis heute zieht und auf zweierlei Weise darstellen lässt: einmal, Kunst eine möglichst breite Öffentlichkeit zu verschaffen, und einmal, Kunst einer möglichst breiten Öffentlichkeit zugänglich zu machen. In beiden Fällen meint ›Kunst vermitteln‹ zu allererst ›Kunst verbreiten‹ – es geht um Verteilung.

Schultz scheint nun ganz im Sinne der ersten Formulierung zu schreiben, eben als ›Anwalt der Künste‹. Und genau hier benennt er auch die »Gefahren« der zweiten

4 Die religiöse Anmutung der Formulierung des Beziehungsgeflechts zwischen »Schöpfer«, »Mittler« und »Welt« kommt nicht von ungefähr. Vgl. Kap. 2.1 *›mittel‹ und ›mitte‹*. Auch die männliche Form des »Mittlers« lässt sich kontextualisieren. Vgl. hierzu Kap. 2.4 *Das multiple Subjekt ›Kunstvermittler‹*.

Kunstvermittlungsform, die einen Dritten einbindet. Abzuwendende Gefahren scheint es aber nur für das Kunstwerk zu geben: die Gefahr, dass »Scheingebilde« geschaffen werden, die mit dem Werk nichts zu tun haben; dass bei der Vermittlung in die Breite die »Tiefe« des Werks verloren geht; die Gefahr, dass sich ein virtuoser Kunstvermittler – etwa in Person eines Kunstkritikers – »im Gefühl seiner Übermacht an dem vertrauten Werk vergreift«. Um gerade der letzten Gefahr zu begegnen, brauche es einen »*neutralen* Mittler«, der das Werk in dessen So-Sein belässt und weder durch Rede, Schrift oder andere Vermittlungsformen deformiert.

Aber kann es den geben, den neutralen Kunstvermittler? Zum einen ist der Mittler von Schultz gar nicht so neutral. In der vermittelten Beziehung zwischen Kunst und Publikum steht er eindeutig auf der Seite der Kunst – von ›Gefahren‹, die für das Publikum bestehen könnten, ist hier nicht die Rede. Zum anderen lohnt sich bei der Frage nach der (Un-) Möglichkeit neutraler Kunstvermittlung ein Blick auf das, was Schultz die »Struktur unseres Kulturlebens« nennt, auf die sozial-politischen Rahmenbedingungen jener Zeit, in der sich der Kunstvermittlungsbegriff etabliert. Dazu muss ich fast weitere dreißig Jahre zurückgehen.

Die erste Welle des Kunstvermittlungsbegriffs korreliert mit zwei anderen Wellen, nämlich mit der der Kunsterzieherbewegung und der des deutschen Nationalismus der sogenannten Gründerzeit.[5] Ein Blick darauf zeigt, welche Interessen mit einer Vermittlung zwischen Kunst und Öffentlichkeit verbunden sein können. Neben dem Interesse, im

5 Vgl. Sturm, Eva: »Woher kommen die Kunst-VermittlerInnen? Versuch einer Positionsbestimmung«. In: Rollig, Stella/dies (Hg.): *Dürfen die das? Kunst als sozialer Raum*. Wien: Turia + Kant 2002, S. 198–211, hier S. 200.

Dienste der Kunst zu vermitteln, wie es Schultz nahelegt, sind es vor allem zwei Interessengebiete, die in einer Formulierung Alfred Lichtwarks auf den Punkt kommen. Er schreibt 1897:

> Der Typus des modernen Deutschen hat seine schwachen Seiten auf dem Gebiet der ästhetischen Bildung [...] Dieser Unzulänglichkeit muss aus Gründen der Erhaltung unserer Nationalität wie aus Rücksicht auf unsere Volkswirtschaft mit aller Macht entgegengearbeitet werden.[6]

Die Frage nach der »Erhaltung der Nationalität« richtet sich dabei auch auf die so genannte soziale Frage,[7] die zu einem zentralen Topos der Sozialpolitik Bismarcks wurde. Es ging darum, wie Klassengegensätze und religiöse Zerstrittenheit im Wilhelminischen Deutschland zu lindern seien, und – gewendet auf den Kontext Kunst – inwieweit Kunsterziehung und Kunstvermittlung Lösungen zu diesem Problem beitragen könnten.[8] So wird die Forderung gestellt, »daß die Volksschuljugend nicht länger vom Tische der Kunst ausgeschlossen bliebe. Die Armen sollen auch künstlerische Höhepunkte in ihrem Leben haben zu ihrer geisttötenden mechanischen Arbeit«.[9] Kunstvermittlung in diesem Sinne hätte dann weniger ein dienendes Verhältnis zu Kunst als eine schlichtende Funktion zwischen sozialen

---

6 Lichtwark, Alfred: *Übungen in der Betrachtung von Kunstwerken.* Berlin: Bruno Cassierer 1902 (1897), S. 17.

7 Vgl. hierzu etwa Liesse, André: *Die soziale Frage.* Zittau: Pahl'sche Buchhandlung 1896.

8 Vgl. hierzu Below, Irene: »Probleme der ›Werkbetrachtung‹ – Lichtwark und die Folgen«. In: dies. (Hg.): *Kunstwissenschaft und Kunstvermittlung.* Gießen: Anabas 1975, S. 83–136, hier bes. S. 85.

9 Schubert, Conrad: Art. »Kunst, bildende in der Erziehungsschule«. In: Rein, J. (Hg.): *Encyklopädisches Handbuch der Pädagogik*, Bd. 5. Langensalza: Hermann Beyer & Söhne 1906, S. 175–224, hier S. 182.

Klassen, indem sie sich zum Ziel setzt, ›alle‹[10] an Kunst teilhaben zu lassen.

Eine Schlichtung der Klassengegensätze war wiederum ganz im Sinne der wilhelminischen Nationalpolitik; eine Schlichtung jedoch, die nicht auf der Umverteilung von Kapital und Macht beruhen sollte, sondern auf der Stiftung eines gemeinsamen Nationalgefühls, dem auch die Vermittlung von Kunst zuarbeiten sollte. In Anlehnung an den ersten Kunsterziehertag 1901 in Dresden schreibt Conrad Schubert:

> Für die Weiterentwicklung unseres Volkes ist es wichtig, daß die Schule die große Kraft, die in unserer Literatur und Kunst liegt, allen Kreisen des Volkes vermittelt, dadurch erst werden wir ein einheitliches Volk, daß wir einen gemeinsamen geistigen Besitz haben, doppelt nötig, weil in religiöser Beziehung ein vorerst unüberbrückbarer Riß durch unser Volksleben geht.[11]

Auch einen solchen Riss mag Lichtwark im Sinn gehabt haben, wenn er von der »Erhaltung unsere Nationalität« spricht, für den nun die Vermittlung von Kunst – hier speziell deutscher Kunst – Bindung schaffen soll. Conrad Schubert schreibt hierzu:

---

10 Zur Ambivalenz des Ausdrucks ›für alle‹ im Rahmen von Kunst und Kultur vgl. Sternfeld, Nora: »Um die Spielregeln spielen. Partizipation im post-repräsentativen Museum«. In: Gesser, Susanne/Handschin, Martin/Jannelli, Angela et al. (Hg.): *Das partizipative Museum. Zwischen Teilhabe und User Content. Neue Anforderungen an kulturhistorische Ausstellungen*. Bielefeld: transcript 2012, S. 119–126, bes. S. 120; Henschel, Alexander: »Wen meint ›alle‹? Zur Möglichkeit der Totalinklusion im Rahmen kultureller Prozesse«. In: Schneider, Wolfgang (Hg.): *Kulturelle Bildung braucht Kulturpolitik. Hilmar Hoffmanns »Kultur für alle« reloaded*. Hildesheim: Universität Hildesheim 2010, S. 185–192.

11 Schubert: »Kunst, bildende in der Erziehungsschule«, S. 185.

> Das Volkslied, das deutsche Märchen, das deutsche Epos und Drama, die deutschen Maler und Bildner, die deutsche Musik, das sind Bindemittel, die unsere Einheit fester zusammenkitten, als alle Verträge und Gesetze. ›Das deutsche Auge saugt sich doch nur an dem fest, was aus deutschem Sinn geboren ist‹.[12]

Es wird – so eine Formulierung in der Zeitschrift *Die deutsche Schule* – zur Aufgabe der »Kunstvermittlung, den Kunstsinn des Volkes wieder freizugeben«[13] und ›das Volk‹ als Nation zu einen.

Als ›neutral‹ mag ein Vermittler in diesem Sinne insofern gelten, wie er zwischen zerstrittenen Teilen einer Gesellschaft ›schlichtet‹, also den Anspruch vertritt, einen Konflikt zu harmonisieren. Aber auch Schlichtung gibt es nicht ohne Parteiergreifen.[14] Gänzlich fehl geht die Idee der Neutralität dann, wenn es um den Inhalt dessen geht, was vermittelt werden soll, nämlich konkret die Idee eines einenden Kulturgutes, oder anders: die Idee einer Nation. Der Begriff der Kunstvermittlung folgt dann ebenfalls der Logik des Verbreitens und Verteilens – aber in diesem Sinne geht es weniger um das Interesse, ein Kunstwerk möglichst breit bekannt zu machen, als vielmehr um die Konstitution nationaler Identität.[15]

Ebenfalls abhängig vom Erfolg einer möglichst weiten Verbreitung von Kunst und Kunstkenntnis ist das zweite Interessengebiet, das Lichtwark benennt: die »Rücksicht

---

12 Ebd.

13 Görland, A.: »Das Wesen des volkstümlichen Liedes«. In: *Die deutsche Schule. Monatsschrift* Bd. 9, 1905, S. 415–427, hier S. 418.

14 Vgl. Kap. 2.3 *Vermittlung als Versöhnung. Zwischen Auf- und Abwertung.*

15 Vgl. Kap. 3.3 *Unmittelbare Einheit zwischen Kunst und Publikum?*

auf unsere Volkswirtschaft«. Bezogen auf die Pioniere der Kunsterzieherbewegung, Konrad Lange und Lichtwark, schreibt Schubert im *Enzyklopädischen Handbuch der Pädagogik*, dass es »national-ökonomische Erwägungen« gewesen seien, »die die Frage der Kunsterziehung in Fluß gebracht« hätten.[16] Im Kampf um die ökonomische Vorherrschaft in Europa wurde dabei der Heranbildung einer breiten Konsumentenschicht eine Schlüsselrolle zugesprochen. Schubert schreibt weiter: »So ging [Konrad] Lange 1892 von der Frage aus, wie man unsrer Kunst ein verständnisvolles Publikum erziehen und sie dadurch in geistiger und wirtschaftlicher Beziehung auf einen festeren Boden stellen könnte.«[17] Die »Verbreitung von Kunstverständnis« sowie dadurch etablierter Genussfähigkeit sollte das Bedürfnis nach Kunstbesitz, der Besitz durch Wertsteigerung Wohlstand und dieser ein kaufkräftiges Publikum hervorbringen, das »aus eigener Initiative Aufträge an Künstler erteil[t] oder doch durch Ankauf von Kunstwerken der Kunst das Brot sicher[t].«[18] Nicht zuletzt von dieser Idee der ökonomischen Verbreitung und Verteilung von Kunst wird erhellt, warum Kunsthändler*innen als Kunstvermittler*innen galten und immer noch gelten.

Von neutraler Kunstvermittlung kann also keine Rede sein. Das/die/der Dritte der Kunstvermittlung – geschoben zwischen Kunstproduktion und Kunstrezeption – folgt stets einem Interesse. Dabei zeigt sich, dass die unterschiedlichen Interessen in einem interdependenten Verhältnis zueinanderstehen. Die Erziehung eines kunstverständigen

16 Schubert: »Kunst, bildende in der Erziehungsschule«, S. 183.

17 Ebd.

18 Ebd.

Publikums dient – sofern es um die nationale Kunst geht – dem Nationalbewusstsein, der Volkswirtschaft und dem Kunstbetrieb. In diesem Kontext muss die Entwicklung des Begriffs der Kunstvermittlung gelesen werden. Was mit ›Kunstvermittlung‹ bezeichnet wird, ist von Anfang an nicht zu trennen von politischen, pädagogischen und ökonomischen Rahmungen, Interessen und Handlungsweisen. Dass der Begriff des Kunstvermittlers bereits in diesen Jahren für die verschiedensten Akteure verwendet wird – vom Kunsterzieher zum Kunsthändler, vom Museumspädagogen zum Parteiideologen, vom Kunstvereinsleiter zum Kunstkritiker – ist dabei weniger Hinweis auf die Indifferenz des Begriffs als vielmehr Symptom für Komplexität, für die enge Verflechtung der Interessen im wilhelminischen Deutschland, wenn es um das Verhältnis zwischen Kunst und Gesellschaft geht.

An ebendieser engen Verflechtung entzündete sich Widerstand. Stand im wilhelminischen Deutschland der Kunstbetrieb noch ganz unter dem Einfluss der preußischen Kunstakademie und deren »rigider Kulturpolitik«,[19] so etablierte sich in der Nachkriegszeit eine breite Bewegung von Kunstkritiker*innen, die sich vom vorherrschenden bürgerlichen Kunstverständnis abzusetzen suchten und für die Autonomie der Kunst und Kunstkritik eintraten.[20] Insofern kann das oben genannte Zitat von Schultz als durchaus charakteristisch für diese Phase der Kunstvermittlung betrachtet werden. Kunstvermittlung als Kunstkritik sollte »neutral« sein, sollte sich nicht nur nicht am Werk vergreifen, sondern

19 Klein, Iris: *Vom kosmologischen zum völkischen Eros. Eine sozialgeschichtliche Analyse bürgerlich liberaler Kunstkritik in der Zeit von 1917 bis 1936*. München: tuduv 1991, S. 18.

20 Vgl. ebd., bes. S. 25 f.

möglichst alle politischen und ökonomischen Einflussnahmen ausschließen. Kunstvermittlung als Kunstkritik sollte, im Sinne von Schultz, ganz im Dienste der Kunst stehen.

Neben der Emanzipation der preußischen Kunstakademie von politischer Einflussnahme stellt Iris Klein in ihrer Analyse der Kunstkritik der Weimarer Republik zudem einen »Wandel im Kunst- und Selbstverständnis der Vermittler«[21] fest. Während das etablierte Kunstverständnis der wilhelminischen Zeit noch eng an den Historismus gekoppelt war, wandte sich die Kunstkritik der 1920er zunehmend neuen Kunstformen und Kunstbegriffen zu. Die neuen Kunstformen sprengten aber nicht nur die akademisierten kunstgeschichtlichen Ordnungen, sondern legten auch nahe, neue Formen der Vermittlung zu erproben. Statt der Belehrung durch sezierende Kunsttheorie, die etwa den Expressionismus eher als »Krankheit« denn als Kunst ansah,[22] forderte der Kunsttheoretiker Alois Riegl »das Erlebnis eines Werkes zur Grundlage der Kunstvermittlung zu machen«[23] – ein Hinweis auf den engen Zusammenhang zwischen jeweiligem Kunstbegriff und dem der Kunstvermittlung.[24]

Diesem Versuch, den Begriff der Kunstvermittlung zu entpolitisieren,[25] stand die Verwendung des Begriffs in einem

---

21 Ebd., S. 65.

22 Zit. nach ebd.

23 Zit. nach ebd., S. 69.

24 Zum Verhältnis von Kunstbegriff und Kunstvermittlung vgl. etwa Sturm, Eva: VKa, bes. S. 41–49 und S. 114–136, Puffert: *Die Kunst und ihre Folgen*, bes. S. 36 ff., sowie Kap. 4.3 *Kunstwerk – vom Subjekt betrachtet* und 6.3 *Kritische Kunstvermittlung mit Adorno*.

25 Mit ›Entpolitisierung‹ der Kunstvermittlung meine ich hier den Versuch, Fragen der Kunst und Kunstvermittlung von gesellschaftspolitischen Zusammenhängen abzukoppeln. Dass dies eigentlich die Konsequenz hat, politische Zusammenhänge zu verschleiern, wird in Kap. 1.2 *Kunstvermittlung und Institutionskritik*

Aufsatz von 1929 in der Zeitschrift der österreichischen Sozialdemokratie *Der Kampf* entgegen. Unter dem Titel *Warum haben wir keine sozialdemokratische Kunstpolitik?* führt Oskar Pollak Beispiele gelungener »organisierter Kunstvermittlung« an,[26] wie etwa Arbeitersinfonieorchester oder die Ausstellung *Kunst ins Volk* im damals sozialdemokratisch verwalteten ›roten Wien‹. Dabei geht es Pollack nicht um Verbreitung und Verteilung von Kunst im allgemeinen Sinne, sondern konkret um »Einfluß der Arbeiterorganisationen« auf die Politik eines immer noch bürgerlich dominierten Wiener Kulturlebens.[27] Pollack fordert Teilhabe ein. Diese könne dabei nicht unidirektional vollzogen werden, gleichsam als milde Gabe der Kulturkompetenz, »die den Arbeiter nur als Objekt ihrer Erziehung« betrachte.[28] Die »Kunstvermittlung an die Arbeiterschaft« müsse vielmehr in beide Richtungen wirken,[29] »sie muß die *Künstler* zur Arbeiterschaft heranbringen, und sie muß die *Arbeiterschaft* zur Kunst erziehen.«[30] Auch hier adressiert der Begriff der Vermittlung das Moment der Schlichtung. Beide Pole – Künstler und Arbeiterschaft – sollen auf Augenhöhe gebracht und als gleichermaßen defizitär wie bereichernd betrachtet werden. Auch hier würde der Begriff der Neutralität wieder in die falsche Richtung weisen. Denn Pollack ergreift konkret Partei und leistet konkrete Kritik an bestehenden Verhältnissen. Dabei geht es weniger

---

sowie Kap. 7.3 *Ideologie der Leere – keine neutrale Technik* herausgearbeitet.

26 Pollack, Oskar: »Warum haben wir keine sozialdemokratische Kunstpolitik?«. In: *Der Kampf. Sozialdemokratische Monatsschrift* Bd. 24, 1929, S. 83–86, hier S. 83.

27 Ebd.

28 Ebd., S. 85.

29 Ebd., S. 86.

30 Ebd., S. 85. Herv. i.O.

um eine Kritik, die nach den Inhalten der Kunstvermittlung fragt, als um eine Kritik der Verteilung: Wer darf eigentlich bestimmen, wie die Verteilung des Kunstbetriebs abläuft und an wen sie sich richtet? Der Begriff der Kunstvermittlung benennt keine Neutralität. Er ist Ausdruck konkreter politischer, pädagogischer und kultureller Arbeit.

Während der faschistischen Kulturpolitik der Nazidiktatur wird die politische Seite des Begriffs der Kunstvermittlung weitergetrieben.[31] Der Begriff ist zwar nicht mehr gängig, taucht aber mehrmals in Zusammenhang mit einer Unterorganisation der Hitlerjugend auf, der Gemeinschaft ›Junges Schaffen‹. »Die Gemeinschaft Junges Schaffen«, so ein HJ-Vertreter, »erfaßt alle jungen Schaffenden aus Kunst und Kunstvermittlung, Forschung und Lehre, die geeignet sind, an der Gestaltung der jungen Nation mitzuwirken.«[32] Was sich liest, als bestünde die Aufgabe der Organisation vor allem in der Ermöglichung von Kunstveranstaltungen von und für Jugendliche – genannt werden etwa die »Reichsmusiktage mit den Aufführungen junger Komponisten«, »Reichstheatertage der H.J.« und die »Woche junger Dramatiker«[33] –, ist tatsächlich ein multifunktionales Gebilde, das nicht nur den Nationalismus wilhelminischer Identitätspolitik fortschreibt, sondern auch der Verbreitung und Verteilung von NS-Ideologie, der Kontrolle des Kunstmarkts, der inhaltlichen

31 Vgl. ausführlich zum Begriff der Kunstvermittlung im NS das Dissertationsprojekt von Wiebke Trunk mit dem Arbeitstitel: »Von der Kunstkritik zum Kunstbericht – eine Studie zur Vermittlung von Kunst am Beispiel der Presseberichte zur ›Großen Deutschen Kunstausstellung‹ von 1937–1940«.

32 Stünke, Hein: »Die Hitlerjugend«. In: Benze, Rudolf/Gräfer, Gustav (Hg.): *Erziehungsmächte und Erziehungshoheit im Großdeutschen Reich als gestaltende Kräfte im Leben des Deutschen*. Leipzig: von Quelle & Meyer 1940, S. 77–92, hier S. 88.

33 Ebd. S. 89.

Einflussnahme auf Kunstproduktionen und dem Ausschluss unerwünschter Gruppen vom Kunstunterricht dient.[34]

Dies verdeutlicht, welches Versprechen im Begriff der Kunstvermittlung steckt: das der Kontrolle, hier sowohl über Kunstproduktion als auch über -rezeption, zwischen die sich Vermittlung als Drittes schiebt. Dabei ist die Vorstellung von Kontrolle durch Vermittlung kein Alleinstellungsmerkmal der NS-Zeit; sie tritt hier nur offen zutage und denkt sich zudem als *totale* Kontrolle. Der Kontrollgedanke ist in alle Phasen der Geschichte des Kunstvermittlungsbegriffs eingeflochten.

1.2. 1945 bis 1980

Vorkommnisse eines Ausdrucks sind leichter zu untersuchen als deren Fehlen. Das Fehlen – hier weitgehend des Ausdrucks ›Kunstvermittlung‹ im Schriftgut der BRD, Österreichs und der Schweiz zwischen 1945 und 1967 – heißt zunächst nichts anderes, als dass ich den Ausdruck im Zuge meiner Recherche kaum gefunden habe. Ich lese diese Leerstelle zudem als Indiz für die gesellschaftliche und kulturpolitische Situation jener Zeit.

Ein Blick in das Schriftgut der DDR zu dieser Zeit und deren Funktionalisierung der Kunstvermittlung als »antifaschistische Volksbildung«,[35] als »Mittel politischer

34 Vgl. Buddrus, Michael: *Totale Erziehung für den totalen Krieg. Hitlerjugend und nationalsozialistische Jugendpolitik*, hrsg. vom Institut f. Zeitgeschichte. München: K.G. Saur 2003, S. 157.

35 Hubin, Andrea: »›Und so meinen wir auch, dass das Gespräch ohne Worte sein muss‹. documenta 1 und die Abwehr von Vermittlung«. In: Mörsch, Carmen/Forschungsteam der documenta 12 Vermittlung (Hg.): *Kunst Vermittlung 2. Zwischen kritischer Praxis und*

Erziehung«,[36] scheint die Vermutung zu bestätigen, dass das Fehlen des Begriffs auf der anderen Seite des Eisernen Vorhangs kein Zufall war. Denn im Kunstbetrieb der BRD galt eben dies, die Verknüpfung von Kunst mit Politik und Pädagogik, als Übel. Kunst sollte aus diesem strukturierten Zusammenhang von Politik und Pädagogik herausgenommen werden, sollte sich jedem Zugriff entziehen, der die deklarierte Autonomie der Kunst zu unterlaufen drohte.

Davon ausgehend zeigt Andrea Hubin am Beispiel der ersten *documenta* von 1955, wie sich im Kunstbetrieb geradezu eine »Abwehr von Vermittlung«[37] etablierte, die nicht zuletzt aus der »zeittypischen Strategie« resultiert, »um sich vom Nationalsozialismus und dessen Kunstpolitik abzusetzen«.[38] Statt belehrender Gesten und durchdidaktisierter Kollektiverlebnisse sollte nun die »Individualisierung der Rezeptionssituation« stehen,[39] in der sich Kunst allein durch ihre *unmittelbare* Wirkung statt durch eine vermittelte ›Erklärung‹ entfalten sollte. Die ausgestellte Kunst bedürfe, so zitiert Hubin Werner Haftmann, »keiner Begründung und Durchsetzung mehr«.[40] Hier möchte ich anschließen an den

Dienstleistung auf der documenta 12. Ergebnisse eines Forschungsprojekts. Zürich/Berlin: diaphanes 2009, S. 311–331, hier S. 314.

36 Herbert Volwahsen, zit. nach ebd.

37 Ebd., S. 311.

38 Ebd., S. 319. Damit wendet sich der Kunstbetrieb in der frühen BRD doppelt ab, nämlich von der Verknüpfung von Kunst, Pädagogik und Politik während der Nazidiktatur *und* der DDR. (Vgl. Mörsch, Carmen: »Eine kurze Geschichte von KünstlerInnen in Schulen«. In: dies./Lüth, Nanna (Hg.): *Kinder machen Kunst mit Medien.* München: kopäd 2005, Text auf DVD. Online unter https://www.kultur-vermittlung.ch/zeit-fuer-vermittlung/download/materialpool/MFV0105.pdf (abgerufen am 25.5.2019).

39 Hubin: »›Und so meinen wir auch, dass das Gespräch ohne Worte sein muss‹«, S. 320.

40 Werner Haftmann, zit. nach ebd., S. 324.

eingangs zitierten Kommentar von Schultz zur Kunstvermittlung und an seine Sorge, dass der Mittler, der mit der Durchsetzung des Kunstwerks betraut wurde, sich nicht so neutral verhalte, wie er solle, sich stattdessen, seiner Übermacht bewusst, am Werk vergreife und es für seine Zwecke nutze. Dass Wissen darum, dass es den neutralen Vermittler nicht gibt, mag mit dazu beigetragen haben, dass der Begriff der Kunstvermittlung nach der Nazidiktatur in der BRD zunächst ins Abseits gerät.

Interessanterweise wird dort während der 1950er- und 1960er-Jahre der Begriff der Vermittlung im Zusammenhang mit Kunst durchaus breit diskutiert. Insbesondere durch Theodor W. Adorno erfährt der Vermittlungsbegriff eine Breitenwirkung in ästhetischer Theorie, wie sie zuvor nicht zu registrieren war. Dass daraus dennoch keine neue Welle des Kunstvermittlungsbegriffs entstand, erklärt sich auch daraus, dass Adornos Konzept von Vermittlung und Kunst zum Misstrauen gegenüber allen Drittinstanzen jener Zeit passt. In seiner Vorlesung *Einleitung in die Musiksoziologie* konstatiert er, »daß jene Vermittlung [zwischen Kunst und Gesellschaft] nicht äußerlich, in einem dritten Medium zwischen Sache und Gesellschaft stattfinde, sondern innerhalb der Sache«. (V 409) Adorno stellt damit die These auf, dass Kunst selbst als Vermittlerin fungiere und auf die Instanz eines vermittelnden Dritten nicht angewiesen sei.[41] Damit wendet er sich nicht nur gegen politisch oder pädagogisch, sondern insbesondere gegen ökonomisch motivierte Vereinnahmungen von Kunst.[42] Die Annahme – die Adorno mit

41 Vgl. ausführlich Kap. 6 *Kritische Vermittlung*

42 Eine Wendung, die in Adornos Begriff der Kulturindustrie (und Adornos Wendung gegen dieselbe) zum Ausdruck kommt.

anderen Theoretiker*innen teilt[43] – einer sich selbst vermittelnden Kunst, die keines Dritten bedarf, mag insofern dazu beigetragen haben, dass der Begriff der Kunstvermittlung zu jener Zeit nicht von Bedeutung war.

Nach dem Abdriften des Kunstvermittlungsbegriffs in die Bedeutungslosigkeit während der 1950er- und 1960er-Jahre ist den Quellen Anfang der 1970er-Jahre ein signifikanter Umbruch zu entnehmen. Das Fehlen des Ausdrucks ›Kunstvermittlung‹ schlägt um in seine ubiquitäre Verwendung. Gleichzeitig kommt es zu entscheidenden Begriffsinnovationen, die bis heute wirksam sind. Um zu verstehen, wie es zu dieser zweiten massiven Welle der Verwendung des Kunstvermittlungsbegriffs kommen konnte, lohnt es sich erneut, nach korrelierenden Wellen zu suchen. Zwei scheinen mir hier die wichtigsten: zum einen die der Institutionskritik und zum anderen die der Reformierung und Akademisierung des Bildungswesens.

Kunstvermittlung und Institutionskritik

Während sich der bundesdeutsche Kunstbetrieb der Nachkriegszeit darauf verständigte, eine Ausstellung müsse Kunst unvermittelt bereitstellen, um diese seinem politischen oder

---

43 So dokumentiert etwa Francesca Vidal die Ästhetik Ernst Blochs unter der Maßgabe, dass »Kunstwerke als Vermittlungsinstanzen der Zukunftsdimension des Weltprozesses« gelten. (Vidal, Francesca: *Kunst als Vermittlung von Welterfahrung. Zur Rekonstruktion der Ästhetik von Ernst Bloch.* Würzburg: Königshausen & Neumann 1994, S. 5) Auch später wird die Idee einer sich selbst vermittelnden Kunst wiederholt aufgegriffen. Für die 1970er Jahren vgl. etwa Wilhelm Salber und seine Formel »Kunst=Vermittlung« (Salber, Wilhelm: *Kunst=Vermittlung. documentaprobleme.* Köln: Walther König 1977), oder aktuell Rahel Puffert unter dem Titel einer »inhärenten Vermittlung«. Puffert: *Die Kunst und ihre Folgen*, bes. S. 39–44.

ökonomischen Zugriff zu entziehen, zeigen die institutionskritischen Analysen der 1970er-Jahre, dass politische und ökonomische Zugriffe immer schon impliziert sind, sobald Kunst ausgestellt, sobald über diese gesprochen und geschrieben wird. Eben diese Zugriffe galt es aufzudecken und der Kritik zugänglich zu machen.

Für den deutschsprachigen Raum können für die Verknüpfung institutionskritischer Thesen mit dem Begriff der Kunstvermittlung vor allem drei Schriften als exemplarisch gelten: Der Aufsatz *Poesie muß von allen gemacht werden! oder: die Grenzen institutioneller Kunstvermittlung* von Reiner Kallhardt, die Analyse des Kunstbetriebs *Original und Demokratisierung – Ökonomische Determinanten der Kunstvermittlung in der bürgerlichen Gesellschaft* von Michael Hofmann sowie der Sammelband *Kunst im Käfig*. Letzterer leistet, quer zu den Beiträgen, einen frühen Versuch, ein neues Bewusstsein für die prinzipielle Vermittlerrolle der Museen und Kunstvereine zu etablieren und dieses theoretisch zu fundieren. So schreibt Uwe M. Schneede in seinem Beitrag: »Das Publikum (der Konsument) steht unter dem Eindruck der Vermittlung durch den Verteiler. Das Publikum urteilt nicht über das, was produziert wird, sondern über das, was der Verteilerapparat ihm zugänglich macht und ihm anpreist.«[44] Die Argumentation Schneedes zielt, hier vergleichbar mit Brian O'Dohertys Ausstellungsanalysen,[45] auf die

44 Schneede, Uwe M.: »Sieben Abschnitte über Kunst, ihre Vermittlung und ihre gesellschaftliche Funktion sowie über notwendige Veränderungen«. In: Brackert, Gisela (Hg.): *Kunst im Käfig. Thesen zum Thema Kunstausstellung*. Frankfurt/Main: Black Spring 1970, S. 34–46, hier S. 38.

45 Vgl. O'Doherty, Brian: *Inside the White Cube. The Ideology of the Gallery Space*. Santa Monica/San Francisco: The Lapis Press 1976.

prinzipielle Unmöglichkeit, Kunst neutral zu zeigen. Jede Auswahl bestimmter Werke und Werkgruppen – etwa die Bevorzugung abstrakter Malerei in der 1950ern –, jede Museumsarchitektur und jede Hängung vermag immer nur ein *bestimmtes* Bild von Kunst zu erzeugen. Kritisiert wird dabei von Schneede nicht, dass Kunst immer in einer bestimmten, notwendig nicht-neutralen Weise gezeigt wird, sondern vielmehr, dass die Behauptung im Raum steht, Kunst könne in ihrem So-Sein gezeigt werden – jene Behauptung also, die mit der »Abwehr von Vermittlung« einherging.

Ein anderer Kritikpunkt, der sich durch alle drei genannten Schriften zieht, richtet sich gegen die Selbstreferenz des Kunstbetriebs. So stellt Schneede fest, dass die vielfach behauptete ›Freiheit der Kunst‹ zwar auch für die Kunstvermittlung gelte, aber eben nur im Sinne des abgesteckten Rahmens des Kunstsystems: »Innerhalb des Systems ist ein gewisser Spielraum konzediert, der für Freiheit, Toleranz und Liberalität zu zeugen hat. Dieses Zeugnis funktioniert, solange der Kunstvermittler sich innerhalb der Grenzen seines Kunstreservats bewegt.«[46] Versuche von Kunstinstitutionen, die Regeln des Kunstbetriebs – Wer spricht zu wem auf welche Weise über was? – zu überschreiten, waren rar. Auf einem Flugblatt, das sich gegen die autoritären Strukturen des Berliner Kunstvereins (damals noch *Deutsche Gesellschaft für bildende Kunst*) richtete, ist zu lesen:

> Eventuelle Vermittlungsangebote enden im günstigsten Fall in der Verbreitung einer Kunstideologie von rein akademischer Bedeutung, beschränken sich sonst aber zum größten Teil auf die Verherrlichung so genannter ›höherer Werte‹, auf die Etablierung kurioser Miss-

46 Schneede: »Sieben Abschnitte über Kunst«, S. 38.

verständnisse [...]. Die Folge ist die berechtigte Interessenlosigkeit der Mehrheit der Bevölkerung an Kunst.[47]

Der Kunstbetrieb speist sich selbst und schließt dergestalt ganze Gesellschaftsklassen aus. Dass dieser Befund einer klassenspezifischen Verbreitung bzw. Nichtverbreitung von Kunst dabei gar nicht so neu, sondern seit Gründung der ersten Kunstvereine Anfang des 19. Jahrhunderts bekannt ist, hat dabei, so Schneede, bisher zu keinem Umdenken im Verhältnis zwischen Kunst und Gesellschaft geführt.[48] Kunst wird in der Folge, wie Michael Hofmann schreibt, »als *unvermittelt* gegenüber den anderen Bereichen der Gesellschaft empfunden«.[49] Die Hoffnung, die in diesem Kontext auf dem Begriff der Kunstvermittlung liegt, wird – besonders gut dokumentiert bei Reiner Kallhardt – verwoben mit zeittypischen Schlagworten: »Kunst für alle« und »Demokratisierung der Kunst«.[50]

---

47 Flugblatt der *Aktionsgruppe im Kunstverein*, das 1968 auf der Hauptversammlung der Deutschen Gesellschaft für Bildende Kunst (DGBK) verteilt wurde. Zit. nach Below, Irene: »›Berlins demokratischer Modellkunstverein [...] eine linke Bastion wie im Theaterleben die Schaubühne‹ – Wie alles anfing«. In: NGBK (Hg.): *NGBK 40 Jahre*. Berlin: o.V. 2009, S. 31–52, hier S. 42 f.

48 Schneede verweist auf eine Erhebung von 1828 des Württembergischen Kunstvereins Stuttgart, derzufolge 43 % der Mitglieder Akademiker und Beamte, 16 % Adlige und Offiziere und 2,5 % Handwerker waren. Vgl. Schneede: »Sieben Abschnitte über Kunst«, S. 45, Anm. 2.

49 Hofmann, Michael: »Original und Demokratisierung. Ökonomische Determinanten der Kunstvermittlung in der bürgerlichen Gesellschaft«. In: Neue Gesellschaft für bildende Kunst (NGbK) (Hg.): *Theorie und Praxis demokratischer Kulturarbeit*. Berlin: o.V. 1975, S. 98–153, hier S. 99, meine Herv.

50 Vgl. Kallhardt, Reiner: »›Poesie muß von allen gemacht werden!‹ oder: Die Grenzen institutioneller Kunstvermittlung«. In: *Magazin Kunst* Heft. 43 (1971), S. 2386–2404, hier S. 2404.

Verknüpft mit dem Begriff der Vermittlung könnte der institutionskritische Vorwurf der frühen 1970er zusammenfassend lauten: Der Kunstbetrieb der Nachkriegszeit behauptet von sich selbst, nicht vermittelnd tätig zu sein, sondern Kunst in ihrem So-Sein zu zeigen. Tatsächlich aber wird die Vermittlungsfunktion zwischen Kunstbetrieb und Gesellschaft lediglich verschleiert, so dass sich die Akteure*innen sich der gesellschaftlichen Verantwortung für ihr Vermittlungshandeln entziehen können. Ginge es also um eine »Demokratisierung der Kunst«, müsste diese drei Strategien vorsehen: Erstens müsste die Vermittlungsfunktion des Kunstbetriebs sichtbar gemacht, zweitens müssten die verschiedenen Formen der Kritik zugänglich gemacht werden, um sie drittens auf deren Grundlage zu verändern. Die Störung selbstreferenzieller, elitärer und diskriminierender Strukturen des Kunstbetriebs »mit Hilfe von Demokratisierungsmodellen ist«, wie Reiner Kallhardt schreibt, »vordringliche Aufgabe von Kunstvermittlern, wenn es ihnen mit ihren Thesen zu einer ›Kunst für alle‹ ernst ist«.[51]

Dabei ist es vor allem eine Form der Kritik, die zu jener Zeit als dominante auftritt. Sie scheint in Schneedes Zitat durch, in dem vom »Konsumenten« die Rede ist, der keinen Zugang zu dem hat, was als Kunst »produziert wird«, sondern zu dem, »was der Verteilerapparat ihm zugänglich macht«. Aus heutiger Sicht mag dieses Vokabular eine neoliberale Anmutung haben, die in erster Linie der Logik des Kulturmanagements folgt. Aus Sicht der frühen 1970er-Jahre hingegen war es mit diesem begrifflichen Instrumentarium möglich, Theorie und Praxis der Kunstvermittlung einer marxistisch informierten Kritik der politischen Ökonomie

51 Ebd., S. 2403.

zugänglich zu machen.[52] Es gibt kaum eine Schrift jener Zeit, die sich kritisch mit dem Phänomen der Kunstvermittlung beschäftigt, ohne sich dabei – direkt oder indirekt – auf Karl Marx' Ökonomietheorie zu beziehen. Dieser Bezug bot sich dabei nicht nur deshalb an, weil Letztere damals breit diskutiert wurde, sondern auch, weil der Begriff der Vermittlung wesentlicher Bestandteil in Marx' Schriften ist. Auch er begreift ›Vermitteln‹ vornehmlich als ›Verteilen‹, als *Verteilung der Mittel.*[53] Im Gegensatz zu Adorno hat Marx jedoch einen durchaus gegenständlichen Begriff von Vermittlung, so dass im Anschluss daran konkrete Institutionen des Kunstbetriebs als »Verteilerapparat« begriffen werden konnten.[54] Erst so, in der Gegenständlichkeit des Vermittelnden als konkretes Drittes zwischen Kunstproduktion und Kunstrezeption (oder: Kunstkonsum), wurde die Kunstinstitution als Vermittlungsapparat wieder der Kritik, aber nun auch der Veränderung zugänglich.

Was aber genau unter ›Kunstvermittlung‹ verstanden wird, beginnt sich langsam zu verändern. In den 1920ern schien der Begriff noch eindeutig zu sein: Eine Kunstvermittler*in vermittelt zwischen Künstler*in (Produktion) und Publikum (Rezeption). Wer diese Rolle ausführen konnte, war scheinbar

52 Vgl. Marx, Karl: *Zur Kritik der politischen Ökonomie* (1859). In: ders./Engels, Friedrich: *Werke*, Bd. 13. Berlin: Dietz 1953. Noch am Anfang steht die Forschung allerdings zur Frage, inwiefern ein marxistischer und kapitalismuskritischer Diskurs der 1970er und 1980er neoliberale Verhältnisse im Bildungsfeld mit vorbereitet hat. Vgl. hierzu Christopher Robbins: »Escape from Politics: The Challenge of Pedagogy and Democratic Politics in the De/schooled Society«. Keynote vom 27.3.2010 auf der Konferenz *Deschooling Society* in London; als Video online unter https://thehayward.wordpress.com/tag/christopher-robbins/ (abgerufen am 3.10.2019). Ich danke Carmen Mörsch für diesen Hinweis.

53 Vgl. Kap. 5.3 *Gegenständliche Vermittlung bei Marx*.

54 Schneede: »Sieben Abschnitte über Kunst«, S. 37.

weit gefasst; zumeist waren aber doch Leiter*innen von Museen und Kunstvereinen damit gemeint. In breiten Teilen des Kunstbetriebs der 1970er wird diese Auffassung zwar geteilt,[55] gleichzeitig etabliert sich ein Diskurs, der zunehmend infrage stellt, ob das bloße Ausstellen von Kunst bereits den Tatbestand dessen erfüllt, woran unter dem Label ›Kunstvermittlung‹ so viele Hoffnungen hängen: eine Demokratisierung der Kunst. Die Skepsis richtet sich vor allem auf die Frage, was denn nun genau dieses ›Produkt‹ sei, das im Museum und Kunstverein zu sehen ist. Mit Schneede erlaubt die Ausstellung eben keinen Blick darauf, was von Künstler*innen tatsächlich als Kunst produziert wird, sondern nur auf das, was die Ausstellung – mit all ihren kulturell gewachsenen Verteilungsmechanismen – zeigt. In aller Konsequenz: »Die Ausstellung produziert Ausstellungskunst, wie das Museum Museumskunst produziert.«[56] Ausgehend von dieser Einschätzung verschiebt sich das ganze Gefüge von Produktion, Vermittlung und Rezeption: Verstehe Kunstvermittlung sich nach wie vor als zwischen Produktion und Rezeption geschaltet, beziehe sie sich weniger auf einzelne Kunstwerke als auf die Ausstellung, die Kunstwerke zeige. Eben darauf zielen diese frühen Kritiken ab. Hat in den 1920ern Schultz noch das Kunstwerk als »der Vermittlung bedürftig« erklärt, wird nun die Ausstellung – mit all ihren politischen, pädagogischen und ökonomischen Implikationen – der Vermittlung bedürftig.

55 So startete etwa die Zeitschrift *Kunstforum* 1974 eine Beitragsreihe mit dem Titel »Problem Kunstvermittlung«. Formuliert werden die Probleme aus »Sicht eines Kunsthändlers, eines ehemaligen Kunsthallendirektors [...] und eines Kunstvereinsleiters«. O.A.: »Problem Kunstvermittlung«. In: *Kunstforum international* Bd. 6/7, 1974, S. 124–134, hier S. 124.

56 Hofmann, Werner: »Die Ausstellung produziert Ausstellungskunst«. In: Brackert (Hg.): *Kunst im Käfig*, S. 89–104, hier S. 98.

Hier vollzieht sich eine entscheidende Begriffsinnovation: Der Sachverhalt, den der Begriff der Kunstvermittlung bezeichnet, bleibt zwar – als Vermittlung zwischen Kunst und Publikum, zwischen Kunstproduktion und Kunstrezeption – der gleiche, aber er schiebt sich an eine andere Stelle des Systems. ›Kunstvermittlung‹ wird zu einer Vermittlung der Vermittlung, zu einer Vermittlung, die den bisherigen Vermittler*innen des Kunstsystems – den Leiter*innen, Direktor*innen, Händler*innen und Kritiker*innen – nicht mehr zutraut, ernsthaft zu einer Demokratisierung und gesellschaftlichen Anschlussfähigkeit des Kunstbetriebs beizutragen. In Anlehnung an einen Begriff von Heinz von Foerster möchte ich diese verschobene Vermittlung ›Vermittlung zweiter Ordnung‹ nennen.[57] Als Vermittlung der Vermittlung vollzieht sie keinen Leerlauf,[58] sondern schaltet um von der Frage ›Was wird vermittelt?‹ auf ›Wie wird vermittelt?‹.

57 Vgl. zum Begriff der Beobachtung zweiter Ordnung Foerster, Heinz: *Observing Systems*. Seaside: Intersystems Publications 1981. Vgl. auch die Übernahme des Begriffs von Niklas Luhmann: »Aber Beobachtung zweiter Ordnung ist ja nicht nur Beobachtung erster Ordnung. Sie ist weniger und sie ist mehr. Sie ist weniger, weil sie nur Beobachter beobachtet und nichts anderes. Sie ist mehr, weil sie nicht nur diesen ihren Gegenstand sieht [...], sondern auch noch sieht, was er sieht, wie er sieht, was er sieht; und eventuell sogar sieht, was er nicht sieht und sieht, daß er nicht sieht, daß er nicht sieht, was er nicht sieht. Auf der Beobachtung zweiter Ordnung kann man also [scheinbar!, denn auch Beobachtung zweiter ist Beobachtung erster Ordnung, AH] alles sehen: das, was der beobachtete Beobachter sieht, und das, was der beobachtete Beobachter nicht sieht.« Luhmann, Niklas: »Identität - was oder wie«. In: ders.: *Soziologische Aufklärung*, Bd. 5. Wiesbaden: VS Verlag 2005, S. 15–30, hier S. 16.

58 So sieht es Thomas Steinfeld und versteht dabei ›Vermittlung‹ als pädagogischen Begriff in Reinheit: »Die Anrufung der Pädagogik als einer Art Über-Disziplin, die sich [...] zur Wissenschaft von der Vermittlung aufplusterte und so die Vermittlung der Vermittlung – also nichts mehr – hervorbrachte.« Steinfeld, Thomas: »Leere Lehre«. In: *Süddeutsche Zeitung*, 8. Juli 2008, S. 13.

Sie bezieht sich auf die Vermittlung erster Ordnung – die sich wiederum auf Kunstwerke richtet –, so dass deren Kontingenz, d.h. ihr mögliches, aber nicht notwendiges So-Sein sichtbar wird. Sie zeigt auf das, was in der Vermittlung der ersten Ordnung nicht sichtbar wird, nämlich das mögliche Anders-Sein der Ausstellung, des Kunsthandels und der Kunstkritik.

Von dieser Sicht auf die Kontingenz der Vermittlung erster Ordnung ausgehend stellt Schneede fest, dass »Vermittlung nicht länger bedeuten kann, daß jemand sich ein paar gute Sachen auswählt, sie dann aufhängt und schließlich die Türen öffnet«.[59] Stattdessen werden zusätzliche Stellen im System verlangt, die »künftig kritische Materialien« bereitstellen, »die dem Publikum eine reflektorische Einstellung nahelegen« und so die Entscheidungen von Ausstellungsmacher*innen in ihrer Kontingenz transparent machen.[60] Die Forderung nach Demokratisierung der Kunst wird nun zur Forderung nach »Demokratisierung der Kunstvermittlung«.[61] Neue Formen der Kunstvermittlung, die den Kunstbetrieb und seine Verteilungsmechanismen diskutabel und veränderbar machen, sollen entworfen und erprobt werden.

Hofmann berichtet 1975, dass anfangs die Forderung nach einer Demokratisierung des Kunstbetriebs seitens staatlicher wie kommunaler Institutionen durchaus Unterstützung fand. Bei ihm werden jedoch unterschiedliche Deutungen

---

59 Schneede, Uwe M.: »Wozu Ausstellungen?«. In: *Kunst und Unterricht* Hft. 8, 1970, S. 45–46, hier S. 46.

60 Schneede: »Sieben Abschnitte über Kunst«, S. 41.

61 So der Titel eines Arbeitskreises auf der Tagung »Entwicklung der kulturellen Lebensbedingungen und Kampfziele der Arbeiterklasse der BRD« 1977. Priester, Klaus: »IMSF-Tagung Entwicklung der kulturellen Lebensbedingungen und Kampfziele der Arbeiterklasse der BRD«. In: *Marxistische Blätter* Heft. 1 (1978), S. 76–78.

des Vermittlungsbegriffs sichtbar: Das Interesse von Staat und Kommunen bei der »Erschließung neuer Besucherschichten, insbesondere aus der Arbeiterklasse«,[62] schien in erster Linie auf eine »Steigerung der Besucherzahl als Ausdruck der Demokratisierung der Kunst« gerichtet zu sein, was über öffentlich geförderte »neue Formen der Kunstvermittlung gelingen sollte«.[63] Auch hier wird die Begriffslogik sichtbar, die Vermittlung im Sinne von Verteilung begreift. Verteilung wird hier aber unidirektional aufgefasst, sie funktioniert nur in eine Richtung. Denn was mit der – angedachten – wachsenden Besucher*innenzahl vor Ort geschehen sollte, schien nicht im Fokus zu stehen. Gegen diese unidirektionale Verteilungsidee stand die Forderung von Institutionskritiker*innen, den Begriff der Kunstvermittlung multidirektional zu denken, und – wie schon bei Pollack – als Teilhabe, Entscheidungstransparenz und politische Einflussnahme zu verstehen. Kunstvermittlung sollte – so hat es Schultz 1928 schon vorweggenommen – als »Arbeitsteilung« ernst genommen werden, statt als institutionalisierte Kontrolle des Publikums.

Dieser Konflikt zwischen verschiedenen Vermittlungsbegriffen bildete sich konkret in Auseinandersetzungen Anfang der 1970er-Jahre ab, deren Schauplatz auch die Kunstvereine waren. Es kam zu polizeilichen Räumungen von Ausstellungen, dem Entzug öffentlicher Mittel – etwa des Ingolstädter Kunstvereins nach einer Kunstvermittlungsaktion mit Jugendlichen[64] – und zum Scheitern des Versuchs, den

62 Hofmann: »Original und Demokratisierung«, S. 140.

63 Ebd., S. 113.

64 Nach einer pädagogischen Aktion ›KEKS‹ (Kunst – Erziehung – Kybernetik – Soziologie), die Jugendlichen vereinseigene Vervielfältigungsmaschinen des Kunstvereins Ingolstadt zum Drucken von Protestflugblättern zur Verfügung stellte, gründete die Stadt einen neuen Kunstverein, um dem bestehenden die Mittel

Berliner Kunstverein für neue Formen der Kunstvermittlung zu öffnen und seine Struktur zu demokratisieren. Auch die öffentlich geförderten Experimente zur Kunstvermittlung kamen nicht weit. Hofmann schreibt zu dieser Zeit:

> Die sehr zahlreichen Perspektivpläne der westdeutschen Kulturdezernenten sowie die entsprechenden Zukunftsvisionen verschiedener Künstler in Bezug auf den Einsatz neuer Medien vermochten in der Praxis der Kunstvermittlung längere Zeit hindurch den Eindruck zu erwecken, als handelte es sich um eine erfolgversprechende Offensive der Kunst, die eine Zunahme ihrer Bedeutung in dieser Gesellschaftsordnung bewirken würde. Demgegenüber aber ist es eine Tatsache, daß in der Regel nicht einmal genügend Mittel bereitgestellt wurden, um die ersten Experimente über einen längeren Zeitraum hinweg durchzuführen.[65]

Eine ganze Reihe von neuen Veranstaltungen, Initiativen und Kulturzentren wurden öffentlich gefördert, der Fluss der Mittel jedoch nach kurzer Zeit wieder eingestellt. In der Folge spricht Kallhardt von den »Grenzen institutioneller Kunstvermittlung«[66] und Hofmann, etwas schärfer, vom »notwendigen Scheitern der ›demokratischen‹ Innovationen«,[67] vom »Ende der Experimente in der kommunalen Kunstvermittlung«.[68] Und mit den Grenzen, dem Scheitern

---

entziehen zu können. Vgl. Kallhardt »›Poesie muß von allen gemacht werden!‹«, S. 2390. Zum gescheiterten Versuch, den Berliner Kunstverein, die Deutsche Gesellschaft für Bildende Kunst (DGBK), zu demokratisieren und zur darauffolgenden Neugründung der Neuen Gesellschaft für bildende Kunst (NGbK) vgl. Below: »›Berlins demokratischer Modellkunstverein‹«.

65 Hofmann: »Original und Demokratisierung«, S. 110.

66 Kallhardt: »›Poesie muß von allen gemacht werden!‹«, S. 2390.

67 Hofmann: »Original und Demokratisierung«, S. 110.

68 Ebd., S. 139.

und dem Ende der öffentlichen Anerkennung, Legitimierung und Förderung experimenteller Formen der Kunstvermittlung geht auch eine erneute Flaute des Begriffs der Kunstvermittlung einher – allerdings nur insoweit, wie ›Kunstvermittlung‹ jene institutionskritische Deutung umfasst, wie sie bis hierher vorgestellt wurde.

Drei Gründe scheinen mir für das Scheitern hier relevant: Zum Ersten mag die Forderung nach einer tatsächlichen Öffnung des Systems, nach Entscheidungstransparenz, Mitsprache und gesellschaftlicher Umdeutung als Bedrohung der Integrität des Systems selbst gewirkt haben.[69] Zum Zweiten führte eine veränderte Kulturpolitik im Zuge des Regierungswechsels 1982 auf Bundesebene zu einer massiven Verschiebung der ökonomischen Ressourcen in der BRD, so dass die Modellversuche der 1970er-Jahre nicht weiter gefördert und beendet wurden.[70] Zum Dritten konnten die durchgeführten und öffentlich geförderten Experimente nicht den Anspruch einer Steigerung der Besucher*innenzahlen erfüllen.[71] Die Kompetenz für die Lösung dieses quantitativen Problems wurde stattdessen dem sich gerade etablierenden Diskurs des Kulturmanagements zuerkannt.[72] Die Vokabeln ›Produktion‹, ›Konsum‹ und ›Verteilung‹ wurden nun nicht mehr gebraucht, um an einen marxistisch informierten

69 In Bezug auf die Kunstvermittlungsaktion in Ingolstadt steht in einem Brief der Kommune: »Die Stadt als Eigentümer des Gebäudes ist nicht verpflichtet, gegen sie gerichtete Maßnahmen zu dulden«. Zit. nach Kallhardt: »›Poesie muß von allen gemacht werden!‹«, S. 2390. Vgl. Anm. 64 in diesem Kapitel.

70 Vgl. Mörsch: »Eine kurze Geschichte von KünstlerInnen in Schulen«, S. 6.

71 Vgl. Hofmann: »Original und Demokratisierung«, S. 113 und S. 140 f.

72 1976 wird in Wien an der Universität für Musik und darstellende Kunst Kulturmanagement als Lehrgang eingerichtet.

Vermittlungsbegriff anzuschließen, sondern um den Kunstbetrieb der Logik des Marketings zugänglich zu machen.[73]

Kunstvermittlung und Bildungsreform

Parallel zur Institutionskritik – zum Teil auch mit dieser verknüpft bzw. von dieser ausgehend – entwickelte sich eine breit wirksame Reform des Bildungswesens. Fragen der kulturellen Bildung und der Kunstpädagogik wurden zu Schlüsseln, wenn es darum ging, Zugang zu und Teilhabe an den Institutionen des Kunstbetriebs zu ermöglichen. Auch diese Welle der Bildungsreformen lässt sich mit der Welle des Kunstvermittlungsbegriffs in Verbindung bringen. So schreibt Wolfgang Pilz, der 1972 ein Konzept für einen Hochschulstudiengang ›Kunstvermittlung‹ vorlegt:

> Der vordergründige Sinn einer breiten Kunstvermittlung ist zunächst selbstverständlich der, mit der Vergesellschaftung des Bildungsgutes Kunst klassenspezifische, statussymbolisierende, Prestigegefälle steigernde, Elitedenken fördernde Verhaltensmuster, Kommunikationsbeziehungen und Sozialisationsformen mitbestimmende Bildungsvorsprünge abzubauen.[74]

Im Zuge der Bildungsreformen setzten zudem eine Ausdehnung und eine Neuorientierung der Bildungswissenschaften an den Universitäten und Akademien ein, in deren Diskurs nun auch der Begriff der Kunstvermittlung eintritt. Schneede hatte schon früh eine theoretische Auseinandersetzung mit

---

73 Vgl. Kap. 1.3 *Der Begriff der Vermittlung im Audience Develpoment.*

74 Pilz, Wolfgang: »Kunst, Kunstwissenschaft und Kunstpädagogik - Vorschläge zur Fächerintegration an der Gesamthochschule«. In: Below (Hg.): *Kunstwissenschaft und Kunstvermittlung*, S. 209–246, hier S. 227.

dem Problem der Kunstvermittlung als Desiderat der akademischen Forschung konstatiert.[75] In der Folge entstehen an den Hochschulen Doktorarbeiten und Sammelbände, es werden Tagungen zum Thema abgehalten und Studiengänge konzipiert. Diese beachtliche Aktivität führt nicht zuletzt zu einer breiten Legitimation des Begriffs der Kunstvermittlung im akademischen Betrieb Mitte bis Ende der 1970er-Jahre.

Anfangs wird bei all diesen Aktivitäten noch auf Thesen der Institutionskritiker*innen rekurriert, und deren Forderungen nach mehr Teilhabe am Kunstbetrieb werden zur Begründung von Forschungen genutzt.[76] Über solche Startargumente hinaus sind jedoch selten Verknüpfungen zu kritischen Analysen der Funktionsweisen des Kunstbetriebs zu finden. Die akademische Ausformung des Begriffs der Kunstvermittlung geht stattdessen einen anderen Weg. Below schreibt in der Einleitung zum Sammelband *Kunstwissenschaft und Kunstvermittlung*:

> Daß der Museumspädagoge sich [...] mit so fachfremden Tätigkeiten wie Waffelbacken beschäftigt, hat ihr [der Kunstvermittlung] von Seiten der akademischen Kunstgeschichte verständnislos-arrogante Kritik eingetragen [...]. Kunstpädagogen kann gerade dieser Beitrag deutlich machen, daß unter Kunstvermittlung nicht die Popularisierung kunsthistorischer Fachinhalte verstanden werden darf, sondern daß auf die konkrete Lebenssituation der Adressaten bezogene Lernziele angestrebt werden.[77]

75 Vgl. Schneede: »Sieben Abschnitte über Kunst«, S. 37.

76 Vgl. Richter-Reichenbach, Karin S.: *Grundlagen einer museumsdidaktischen Konzeption zur Vermittlung zeitgenössischer Kunst an Jugendliche und Erwachsene*. Kastellaun: Aloys Henn 1977, bes. S. 5–7.

77 Below, Irene: »Kunstwissenschaft und Kunstvermittlung. Vorbemerkungen zu diesem Band«. In: dies. (Hg.): *Kunstwissenschaft und Kunstvermittlung*, S. 5–8, hier S. 8.

Das Zitat erscheint mir in vielerlei Hinsicht interessant. Drei Punkte möchte ich als exemplarisch für jenen akademischen Diskurs herausgreifen:

Erstens: Was hier so lapidar mit dem Ausdruck »Waffelbacken« desavouiert wird, lese ich als Symptom für eine tief liegende Abwehrhaltung, die noch deutlicher durch die Formulierung »fachfremde Tätigkeiten« wird. Die Abwehr scheint allem zu gelten, was nicht als legitimierter kunstwissenschaftlicher bzw. kunstgeschichtlicher Diskurs gilt. Sie richtet sich damit just gegen jenen oben eingeführten Befund der Institutionskritik, nach dem Kunst »als unvermittelt gegenüber den anderen Bereichen der Gesellschaft« erscheint. Die Abwehr »fachfremder Tätigkeiten« wird zur Relegitimierung der Selbstreferenz des Kunstbetriebs. Die Abwehr Belows ist aber auch symptomatisch für eine Bewegung, der es gerade um die Aufwertung des Fachs Kunstpädagogik/Kunstvermittlung im Diskurs der Universität geht. Sie zeigt, dass der Wille zur Aufwertung nicht selten mit gleichzeitiger Abwertung einhergeht.[78]

Zweitens: Folgt man der Logik, nach der es Fachfremdes in der Kunstvermittlung zu vermeiden gelte, dann scheint es auch die legitimen Fächer zu geben, an denen sich Kunstvermittler*innen orientieren müssten, nämlich zunächst Kunstgeschichte und Kunstwissenschaft. Beide liefern jeweils die Inhalte dessen, was hier vermittelt werden soll. So scheint die Verwendung des Begriffs der Kunstvermittlung in Pilz' Studiengangskonzeption dazu zu dienen, aus einer »›reinen‹« eine »angewandte‹ Kunstwissenschaft« zu

78 Zum Umschlagen von Aufwertung bzw. Öffnung in Abwertung bzw. Schließung im Kontext von (Kunst-)Vermittlung vgl. ausführlich Kap. 4.4 *Unentschiedene Kunstvermittlung der Reflexion*.

machen,[79] die nicht »von einem akademischen Elfenbeinturm in den anderen« umziehen soll, sondern um eine in Kunstvermittlung gewendete Kunstwissenschaft.[80] Diese soll an einer »Vergesellschaftung des Bildungsgutes Kunst« mitwirken. Entsprechend der Interpretation des »Bildungsgutes Kunst« als kunstwissenschaftliches und kunstgeschichtliches Wissen wird Kunstvermittlung von Pilz als »*Vermittlung von Kunstgeschichte*« gedacht.[81] Die Forderungen der Institutionskritik, die Vermittlungspraktiken des Kunstbetriebs mit ihren politischen, ökonomischen und pädagogischen Implikationen selbst zum Thema der Kunstvermittlung zu machen, finden dagegen keinen Eingang in die angedachten Curricula.[82] Das heißt: Mit Blick auf den institutionskritisch geprägten Kunstvermittlungsbegriff der frühen 1970er-Jahre wird der Begriff nun wieder zurückgeschoben: von der Vermittlung zweiter Ordnung, die das Wie des Kunstsystems im Blick hatte, auf eine Vermittlung erster Ordnung, die sich auf das Was, auf Inhalte konzentriert. Der Unterschied ist, dass die Kunstvermittlung erster Ordnung nicht mehr von den Leiter*innen, Direktor*innen, Kritiker*innen und Händler*innen geleistet wird, sondern von denen, die Below ›Museumspädagogen‹ nennt.

Drittens: Die Formulierung Belows, nach der Vermittlung als Anstreben von »Lernzielen« verstanden werden soll, weist auf einen weiteren Kanon hin, der hier Einzug hält, nämlich auf die Allgemeine Didaktik. Pilz dazu: »In einem Ausbildungszweig für Kunstvermittlung muß Didaktik

79 Pilz: »Kunst, Kunstwissenschaft und Kunstpädagogik«, S. 215.

80 Ebd., S. 216.

81 Ebd., S. 217., Herv. i.O.

82 Vgl. ebd.

nicht nur die Basis, sondern die tragende Säule des gesamten Studienaufbaus sein.«[83] So bahnt sich in der akademischen Ausformung des Begriffs der Kunstvermittlung eine klare Arbeitsteilung zwischen Kunstgeschichte und (Fach-)Didaktik an, die auch heute in der akademischen Ausbildung von fachbezogenen Pädagog*innen maßgeblich ist.[84] Während sich Kunstgeschichte auf die Inhalte des Fachs konzentriert, werden durch Didaktik bildungstheoretische Anbindungen an Lehr- und Lernkonzepte ermöglicht.[85]

Führt man nun den zweiten Punkt mit dem dritten zusammen, trifft man auf eine Bestimmung von Kunstvermittlung, die dem Klang nach eine aktuelle sein könnte. So begreift Karin Richter-Reichenbach Kunstvermittlung als kunstwissenschaftlich und didaktisch fundierte »Angebote«, welche »die Einstimmung in und die Auseinandersetzung mit den jeweiligen Ausstellungsinhalten erleichtern helfen«.[86] Spätestens hier zeigt sich: Das Vokabular, das mit der Praxis des Vermittelns in Zusammenhang gebracht wird, verändert sich. War Anfang der 1970er in den institutionskritischen Texten noch von Konsument*innen, Produkten, Verteiler*innen und dem Kunstsystem die Rede, ist jetzt von Adressat*innen, Inhalten, Lerngegenständen, -stoffen und -zielen zu lesen. An dieser Stelle der Begriffsgeschichte

83 Ebd., S. 224.

84 Vgl. zu dieser Arbeitsteilung auch in anderen Fachgebieten aktuell etwa Bayrhuber, Horst et al.: *Auf dem Weg zu einer allgemeinen Fachdidaktik*. Münster: Waxmann 2016.

85 Mit dieser minderkomplexen Unterscheidung zwischen Inhalt und Form der Lehre ist freilich ein verkürzter, informationstheoretisch verstandener Didaktikbegriff aufgerufen. Vgl. zu diesem von Cube, Felix: »Die kybernetisch-informationstheoretische Didaktik«. In: *Westermanns Pädagogische Beiträge* 32. Jahrgang, Hft. 3 (1980), S. 120–124.

86 Richter-Reichenbach: *Grundlagen*, S. 304.

kündigt sich eine erneute, bis heute immer noch wirkmächtige Begriffsinnovation des Ausdrucks ›Kunstvermittlung‹ an. Sie scheint besonders in Richter-Reichenbachs Grundlegung einer technisch-didaktisch und kunstwissenschaftlich fundierten Kunstvermittlung durch:

> In dem Maße, wie durch sie [die Kunstvermittlung] eine bestimmt geartete Information, ein bestimmtes Rezeptionsergebnis ins Auge gefaßt wird, kann zusätzlich [zur direkten Konfrontation mit einem Kunstwerk] auch begriffliches Material zugunsten der Vereindeutigung der jeweiligen, im ästhetischen Medium ausgebildeten Inhalte bereitgestellt werden.[87]

Die Idee, dass Kunstvermittlung zur »Vereindeutigung« von Inhalten führen soll, dass »ein bestimmtes Rezeptionsergebnis ins Auge gefaßt wird« zeugt von einem Vermittlungsbegriff, der sich als Transfer versteht: Ein bestimmter und eindeutiger Inhalt wird (möglichst verlustfrei) von A nach B transferiert. Kunstvermittlung in dieser Tradition kann übersetzt werden als »*Transfer* vermittelten Kunstverständnisses«.[88] Auch wenn es heute zuweilen anders erscheinen mag: Es ist erst jener akademische Bildungsdiskurs Mitte der 1970er-Jahre, der zum ersten Mal in aller Deutlichkeit den Begriff der Kunstvermittlung mit dem Begriff des Transfers, besonders mit dem des *Wissenstransfers*, in Verbindung bringt. Erst zu diesem Zeitpunkt tritt eben jener Transfergedanke zutage, der heute noch so viel Skepsis und Ablehnung im Umgang mit dem Begriff der Vermittlung hervorruft. Alt dagegen ist der Gedanke der Kontrolle; der Gedanke,

87 Ebd., S. 306.

88 Pilz: »Kunst, Kunstwissenschaft und Kunstpädagogik«, S. 229, Herv. i.O.

durch Kunstvermittlung – wenn schon nicht die Kunstproduktion – die Kunstrezeption kontrollieren zu können.

Aus der Verteilungslogik des Begriffs der Kunstvermittlung wird nun eine Logik des Verteilens und Verbreitens von Informationen und daraus – auch unter dem Eindruck der sich damals etablierenden Kommunikations- und Informationstheorie[89] – die Idee der Übermittelbarkeit von Wissen. ›Wissensvermittlung‹ wird zum tragenden Schlagwort einer breiten akademischen Landschaft, deren zeittypische Idee die Messbarkeit und Überprüfbarkeit von Bildungsprozessen ist.[90] Informationstheoretisch geprägte Didaktikdiskurse entlehnen in dieser Zeit Erkenntnismodelle der Naturwissenschaft und Kybernetik und beginnen nach eindeutigen kausalen Zusammenhängen zu suchen: Nach bestimmten Lehrursachen, die bestimmte Lernwirkungen hervorbringen.[91]

So scheint es, als ob im Zuge der Akademisierung des Begriffs der Blick für die Verstrickung von ökonomischen und politischen Rahmungen des Kunstbetriebs verschwindet. War bis hierhin der Begriffsteil ›Vermittlung‹ noch offen für unterschiedlichste Rahmungen und Deutungen, so erhält dieser nun eine eindeutig technisch-didaktische Deutung. Der Begriff der Kunstvermittlung in dieser Tradition wird zu einem Spezialbegriff der Kunstdidaktik und diese wiederum zu einem Spezialfall der allgemeinen Didaktik. So verliert sie den Blick auf den Kunstbetrieb.

89 Vgl. hierzu bes. die Rezeption des Sender-Empfänger-Modells von Shannon und Weaver. Vgl. die *Einleitung* in diesem Band, Anm. 26.

90 Vgl. hierzu Maset, Pierangelo: »Vorwort«. In: ders./Reuter, Rebekka/Steffel, Hagen (Hg.): *Corporate Difference. Formate der Kunstvermittlung*. Lüneburg: edition HYDE 2006, S. 7–10.

91 Vgl. von Cube, Felix: »Die kybernetisch-informationstheoretische Didaktik«.

1.3. 1980 bis heute

Auch der nächsten Welle geht ein Wellental voraus. In den 1980er-Jahren kommt der Ausdruck ›Kunstvermittlung‹ erneut kaum vor.[92] Dieser zweite Einbruch kann zunächst im Sinne des ersten der 1950er- und 1960er-Jahre gelesen, also mit einer erneuten Entpolitisierung der Kunst und des Kunstbetriebs in Zusammenhang gebracht werden.[93] Im Zuge des oben genannten Regierungswechsels Anfang der 1980er-Jahre vollzog die CDU-geführte Regierung eine Kehrtwende in der Bewertung der Verknüpfung von künstlerischen mit gesellschaftspolitischen Problemstellungen. Dorothee Wilms, die damalige Bundesministerin für Bildung und Wissenschaft, warnte davor,

> Künstler und Kulturschaffende bei der Lösung drängender gesellschaftlicher oder politischer Probleme vereinnahmen und ihnen politisch vorgegebene Funktionen zuweisen zu wollen. Jeder, vor allem jeder politisch motivierte Eingriff in den Freiraum Kunst gefährdet Kunst und Kultur in ihrer Substanz und wäre mit dem Grundgesetz nicht vereinbar.[94]

Modellprojekte der 1970er, die den Zusammenhang von Kunst und Gesellschaft neu ausloten wollten, wurden nicht

---

92 Als Ausnahme kann Hermann K. Ehmer gelten, der den Begriff der Kunstvermittlung auch in den 1980ern weiterdenkt und diskutiert. Vgl. dazu u.a. den Artikel von Ehmer: »Kunstvermittlung«. Dort wendet er sich dezidiert gegen den Kunstvermittlungsbegriff von Wolfgang Pilz und dessen Idee einer als Kunstvermittlung gewendeten Kunstgeschichte.

93 Vgl. Babias, Marius: »Vorwort«. In: ders. (Hg.): *Im Zentrum der Peripherie. Kunstvermittlung und Vermittlungskunst in den 90er Jahren*. Hamburg: philo 1995, S. 9–26, hier S. 24.

94 Zit. nach Mörsch: »Eine kurze Geschichte von KünstlerInnen in Schulen«.

mehr gefördert. Der Fluss öffentlicher Gelder in kulturpolitische Projekte wurde jedoch nicht ausgesetzt, sondern, so Carmen Mörsch, verdreifacht und umgeleitet in »die Förderung von so genannten Leuchttürmen, die eine national-identitäre Funktion zu übernehmen hatten«,[95] insbesondere in den Bau zahlreicher repräsentativer Museumsbauten. Neben dieser kulturpolitischen Abkopplung des Kunstfeldes von gesellschaftskritischen Bewegungen war es nicht zuletzt auch der Anfang der 1980er florierende Kunstmarkt, der die Demokratisierung der Kunst in Österreich, der Schweiz und Westdeutschland ausbremste.[96] Das weitgehende Fehlen des Begriffs der Kunstvermittlung in Schriften dieser Zeit erscheint schlüssig, geht es doch, wie schon in den 1950er- und frühen 1960er-Jahren, mit einer erneuten Autonomisierung der Kunst und deren Trennung von gesellschaftspolitischen Feldern einher.

Daneben scheint mir der Zusammenhang der neuen Flaute mit der pädagogischen Deutung des Kunstvermittlungsbegriffs der Bildungswissenschaften bedeutsam zu sein. In Bezug auf ein transferables Vermittlungsverständnis schreibt Dietmar Kamper: »Dieses Vermitteln von Kunst und Literatur als Stoff verwandelt unter der Hand alles in ein Gift, in ein lang wirkendes Gift, das die Schüler immun macht, sich je mit Begeisterung und Engagement für Literatur und Kunst zu interessieren.«[97] Doch nicht nur von pädagogischer Seite werden Vorbehalte sichtbar; auch und gerade im Kunstbetrieb wehrt man sich gegen den Transfergedanken der späten 1970er Jahre,

95 Ebd.

96 Vgl. ebd.

97 Kamper, Dietmar: »Zwischen der Logik des Selben und der Wahrnehmung des Anderen«. In: *Kunst + Unterricht* Hft. 1976 (1993), S. 42–45, hier S. 44.

für den der Begriff der Kunstvermittlung nun untrüglich zu stehen scheint. Gerade aber die Verknüpfung von Vermittlung und Pädagogik wird problematisch, die von Pädagogik und Kunst sowieso: »Man kann hierzulande die Kunst nicht ohne die Pädagogik haben«, schreibt etwa Walter Grasskamp: »Stets umweht sie [die Kunst] ein Hauch von Pflicht und Sendung, Berufung und Verantwortung, von Volkshochschule und Dienstanweisung, kurz, der penetrante Geruch des guten Willens.«[98] In diesem Kontext wird der Begriff der Kunstvermittlung zunehmend illegitim. Er steht für Sendungs- und Transfergläubigkeit für das »*bad*agogisieren«[99] von Spezialdiskursen, was nicht zuletzt an die 1928 formulierte Skepsis von Schultz anschließt, ob Kunstvermittlung, die in die Breite geht, auch in die Tiefe gehen könne. Der Reflex, den Begriff der Vermittlung mit mangelnder Tiefe in Verbindung zu bringen, ist also nicht neu, tritt Anfang der 1990er nur erneut offen zutage. Harald Kimpel spricht gar, nach der Absetzung der ›Besucherschule‹ auf der *documenta X*, von der »Abscheu vor einer Pädagogisierung der Kunstvermittlung«.[100] Der Begriff wird – in Zusammenhang mit Pädagogik genannt und gedacht – »mit Peinlichkeit besetzt«.[101]

---

98 Grasskamp, Walter: »Die Malbarkeit der Geschichte«. In: ders.: *Die unästhetische Demokratie. Kunst in der Marktgesellschaft*. München: C.H. Beck 1992, S. 100–126, hier S. 114 f.

99 Zit. nach Sturm: »Woher kommen die Kunst-VermittlerInnen?«, S. 198.

100 Kimpel, Harald: *documenta. Mythos und Wirklichkeit*. Köln: DuMont 1997. Die ›Besucherschule‹ wurde erstmals 1968 auf der documenta 5 von Bazon Brock eingerichtet, konzipiert und durchgeführt – ein erster Kunstvermittlungsversuch auf der Großveranstaltung Documenta. Mehr zum Verständnis von Kunstvermittlung bei Bazon Brock vgl. Kap. 2.4 *Das multiple Subjekt ›Kunstvermittler‹*.

101 Mörsch, Carmen: »Allianzen zum Verlernen von Privilegien: Plädoyer für eine Zusammenarbeit zwischen kritischer Kunstver-

Zu diesen Dokumenten von Ausschlussreflexen kann es freilich nur deshalb kommen, weil zu Beginn der 1990er ›Kunstvermittlung‹ erneut als Begriff diskutiert wird. Es gibt wieder einen Anlass, sich gegen ihn zu wenden.

Die Wiedereinführung scheint mit einer Reihe von begriffspolitischen Setzungen in Österreich zu beginnen, vollzogen in der Wende von den 1980er- in die 1990er-Jahre. Es kommt zu einer Reihe von institutionellen Umbenennungen, weg vom Begriff der Museumspädagogik, hin zum Begriff der Kunst- bzw. Kulturvermittlung: 1985 wird der Museumspädagogische Dienst der Bundesmuseen gegründet und geht 1993 in den Verein *Büro für Kulturvermittlung* über. Die Mitglieder des Vereins *Kolibri flieg* bezeichnen sich anfangs noch als »Museumspädagogen«;[102] 1993 dann, nach der Umbenennung des Vereins, in *StörDienst*, ist in einer Broschüre vom »Kunstvermittler-Team« die Rede.[103] 1990 tagt das 1. Gesamtösterreichische MuseumspädagogInnen-Treffen, aus dem 1991 die Gründung des Österreichischen Verbandes der KulturvermittlerInnen im Museums- und Ausstellungswesen hervorgeht.[104] 1989 findet der erste Hochschullehrgang

---

mittlung und Kunstinstitutionen der Kritik«. In: Lüth, Nanna/ Himmelsbach, Sabine/Edith-Russ-Haus f. Medienkunst (Hg.): *medien kunst vermitteln*. Berlin: revolver, 2011, S. 19–31, hier S. 28, Anm. 34.

102 Pädagogischer Dienst der Bundesmuseen (Hg.): *Kolibri flieg. Ein pädagogisches Projekt im Rahmen des Museums Moderner Kunst in Wien*. Wien: o.V. 1987, S. 24.

103 Horst, Christoph zit. nach: Bundesministerium für Unterricht und Kunst (Hg.): *StörDienst. Verein zur Schaffung kultureller Interaktionen im Bereich bildender Kunst*. Wien: o.J.

104 Vgl. Stöger, Gabriele: »Museen, Orte für Kommunikation. Einige Aspekte aus der Geschichte der Bildungsarbeit von Museen«. In: Seiter, Josef et al. (Hg.): *Auf dem Weg. Von der Museumspädagogik zur Kunst- und Kulturvermittlung*, *Schulheft* Nr. 111 (2003), S. 14–28, hier S. 24.

für Museumspädagogik statt, der beim zweiten Durchgang nicht mehr ›MuseumspädagogIn‹ als Berufsbezeichnung führt, sondern ›KuratorIn für Kommunikation‹. 2003 erscheint ein Sammelband, der die Entwicklungen der 1990er in Österreich nachzeichnet und mit dem Untertitel »Von der Museumspädagogik zur Kunst- und Kulturvermittlung« versehen ist.[105] Offensichtlich geht es hier um strategische Setzungen: darum, sich *gegen* etwas zu wenden, *für* etwas Neues zu entscheiden und dies zu benennen. Es geht um Abgrenzung, und die sollte mit einem ›neuen‹ Begriff, mit dem der Kunstvermittlung, markiert werden.

Es war eine Wendung gegen das Wort ›Museumspädagogik‹ und dessen Bedeutungskomplex – eine Setzung, die sich gegen die Verniedlichung und Abwertung der eigenen Praxis zu wenden scheint. Für diese Abwertung im Kunstbetrieb sind die genannten Ausschlussreflexe, aber auch die Verknüpfung Belows zwischen Museumspädagogik und »Waffelbacken« beredte Beispiele. Es ging nun darum, auf Augenhöhe mit den anderen Positionen des Kunstsystems zu arbeiten – die Formulierung ›KuratorInnen für Kommunikation‹ legt das nahe –, um von dieser gestärkten Warte aus auch das Publikum als Akteur*in einzubinden.[106] Insofern schließt die begriffspolitische Setzung der 1990er an Entwicklungen der 1920er und frühen 1970er an, nämlich

105 Ebd.

106 Vgl. eine Formulierung von Eva Sturm zur Arbeit des Vereins *Kolibri flieg*: »Das Projekt wurde von Anfang an vom Haus nur halb geliebt, weil es auf eine gewisse Weise als unverschämt empfunden wurde. Man saß auf dem Boden, hantierte mit Gegenständen, erklärte Minderjährige zu kompetenten SprecherInnen über Kunst [...].« Sturm, Eva: »Zum Beispiel: StörDienst und trafo.K. Praxen der Kunstvermittlung aus Wien«. In: AdKV und NGbK (Hg.): *Kunstvermittlung zwischen partizipatorischen Kunstprojekten und interaktiven Kunstaktionen*. Berlin: Vice Versa 2002, S. 26–37, hier S. 28.

die Verteilungslogik des Vermittlungsbegriffs als Teilhabe zu begreifen – nicht uni-, sondern multidirektional.

Zudem schien sich die Begriffssetzung auch gegen eine Reduktion auf zwei Kompetenzfelder – Didaktik und Kunstgeschichte, so schlugen es u.a. Below und Pilz in den 1970ern noch vor – zu wenden. Denn die Akteur*innen der frühen 1990er, die sich ›Kunstvermittler‹ nannten, stellten dezidiert die Heterogenität ihrer Hintergründe heraus: als »Team von Kunsthistorikern, Künstlern, Kuratoren, Pädagogen und Psychologen«.[107]

Die Folge dieser Begriffsentwicklungen in Österreich sind inzwischen gut dokumentiert.[108] Einhergehend mit einer breiten Aktivität von Tagungen und Theoriebildungen setzte sich der Begriff der Kunstvermittlung erneut im Kunstbetrieb fest, seit einigen Jahren auch wieder im universitären Betrieb. Die heterogenen Hintergründe der Akteur*innen der frühen 1990er korrelieren dabei mit ebenso heterogenen Theorieanleihen, welche die Forschungstätigkeit, aber auch die Praxisansätze der Kunstvermittlung der letzten dreißig Jahre prägen. Sie stammen, so Mörsch, aus »kritischer Pädagogik, konstruktivistischer Lerntheorie, Psychoanalyse, Dekonstruktion, Poststrukturalismus, Cultural Studies, postkolonialer, feministischer und queerer Theorie«. (AK 20)

---

107 Bundesministerium für Unterricht und Kunst (Hg.): *StörDienst*.

108 Vgl. etwa Höllwart, Renate: »Entwicklungslinien der Kunst- und Kulturvermittlung«. In: ARGE Schnittpunkt (Hg.): *Handbuch Ausstellungstheorie und -praxis*. Wien/Köln/Weimar: Böhlau 2013, S. 37–48, Puffert: *Die Kunst und ihre Folgen*, Stöger: »Museen«, Sturm, Eva: »Zum Beispiel«, oder Schneider, Karin/Hubin Andrea: »Rätselflüge – Denkbewegungen durch ein schwieriges Erbe progressiver Kunstvermittlung in Österreich«. In: *Art Education Research* Nr. 15 (2019); online unter https://blog.zhdk.ch/iaejournal/files/2019/02/AER15_Hubin_Schneider_D_20190221.pdf (abgerufen am 7.6.2019).

Aus einer begriffsgeschichtlichen Sicht lässt sich nun das, was hier als Kunstvermittlung bezeichnet wird, wieder an die 1970er-Jahre anschließen – auf zweierlei Weise. Kunstvermittlung wird in dieser Tradition sowohl als institutionskritische Praxis als auch als Bildungsarbeit verstanden. Die Offenlegung der Strukturen des Kunstsystems mit all seinen ökonomischen, politischen und pädagogischen Implikationen sollte – ebenso wie in der frühen 1970ern – Teil der Arbeit mit dem Publikum werden; diesmal aber – und das unterscheidet den neuen Diskurs maßgeblich von den hier zitierten institutionskritischen Schriften der 1970er[109] – dezidiert verstanden als Bildungsarbeit. Von institutionskritischer Warte her geht es also erneut darum, »mehr davon zu sehen, wie die Dinge gebaut und gestrickt sind«,[110] wie Eva Sturm es formuliert. Aus der Bildungsperspektive vollzieht sich dagegen ein entscheidender Bruch mit den späten 1970ern. So wird zwar die Idee des Begriffs der Vermittlung als Bildungsbegriff übernommen, nicht aber der Transfergedanke. Im Gegenteil: Bildungstechniken sollen nun nicht mehr dazu dienen, Methoden zu liefern, um gesicherte kunstgeschichtliche Inhalte kontrolliert an Adressat*innen zu bringen. Kunstvermittlung *als* Bildung gilt in den frühen 1990ern vielmehr, so Mörsch, als »Vermeidung von inhaltlichen Schließungsbewegungen und [will] stattdessen die Anerkennung der Unabschließbarkeit von Deutungsprozessen bei der Auseinandersetzung mit Kunstwerken« herausstellen. (AK 20) Bildung wird somit nicht

109 Zumindest insofern, wie sie Institutionskritik mit dem Begriff der Kunstvermittlung in Zusammenhang bringen. Die Ausdrücke ›Bildung‹, ›Pädagogik‹ oder ›Didaktik‹ kommen darin praktisch nicht vor.

110 Sturm: »Kunstvermittlung und Widerstand«, S. 61.

als permanente Anhäufung von Wissen verstanden, sondern vielmehr als permanentes Verlieren und Neuknüpfen von bekannten und unbekannten Sinnverbindungen: »Bildung wird hier zur Entbildung[111]«, bezieht sich Sturm auf einen Begriff von Karl-Josef Pazzini, »indem die Zusammenhänge aus den Fugen geraten, das Selbstverständliche sich als nicht Selbstverständliches, als Hergestelltes, als Fixiertes erweist«. (VKa 225)

Bezogen auf die Unterscheidung zwischen Vermittlung erster und zweiter Ordnung, lässt sich auch hier die Frage stellen, an welcher Stelle des Systems der Begriff der Kunstvermittlung verortet werden kann. An erster Stelle, die nach dem *Was*, den Inhalten fragt und Kunstwerke als Produktionen begreift? Oder an zweiter Stelle, als Vermittlung der Vermittlung, die das *Wie* aufzeigen und die Strukturen des Systems offenlegen will, die nicht Kunstwerke, sondern Ausstellungen als vermittlungsbedürftige Produktionen versteht? Auf welche Weise wird der Sachverhalt der Kunstvermittlung, die Vermittlung zwischen Kunstproduktion und Kunstrezeption, bezeichnet und hergestellt?

Tatsächlich wird nun beides in Verbindung gebracht: Kunstvermittlung »vermittelt«, so Mörsch, »das durch die Ausstellungen und Institutionen repräsentierte Wissen *und* ihre festgelegten Funktionen«. (AK 20, meine Herv.) Dabei wird das, was jeweils als Produktion und Rezeption gilt, zunehmend in ein Wechselspiel gebracht, das die Positionen nicht mehr als eindeutige erscheinen lässt. Denn von

111 Zum Begriff des Entbildens vgl. z.B. Pazzini, Karl-Josef: »Über die Produktivität von Unsinn. Ex- und Implosionen des Imaginären«. In: Warzecha, Birgit (Hg.): *Hamburger Vorlesungen über Psychoanalyse und Erziehung*, Bd. 6. Hamburg: LIT 1999, S. 137–159, hier S. 138.

dieser Warte aus ist eine Ausstellung sowohl als Rezeptionsweise von Kunstwerken als auch als Produktionsort zu sehen. Dabei ist aber auch das, was im Rahmen der Praxis der Kunstvermittlung geschieht – etwa als Ausstellungsgespräch – nicht mehr ›nur‹ als Rezeptionssituation zu betrachten, sondern, so Sturm, gleichfalls als »ein Akt der Produktion [...] von Bedeutung, der Herstellung von Wissen, in konkreten historischen Situationen, durch konkrete Subjekte in unterschiedlichen SprecherInnen-Positionen«.[112] Die Theoriekonzepte Karl-Josef Pazzinis – Kunstvermittlung als Anwendung von Kunst[113] – und Eva Sturms – Kunstvermittlung als Fortsetzung von Kunst – stehen exemplarisch für diese Entwicklung, die das Zusammenspiel von Kunst und Vermittlung als produktiven, nicht-abschließbaren, sich permanent verschiebenden und nicht zu kontrollierenden Prozess denkt.

Die Folgen dieser Entwicklung für den Begriff der Kunstvermittlung, scheinen zunächst oberflächlich. Denn dass der Begriff der Vermittlung keine Neutralität verspricht, ist spätestens seit den 1950er-Jahren Konsens kritischer Perspektiven. Das, was mit Vermittlung bezeichnet wird, produziert immer etwas; seien es die »lebensunfähigen Scheingebilde«, vor denen Schultz warnt, oder die Produktion von bestimmten Sichtweisen auf Kunst, die andere ausschließen. Es scheint aber erstmals dieser Diskurs der späten 1990er- und frühen 2000er-Jahre zu sein, der die produktiven Anteile der Kunstvermittlung nicht nur offenlegt und reflektiert,

112 Sturm: »Kunstvermittlung und Widerstand«, S. 47.

113 Vgl. Pazzini, Karl-Josef: »Vermittlung ist Anwendung - Ohne Anwendung keine Kunst«. In: Kunstmuseum Wolfsburg (Hg.): *The Educational Complex. Vermittlungsstrategien von Gegenwartskunst.* Wolfsburg: o.V. 2003, S. 84–94, hier S. 85 f.

sondern gleichzeitig in ein konstruktives Moment wendet. Die Binarität von Produktion und Rezeption, zwischen die sich das Dritte der Kunstvermittlung setzt, wird mit diesem Begriff von Kunstvermittlung verschoben, umgedeutet und überstiegen.

Diese Binarität ist aber längst nicht die einzige, gegen die sich der neue Diskurs der Kunstvermittlung richtet: Er wendet sich *per se* gegen »in das kulturelle Feld eingeschriebene binäre Oppositionen«: gegen die Binarität von »High vs. Low, Kunst vs. Vermittlung, Institutionskritik vs. Affirmation, Partizipation vs. Instrumentalisierung, Institution vs. Selbstorganisation, angewandt vs. frei«.[114] Dabei geht es nicht darum, etablierte binäre Muster abzuschaffen, sondern vielmehr darum, diese und die damit verbundenen Hierarchien offenzulegen, zu dekonstruieren: »als Grenzüberschreitung, als Aufdeckung von Widersprüchen und Zerlegung«.[115]

Spätestens an dieser Stelle, an der sich der Diskurs der Kunstvermittlung seit Beginn der 1990er-Jahre (selbst-)kritisch mit den binären Mustern und deren Machteffekten auseinandersetzt, kann von einer Kunstvermittlung der Differenz die Rede sein.

---

114 Mörsch schreibt hier allerdings nicht allgemein zur Kunstvermittlung, sondern speziell in Bezug auf das Projekt *what*>. Das Zitat ist insofern aus dem Zusammenhang gerissen. Mir scheint aber gerade diese Aufzählung anschaulich zu machen, mit welchen binären Widersprüchen sich aktuelle Kunstvermittlungsdiskurse auseinandersetzen. Mörsch, Carmen: »Der Wechsel der Vokabulare: Das Projekt im Zwischenraum von Pragmatismus und Dekonstruktion«. In: Szope, Dominika/Freiburghaus, Pius (Hg.): *Pragmatismus als Katalysator kulturellen Wandels. Erweiterung der Handlungsmöglichkeiten durch liberale Utopien*. Berlin/Wien/Zürich: LIT 2006, S. 201–232, hier S. 214.

115 Sturm: »Kunstvermittlung als Dekonstruktion«, S. 27 f.

Differenzorientierte Kunstvermittlung

Es gilt demnach, eine dritte Begriffsinnovation anzuzeigen, die Kunstvermittlung differenztheoretisch ausrichtet. ›Kunstvermittlung der Differenz‹ scheint mir eine passende Bezeichnung für jene Praxis- und Theoriebewegungen seit dieser Zeit zu sein, die sich einerseits im Kunstbetrieb positionieren und diesen gleichzeitig von innen heraus – mit seinen eigenen Implikationen, Methoden und Widersprüchen – kritisieren und verändern wollen.[116] Differenzorientierte Kunstvermittlung impliziert demnach sowohl das Moment der Kritik als auch das der Transformation.[117]

Die entscheidenden Innovationen gegenüber dem institutionskritischen Kunstvermittlungsbegriff der frühen 1970er liegen dabei vor allem in drei Punkten. Zwei wurden bereits benannt, nämlich die Neuorientierung an Bildungsfragen und die Dekonstruktion des Produktions-/Rezeptionsdualismus. Der dritte Punkt liegt darin, dass nun zunehmend die Ambivalenz der eigenen Position reflektiert wird.

---

116 Vgl. zum Begriff der Kunstvermittlung der Differenz VKa, S. 187. Vgl. auch Pierangelo Maset, der schreibt: »Es geht in diesem Zusammenhang vor allem auch um eine Dimension von Kunstvermittlung, die eine *Differenz* darstellt.« Maset, Pierangelo: »Fortsetzung Kunstvermittlung«, S. 11. Vgl. hierzu außerdem Maset, Pierangelo: *Ästhetische Bildung der Differenz. Kunst und Pädagogik im technischen Zeitalter*, Stuttgart: Radius 1995.

117 Ich greife damit eine Kategorisierung von Carmen Mörsch in etwas veränderterer Weise auf. Für Mörsch ist »kritische Kunstvermittlung« ein übergeordneter Begriff, der die Verknüpfung von dekonstruktiven mit transformatorischen Diskursen der Kunstvermittlung benennt. Vgl. AK, S. 20. Gleichwohl bestehen Formen und Theorien der Kunstvermittlung, die sich zwar auf Differenztheorien beziehen, sich aber nicht unbedingt kritisch und widerständig verhalten. Kritik und Transformation wären damit zwei Aspekte von Differenzorientierung, die nicht zwingend konform gehen. Vgl. hierzu Kap. 6 *Kritische Vermittlung* und Kap. 7 *Transformative Vermittlung*.

Kunstvermittlung als Differenz kann nun bedeuten, Kritik und Reflexion nicht nur auf den Kunstbetrieb, sondern auch auf sich selbst, auf die eigene Positioniertheit und die eigenen Muster anzuwenden. Es geht darum, zu vermeiden, mit Anti-Entwürfen oder einer in einem scheinbar sicheren Außen verorteten Kritik genau jene binäre Logik fortzuschreiben, gegen die sie sich richtet. Es geht darum, sich selbst zu widersprechen. (Vgl. Ssw 63) Beatrice Jaschke und Nora Sternfeld schreiben dazu: »Das Wissen darum, dass es kein ›Außen‹ für eine kritische Position gibt, hält sie [die Kunstvermittler*innen] keineswegs davon ab, die eigene kritische Position voranzutreiben und sie in, mit, gegen und quer zu Institutionen weiterzuführen.«[118] Kunstvermittlung als Differenz begreift sich demnach »selbst als Teil der Struktur, als«, so Sturm, »sich permanent zu verhandelndes Unternehmen, in dem sich leicht wieder hegemoniale Formen ausbreiten, Formen des Besserwissertums und von Lösungsphantasmen, die wieder zu dekonstruieren wären«.[119] Kunstvermittlung »vermittelt das durch Ausstellungen und Institutionen repräsentierte Wissen und ihre festgelegten Funktionen unter Sichtbarmachung der eigenen Position.« (AK 20)

Es geht auch nicht darum, das Museum oder den Kunstverein als mangelhafte und unbelehrbare Institutionen zu ersetzen – das würde die binäre Logik wiederholen –, sondern sich dort einzunisten, als »kritische Freundin«[120] mit

118 Jaschke, Beatrice/Sternfeld, Nora: »Einleitung. Ein *educational turn* in der Vermittlung«. In: dies. (Hg.): *educational turn. Handlungsräume der Kunst- und Kulturvermittlung*. Turia + Kant: Wien 2012, S. 13–23, hier S. 9.

119 Sturm: »Kunstvermittlung als Widerstand«, S. 62.

120 Mörsch, Carmen: »Extraeinladung. Kunstvermittlung auf der documenta 12 als kritische Praxis«. In: documenta u. Museum

einem Bein im Betrieb zu stehen und mit dem anderen Bein den Betrieb zu übersteigen, über seine Ränder zu treiben und zu verändern.

Diese dritte Begriffsinnovation kommt nicht zuletzt in der Veränderung des Theorieunterbaus zum Ausdruck. Die Texte dieser Phase der Begriffsgeschichte sind seltener marxistisch und häufiger dekonstruktivistisch informiert. Dies fördert einen Begriffskonflikt zutage: War der von Marx verwendete Ausdruck ›Vermittlung‹ in den institutionskritischen Schriften der 1970er noch passend und anschlussfähig, so funktioniert er in den differenztheoretisch informierten Diskursen derselbe Ausdruck nicht mehr reibungslos. Es werden Zweifel laut, ob ein Wort, das »die immer noch weit verbreitete Vorstellung von Vermittlung« wiederspiegelt, »die dem Kommunikationsmodell von Sender-Vermittlungsmedium-Empfänger gehorcht«,[121] tauge, um eine Idee von Kunstvermittlung zu bezeichnen, die genau andersherum arbeiten will, als, »permanente Herstellung von Situationen ohne Verfügungsgewalt«.[122] Der Begriff der Vermittlung hingegen »suggeriert Ankunft und Verbindung«,[123] letztendlich Identität.

Dass die Zweifel angebracht sind, zeigt die hier ausgefaltete Begriffsgeschichte. Vereinfacht gesagt: Ein harmonistisch-identitätspolitischer Begriff von Kunstvermittlung, der Lösung und Verbindung schaffen will, findet sich z.B. im wilhelminischen Deutschland der vorletzten Jahrhundertwende

Fridericianum Veranstaltungs-GmbH (Hg.): *Documenta Magazine Nr. 3, 2007. Education.* Köln: Taschen 2007, S. 223–224, hier S. 224.

121 Sturm: »Kunstvermittlung als Dekonstruktion«, S. 27.

122 Ebd., S. 29.

123 Eva Sturm in: Mörsch/Sturm: »Vermittlung – Performance – Widerstreit«, S. 1.

wieder; ein als Informationstransfer gedachter Begriff im Bildungsdiskurs der späten 1970er. Die hier formulierte Skepsis führt aber mitnichten zu einer erneuten Abschaffung des Begriffs, sondern zu einem Reflexionszwang – zu einem Zwang, sich permanent am Begriff, mit all seinen Rahmungen und Fallstricken, ab- um mit ihm arbeiten zu können.

Gegenwärtig ist der Begriff der Kunstvermittlung fest etabliert und Teil eines hegemonialen kulturpolitischen Diskurses. Er ist nicht mehr derart »mit Peinlichkeit besetzt« wie in den 1980ern und zu Beginn der 1990er-Jahre, sondern verspricht symbolisches Kapital. Er scheint nämlich nach wie vor für die große Idee der Demokratisierung der Kunst zu stehen und wird damit zu einer umkämpften Legitimierung für die Institutionen des Kunstbetriebs, die vermehrt die gesellschaftliche Relevanz ihrer Praxis rechtfertigen müssen. Für diese These spricht, dass sich zunehmend Inkorporationsbewegungen beobachten lassen, die den Begriff der Kunstvermittlung für sich neu entdecken, um ihn für eigene Zwecke umzuwidmen. Mit der kurzen Vorstellung zweier solcher Inkorporationen, einmal ausgehend vom Audience Development und einmal vom *educational turn* der kuratorischen Praxis, sowie einer Schlussbemerkung, schließe ich meine Geschichte des Begriffs der Kunstvermittlung.

Der Begriff der Vermittlung im Audience Development

Begriffe lassen sich nur unzureichend in andere Sprachen übersetzen. Dennoch sind Übersetzungsversuche oft aufschlussreich, weil sie zeigen, wie die Übersetzer*in den jeweiligen Begriff versteht. So übersetzt etwa Mörsch den Begriff der Kunstvermittlung ins Englische an einer Stelle mit »Gallery Education«,[124] Birgit Mandel den der Kulturvermittlung mit »Audience Development«.[125] Diese Setzung Mandels steht dabei exemplarisch für einen begriffspolitischen Prozess seit Mitte der 2000er-Jahre, der Theorien und Praktiken des Kulturmanagements unter dem Label der ›Kulturvermittlung‹ mit solchen der kulturellen Bildung verbindet.[126]

Begriffshistorisch macht diese Widmung durchaus Sinn. Sie lässt sich an den Begriff der Kunstvermittlung zur Zeit des wilhelminischen Deutschlands anschließen und der Idee der wechselseitigen Bedingtheit zwischen Erziehung und Handel, zwischen Pädagogik und Ökonomie. Die institutionskritischen Schriften der 1970er griffen diese Verknüpfung ebenfalls auf, aber mit einer kritischen Wendung. Es wurde etwa gezeigt, dass steigende Besucher*innenzahlen – und damit eine wachsende Rentabilität des »exzellenten Kulturbetriebs«[127] – nicht als Indikator einer »Demokratisierung der Kunst« gelten können, weil sie nichts über das Teilhabepotenzial der Institutionen aussagen. Und genauso wie später in den 1990ern wollte auch die Institutionskritik der 1970er die Verknüpfung zwischen politischen, ökonomischen und pädagogischen Rahmungen und Interessen zum Teil des zu vermittelnden ›Gegenstands‹ machen, um so die Verstrickungen nicht zu verdecken und somit zu

124 Mörsch, Carmen: »Gallery Education in Großbritannien: Beispiele guter Praxis für die Kunstvermittlung in Deutschland«, in: AdKV/NGbK (Hg.): *Kunstvermittlung*, S. 19–25, hier S. 19.

125 Mandel, Birgit: »Vorwort«. In: dies. (Hg.): *Audience Development, Kulturmanagement, Kulturelle Bildung. Konzeptionen und Felder der Kulturvermittlung*. München: kopaed 2008, S. 9–16, hier S. 9.

126 Vgl. etwa Mandel, Birgit (Hg.): *Kulturvermittlung zwischen kultureller Bildung und Kulturmarketing*. Bielefeld: transcript 2005.

127 Vgl. Klein, Armin: »Besucherorientierung als Basis des exzellenten Kulturbetriebs«. In: Mandel (Hg.): *Audience Development*, S. 88–95.

verharmlosen. Das aber spielt im Diskurs der Kulturvermittlung als Kulturmanagement selten eine Rolle. Inhalte und Methoden des Betriebs werden meist klar getrennt.[128] Dabei spielen Verfahren des Managements und Marketings – Controlling, Sponsoring, PR- und Öffentlichkeitsarbeit, Effizienzstrategien – eine zunehmend einflussreiche Rolle in den Kulturbetrieben und stellen dabei permanent Widersprüche zu anderen Positionen des Betriebs her. Statt die Produktivität nicht-lösbarer Widersprüche als konkrete Arbeit mit dem Publikum kommunizierbar zu machen und die Unmöglichkeit neutraler Kunstvermittlung anzuerkennen, geht es erneut darum, Lösungen und Verbindungen zu schaffen, oder mit Mandel: »Kulturvermittlung baut Brücken zwischen künstlerischer Produktion und Rezeption«.[129]

Seit den späten 2000er Jahren formiert sich aber auch ein Diskurs des Kulturmanagements, der wieder vermehrt auf die Institutionskritik der 1970er rekurriert und die Wechselwirkungen zwischen ökonomischen Verfahren und Kunst wieder in den Blick nimmt.[130] Vermittlung als Kulturmanagement in dieser Variante begriffen könnte erneut bedeuten, die ökonomischen Rahmungen des Kunstbetriebs als eine Perspektive von Kunstvermittlung mitzudenken und der Kritik zugänglich zu machen.

---

128 Vgl. bes. ebd., S. 93.

129 Mandel, Birgit: »Kulturvermittlung als Schlüsselqualifikation auf dem Weg in eine Kulturgesellschaft«, in: dies. (Hg.): *Audience Development*, S. 17–72, hier S. 19.

130 Vgl. etwa Van den Berg, Karen: »Postaffirmatives Kulturmanagement. Überlegungen zur Neukartierung kulturmanagerialer Begriffspolitik«. In: Bekmeier-Feuerhahn, Sigrid/Van den Berg, Karen/Höhne, Steffen et al. (Hg.): *Forschen im Kulturmanagement. Jahrbuch für Kulturmanagement 2009*, Bielefeld: transcript 2009, S. 97–125.

Der Begriff der Vermittlung im *educational turn* kuratorischer Praxis

Nicht zuletzt der sogenannte *educational turn* mag begünstigt haben, dass sich kritische Ausstellungsdiskurse zunehmend mit der Notwendigkeit des Vermittelns befassen und (wieder) beginnen, mit dem Begriff zu hantieren. Mit Oliver Marchart formuliert hat sich »inzwischen ein gewisser feldinterner Zwang durchgesetzt, Fragen der Kunstvermittlung ernst zu nehmen«.[131] Eine Entwicklung, die aber mitnichten dazu geführt hat, dass die Position von Kunstvermittler*innen in kritischen Ausstellungsinstitutionen[132] gestärkt und mit mehr ökonomischem wie symbolischem Kapital ausgestattet würde. Stattdessen lässt sich eine Wende im Gebrauch des Begriffs der Vermittlung beobachten, der zunehmend für die Selbstbeschreibung des Handelns der Kurator*innen Verwendung findet. »Was ausgestellt ist, ist vermittelt. So einfach ist das und so schwer«,[133] schreibt etwa Martin Heller und reduziert den Begriff des Vermittelns von Kunst auf das Öffentlich-Machen von Kunst. Oder, wie Mörsch

131 Marchart, Oliver: Hegemonie im Kunstfeld. Die documenta-Ausstellungen dX, D11, d12 und die Politik der Biennalisierung, Köln: Walther König, 2008, S. 77.

132 Carmen Mörsch schreibt über kritische Institutionen: »Zu ihrer Praxis gehört es zum Einen, Kunst als Institution selbst zu hinterfragen und zum Anderen, künstlerische Projekte in Bezug auf politische und gesellschaftliche Fragestellungen zu kuratieren. Des Weiteren verstehen sie sich nicht nur als Räume der Repräsentation, sondern als Orte der Begegnung und des kritischen Diskurses im Kunstfeld«. Mörsch: »Allianzen zum Verlernen«, S. 27, Anm. 30.

133 Heller, Martin: »Eine Welt dazwischen«. In: Heiz, André Vladimir/Pfister, Michael (Hg.): *Dazwischen. Beobachten und Unterscheiden*, Zürich: Museum für Gestaltung Zürich, 1998, S. 25–31, hier S. 27.

schreibt: »Seitdem der Begriff Vermittlung nicht mehr mit Peinlichkeit besetzt ist, bezeichnen sich zunehmend auch Kurator*innen und Künstler*innen als Vermittler*innen und implizieren, ihre Praxis sei bereits die Vermittlung, da sie schließlich medial sei.«[134] Mit diesem Zug wird die Position der Vermittlung einer Institution nicht selten zur Leitungsaufgabe erklärt, unter gleichzeitigem Ausschluss der Position der Kunstvermittler*innen.

Der Ausschluss kann dabei zwei verschiedene Formen annehmen. Er kann dazu führen, dass in Sammelbänden und auf Tagungen zwar »Verfahren der Generierung, Vermittlung und Reflektion von Erfahrung und Wissen« als Notwendigkeit des Ausstellungsbetriebs markiert und theoretisiert werden,[135] aber dabei ausgerechnet Kunstvermittler*innen nicht zu Wort kommen.[136] Kunstvermittlung als Begriff wird relegitimiert, aber »VermittlerInnen bleiben dabei marginalisiert«.[137]

Das Interessante an dieser ersten Art des Ausschlusses ist, dass die Vermittlung, von der hier die Rede ist, offenbar ohne Dritte auskommt. Denn hinter die Institutionskritik der 1970er-Jahre fallen die Ausstellungsdiskurse mitnichten zurück, d.h. es ist klar, dass die Ausstellung selbst Ort der Produktion ist. Es gibt nur keine Dritten mehr, die sich

134 Mörsch, Carmen: »Allianzen zum Verlernen«, S. 28, Anm. 34.

135 Beatrice von Bismarck, zit. nach Jaschke/Sternfeld: »Einleitung«, S. 14.

136 Oder schärfer, mit Mörsch: »Zunächst galt es die Tatsache zu verdauen, dass der Hype um die Vermittlung auf der KuratorInnenseite zu einer Auslöschung der Position der VermittlerIn führt, weil die KuratorInnen sich selbst als die besseren, kritischeren, theoretisch informierteren PädagogInnen setzen.« Mörsch: »Educational Einverleibung«, S. 250.

137 Jaschke/Sternfeld: »Einleitung«, S. 17. Vgl. auch Mörsch: »Allianzen zum Verlernen«, S. 27.

zwischen Produktion und Publikum schalten würden, weil die Ausstellung auch diese Position einnimmt. Mit dem Ausschluss der Position des Dritten, der Kunstvermittler*innen, vereint die Position der Kurator*in alle Funktionen in sich: Produktion und Repräsentation, Kritik und Vermittlung, Vermittlung erster und zweiter Ordnung. Eine Vermittlung ohne Dritte – eine Form, die hier bereits bei Schultz und Adorno aufgetaucht ist.

Die zweite Art des Ausschlusses ist ein einschließender. Auch hier versteht sich die Ausstellung selbst bereits als Vermittlung im kritischen Sinne, sieht aber gleichzeitig die Notwendigkeit der Position von Dritten, um die Exklusionsmechanismen und Selbstreferenzen des Kunstbetriebs nicht fortzuschreiben, die Ausstellung also nicht allein einem exklusiven Kunstpublikum vorzubehalten. »›Kunstvermittlung‹« dürfe dann, so Oliver Marchart, »keiner bestimmten ›Abteilung‹ von Kunstinstitutionen zugerechnet werden, da diese selbst schon ›pädagogische‹ Institutionen sind aufgrund der Disziplinierungseffekte, auf die sie zielen«.[138] Dennoch unterscheidet Marchart sehr wohl zwei verschiedene Positionen der Vermittlung. Einmal die Vermittlung durch die Ausstellung, die im Idealfall selbst schon kritisch angelegt ist und versucht, »den Kanon in fortschrittlicher Weise zu verschieben«,[139] und einmal die Vermittlung der Kunstvermittler*innen, bei der Marchart versucht, zu »einer realistischeren Einschätzung« zu gelangen,[140] sie »doch vor allem als Informationsdienst« zu betrachten.[141] Der Begriff

138 Marchart: Hegemonie im Kunstfeld, S. 78.

139 Ebd., S. 81.

140 Ebd., S. 77.

141 Ebd., S. 84.

der Kunstvermittlung Marcharts hat also sowohl einen progressiven Bezug, nämlich da, wo er sich auf die kuratorische Praxis als kritisches und transformatives Moment bezieht, als auch einen regressiven, nämlich da, wo er die Kunstvermittler*innen als Ausführende eines Informationstransfers adressiert. Es scheint, als wünsche sich Marchart den Kunstvermittler von Schultz zurück, den »neutralen Mittler«,[142] der sich nicht am Werk – hier: der Ausstellung – vergreift. Hier fällt der Begriff der Kunstvermittlung zum Teil hinter die Reflexionen der 1990er-Jahre zurück.

Gleichwohl führt das Verständnis von *curating* als Vermittlung nicht zwangsläufig dazu, dass Positionen der Kunstvermittlung marginalisiert werden. So beschreibt etwa die Kuratorin und Kunstvermittlerin Julia Schäfer das Verhältnis zwischen Kunst, *curating* und Kunstvermittlung als ein kollaboratives, in dem die beteiligten Akteur*innen wechselnde Positionen einnehmen können.[143] Das bedeutet demnach nicht, dass sich die Positionen einer kritischen Kunstvermittler*in erledigt hätte, wenn sich die Ausstellung selbst kritisch aufstellt – es bedeutet vielmehr, dass Kunst, *curating* und Kunstvermittlung in immer wieder neu zu begehenden Verhältnissen entworfen werden müssen, in denen nicht schon vorher festgelegt ist, wer sich zu wem auf welche Weise verhält.

Betrachtet man den gegenwärtigen Diskurs, dann mag die Begriffspolitik der kuratorischen Praxis durchaus die

142 Schultz: Johann Vesque von Püttlingen, S. 9. Hier in Kap 1.1 *1900 bis 1945*.

143 Vgl. Schäfer, Julia: »Puzzle. Vermittlung als kuratorische Praxis«. In: Mörsch, Carmen/Sachs, Angeli/Sieber, Thomas (Hg.): *Ausstellen und Vermitteln im Museum der Gegenwart*. Bielefeld: transcript 2017, S. 57–68.

Wirkung einer Einverleibung des Begriffs der Vermittlung entfalten.[144] Aber von der begriffsgeschichtlichen Perspektive aus gesehen muss diese Aneignung als *Wieder*aneignung betrachtet werden – denn genau dort hatte die erste und zweite Welle den Begriff der Kunstvermittlung ja vor allem verortet: bei der Praxis des Ausstellens. Dieser permanente Prozess des (Wieder-)Aneignens, Ausschließens, Inkorporierens und anderer Territorialisierungsstrategien zieht sich durch die gesamte Geschichte des Begriffs der Kunstvermittlung. Das zeigt nicht zuletzt, wie umkämpft er im Rahmen von Kunst war und immer noch ist.

1.4. Zusammenfassung und Ausblick

Zum Schluss dieses Kapitels möchte ich zunächst an die methodischen Rahmungen dieser Arbeit erinnern. Da es sich um eine Begriffsgeschichte der Kunstvermittlung handelt, ist diese strikt gekoppelt an den Gebrauch des Wortes ›Kunstvermittlung‹, wechselt zwischen Wort und Ideen- bzw. Sozialgeschichte und versucht diese Verknüpfung immer wieder neu herzustellen. Das bedeutet, dass sich diese Geschichte anders lesen muss als bereits vorliegende Ideen- und Sozialgeschichten: Eine Sozialgeschichte der Kunstvermittlung müsste wesentlich früher beginnen – etwa bei der Eröffnung der ersten öffentlichen Museen oder der Herausbildung von Kunstvermittlung im Kontext kolonialer Geschichte.[145] Eine Ideengeschichte müsste in der Phase der

144 Vgl. hierzu bes. Mörsch: »Educational Einverleibung«.

145 Vgl. etwa Penzel: *Der Betrachter ist im Text.* Zum Zusammenhang von Sozialgeschichte der Kunstvermittlung und Kolonialität vgl. Mörsch in DBdA.

1970er und 1980er wesentlich mehr Theoriebezüge berücksichtigen – etwa Einflüsse der kritischen Pädagogik und der *New Museology.* (Vgl. AK 17–19) Allein, das Wort ›Kunstvermittlung‹ kommt in den beteiligten Quellen nicht explizit vor – und ohne Wort kein Begriff. Meine Geschichte macht demnach, wie alle Geschichten, vieles unsichtbar. Dafür sollen Stellen in den Fokus rücken, die bisher unbelichtet geblieben sind.

Auf den hier geleisteten begriffshistorischen Blick sowie auf heutige Begriffsklärungsversuche bezogen könnte zunächst ein abstrakter, scheinbar allgemeingültiger Kunstvermittlungsbegriff formuliert werden, nachdem Kunstvermittlung eine – wie auch immer geartete – Beziehung zwischen Kunst und ihrer gesellschaftlichen Umwelt herstellt. Was aber mit dieser Beziehung geschieht, steht auf einem anderen Blatt. Je nach Diskurs gilt es, Identität, Brückenbau, Kontrolle und Verbindung herzustellen oder im Gegenteil: Lücke, Differenz, Wucherung und Produktion von Widersprüchen zu generieren. Wenn Wolfgang Pilz, Birgit Mandel und Eva Sturm ›Kunstvermittlung‹ schreiben, ist jeweils etwas Anderes gemeint, das kaum miteinander in Deckung zu bringen ist. In das Wort ›Kunstvermittlung‹ sind verschiedene ideologische wie konzeptuelle Prägungen eingegangen – harmonistische wie identitätspolitische ebenso wie ökonomische, institutionskritische, pädagogische, transferale und differenztheoretische.

Mit dieser unvollständigen Aufzählung habe ich die genannten Prägungen zwar ausgehend vom historischen Verlauf voneinander getrennt. Sie sind aber nicht eins zu eins historischen Phasen zuzuordnen. Vielmehr spielen fast alle Begriffe zu fast allen Zeiten eine Rolle. Fand eine Begriffsinnovation statt, ist sie bei späteren Verwendungen nicht mehr wegzudenken und setzt sich als wiedererkennbares Muster auch in aktuellen Verwendungen fort. So spielt etwa ein harmonistisch und national-identitätspolitischer Kunstvermittlungsbegriff heute durchaus noch eine tragende Rolle.[146] Einen identitätspolitischen Begriff von Kunstvermittlung im Sinne des Kunstsystems, das die Identität des Systems nach innen wie nach außen durch Vermittlung sichern will, gibt es spätestens seit den 1920ern, und es wird ihn auch weiterhin geben, solange sich Kunst in ihrer systemischen Spielart von anderen gesellschaftlichen Bereichen abgrenzt.[147]

Was sich durch den Blick auf die temporalen Schichten des Begriffs der Kunstvermittlung deutlich zeigt, sind die sich wiederholenden Muster in der Verwendung des Begriffs. Diese greifen, wie ich zeigen werde, auf unterschiedliche Muster in der Verwendung und Deutung des Begriffs der Vermittlung zurück. Was also jeweils unter Kunstvermittlung verstanden wird, hängt in besonderem Maße damit zusammen, was jeweils unter Vermittlung verstanden wird.[148]

Hinweise für diese These liefern etwa Eva Sturm, die den Begriff unter dem Eindruck des Sender-Empfänger-Modells

---

146 Vgl. etwa eine Ansprache Angela Merkels in Bezug auf kulturelle Bildung aus Anlass des Projekts *Jedem Kind ein Instrument* (JeKI): »*Rede von Bundeskanzlerin Angela Merkel anlässlich der Festveranstaltung »10 Jahre Beauftragter der Bundesregierung für Kultur und Medien*«Legitimationsstrategien für Kulturelle Bildung, über Kritiken an diesen und über Konsequenzen aus diesen Kritiken«. In: Alphabetisierung und Grundbildung e.V./Bothe, Joachim (Hg.): *Das ist doch keine Kunst! Kulturelle Grundlagen und künstlerische Ansätze von Alphabetisierung und Grundbildung*, Münster/New York/München et al.: Waxman 2010,

147 Vgl. Kap. 7.4 *Exkurs: ~~Kunstsystem~~*.

148 Freilich hängt, was unter ›Kunstvermittlung‹ verstanden wird, auch in ebenso besonderem Maße damit zusammen, was unter ›Kunst‹ verstanden wird. Im Gegensatz erscheint der Vermittlungsbegriff nach wie vor als Auslassung von Theorie und Praxis der Kunstvermittlung.

problematisiert; Helmut Schultz, dessen Vermittlungsbegriff zwischen Schöpfer, Mittler und Welt offenbar einem christlichen Motiv – der Beziehung zwischen Gott, Messias und Menschheit – entnommen ist; oder Oskar Pollack, der zwischen Arbeitern und Künstlern im Sinne des Schlichtens vermitteln will.[149] Auf solche Sprachspiele hin, die mit dem Kontext Kunst zunächst nichts zu tun haben, ließe sich die ganze hier erzählte Geschichte untersuchen.

Die These, nach der die jeweiligen Verwendungen von ›Kunstvermittlung‹ mit allgemeinen Sprachspielen von ›Vermittlung‹ zusammenhängen, mag banal wirken. Sie bildet aber das grundsätzliche Methodenprogramm dieser Arbeit, den Wortteil ›Vermittlung‹ aus dem Kunstvermittlungsbegriff herauszulösen, ihn begriffshistorisch, philosophisch, soziologisch zu beleuchten. Von dort aus gilt es, ›Vermittlung‹ wieder im Diskurs der Kunstvermittlung zu verorten und anzuwenden, um zu sehen, was der Begriff dort zu leisten vermag und was nicht. Möglicherweise auch, um zu sehen, dass der von hier aus gedachte Begriff der Kunstvermittlung mehr zu leisten vermag, als bisher sichtbar war, um zu sehen, welches reflexive Potential der Blick aus einer Richtung ermöglicht, die zunächst ohne zwingenden Zusammenhang mit Kunst steht.

Bei diesem Aus- und Wiedereinbau von ›Vermittlung‹ in ›Kunstvermittlung‹, gilt mein besonderes Augenmerk differenzorientierten Diskursen der Kunstvermittlung. Ich habe gezeigt, dass der Begriff der Vermittlung dort nicht mehr reibungslos funktioniert, auf Skepsis und Ablehnung stößt, ja, dass ›Kunstvermittlung der Differenz‹ als Widerspruch

149 Vgl. Kap 2.2 *Vermittlung als Harmonie* und Kap. 2.3 *Vermittlung als Versöhnung. Zwischen Auf- und Abwertung.*

in sich erscheint, was die Eignung des Vermittlungsbegriffs für diese Diskurse infrage stellt. Es ist Teil des Programms, diesen Widerspruch weiter zu verfolgen.

Ein weiteres Argument für den programmatischen Fokus auf ›Vermittlung‹ lässt sich ebenfalls aus der Geschichte des Begriffs der Kunstvermittlung ableiten. Die Geschichte hat gezeigt, dass der Begriff der Kunstvermittlung von Anfang an nicht zu trennen ist von politischen, ökonomischen und pädagogischen Implikationen. Kunstvermittlung im Kontext Wilhelminischer Sozialpolitik wird nur verständlich, wenn die Interessen aus Politik, Wirtschaft und Kunst in Zusammenhang gesetzt werden. Diese Zusammenhänge haben auch die institutionskritischen Diskurse der 1970er Jahre herausgearbeitet, die mit einem marxistisch informierten Begriff der Kunstvermittlung die Produktionsbedingungen von Kunst fokussierten.

Die Beschränkung auf einen dieser Bereiche würde also entweder die Begriffsgeschichte verschleiern – seine historischen Verstrickungen in wirtschaftliche, politische und pädagogische Rahmungen und Interessen – oder ihn auf einen ganz bestimmten Kunstvermittlungsbegriff reduzieren, der nichts mehr mit dem gemein hat, was sonst noch als Kunstvermittlung diskutiert wird. Mit dem Rekurs auf seine eigene Geschichte geht der Begriff demnach weder darin auf, »Kunstvermittlung als ein Teilgebiet der Kunstpädagogik« zu begreifen,[150] noch darin, zwischen Kunst und Kunstvermittlung eine »Fusion« auszumachen.[151] Kunstvermittlung erscheint im historischen Licht vielmehr als jener Ort, an

150 Preuss: »Kunstpädagogik im institutionellen Kontext«, S. 60.

151 Eremjan: *Transkulturelle Kunstvermittlung*, S. 201. Vgl. hierzu auch Bering: *Kunst und Kunstvermittlung als dynamisches System.*

dem sich pädagogische, ästhetische, politische, ökonomische Handlungsweisen und Interessen durchkreuzen und aufeinander beziehen, auch wenn dabei immer wieder Abgrenzungskämpfe ausgefochten werden. Möglicherweise aus Furcht vor Kontaminierung wird der Begriff der Kunstvermittlung entweder dermaßen eingeengt, dass er sich nur auf das je eigene Interessensgebiet bezieht, didaktische wie ökonomische Bezüge werden als scheinbar begriffsfremd abgewiesen,[152] oder der Begriff selbst wird abgewiesen, um mit den wechselseitigen Diskursverschmutzungen nicht in Berührung zu kommen.[153]

In diesem Sinne ist auch mein Vorschlag zu sehen. Es geht mir nicht darum, Vermittlung aus dem Kunstverhältnis herauszunehmen, um den Begriff eindeutig einem anderen System, etwa dem der Pädagogik, zuzuordnen. Mein Programm zielt darauf, im Folgenden die strikte Orientierung des Vermittlungsbegriffs auf Kunst, Pädagogik, Wirtschaft *oder* Politik aufzugeben, den Begriff zu erweitern, ihn also nicht im Verhältnis zu *einem* gesellschaftlichen System zu beobachten, sondern im Verhältnis zu Gesellschaft überhaupt.[154] Dann wird sich, so meine Hoffnung, zeigen, dass im Begriff der Kunstvermittlung mehr Potenzial verborgen ist, als bloßes Verknüpfen zwischen Problemstellungen der Kunst einerseits – denn ohne Kunst keine Kunstvermittlung;

---

152 Vgl. Eremjan: *Transkulturelle Kunstvermittlung*, bes. S. 207 und 260.

153 Vgl. Kap. 3.3 *Kunstvermittlung ist möglich – nicht trotz, sondern wegen Differenz* und Kap. 7. *Exkurs: ~~Kunstsystem~~*.

154 Vergleichbar damit ist auch Ulrich Schötkers Vorschlag Kunstvermittlung zu begreifen, nämlich als Perspektive, um »die Anschlüsse zwischen Kunstsystem und der Gesellschaft besser beobachten und reflektieren zu können.« Schötker: »Das ist doch nicht neu«, S. 6. Gleichwohl wird ein absoluter Fokus auf das System der Kunst im Rahmen dieser Arbeit noch aufgegeben. Vgl. Kap. 7. *Exkurs: ~~Kunstsystem~~*.

den Kunstbegriff gilt es demnach auch hier zu klären[155] – und der Pädagogik, Wirtschaft oder Politik andererseits. Es wird zu zeigen sein, dass der Begriff der Vermittlung weniger auf bestimmte Positionen, Diskurse, gesellschaftliche Felder Bezug nimmt als auf bestimmte komplexe *Verhältnisse* zwischen Positionen, Diskursen und Feldern. Meine These ist demnach, dass quer zu Begriffen der Vermittlung in pädagogischen, juristischen, politischen, ethischen und ästhetischen Diskursen die Form der Vermittlung verläuft. Diese Form gilt es herauszuarbeiten.

Die Herauslösung des Vermittlungsbegriffs lohnt sich auch deshalb, weil die Einführung des Ausdrucks ›Kunstvermittlung‹ zur Wende des 19. ins 20. Jahrhundert in eine Zeit fällt, in der – das wird im folgenden Kapitel zu zeigen sein – auf breiter gesellschaftlicher Basis ohnehin um den Begriff der Vermittlung gerungen wurde: Er war nicht klar gesetzt, es wurden politische, theologische und philosophische Argumente ausgetauscht. Es lohnt sich also, ebendieses Ringen in den Fokus zu rücken, denn es hat viel mit dem derzeitigen Ringen um ›Kunstvermittlung‹ zu tun.

155 Vgl. Kap. 4.3 *Kunstwerk – vom Subjekt betrachtet* und Kap. 6.3 *Zum Verhältnis von Kunst und Gesellschaft bei Adorno*.

2. Vermittlung: Etymologie und Wortgebrauch

Vermittlung ist Verheißung. So scheint es zumindest im aktuellen Sprachgebrauch. Die Arbeitsvermittlung stellt das Erlangen eines Jobs in Aussicht, das Universitätsseminar die Vermittlung von Wissen, die Vermittlung einer Reise das Glück einer gelungenen solchen, die Konfliktvermittlung den lang ersehnten Frieden in der Familie oder am Arbeitsplatz. Neben diesen Glücksversprechen scheint es befremdlich, historische Wortverwendungen von ›vermitteln‹ zu lesen, die, wie das Folgende zeigen wird, darunter ein gegenteiliges Versprechen verstehen, nämlich ein Hindernis, das zwischen mir und dem Ersehnten steht. Ein solcher historischer Blick kann deshalb erhellend sein, weil damit das Experiment unternommen werden kann, die obige Liste nochmals mit negativer Wendung zu lesen: die Stellen, die das Jobcenter mir vermitteln will, haben nichts mit meinem Begriff von Arbeit zu tun, das Uniseminar lässt mich ratlos zurück, die Reise war ein einziges Desaster, und der Frieden hielt auch nicht lange – alles durchaus realistische Vorstellungen.

Anhand dieser ersten Beispiele aus dem aktuellen Wortgebrauch einerseits und der wortgeschichtlichen Perspektive andererseits, die das mögliche *Scheitern* der versprochenen Vermittlungsleistung in den Blick nimmt, möchte ich eine Unterscheidung einführen: Ich werde das Wort ›Vermittlung‹ einerseits auf semantischer Ebene untersuchen, d.h. ich werde wiederholt die Differenz verschiedener Bedeutungsmöglichkeiten und Gebrauchskontexte darstellen – wie oben die Differenz des Gebrauchs von ›Vermittlung‹ im Kontext von Bildung, Verkauf und Schlichtung –, den Ausdruck ›Vermittlung‹ also in einem multiplen Bedeutungsfeld verorten. Andererseits will ich eine gemeinsame strukturelle Ebene untersuchen, die quer zu all den verschiedenen Bedeutungen liegt. Meinen Beispielen nach wäre etwa das Versprechen durch Vermittlung eine Gemeinsamkeit; denn die Vermittlung *ist* nicht der Frieden, die Reise oder das Wissen, sondern das *Versprechen* derselben, das – so wiederum die historische Perspektive – genauso gut ein Scheitern einleiten kann. Es ist diese ambivalente Anlage zwischen Verheißung und Scheitern, die mich auf struktureller Ebene interessieren wird. Meine zu überprüfende und zu differenzierende These lautet also, dass dem Ausdruck ›Vermittlung‹ durch Wortgeschichte und -gebrauch bereits ein ambivalentes Verhältnis eingeschrieben ist.

Es gilt anzumerken, dass mit ›semantische/strukturelle Ebene‹ kein ontologischer Unterschied behauptet wird – struktureller Sprachwissenschaft nach ist ohnehin keine Bedeutung ohne Struktur zu haben, beides nicht ohne Weiteres zu trennen[1] –, sondern die Unterscheidung eine

1 Vgl. Saussure, Ferdinand de: *Grundfragen der allgemeinen Sprachwissenschaft*, hrsg. von Charles Bally und Albert Sechehaye, übers. von Hermann Lommel. Berlin/Leipzig: de Gruyter 1931 (1916), S. 15.

methodische ist. Ich will sie verwenden, um verschiedene Ebenen des Vermittlungsbegriffs in den Blick zu nehmen, ihn also weder auf eine allgemein-identische Bedeutung zuzurichten noch in einem beliebigen Feld differenter Bedeutungen zu verlieren. Es wird sich zeigen, dass semantische und strukturelle Ebene sich immer wieder berühren und einander bedingen.

2.1. Das Derivat ›Vermittlung‹ und seine Geschichten

Der Ausdruck ›Vermittlung‹ ist ein Derivat, d.h. er leitet sich aus mehreren, in diesem Fall drei Morphemen ab: aus dem Präfix ›ver-‹, dem Mittelteil ›mittl‹, verkürzt aus dem Simplex ›mitte‹ bzw. ›mittel‹, sowie dem substantivbildenden Suffix ›-ung‹.

›mittel‹ und ›mitte‹

Das Simplex ›mittel‹ lässt sich bis zum griechischen ›méson‹ zurückverfolgen, was ›mitten‹ oder als Substantiv: ›Mittleres‹ meint.[2] Ins Lateinischen zu ›medium‹ entlehnt, findet es sich im deutschsprachigen Raum als ›mitte‹ wieder. Zur Wortfamilie um den Wortstamm ›meso‹ gehört überdies auch das Verb ›mesiteyo‹, das »in die Mitte treten« bedeutet, sowie das hebräisch-griechische Wort ›messias‹: der

2 Für die Rückführung von ›mitte‹ auf ›méson‹ vgl. Lexer, Matthias: *Mittelhochdeutsches Handwörterbuch*, Bd. 1, Leipzig: S. Hirzel 1872, Sp. 2186. Für die Bedeutung von ›méson‹ vgl. Menge, Hermann: *Langenscheidts Großwörterbuch Griechisch unter Berücksichtigung der Etymologie*, Bd. 1. Berlin/München/Zürich: Langenscheidt 1970, S. 446.

»Gesalbte«[3] – ein Sinnzusammenhang, der für die Etymologie von ›Vermittlung‹ noch wichtig sein wird.

Im alt- und mittelhochdeutschen Sprachgebrauch erfährt die Wortfamilie, zu der ›mitte‹/›mittel‹ gehören, eine Bedeutungsbandbreite, die den zeitgenössischen Wortgebrauch von ›Vermittlung‹ bereits erahnen lässt. So führt Matthias Lexer in seinem *Mittelhochdeutschen Handwörterbuch* im Zusammenhang zu ›mitte‹ die Lemmata ›mittel‹ – (»*in der mitte, mittler*«), ›mittel-bote‹ (»*vermittelnder bote*«), ›mitteler‹ (»*der in der mitte ist*«), ›mitterîn‹ (»*vermittlerin*. frouwe, himels künigîn, gots und der menschen mitterîn«[4]), ›mittel-lich‹ (»*die mitte haltend*«), ›mitteln‹ (»*mitten durch, [...] in die mitte stellen, in der mitte sein*«), ›mittellunge‹ (»*vermittlung [...], mittlerer, rechter weg*«) sowie ›mitter‹ (»*in der mitte befindlich, unparteiisch*«)[5] – eine Zusammenstellung auf semantischer Ebene, die zeigt, dass ›Mittel‹ in theologischen (zwischen Gott und Menschen mitteln) und politischen (die Unparteiische) Zusammenhängen gebraucht wird, eine kommunikative Bedeutung (der Bote/die Botin) umfasst, sowie einen Ort bzw. eine räumliche Lage bezeichnet (in der Mitte).

Das *Deutsche Wörterbuch* der Brüder Grimm nimmt dieses Bedeutungsfeld auf, entfaltet einige Bedeutungen, die sich vom Mittel- ins Neuhochdeutsche durchgesetzt und verfeinert haben (z.B. ›mittel‹: »*vorschlag zur güte [...], ausgleich*«),

3 Ebd.

4 Dieser Eintrag ist aus diachroner Perspektive der letzte Hinweis in meinen Quellen, bei dem ›Mittel/Vermittlung‹ weiblich konnotiert ist – bis zur Einordnung von vermittelnden Berufsfeldern im 20. Jahrhundert, die feminisiert und gleichzeitig abgewertet werden. Vgl. Kap. 2.3 *Von Teilhabe zu Handel. Neue Muster der Eingrenzung und Abwertung von Vermittlung.*

5 Lexer, Matthias: *Mittelhochdeutsches Handwörterbuch*, Bd. 1. Leipzig: S. Hirzel 1872, Sp. 2185–2190, Herv. i.O.

und erweitert um die heute gebräuchliche Bedeutung von ›Mittel‹ als »*hilfsmittel*«, als »mittel *dem* zweck *entgegengesetzt*«.[6] ›Mittel‹ wäre dann kein abstrakt zu denkender Zwischenraum, sondern eine konkrete Akteur*in oder ein konkretes Werkzeug, die adressiert bzw. eingesetzt werden, um ein bestimmtes Ziel zu erreichen. Das Mittel sei, so Christoph Hubig, »Inkarnation, Verkörperung, Instanziierung« eines Dritten, »*reale Entität*«.[7] Die Position des Dritten als ›Mittel‹ hebt sich damit vom Gebrauch des Begriffs ›Medium‹ in zeitgenössischen Medientheorien ab, in denen Letzteres ein Unverfügbares meint: das, was sich im Gebrauch niemals zeigt, sondern allenfalls Spuren »einer selbst unanschaulichen Medialität« hinterlässt.[8]

Als Mittler*innen sind dann sowohl mythologische Figuren gemeint, wie Jesus, Hermes oder die Engel als göttliche Boten, als auch Figuren des öffentlichen Lebens, wie der ›Ombudsmann‹ oder die Schlichter*in. In diesem Sinne verweist Johann Heinrich Zedler in seinem *Universallexikon* von 1739 unter dem Lemma ›Mittler‹ zum einen auf das »Mittler-Amt Christi«, als eine »Gott-menschliche und Mensch-Göttliche Verrichtung«,[9] die durch den Messias, der ›in die Mitte tritt‹, eine Dreiecksverbindung zwischen allen schafft. Der Notwendigkeit der Mittlung geht dabei ein Urkonflikt voraus, in der christlichen Mythologie als ›Urschuld‹ von Adam und Eva bezeichnet. Als Sohn Gottes sei

6 Grimm, Jacob/Grimm, Wilhelm: Art. »Mittel«, in: dies.: *Deutsches Wörterbuch*, Bd. 6, Leipzig: S. Hirzel 1885, Sp. 2386 und 2387, Herv. i.O.

7 Hubig, Christoph: *Mittel*, Bielefeld: transcript 2002, S. 43, Herv. i.O.

8 Ebd., S. 27.

9 Zedler, Johann Heinrich: *Zedlers großes vollständiges Universal-Lexikon*, Bd. 21. Leipzig/Halle: Zedler 1738, Sp. 624 h.

Jesus dann selbst Mensch geworden, habe durch seinen Tod diese Schuld auf sich genommen und so Vermittlung als Versöhnung geleistet. Es wird sich noch zeigen, dass dieser semantische Zusammenhang zwischen Vermittlung und Versöhnung, der sich durch die gesamte Begriffsgeschichte zieht, weit über die theologische Bedeutung hinausgeht und bis zu Adornos Gebrauch des Vermittlungsbegriffs reicht.[10] Dabei hat das Wort ›Versöhnung‹, ursprünglich ›Versühnung‹, seinen Ursprung im Umgang mit Sühne, als Bitte um Vergebung für eine begangene Schuld.[11]

Zum anderen versteht Zedler den ›Mittler‹ als »Friedens-Stiffter, Unterhändler, Schieds-Mann«[12] im politischen Sinne und von dort aus Mittlung bzw. »Mediatio« als diejenige Handlung einer staatlichen Institution, die »zwey oder mehrere streitende Prinzen aus einander zu setzen, und zwischen denselben einen beständigen und dauerhaften Frieden zustiffften sucht.«[13]

Der Mittler habe als konkrete völkerrechtliche Figur Frieden durch einen »Vergleich«,[14] oder: Kompromiss, auszuhandeln. Eine günstige Ausgangsposition für eine solche »Mediatio« ist für Zedler dort, wo die streitenden Parteien über äquivalente, also gleichwertige Machtoptionen verfügen, also nicht davon auszugehen ist, dass die eine Seite die andere dominiert. Sei die Situation hingegen nicht äquivalent, so bedürfe eine Seite zusätzlich des Schutzes des Mittlers. Dieser Befund Zedlers ist deshalb so interessant, weil

10 Vgl. Kap. 6.3 *Vermittlung als Versöhnung.*

11 Vgl. Dudenredaktion (Hg.): *Duden. Deutsches Universalwörterbuch.* Mannheim/Zürich: Dudenverlag 2011, S. 1907 und 1713.

12 Zedler: *Universal-Lexikon*, Sp 619.

13 Ebd., Sp. 624.

14 Ebd., Sp. 619.

damit auch die Ambivalenz zwischen Harmonisierung einerseits und Gewalt des Mittelns andererseits ins Spiel kommt. Zedler schreibt weiter:

> so scheinet das Amt eines Schieds-Manns alsdenn fast unentbehrlich zu seyn, welcher entweder freywillig, oder auch dazu erbethen, die Gemüther zu einem Frieden zu bewegen sucht, oder, soferne der eine Theil allzu hartnäckig seye, und keine Vorschläge annehmen wollte, seine Macht und Gewalt zeige, vermöge derer er dem sich zum Frieden anschickenden Theile beystehen, und den anderen zu einem billigen Vergleiche nötigen könne.[15]

Der vermeintlich unparteiische Mittler würde demnach dann eindeutig Partei ergreifen, um die Dominanz der stärkeren Seite zu brechen bzw. um Schlichtung auch unter Zwang durchzuführen. Eine solches Schlichtungskonzept schreibt dem Mittler enormes Macht- und Gewaltpotenzial zu. Gleichwohl verbindet Zedler mit dem Mittler eine durchweg positive Bedeutung, die sich einerseits daraus ergibt, dass etwas verbunden werden soll, was vorher getrennt war, und so Frieden geschaffen wird, und andererseits aus der Bedeutung des ›Mittelns zwischen den Extremen‹, wie etwa das Ge-Mitteltsein von extremen Werten einer Messung in einem durchschnittlichen Wert.[16] Um Frieden herzustellen, also Verbindung zu schaffen, müssten beide Seiten ihre Extreme verlassen, ein Mittel, einen Kompromiss finden. ›Mittel‹ wäre dann ebenso Ort der Versöhnung (in der Mitte) wie Mittel zum Zweck des Friedens.

---

15 Ebd., Sp. 619.

16 Vgl. hierfür den Eintrag »mitteln« im Duden: »mitteln […]: *auf den Durchschnitt, den Mittelwert bringen*«. Dudenredaktion (Hg.): *Duden*, S. 1201. Vgl. dazu auch das Adjektiv »gemittelt«. Ebd., S. 696.

Die Vorsilbe ›ver-‹ und ihr »übler Nebensinn«

Im Gegensatz zu dieser positiv besetzten Bedeutung des Mittelns im Sinne des Verbindens und Befriedens steht das Verständnis des *Ver*-Mittelns im Mittelhochdeutschen, bei dem sich die Bedeutung des *Trennens* nachweisen lässt.[17] So führt Lexer das Lemma ›ver-mitteln‹ als »*hindernd wozwischen treten*«.[18] Diese Bedeutung lässt sich zwar aus Zedlers Beschreibung des Mittlers herauslesen, als derjenige, der auch mit Gewalt zwei Streithähne trennt, um sie anschließend zu versöhnen – eine Doppelbedeutung also, die das Mittel sowohl verbindend als auch trennend begreift. Im Mittelhochdeutschen jedoch schien der Ausdruck ›vermitteln‹ ausschließlich im Sinne des Trennens gebraucht worden zu sein. So zitieren die Grimms den Mystiker Hermann von Fritslar, aus dessen Verwendung von ›vermitteln‹ keine positive Deutung herauszulesen ist: »du armer lîcham, den ich sô swêrlîche getragen habe und mich dicke gehindert hêst und vermittelt zwischen mir und gote, nu vrouwe ich mich, dasz ich dîn ledig werden sol.«[19] So vermittelt der Körper (»lîcham«) zwischen Gott und Menschheit, *indem* er »als störendes mittelding zu gott und den menschen« steht.[20]

17 Vgl. Grimm, Jacob/Grimm, Wilhelm: Art. »vermitteln«. In: dies. (Hg.): *Deutsches Wörterbuch*, Bd. 12, Abt. 1, Leipzig: S. Hirzel 1956, Sp. 877.

18 Lexer, Matthias: *Mittelhochdeutsches Handwörterbuch*, Bd. 3, Leipzig: S. Hirzel 1878, Sp. 181, Herv. i.O.

19 »Du armer Körper, den ich so schmerzlich getragen habe und der mich dermaßen gehindert hat und vermittelt zwischen mir und Gott, nun freue ich mich, dass ich deiner ledig werden soll« (meine Übers.). Zit. nach: Grimm/Grimm: Art. »vermitteln«, Sp. 878.

20 Ebd.

Das Lemma ›un-vermittelîchen‹ bezieht Lexer dagegen auf »*unmittelbar, ohne Hinderniss*«.[21]

Wie aber kommt es zu dieser Parallelentwicklung, der positiven Bedeutung des Mittelns als Verbindung und der negativen des Vermittelns als »Scheidung«[22]? Es liegt nahe, das Präfix ›ver-‹ und seine Wirkung auf ›mitteln‹ näher zu betrachten. Dabei scheint die Wirkung, welche ›ver-‹ auf nachgestellte Stammwörter haben kann, auf den ersten Blick keiner genauen Regel zu folgen.[23] Sie scheint mal zu verstärken (›verfestigen‹), mal den Sinn umzukehren (›verachten‹), mal einen völlig neuen Sinn herzustellen (›versagen‹). Diese unübersichtliche Wirkung hat ihren Ursprung darin, so die These von Max Leopold, dass ›ver-‹ auf drei verschiedene Vorsilben des Gotischen zurückgeht, nämlich auf ›fair-‹, ›faur-‹ und ›fra-‹, die im alt- und mittelhochdeutschen Gebrauch dann alle in ›ver-‹ verschmolzen.[24]

Dabei enthält ›faur-‹ meist räumliche Informationen, z.B. über die Lage eines Gegenstandes und hängt dann eng mit der Vorsilbe ›vor-‹ zusammen (›jemandem die Augen verbinden‹: ›ein Tuch *vor* die Augen binden‹), wird aber auch im Sinne von ›rings-herum‹ gebraucht (›verhüllen‹, ›vernebeln‹), sowie im Sinne von ›für‹, also auf eine Person gerichtete Tätigkeit (›verurteilen‹, ›verzeihen‹). Mehrfach wird mit den ›faur-‹Typen auch eine Verbindung benannt.[25]

21 Lexer, Matthias: *Mittelhochdeutsches Handwörterbuch*, Bd. 2, Leipzig: S. Hirzel 1876, Sp. 1959.

22 Grimm/Grimm: Art. »vermitteln«, Sp. 877.

23 Vgl. zur aktuellen Bedeutungsbandbreite https://www.duden.de/rechtschreibung/ver_ (abgerufen am 30.4.2019).

24 Leopold, Max: *Die Vorsilbe ver- und ihre Geschichte*, Breslau: M. & H. Marcus 1907, S. 3.

25 Vgl. Ebd., S. 146.

Das gotische Präfix ›fra-‹ wird meist im Sinne von ›weg‹ gebraucht, »drückt häufig etwas Wegwerfendes, Gehässiges, Verächtliches aus«,[26] (›verraten‹, ›verleumden‹) und sabotiert nicht selten den Sinn des Stammwortes; so sind viele ›fra-‹Verbindungen später in ›ent-‹Verbindungen übergegangen. ›Fra-‹ im Sinne von ›weg‹ weist aber auch auf die Finalisierung von Tätigkeiten hin (›verbrauchen‹, ›verarbeiten‹).[27]

Die ›fair-‹Typen hingegen sind nicht so einfach einzuteilen, weil sie meist Verbindungen mit den anderen beiden Typen eingehen. So kann ›fair-‹ eine Verbindung meinen (verfestigen), die Bedeutung ›rings-herum‹ aufnehmen (verzieren) und ihrem Simplex einen »üblen Nebensinn« verleihen.[28] Erweitert wird die Gruppe durch eine Parallelentwicklung zur Vorsilbe ›unter-‹; diese aber nicht im Sinne von ›unten-drunter‹, sondern als mittelhochdeutsches ›under‹, das, wie das lateinische ›inter‹, ›zwischen, mitten in, durch und durch‹ bzw. »in die mitte zweier« meint.[29]

Im letzteren Umfeld mit Parallelen zur Vorsilbe ›unter‹ verortet Leopold den Ausdruck ›vermitteln‹, den er eine »eigenartige« Komposition nennt.[30] Leopold weist ausdrücklich auf den Doppelsinn von Vermitteln als Verbinden wie Trennen hin und verweist dabei auf Lexers Lemmata ›mitteln‹ (›in der mitte sein‹) einerseits und ›vermitteln‹ (›hindernd wozwischen treten‹) andererseits.[31]

Leopold erklärt die widersprüchliche Bedeutung von ›vermitteln‹ auf zweierlei Weise. Zum einen so, dass die

---

26 Ebd., S. 17.

27 Vgl. ebd., S. 238.

28 Ebd., S. 264.

29 Lexer: *Mittelhochdeutsches Handwörterbuch*, Bd. 2, Sp. 1777.

30 Leopold: *Die Vorsilbe ver-*, S. 164.

31 Ebd., S. 164, Anm. 2.

›fair-‹Komposita Verbindungen mit ›fra-‹Typen und deren »üble[m] Nebensinn« eingegangen und »dadurch doppelsinnig geworden sind. Sie bedeuten zugleich ›auseinanderziehen‹ und ›ineinanderfügen‹ [...], ›auseinanderflie[ß]en‹ und ›ineinander übergehen‹«.[32] Zum anderen werde der Doppelsinn von ›vermitteln‹ durch den Zusammenhang zu ›unter‹ verständlich. So führt er Lexers Lemma ›under-mittel‹ an, was dort mit dem lateinischen ›intermedium‹ übersetzt wird.[33] Diese Betonung auf *zwischen* ist Hinweis auf die Gleichzeitigkeit von Trennen und Verbinden, oder besser: für eine zirkuläre kausale Ordnung, nach der Trennung durch Verbindung und Verbindung durch Trennung geschieht. Das Intermedium wird in die Mitte gestellt, und indem dies geschieht, trennt und verbindet es die Geschiedenen gleichermaßen. Die Wirkung der Vorsilbe ›ver-‹ auf die Mitte ist demnach als ein erster Hinweis auf eine strukturelle Ebene zu lesen, nach der ein ambivalentes, (noch) nicht bestimmtes Verhältnis zwischen Identität und Differenz dem Begriff der Vermittlung von Anfang an eingeschrieben ist.

Vermittlung als substantiviertes Verb

Die Wirkung des Suffix ›-ung‹ auf das Stammwort ist schnell erzählt, jedoch nicht ohne Bedeutung: Das Verb ›vermitteln‹ wird als ›Vermittlung‹ substantiviert. Zur Eigenart der substantivierten Verben gehört nicht zuletzt die Erzeugung eines Doppelsinns, der unbestimmt lässt, ob nun die Tätigkeit selbst, deren Resultat oder beides zugleich gemeint ist.[34]

32 Ebd., S. 173.

33 Vgl. Lexer: *Mittelhochdeutsches Handwörterbuch*, Bd. 2, Sp. 1792.

34 Vgl. Kap. 2 *Von Teilhabe zu Handel* und Kap. 7.2 *Komplexe Vermittlung – über das Dreieck hinaus.*

2.2. Historisch-semantische Begriffsgeschichte

Vermittlung als Aufschub

Als substantiviertes Verb ist ›Vermittlung‹ erst im Neuhochdeutschen nachweisbar – bis zum Ende des 18. Jahrhunderts meist in der Schreibweise ›Vermittelung‹, was den Zusammenhang zum *Mittel* der Vermittlung hervortreten lässt. Im Folgenden führe ich drei Zitate aus Schriften des 16. Jahrhunderts an, die in ihrem Wortgebrauch von ›Vermittlung‹ Zusammenhänge noch ins Licht rücken, die im weiteren Verlauf der Wortgeschichte wenn nicht verloren gehen, so doch durch Bedeutungszuwachs zunehmend verundeutlicht werden.

Die erste Quelle geht auf Johann Mathesius zurück, einen protestantischen Pfarrer, der 1557 seine Predigten abdrucken ließ. Er schreibt über das Neue Testament als »Pact und Bund«,[35] der nach der Schuld von »Adam und seinen Nachkommen« geschlossen wurde, um dadurch »vorbitte/vermittelung oder Dolmetschung[36]« des Sohns Gottes anzubieten und zu »verheissen«. Ein Bund, den Christus als »Mitler«,[37] als Mensch gewordener Sohn Gottes, »mit seinem Tode und Blute befestigt« habe, um zu versöhnen und die ›Urschuld‹ zu ent-schulden.

Die zweite Quelle stammt aus einer Kritik am Tridentinischen Konzil der Katholischen Kirche (1545–1563),

35 Mathesius, Johann M.: *Auslegung und gründliche Erklärung der Anderen Episteln des heiligen Apostels Pauli an die Corinther*. Leipzig: Johan Beyer 1557, S. 33.

36 Auch aktuell wird ›Vermittlung‹ häufig als Synonym zum Dolmetschen gebraucht.

37 Mathesius: *Auslegung*, S. 33.

geschrieben von Martin Chemnitz, einem Kopf der Reformationsbewegung. Das Konzil galt als Antwort auf reformatorische Forderungen, wie die Ablehnung der katholischen Praxis der Bilderverehrung (z.B. von Heiligenbildern). Im Konzil wurde die Verehrung von Heiligenbildern verteidigt. Chemnitz dazu: »Ich nemme die Heiligen an / welche bey Gott für mich bitten / daß mir durch ire vermittelung Gott genedig sey / und mir vergebung der Sünde gebe / umb welcher ursach willen ich auch die Historien irer Bilder verehre und öffentlich anbete.«[38] Die Vermittlung ist hier eine doppelte: Zum einen sollen die Heiligen als Mittler*innen zwischen Menschen und Gott vermitteln und, ähnlich wie bei Mathesius, an ihrer statt um Versöhnung zu bitten. Zum anderen – das war das Argument der katholischen Kirche – beziehe sich die Verehrung nicht auf die Bilder selbst, meine also nicht *unmittelbar* das Bild – sonst wäre sie einem Tanz um das goldene Kalb gleich und damit verboten. Stattdessen richte sie sich durch die *Vermittlung des Bildes*, an die Heiligen.

Das dritte Zitat ist einem politischen Kontext entnommen und stammt vom Chronisten Donato Gianotti, der 1574 vom Krieg Philipps II., damals Herzog von Mailand, gegen die venedische Liga berichtet. Philipp verlor den Krieg, war aber zunächst nicht geneigt, seine Niederlage einzugestehen und Friedensverhandlungen zu seinen Ungunsten zu führen. »Derhalb«, so der Chronist, »durch vermittelung Papstes Martini Gesandten oder Legaten kamen der Fürsten und Statt Ambassadorn zu Ferrar beyeinander / unnd ward

38 Chemnitz, Martin: *Erörterung Deß Trientischen Concilii*, Frankfurt/Main: Feyerabend 1576, S. 33.

auff folgende maß ein Friede gemacht«:[39] Die Herrschaft der Venezier über die von ihnen eingenommenen Städte wurde durch die Verhandlungen legitimiert. Philipp musste die Stadt Bergoma abtreten und wurde verpflichtet, keine weiteren Kriege zu führen. Jedoch: »Dieser Fried wehret gleichwol auch nicht lang«.[40] Philipp sah sich durch den Friedensschluss übervorteilt und zog von Neuem in den Krieg gegen Venedig.

Alle drei Verwendungen des Ausdrucks ›Vermittlung‹ haben mehrere Gemeinsamkeiten. In allen geht es um Versöhnung, um einen Akt, der Schuld begleichen soll. Es sind immer drei Parteien im Spiel: die beiden, die es zu versöhnen gilt, und diejenigen, die als Dritte, als Mittel der Vermittlung, die Versöhnung herbeiführen bzw. dafür bitten sollen. Es wird – deutlich in der ersten und dritten Quelle – ein Pakt geschlossen, d.h. eine Verabredung getroffen. Vermittlung verbindet. Gleichzeitig tritt die Figur des Dritten dazwischen, lässt die zu Versöhnenden also nicht in direkten, unvermittelten, ungehinderten Kontakt treten. Außerdem scheint immer auch etwas schiefzugehen. Der Frieden, von dem in der dritten Quelle die Rede ist, »wehret gleichwol auch nicht lang« – wohl nicht zuletzt durch die einseitige Dominanz des Paktes. Der Friedensschluss schiebt den Frieden selbst nur weiter hinaus.

Auch im zweiten Zitat wird etwas aufgeschoben. Der ›Trick‹ des Konzils war ja der, dass die ›Sache selbst‹, um die es bei der Bilderverehrung gehen soll, eben nicht das Bild, sondern die Heiligen sein sollten, diese wiederum nicht

---

39 Gianotti, Donato: *Wahrhaffte eigentliche und kurze Beschreibung der herrlichen und weltberühmten Statt Venedig*, übers. von Heinrich Kellner. Frankfurt/Main: o.V. 1574, S. 67 f.

40 Ebd.

anwesend, nicht unmittelbar im Diesseits erreichbar.[41] *Vermittlung verschiebt demnach die Sache selbst* – im einen Fall den Frieden, im anderen Fall die Adressat*in eines Gebets. Und auch beim ersten Zitat wird das Motiv des Aufschubs sichtbar, wenn der Begriff der Versöhnung im Kontext der frühen Reformationsbewegung gelesen wird, nach deren Auffassung die Verbindung zwischen Gott und Menschen durch den Tod Christi zwar vollkommen ist, sie sich aber dennoch permanent in ihrem »Wirklichkeitsbezug bewähren muß«.[42] Endgültige Erlösung ist demnach im Diesseits nicht zu erwarten, ist gleichfalls aufgeschoben.[43] Hier erhellt sich auch die Todessehnsucht des Mystikers von Fritslars, der ohne die Vermittlung seines Körpers in unmittelbare Verbindung zu Gott zu gelangen glaubt.[44] *Verbindung ist ohne Trennung nicht*

---

41 Im Dekret des Konzils zur Verehrung der Heiligen ist zu lesen, dass Bilder von Heiligen verehrt werden dürften, »aber nicht, weil man glaube, daß ihnen eine göttliche Kraft innewohne, deretwegen sie verehrt werden müßten, oder daß man von ihnen etwas erbitten müsse, oder daß man das Vertrauen auf die Bilder setze, wie ehedem die Heiden getan, sondern weil die Ehre, die man den Bildern erweise, auf die Urbilder zurückgingen«. Zit. nach Aschenbrenner, Thomas/Thulin, Oskar: Art. »Bilderfrage«. In: Schmitt, Otto (Hg.): *Reallexikon zur Deutschen Kunstgeschichte*, II. Band, Stuttgart-Waldsee: Alfred Druckenmüller 1948, Sp. 561–572, hier Sp. 566.

42 Bitter, Gottfried: Art. »Erlösung«, in: *Lexikon für Theologie und Kirche*, Bd. 3, hrsg. von Walter Kasper. Freiburg et al.: Herder 1995, Sp. 799-814, hier Sp. 812.

43 Noch deutlicher wird der Charakter des Aufschubs durch die Vermittlung des Messias in der jüdischen Religionsphilosophie bei Jeshajahu Leibowitz. Vgl. Leibowitz, Jeshajahu: *Gespräche über Gott und die Welt. Mit Michael Shashar*, Frankfurt/Main: Alibaba 1990, S 148.) Ich folge damit einem Hinweis von Karl-Josef Pazzini. (Vgl. Pazzini, Karl-Josef: »Nachträglich unvorhersehbar«. In: ders./Busse, Klaus-Peter (Hg.) *(Un)Vorhersehbares Lernen: Kunst-Kultur-Bild*. Dortmund: Dortmunder Schriften zur Kunst 2008, S. 43–68, hier S. 44.

44 Vgl. Kap. 2.1 *Die Vorsilbe ›ver-‹ und ihr »übler Nebensinn«.*

zu haben – Vermittlung schiebt das, was verbunden werden soll, an eine andere Stelle, führt permanenten Aufschub ein.[45]

Mit diesen drei Quellen und ihrem Verhältnis zueinander will ich nochmals die Unterscheidung zwischen semantischer und struktureller Ebene aufgreifen. Die Bedeutung des Wortes scheint zunächst immer die gleiche, also stets im Sinne von ›Versöhnung‹ gebraucht worden zu sein. Ein weiterer Blick hat aber gezeigt, dass es eine tiefere Ebene gibt, auf der erlösende Versöhnung nicht einfach eintritt, sondern zunächst versprochen, dann aber aufgeschoben wird. Die strukturelle Ebene, auf der ich den Ausdruck untersuchen will, ist also nicht auf den ersten Blick zu erkennen, sondern entfaltet ihre Wirkung erst, wenn das potenzielle bzw. tatsächlich eintretende Scheitern der Friedensverhandlungen und der anderen Vermittlungsbemühungen mitgelesen wird. Die neuhochdeutsche Vorsilbe ›ver-‹ lässt die Struktur des Widerspruchs zwischen Gelingen und Scheitern, zwischen Trennen und Verbinden an die Oberfläche treten.[46]

Obwohl die semantische Ebene hier eine identische zu sein scheint (Vermittlung bedeutet Versöhnung) so muss sie doch differenziert werden; aber nicht anhand der einfachen ›Übersetzung‹ des Wortes in ein anderes, sondern anhand

45 Vgl. hierzu auch die Formulierung der ›Abdrift‹ der Vermittlung bei Draxler: *Abdrift des Wollens*, bes. S. 35 und 44 f.

46 Damit grenze ich mich von Draxler ab, der grundsätzlich auf die Seite des Scheiterns von Vermittlung fokussiert und sich dabei auf ›positive‹ Zuschreibungen wie ›Gleichheit‹ und ›Gerechtigkeit‹ beschränkt. Vgl. ebd., S. 43. Dass aber gerade eine differenzorientierte (Kunst-)Vermittlung auch daran scheitern kann, das Scheitern von ›Gleichheit‹ in Kauf zu nehmen, weil sie hinter diesem Begriff hegemoniale Verhältnisse vermutet, dabei also doch wieder hegemoniale Prozesse mit initiiert, wird von Draxler nicht reflektiert. Vgl. hierzu bes. ebd., S. 290 f. und Kap 4.4 *Unentschiedene Kunstvermittlung der Reflexion*.

des Sprachspiels, in dem Vermittlung als Versöhnung gebraucht wird. Der entscheidende semantische Unterschied zwischen den drei Beispielen ist also im Kontext zu suchen, dem zwischen theologischen und politischen Gebrauch.

Vermittlung als Harmonie

In den folgenden Jahrhunderten wird der Ausdruck ›Vermittlung‹ zunehmend in politischen Kontexten verwendet, so dass sich erst hier der theologische Wortsinn von ›Versöhnung‹ allmählich zu ›Schlichtung‹ verschiebt. Im 19. Jahrhundert stand ›Vermittlung‹ insbesondere für Konfliktlösungen aller Art. Während Zedler den Mittler noch auf einer größeren, zwischenstaatlichen Ebene verortet – wie auch im Zitat des Chronisten Gianotti –, so erweitert der Theologe und Historiker Johann Peter Friedrich Ancillon den Begriff der Vermittlung auf allgemeine soziale Situationen: Die »Wahrheit [hat] keine größeren Feinde als die excentrischen Urtheile und die extremen Meinungen«,[47] die durch Vermittlung ausgeglichen werden sollen. Der »Vermittlung zwischen den Extremen« geht es demnach um »Harmonie«, so Ancillon weiter, um »Verschmelzung aller Verhältnisse zur Einheit«.[48] Vermittlung hat die Bedeutung des Schlichtens zwischen Streitenden angenommen, und zwar im alltäglich-sozialen wie im geopolitischen, aber auch im wissenschaftlichen Gebrauch. Denn auch in der Wissenschaft solle, so Ancillon, Vermittlung der Wahrheitsfindung dienen, die Wahrheit also stets einen Kompromiss extremer

47 Ancillon, Friedrich: *Zur Vermittlung der Extreme in den Meinungen*, Bd. 1. Berlin: Duncker und Humblot 1828, S. X.

48 Ebd., S. X f.

Positionen bilden;[49] eine Wahrheitsauffassung, die weder Ambivalenzen noch extreme Wahrheiten zulässt.

Diese Wahrheitsauffassung ist auch in Traugott Wilhelm Krugs *Handwörterbuch der philosophischen Wissenschaften* (1838) wiederzufinden, hier jedoch auf die Semantik der formalen Logik angewandt. Der Artikel *Zur logischen Vermittlung* benennt die »Ausgleichung entgegengesetzter Meinungen«, deren »Wahrheit eigentlich in der Mitte von beiden liegt, als Synthese zwischen These und Antithese«.[50] Diese Anwendung der politischen Bedeutung der Vermittlung als Schlichtung auf eine philosophische bzw. formal-logische in dieser Zeit ist keine Seltenheit und findet sich insbesondere in den Schriften des Philosophen Johann Gottlob Fichte.[51] Dabei weist der Vermittlungsbegriff nach Ancillon und Krug keine Spur der negativen Bedeutung mehr auf, die er im Mittelhochdeutschen noch hatte. Die Grimms schreiben dazu: »die bedeutung der scheidung scheint sich im nhd. [Neuhochdeutschen] nicht mehr nachweisen zu lassen«.[52] Während bei Zedler noch die Gewalt des Mittlers durchscheint, so sind Begriffe wie Ausgleich, Harmonie, Verbindung, Kompromiss und Synthese in der Folge geradezu Synonyme von ›Vermittlung‹. Die strukturelle Ebene des Widerspruchs scheint ihre Wirkung zu verlieren, oder besser: Die Schriften Ancillons und Krugs sind Teil eines

49 Vgl. den zweiten Band Ancillons, der sich auch zur Vermittlung in den Wissenschaften äußert: Ancillon, Friedrich: *Zur Vermittlung der Extreme in den Meinungen*, Bd. 2. Berlin: Duncker und Humblot 1831.

50 Krug, Wilhelm Traugott: Art. »Vermittlung. – Zusatz: Zur *logischen* Vermittlung«. In: ders.: *Allgemeines Handwörterbuch der philosophischen Wissenschaften nebst ihrer Literatur und Geschichte*, Bd. 5. Leipzig: F.A. Brockhaus 1838, S. 422.

51 Vgl. Kap. 3.2 *Vermittlung bei Fichte*.

52 Grimm/Grimm: Art. »vermitteln«, Sp. 877.

Diskurses, der gegen die Ambivalenz des Ausdrucks ›Vermittlung‹ und für die Idee harmonischer Reinheit eintritt.

Das hier angesprochene Verhältnis zwischen Harmonie, Reinheit und Ambivalenz wird im weiteren Verlauf meiner Arbeit eine zentrale Rolle spielen, daher bietet sich eine Differenzierung dieser Begriffe an.

Exkurs: Harmonie, Reinheit und Ausschluss der Ambivalenz

Der Ausdruck ›Harmonie‹ lässt sich zurückführen auf das lateinische ›*harmonia*‹, was »Übereinstimmung, Einklang« meint.[53] Das Konzept der ›Harmonie‹ war dabei bereits in der europäischen Wissenschaftsgeschichte der Antike ein »zentraler Begriff in der (Natur-)Philosophie, Metaphysik und Theologie«. ›Harmonie‹ bezog sich auf »die interne Struktur des Weltganzen unter dem Aspekt der Homogenität seiner Zusammengefügtheit«.[54] Im deutschen Sprachraum wurde der Begriff sowohl auf musikalische Phänomene angewandt, als auch zur normativen Darstellung gesellschaftlicher Verhältnisse.[55]

Im letzteren Sinne verdeutlichen etwa die Quellen des 16. und 17. Jahrhunderts, dass ›Harmonie‹ weniger ein strikt gewaltfreies Zusammenleben benennt als Zusammenhänge zwischen Gewalt und Frieden, Homogenität und Ausgrenzung. So wird durch den Begriff der Harmonie auch eine Form der Regierung benannt, die soziale Unterscheidungen trifft: »Dann die gute armoney [Harmonie] eines Fürstlichen

53 O.A.: Art. »Harmonie«. In: Schulz/Basler: *Deutsches Fremdwörterbuch*, Bd. 7, S. 89-106, hier S. 89.

54 Ebd., S. 90.

55 Vgl. ebd., S. 92–95.

Regiments bestehet in der abstraffung der bösen vnd in belohnung der frommen.«[56] Harmonie als Regierungstechnik hängt hier etwa von der Unterscheidung zwischen ›böse‹ und ›fromm‹ ab, die, je nach Urteil, Sanktionierung der als ›böse‹ Markierten nach sich zieht. Dass Harmonie auch in einer ständischen Trennung und daraus resultierenden Hierarchie bestehen kann, ist wiederum der Straßburger Kleiderordnung von 1628 zu entnehmen: »Der Unterschied der Stände welchen Gott und alle Ehrbarkeit erfordert, ohn welchen auch die politische Harmoney und gemeine wesen inn beständigem, guten Wohlstand sich nimmermehr befinden würd.«[57] Der Begriff der Harmonie bezieht sich also nicht zwingend auf eine totale Homogenität, sondern impliziert durchaus Differenz; aber eben nur so, als die Herrschaft der ›richtigen‹ Seite (etwa der höheren Stände oder der fürstlichen Regierung) ungestört, d.h. mit sich identisch bleibt.

Das dann Mitte des 19. Jahrhunderts »fast unentbehrlich gewordene wort« der Harmonie wurde vielfach benutzt,[58] um etwa ständische und konfessionelle Streitigkeiten zugunsten einer nationalen Identität ›beizulegen‹. Es wurde so in die Nähe von »Vermittlung, Ausgleich, Vereinbarung von Gegensätzen« gerückt,[59] aber auch kritisch betrachtet als »Verschleierung, Nivellierung der Gegensätze, Gleichmacherei«.[60]

Diese kurze Begriffsgeschichte macht deutlich, dass ›Harmonie‹ kein friedvolles Ganzes benennt, sondern im sozialen

56 Zit. nach ebd., S. 103.

57 Zit. nach ebd.

58 Grimm, Jacob/Grimm, Wilhelm: Art. »Harmonie«. In: dies.: *Deutsches Wörterbuch*, Bd. 4, Abt. 2, Leipzig: S. Hirzel 1877, Sp. 484–485, hier Sp. 484.

59 O.A.: Art. »Harmonie«, S. 95.

60 Ebd.

Sinne durch Ausgrenzung und Verschleierung von Widersprüchen zustande kommt. Damit lässt sich der Begriff im sozialen Zusammenhang in die Nähe der aktuelleren Kategorie ›Reinheit‹ rücken. Dabei beziehe ich mich auf Paul Mecheril, der die Unterscheidung Reinheit/Unreinheit vor dem Hintergrund »natio-ethno-kultureller Zugehörigkeit« (PdU 25) verortet. Mecheril problematisiert das Verständnis von Gemeinschaften, die sich durch vermeintliche Eindeutigkeit definieren (etwa durch eine nationale Fassung). Um die Reinheit einer solchen Gemeinschaft aufrechtzuerhalten, müssten *Andere*, ›Unreine‹, die solche Eindeutigkeit durch hybride Zuschreibungen irritieren, ausgeschlossen werden. (Vgl. PdU 25 f. und 31)

Das Konzept der Reinheit imaginiert demnach nicht nur eine vermeintlich harmonische Einheit, sondern schließt auch alles aus, was nicht eindeutig zuzuordnen ist. Bezogen auf soziale Zuschreibungsmuster schließt etwa die Harmonie nationaler Reinheit nicht nur die nationalen *Anderen* aus, sondern vor allem jene, die durch Mehrfachzuschreibungen das binäre Prinzip der Reinheit *(Wir und die Anderen)* selbst unterwandern.[61]

Sofern Diskurse der Harmonie auf der Reinheit ihrer Ordnung gründen, so stehen ihnen Diskurse der Ambivalenz als diese Ordnung störend gegenüber. Der Begriff der Ambivalenz ist wiederum ein Kunstwort, das auf den Psychiater Eugen Bleuler zurückgeht.[62] Der Ausdruck ›Ambivalenz‹ wird dabei gebildet aus dem »Präfix *amb(i)-* ›ringsum, um ... herum,

---

61 Vgl. Kap. 5.1 *Fundamentale Affirmation* und Kap. 7.3 *Logik der Cyborgs – Günther und Haraway vermittelt.*

62 Vgl. o.A.: Art. »Ambivalenz«. In: Schulz, Hans/Basler, Otto: *Deutsches Fremdwörterbuch*, Bd. 1. Berlin/New York: de Gruyter 1995, S. 435–440, hier S. 435.

auf beiden Seiten‹ und Valenz ›Wertigkeit‹«.[63] ›Ambivalenz‹ galt zunächst als psychiatrisches Fachwort in der Bedeutung von »gleichzeitige[m] Nebeneinanderstehen oder kurz aufeinanderfolgendem Aufkommen von (antagonistisch) entgegen gesetzten Gefühlen (z.B. simultane Zu- und Abneigung), Wertungen, Trieben, Denkweisen; Doppelwertigkeit (von Gefühlen); Zwiespältigkeit gegenüber einer Person oder Sache«.[64]

Der disziplinäre Bedeutungsraum von ›Ambivalenz‹ ist inzwischen erweitert und wird auch auf soziale Verhältnisse angewandt. So geht der Soziologe und Philosoph Zygmunt Bauman von der Ambivalenz moderner Gesellschaft aus, statt von Harmonie und Reinheit. Er verknüpft dabei sprachliche Formen von Ambivalenz mit sozialen Ordnungen:

> Ambivalenz, die Möglichkeit, einen Gegenstand oder ein Ereignis mehr als nur einer Kategorie zuzuordnen, ist eine sprachspezifische Unordnung: ein Versagen der Nenn- (Trenn-) Funktion, die Sprache doch eigentlich erfüllen soll. Das Hauptsymptom der Unordnung ist das heftige Unbehagen das wir empfinden, wenn wir außerstande sind, die Situation richtig zu lesen und zwischen alternativen [meist binären, AH] Handlungen zu wählen.[65]

Daraus ableitend begreift er soziale Ambivalenz als ambivalente Zugehörigkeitsordnung, z.B. sich im Kontext des deutschen Nationalismus im 19. und frühen 20. Jahrhundert sowohl als ›deutsch‹, als auch als ›jüdisch‹ zu begreifen.[66]

---

63 Ebd.

64 Ebd., S. 435 f.

65 Bauman, Zygmunt: *Moderne und Ambivalenz. Das Ende der Eindeutigkeit.* Hamburg: Junius 1992, S. 13.

66 Vgl. ebd., S. 133–193. Vgl. hierzu auch Kap. 2.2 *Hass auf Vermittlung. Antisemitismus und kapitalistische Komplexität* sowie Kap. 5.1 *Fundamentale Affirmation.* Vgl. bezogen auf aktuelle Ordnungsmuster sozialer Zugehörigkeit auch Paul Mecheril in PdU, bes. S. 17–24.

Weil solche Mehrfachzugehörigkeiten aber Ordnungsvorstellungen der Reinheit und Harmonie in ihrem Prinzip der Eindeutigkeit stören, gilt es für diese, Ambivalenz auszuschließen – und dies zum Preis von sozialer Ausgrenzung. So schreibt Bauman:

> Im politischen Bereich bedeutet die Beseitigung der Ambivalenz, Fremde auszugrenzen und zu verbannen, einige lokale Mächte zu sanktionieren und die unsanktionierten zu entrechten, ›Gesetzeslücken‹ zu füllen. Im intellektuellen Bereich bedeutet das Beseitigen von Ambivalenz vor allem, allen philosophisch unkontrollierten oder unkontrollierbaren Gründen des Wissens die Legitimation abzusprechen.[67]

Ambivalenzen auszuschließen bedeutet, nur solche Formen, Sprachen und Ordnungen anzuerkennen, die zu Vereindeutigung, zu Homogenität beitragen, wobei ›Homogenität‹ in diesem Kontext meist die des ›Eigenen‹ gegenüber dem ›Fremden‹ bedeutet.

In diesem Spannungsverhältnis scheint der Ausdruck ›Vermittlung‹ seine ambivalente Bedeutung zu verlieren, wird zum Marker für Harmonie und Reinheit. Dabei wird zur selben Zeit in der Philosophie ›Vermittlung‹ durchaus als ambivalenter Begriff diskutiert. Kant, Fichte und vor allem Hegel heben die Ambivalenz des Vermittlungsbegriffs hervor.[68] Dagegen dominiert sowohl in den politischen Schriften als auch in den Lexika des 19. Jahrhunderts die Idee der Vermittlung als harmonischer Zusammenhalt – ein Zusammenhang, der mit sozialpolitischen Umbrüchen

67 Bauman: *Moderne und Ambivalenz*, S. 40.

68 Vgl. Kap. 3.2 *18. Jahrhundert. Vermittlung zwischen Identität und Differenz* und Kap. 4 *Hegels Philosophie der Vermittlung*.

korreliert, etwa dem zunehmenden Streben nach nationalstaatlicher Einheit.[69] Ein solcher Umschlag der einen Bedeutung in die andere – von ›Trennen‹ in ›Verbinden‹, bzw. von der Doppelbedeutung in die des Bemühens um Vereindeutigung – ist in jener Zeit keine Seltenheit. Koselleck nennt dies die »Sattelzeit«[70] vieler sozialpolitischer Begriffe, die sich hier oftmals umbilden, begünstigt durch radikale Veränderungen des gesellschaftlichen Kontextes.

Vermittlung als Hilfsmittel, Verkauf und Mitteilung

Während zum Anfang des 19. Jahrhunderts noch die Bedeutung von Vermittlung als Schlichtung dominiert, so treten Mitte des Jahrhunderts in den Lexika neue Bedeutungen hinzu. Heute weniger gebräuchlich ist die Verwendung von ›Vermittlung‹ als ›Hilfe‹, d.h. im Sinne von ›mit-Hilfe eines Mittels‹ (vermittelst der Leiter gelange ich auf den Heuboden).[71] Dagegen von großer Bedeutung für den heutigen Wortgebrauch sind zwei weitere Entwicklungen, die beide ›Vermittlung‹ in die Nähe von ›Mitteilung‹ bzw. ›mitteilen‹ rücken.

›Etwas mitteilen‹ wurde Ende des 19. Jahrhunderts noch verstanden im Sinne von »antheil haben« an etwas, bzw. als »theilend einem etwas mit- oder hingeben, zu theil werden lassen«[72] – und erst im 20. Jahrhundert im kommunikativen

69 Vgl. Kap. 1.1 *1900 bis 1945* und Kap. 3.2 *Unmittelbarkeit bei Fichte.*

70 Koselleck, Reinhart: »Einleitung«. In: Brunner, Otto/Conze, Werner/ders. (Hg.): *Geschichtliche Grundbegriffe: Historisches Lexikon zur politisch-sozialen Sprache in Deutschland*, Bd. 1. Stuttgart: Klett-Cotta 1972, S. XIII-XXVII, hier S. XV.

71 Vgl. Heuyse, Johann C. A.: *Handwörterbuch der Deutschen Sprache*, Bd. 3. Magdeburg: Lokay 1849, S. 1580.

72 Grimm/Grimm: *Deutsches Wörterbuch*, Bd. 6, Sp. 2423 und Sp. 2421.

Sinne, »jmdn. über etw. informieren«.[73] Parallel dazu wird Vermittlung Ende des 19. Jahrhunderts im Zusammenhang von ›jemanden an etwas teilhaben lassen‹, ›jemandem etwas zukommen lassen‹ gebraucht, etwa im Sinne der Vermittlung einer Arbeitsstelle oder der Warenvermittlung durch eine Händler*in, der Kreditvermittlung, später auch in der »Vermittlung [...] von Kenntnissen« und Informationen (heute gefasst als ›Wissensvermittlung‹).[74] An der ökonomischen Perspektive von ›Vermittlung‹, zeigen sich erneut Spuren der negativen Konnotation.

Hass auf Vermittlung. Antisemitismus und kapitalistische Komplexität

Die Verwendung des Vermittlungsbegriffs zur Jahrhundertwende im Kontext ökonomischer Diskurse ist Brennpunkt einer vermehrten Ablehnung und Abwertung des Begriffs. Dabei lässt sich insbesondere eine antisemitische Perspektive ausmachen, d.h. der Begriff der Vermittlung im Sinne wirtschaftlicher Leistung wird zunehmend jüdisch markiert und damit abgelehnt. Ich führe diese Perspektive hier aus, da deren Muster – die Verknüpfung von Diskriminierung und Abwertung von Vermittlung – im Laufe meiner Arbeit mehrmals wiederkehrt.[75]

Im Kontext der Vermittlung von Waren und Krediten ist die Geschichte des Begriffs der Vermittlung mit der des Antisemitismus verwoben. So galten einerseits jüdische

73 Dudenredaktion (Hg.): *Duden*, S. 1200.

74 Mitzka, Walter: *Trübners Deutsches Wörterbuch*, Bd. 7. Berlin: de Gruyter 1956, S. 509.

75 Vgl. etwa Kap. 5.1 *Fundamentale Affirmation* und Kap. 7.3 *Logik der Cyborgs.*

Händler*innen und Geldverleiher*innen als Vermittler*innen schlechthin: »Die Hauptbeschäftigung der Juden ist die Vermittlung in ihren verschiedenen Formen. [...] Der überwiegende Teil der Juden setzt sich aus Krämern, Händlern oder Maklern zusammen.«[76] Andererseits galt jüdische Vermittlungstätigkeit als Hinderung, Einmischung in ›redliche‹ Geschäfte. So ist in einer anonymen Hetzschrift von 1832 zu lesen:

> In manchen Gegenden glaubt der Bauer schlechterdings kein Geschäft ohne Vermittlung eines Juden eingehen zu können. Selbst da, wo eine solche jüdische Einmischung bei gerichtlichen Geschäften oder gewissen Arten derselben untersagt ist, spielt der Jude gewöhnlich hinter der Coulissen und vereitelt die redlichen Bemühungen zur Abwendung einer Gefährde von Seiten der Beamten um so leichter, als sich der Landmann leider gegen diese zu einem nicht geringeren Misstrauen, als gegen die Juden selbst, geneigt fühlt.[77]

Sowohl die Markierung von Jüd*innen als Vermittler*innen schlechthin als auch deren Anfeindung *wegen* dieser Markierung verschärfen sich Karin Stögner zufolge mit dem Übergang in den Kapitalismus und seinen spezifischen Ausbeutungssymptomen.[78] Während in der Feudalherrschaft noch eindeutig schien, auf welche Akteur*innen Herrschaft und Ausbeutung zurückgehen – etwa auf einen Monarchen –, so schafft die Zirkulation von Finanzkapital

76 Wynreb, Bernard D.: *Neueste Wirtschaftsgeschichte der Juden in Rußland und Polen*, Bd. 1. Hildesheim: Georg Olms 1934, S. 50.

77 O.A: *Zu Hülfe wider die Juden! Ein Nothruf und Beitrag zur Gesetzgebung*. Nürnberg: Riegel und Wießner 1832, S. 35.

78 Vgl. Stögner, Karin: *Antisemitismus und Sexismus. Historisch-gesellschaftliche Dimensionen*. Baden-Baden: Nomos 2014. Ich danke Karin Schneider für diesen Hinweis. Vgl. hierzu auch Bauman: *Moderne und Ambivalenz*, S. 142.

eine zunehmende Anonymisierung sozialer Abhängigkeit. Antisemitische Tendenzen zeigten sich dabei insbesondere in Formen von verkürzter Kapitalismuskritik.

Die Tätigkeit des verzinsten Geldverleihs, so Stögner, wird nicht nur eindeutig jüdisch markiert, sondern gleichzeitig abgewertet als finanzkapitalistisches Geschäft mit dem »Schein«, dem Nicht-Authentischen, statt der »echten« Ware des Industriekapitals.[79] Diese verkürzte Zurichtung, die den Zusammenhang zwischen Industrie- und Finanzkapital verschleiert, sowie die diskursive Zuordnung von Juden zum Finanzkapital machte es möglich, Auswirkungen kapitalistischer Ausbeutung exklusiv einer klar definierten Gruppe zuzuschreiben.[80] Die Kritik an gesellschaftlichen Verhältnissen im Kapitalismus wird auf die »Konfrontation mit den Mittelsmännern, dem Kaufmann und dem Bankier« reduziert und zum Anlass antisemitischer Hetze.[81] »Der Antisemitismus dient«, so Stögner, »der Herstellung einer repressiven Unmittelbarkeit, welche die undurchschaute und daher verunsichernde Komplexität moderner gesellschaftlicher Vermittlung reduziert, indem diese in einer vorweg zugerichteten Trägerfigur personalisiert und gebannt wird«.[82]

Der Begriff der Vermittlung steht in diesem Sinne für Verteilung von Macht auf mehrere Knoten ökonomischer Distribution, die es, im Gegensatz zum Feudalismus, schwerer machen, einen konkreten Angriffspunkt für Kritik auszumachen. Stögners These zeigt, wie hier das Gegenkonzept zur Vermittlung, das der *Unmittelbarkeit*, in Stellung gebracht

79 Vgl. Stögner: *Antisemitismus und Sexismus*, S. 109.

80 Vgl. ebd.

81 Max Horkheimer, zit. nach ebd. S. 114.

82 Ebd., S. 109.

wird, das in diesem Kontext für Einfachheit, Direktheit und Echtheit zu stehen scheint in Opposition zu Komplexität, Umweg und Schein. Vermittlung wird damit zu einem Ausdruck, der die zunehmende Komplexität gesellschaftlicher Verhältnisse benennt und deshalb abgewertet wird. Damit scheint erneut die mittelhochdeutsche Verwendung von Vermittlung als »*hindernd wozwischen treten*« auf,[83] dabei eindeutig negativ konnotiert und im Gegensatz zur Hoffnung des Harmoniediskurses stehend, demzufolge Vermittlung »Verschmelzung aller Verhältnisse zur Einheit«[84] und damit auch Klarheit erzeugt. Der Ausdruck ›Vermittlung‹ wird im Kontext des Antisemitismus aber weniger sinnfällig in Form einer logischen Entgegensetzung zwischen Harmonie und Differenz, sondern als schierer Hass, als massive Abwertung einer Gruppe, der das Vermittelte, die Komplexität des Kapitalismus auf den Leib geschrieben wird.[85]

Diese tiefgreifende Ambivalenz in der Wertung des Begriffs der Vermittlung – zwischen Harmonieanrufung und Hass auf Komplexität – ist aber in den Lexika des 18. bis 19. Jahrhunderts nicht aufzufinden. Insofern Lexika den normativen Anspruch einer Gesellschaft abbilden,[86] gehört die Ambivalenz der Vermittlung nicht dazu, wird verschleiert und ausgeschlossen. Gleiches scheint, wie nun zu zeigen sein wird, für den aktuellen Wortgebrauch zu gelten, wie er sich vornehmlich in Lexika und Wörterbüchern abbildet.

---

83 Lexer: *Mittelhochdeutsches Handwörterbuch*, Bd. 3, Sp. 181. Hier in Kap. 2.1 *Die Vorsilbe ›ver-‹ und ihr übler Nebensinn*.

84 Ancillon: *Zur Vermittlung der Extreme in den Meinungen*, Bd. 1, S. X f. Hier in Kap. 2.2 *Vermittlung als Harmonie*.

85 Vgl. Stögner: *Antisemitismus und Sexismus*, S. 111.

86 Vgl. Koselleck: »Hinweise«, S. 46.

2.3. ›Vermittlung‹ im zeitgenössischen Sprachgebrauch

Im zeitgenössischen Gebrauch von ›Vermittlung‹ sind historische Wortbedeutungen sowohl angelegt wie auch verdeckt. Das Verb ›vermitteln‹ wird in Lexika vor allem mit drei Bedeutungsfeldern in Zusammenhang gebracht: 1. jemandem zu etwas verhelfen bzw. dafür sorgen, dass jemand, der etwas sucht, und jemand, der etwas vergibt, zusammengebracht werden; 2. etwas an jemanden weitergeben bzw. auf jemanden übertragen; 3. zwischen Streitenden eine Einigung erzielen. Dies macht deutlich, dass die Wendung ›*etwas* vermitteln‹ die Wendung ›*zwischen* etwas vermitteln‹, die bis ins 18. Jahrhundert noch die einzig gebräuchliche war, nun dominiert. Vermittlung wird zunehmend einseitig, von A nach B gedacht.

Ich will im Folgenden zunächst von der semantischen Ebene ausgehen und die drei genannten Bedeutungsfelder an jene anschließen, die ich im Kapitel zuvor unterschieden habe: Teilhabe, Kommunikation und Schlichtung.

Von Teilhabe zu Handel. Neue Muster der Eingrenzung und Abwertung von Vermittlung

Die Verwendung von ›Vermittlung‹ als dezidiert ökonomischer Begriff lässt sich zwar schon im 19. Jahrhundert nachweisen,[87] erfährt aber im nachkriegsdeutschen Wirtschaftsaufschwung, spätestens seit den 1970er-Jahren, eine Verbreitung in unterschiedlichste Handelssegmente. Vermittlung fungiert als Kredit-, Auto-, Immobilien-,

87 Vgl. Kap. 2.2 *Vermittlung als Hilfsmittel, Verkauf und Mitteilung.*

Partner*innen- oder Reisevermittlung, wobei jeweils eine bestimmte Dienstleistung verkauft wird. Vermittlung meint demnach die Herbeiführung einer Handelseinigung. Eben dahin zielt eine Begriffsdefinition des Bundesministeriums für Finanzen (BMF) von 2007: Eine »Vermittlung von Krediten [...] führt nur aus, wer als Mittelsperson einer Vertragspartei die Gelegenheit zum Abschluss eines Kreditvertrags nachweist oder als Mittelsperson das Erforderliche tut, damit zwei Parteien einen Kreditvertrag schließen.«[88] Vermittlung in diesem Sinne ist also nur das, was einen (Handels-)Abschluss herbeiführt, d.h. »bloße Beratungsleistungen [erfüllen] den Begriff der Vermittlung nicht«.[89] Damit wird Vermittlung doppelt zum Produkt. Einmal in dem Sinne, dass sie die Finalisierung eines Herstellungsprozesses meint, und einmal in Sinne eines Produkts, genauer: einer Dienstleistung, die sich gegen Geld eintauschen lässt. Um den Tauschwert zu erschließen, muss das Produkt bzw. die Dienstleistung eindeutig definiert werden – so die Sichtweise des BMF. Neu ist also nicht die Warenförmigkeit der Vermittlung – die hatte sich bereits im frühen Kapitalismus gezeigt.[90] Neu ist vielmehr, dass die Vereindeutigung nicht nur über die Zuschreibung einer vermeintlichen Gruppe von Akteur*innen läuft – wie in der antisemitisch motivierten Ablehnung von Vermittlung –, sondern über die Vereindeutigung und Eingrenzung des *Begriffs* der Vermittlung. Um die Komplexität ökonomischer Vermittlungsbewegungen rechtlich kontrollieren zu können, wird die Komplexität

88 Bundesministerium für Finanzen (Hg.): *BMF-Schreiben IV A 6-S7160-a/07/0001* vom 29.11.2007, Berlin, 2007; online unter http://datenbank.nwb.de/Dokument/Anzeigen/281211/ (abgerufen am 13.6.2019).

89 Ebd.

90 Vgl. Kap. 2.2 *Hass auf Vermittlung*.

des Begriffs reduziert; aus Mehrdeutigkeit wird Vereindeutigung. Eine Tendenz, die sich auch in anderen Sinnzusammenhängen fortsetzt.[91]

Auch im zeitgenössischen Sprachgebrauch lassen sich Abwertungsdiskurse gegen Vermittlung als ökonomische Bewegung ausmachen. So stellt Stögner fest, dass die antisemitisch motivierte Abwertung von Vermittlung mit einer sexistisch motivierten zusammenhängt, d.h. der Begriff der Vermittlung als Dienstleistung im bundesrepublikanischen Zeitalter wird weiblich konnotiert und damit abgewertet.

Das Grundmotiv für den Zusammenhang zwischen Antisemitismus und Sexismus macht Stögner am »Primat der Produktion über Formen der Zirkulation« fest.[92] Dieses Primat zeigt sich in der antisemitischen Kapitalismuskritik als scheinbare Spaltung zwischen Industrie- und Finanzkapital.[93] Einer ähnlichen Unterscheidung repressiver Arbeitsteilung geht die immer noch aktuelle Abwertung weiblich konnotierter Vermittlung voraus, nämlich die »strenge Binarität zwischen Produktion und Reproduktion«,[94] der Unterscheidung zwischen männlich markierter ›echter‹ Lohnarbeit und weiblich markierter Sorge um Haushalt und Erziehung. Schien diese Teilung in feudalen Verhältnissen noch klar, so habe sich die Binarität im modernen Kapitalismus wesentlich verkompliziert, da Frauen zunehmend als Arbeiterinnen in den industriellen Produktionsprozess eingebunden worden seien. Stögner macht die Verkomplizierung des binären Genderregimes insbesondere an der

91 Vgl. Kap. 2.3 *Von Mitteilung zu Vereindeutigung. Vermittlung als Kontrolle.*

92 Stögner: *Antisemitismus und Sexismus*, S. 115.

93 Vgl. Kap. 2.2 *Hass auf Vermittlung.*

94 Stögner: *Antisemitismus und Sexismus*, S. 124.

Verschiebung der Wahrnehmung von Sexarbeit im Kontext kapitalistischer Verhältnisse deutlich. »Dass die Prostitution als dämonisch wahrgenommen wird, liegt«, so Stögner, »in ihrer spezifischen Verschränkung von Sexual- und Tauschverkehr begründet, was dazu führt, dass die Prostituierte gewissermaßen zweideutig wirkt« – Sexual- und Tauschverkehr »verschränken sich und werden beide gleichermaßen als Vermittlungsbegriffe sinnfällig«.[95] Die Sexarbeiterin trete selbst als Vermittlerin im Sinne einer Händlerin auf, als Tauschende, und gleichzeitig als vermitteltes Objekt, als Getauschte. Diese Mehrdeutigkeit bringe »Unzuordenbarkeit und Unberechenbarkeit« in die sozioökonomische Geschlechterordnung,[96] denn: Die geschlechtliche Beziehung diene nicht mehr der Reproduktion und wird Produktion, produziert als Dienstleistung einen Tauschwert. Eben deshalb ziehe die Sexarbeiterin im Kontext von – wiederum verkürzter – Kapitalismuskritik »den Hass auf sich [...]: Sie verrät, was jeder ahnt, aber keiner sich einzugestehen wagt, dass in der kapitalistischen Gesellschaft dem Lohnherrn Körper und Geist verkauft werden[, dass] Menschen selbst Warenform« annehmen.[97] Die Dopplung der Vermittlung, wie Stögner sie hier annimmt, Produkt und Tausch gleichzeitig zu sein, bringt demnach, an die antisemitische Bewegung anschließend, unerwünschte Komplexität hervor; sie wird weiblich konnotiert und abgewertet.

---

95 Ebd., S. 120.

96 Ebd., S. 121.

97 Ebd., S. 122. Bei dieser Analyse Stögners gerät allerdings aus dem Blick, dass es sich auch bei Sexarbeit um eine Dienstleistung handelt, und nicht um einen ›Verkauf des Körpers‹. Vgl. hierzu etwa Bindman, Jo: »*Redefining Prostitution as Sex Work on the International Agenda*«, *Walnet*, 1997; online unter www.walnet.org/csis/papers/redefining.html (abgerufen am 25.8.2017).

Diese Einschätzung ist für den aktuellen Kontext mindestens zweifach relevant. Sie kann erstens als Hinweis darauf gelesen, welche Geschlechterordnung immer noch mitschwingt, wenn Arbeit verstärkt als Dienstleistung geschieht. Dabei werden Uta Liebeskind zufolge vor allem solche Dienstleistungen als »weiblich« bezeichnet, abgewertet und schlechter bezahlt, die »als kundenorientierte Tätigkeiten im direkten Kontakt mit anderen Menschen [stehen], wie z.B. Beratung, Vermittlung, Verkauf, aber auch erzieherische Tätigkeiten«.[98] Die weibliche Konnotation bestimmter Dienstleistungen speist sich dabei, »nicht nur aus traditionellen Rollenbildern, sondern auch aus der historischen Feminisierung bestimmter Berufsfelder, die systematisch mit gesellschaftlicher Geringschätzung verbunden ist.«[99] Dieser Zusammenhang tritt besonders deutlich hervor, wenn die »personenbezogene, fürsorgende Dienstleistung« nicht nur wegen ihrer Nähe zur traditionellen Mutterrolle als weiblich bezeichnet wird,[100] sondern auch wegen ihrer Nähe zur Sexarbeit.[101] Zweitens zeigt sich erneut, dass ökonomische, soziale und politische Motive der Vermittlung ineinander verstrickt sind.

---

98 Liebeskind, Uta: »Arbeitsmarktsegregation und Einkommen. Vom Wert ›weiblicher Arbeit‹«. In: *Kölner Zeitschrift für Soziologie und Sozialpsychologie* 56/4 (2004), S. 630–652, hier S. 632.

99 Ebd., S. 633.

100 Ebd., S. 632.

101 Vgl. hierzu Sandra Ortmann, die Kunstvermittlung in ihrer Dienstleistungsform in Anlehnung an Renate Lorenz als »sexuelle Arbeit« beschreibt. Ortmann, Sandra: »›Das hätten Sie uns doch gleich sagen können, dass der Künstler schwul ist!‹ Queere Aspekte der Kunstvermittlung auf der documenta 12«. In: Mörsch et al. (Hg.) *Kunstvermittlung*, S. 258-277, S. 264. Vgl. Lorenz, Renate/Kuster, Brigitta: *Sexuell arbeiten. Eine queere Perspektive auf Arbeit und prekäres Leben*. Berlin: b-books 2007. Vgl. zu Kunstvermittlung genauer Kap. 7.5 *Kunstvermittlung – queer perspektiviert*.

Der von Stögner herausgestellte Zusammenhang zwischen sexistisch und antisemitisch motivierter Abwertung von Vermittlung verdeutlicht, dass die Zwischenstellung der Vermittlung – zwischen Produktion und Reproduktion, Ware und Konsum – nicht nur die ökonomischen Verhältnisse verkompliziert, sondern auch die Eindeutigkeit von Machtpositionen infrage stellt. Das zeigt sich aktuell am ökonomischen Gegenbegriff zur Vermittlung, der *Disintermediation*. Dabei geht es um das Ausschalten der Vermittlungspositionen, die Herstellung einer möglichst unmittelbaren Beziehung zwischen Produzent*in und Konsument*in. Beispiel hierfür ist etwa das Vorgehen des US-Unternehmens Amazon. Statt ›nur‹ Handelsunternehmen für Bücher zu sein, kauft Amazon zunehmend Verlage auf, nimmt selbst Autor*innen unter Vertrag und entwickelt einen eigenen Paketdienst, um »die gesamte Wertschöpfungskette zu kontrollieren«.[102] Solche Phänomene der Monopolisierung sind nicht neu – neu ist, dass Amazon z.B. auch die Rückkopplung, d.h. die Bewertung und Einordnung von Literatur durch das Sammeln und Zusammenführen von Kund*innendaten kontrolliert. Die »gehassten Türhüter sollen verschwinden«,[103] die komplexe Vermittlung durch Kritik, Handel und Verlagswesen zugunsten einer unmittelbar erscheinenden Geschäftsbeziehung aufgelöst werden. Diese verschmolzene Einheit kann doppelt gelesen werden: als »Kundenzentriertheit«,[104] in der die Kund*in nur noch das angeboten bekommt, was sie zu wünschen scheint, und als monopolisierte Machtstellung, die kein Anderes mehr neben sich hat. Insofern hängt nicht

102 Häntzschel, Jörg: »Die Geiseln des Buchhändlers«. In: *Süddeutsche Zeitung*, 14./15. Juli 2014, S. 13.

103 Ebd.

104 Ebd.

nur der Begriff der Vermittlung als Teilhabe mit dem Handel zusammen, sondern auch umgekehrt: Vermittlung als Handel kann die Teilhabe am Profit Mehrerer bedeuten und wird im Monopolkapitalismus ausgeschlossen.

Von Mitteilung zu Vereindeutigung. Vermittlung als Kontrolle

Dass der Vermittlungsbegriff im zeitgenössischen Sprachgebrauch insbesondere im Zusammenhang mit Kommunikation auftaucht, hängt mit zweierlei zusammen: Zum einen wird die eben genannte Funktion – das Zusammenbringen zweier als Dienstleistung –auch im Kontext der Telekommunikation gebraucht. Noch im Duden von 1995 wird unter dem Lemma ›Vermittlung‹ die Telefonzentrale genannt bzw. »jemand, der in der Telefonzentrale Dienst tut«,[105] und der Brockhaus von 1999 zeigt neben dem Artikel ›Vermittlung/Vermittlungstechnik‹ ein Foto, auf dem ca. hundert Frauen in einer Fernsprechvermittlungsstelle arbeiten.[106] Die Vermittlerin, umgangssprachlich ›Fräulein vom Amt‹, ermöglichte Kommunikation. Somit fällt die zunehmende Verwendung von Vermittlung als Kommunikation mit der oben ausgeführten verstärkten Feminisierung und gleichzeitigen Abwertung des Vermittlungsbegriffs, der nicht auf die Produktion, sondern auf die Verteilung bzw. Reproduktion von Informationen zielt, zusammen.[107]

105 Dudenredaktion (Hg.): *Duden*, Bd. 8, S. 3691.

106 F.A. Brockhaus (Hg.): *Brockhaus. Die Enzyklopädie*, Bd. 23. Leipzig/Mannheim 1999, S. 204.

107 Hier findet offenbar eine Verschiebung statt, denn der Mittler bei Zedler ist eindeutig männlich, eine souveräne Figur mit erheblichen Machtoptionen. Vgl. Kap. 2.4 *Das multiple Subjekt ›Kunstvermittler‹*.

Zum anderen wird die Bedeutung von ›vermitteln‹ als ›etwas weitergeben‹ zunehmend im Sinne von ›Informationen bzw. Wissen weitergeben‹ gebraucht. Dieser transferbezogene Vermittlungsbegriff[108] suggeriert, dass vorgefasste Lerninhalte im Laufe des Unterrichts ›weitergegeben‹ würden – von Lehrenden an Lernende. In ihrer simpelsten Form folgt Vermittlung dem »Nürnberger-Trichter-Modell der Wissensvermittlung«,[109] dem Transfer von ›Stoff‹ in die Köpfe der Adressat*innen. Transferale Vermittlung verbindet die Hoffnung auf Eindeutigkeit der zu vermittelnden Inhalte mit der auf Steuerung, Kontrolle des Kommunikationsvorgangs. Was vermittelt wird, muss vereindeutigt werden, um überprüfbar zu sein.

Ebenfalls dem Bedeutungsfeld der Kommunikation rechne ich das Verständnis von Vermitteln als Zeigen zu.[110] Mehr noch als Mitteilen ist die Geste des Zeigens an die Verheißung von Eindeutigkeit geknüpft, da, so die Intention, der Zeigegestus sich nicht am Gegenstand vergreife.[111]

Vermittlung als Versöhnung. Zwischen Auf- und Abwertung

Die dritte, heute noch verbreitete Bedeutung von ›Vermittlung‹, ist die der Schlichtung: angelegt bereits in Zedlers Universallexikon und heute *Mediation* genannt. Im engeren

108 Vgl. Kap. 1.2 *Kunstvermittlung und Bildungsreform.*

109 Schorch, Günther: »›Pädagogische Vermittlung‹ unter grundschulpädagogischer Perspektive«. In: Fuchs, Brigitta/Schönherr, Christian (Hg.): *Urteilskraft und Pädagogik. Beiträge zu einer pädagogischen Handlungstheorie.* Würzburg: Königshausen & Neumann 2007, S. 251–264, hier S. 251.

110 Dudenredaktion (Hg.): *Duden*, S. 1893.

111 Vgl. Kap. 1.1 *1900 bis 1945.*

Sinne wird darunter ein in den USA der 1960er-Jahre entwickeltes Konzept bezeichnet,[112] nämlich, so Christoph Besemer,

> die Vermittlung in Streitfällen durch unparteiische Dritte, die von allen Seiten akzeptiert werden. Die vermittelnden MediatorInnen helfen den Streitenden eine einvernehmliche Lösung ihrer Probleme zu finden. Aufgabe der MediatorInnen ist es nicht, einen Schiedsspruch oder ein Urteil zu sprechen. Vielmehr liegt es an den Konfliktparteien selbst, eine ihren Interessen optimal entsprechende Problemlösung zu erarbeiten. [...] Es muss [...] ein Konsens erzielt werden.[113]

Neben den Parallelen zu Zedlers Auffassung der *mediatio* greifen auch einige Wandlungen im Verständnis von Vermittlung als Schlichtung.[114] Beide, Zedler und Besemer, setzen auf eine*n Dritte*n, der »unparteiisch« ist und das mögliche Machtgefälle zwischen den Parteien nivellieren solle,[115] streben also nach Äquivalenz. Während aber Zedler den Dritte*n mit Gewaltpotenzial ausstattet und den Friedensschluss auch unter Zwang, als Nötigung zu »billigem Vergleiche« durchsetzen lässt,[116] gilt für Besemer, dass

---

112 Mit der Form der Mediation wurde eine Alternative zum Umgang mit zivilen Konflikten entwickelt, die sich in Streitfällen gegen die Entscheidung durch Gerichtsverfahren wandte. Die Nutzung Letzterer wurde zum einen deshalb kritisiert, weil sie wegen ihrer Kostspieligkeit nicht allen offenstand, und zum anderen, weil die Gerichtsurteile nicht selten neue Konflikte nach sich zogen.

113 Besemer, Christoph: *Mediation – Vermittlung in Konflikten*. Baden: Stiftung Gewaltfreies Leben/Werkstatt für Gewaltfreie Aktion 2007, S. 14.

114 Vgl. Kap. 2.1 *›mittel‹ und ›mitte‹*.

115 Vgl. Besemer: *Mediation – Vermittlung in Konflikten*, S. 92–94.

116 Zedler: *Universal-Lexikon*, Sp 619. Hier in Kap. 2.1 *›mittel‹ und ›mitte‹*.

Mediation auf einen gewalt- wie »herrschaftsfreien Dialog angewiesen« ist.[117]

Als Beispiel für Vermittlung als Schlichtung im aktuellen Sprachgebrauch sei die Vermittlungstätigkeit von Heiner Geißler im Konflikt um den Stuttgarter Hauptbahnhof 2012 genannt, bekannt geworden als ›Stuttgart 21‹; die Landesregierung wollte den Bahnhof unterirdisch ausbauen, die Protestbewegung stellte sich dagegen. Beide Parteien standen sich kompromisslos und zum Teil in gewalttätigen Konflikten gegenüber. Geißler wurde für seine Vermittlungstätigkeit gefeiert wie verspottet: gefeiert dafür, dass er intervenierte,[118] die Seiten trennte, ihre unmittelbare gewaltvolle Verbindung löste. Er machte zudem den Konflikt überhaupt kommunizierbar, indem er Verhandlungen ermöglichte und diese via Fernsehübertragung der Öffentlichkeit zugänglich machte. Verspottet wurde Geißler für seine Versuche, den Konflikt selbst zu lösen, indem er etwa einen Kompromiss vorschlug, der für beide Seiten unzureichend war (den Bahnhof sowohl ober- als auch unterirdisch bauen). Zudem wurde Geißler immer wieder der Parteinahme bezichtigt.[119]

Auch in diesem Beispiel lassen sich Spuren finden, in denen der ›üble Nebensinn‹ der Vermittlung aufscheint. So können nach dem Soziologen Niklas Luhmann Figuren des/der Dritten Konflikte ohnehin nicht lösen, weil sie in

117 Besemer: *Mediation - Vermittlung in Konflikten*, S. 113.

118 Der Duden führt unter dem Lemma ›vermitteln‹ im Sinne von ›schlichten‹ auch die Bedeutung des Intervenierens. Vgl. Dudenredaktion (Hg.): *Duden*, S. 1895. Dies verweist auf den mittelhochdeutschen Gebrauch von ›vermitteln‹ als ›hindernd wozwischen treten‹, sowie als Hinweis auf die militärische Intervention in gewaltsamen Konflikten, die Vermittlung erneut als Gewaltmittel erscheinen lässt.

119 Vgl. Deininger, Roman: »Am Ende eines Experiments«. In: *Süddeutsche Zeitung* vom 30./31. Juli 2011, S. 5.

Konfliktsysteme stets eine »*Erhöhung der Unsicherheit*« einführen.[120] Denn beide Konfliktparteien könnten den/die Dritte verdächtigen, mit der anderen Seite solidarisiert zu sein. »Die Instabilität der Ausgangslage, des puren Widerspruchs, wird zum Teil, aber eben auf andere Weise, wiederhergestellt.«[121] Ziel von Vermittlung als Schlichtung wäre es demnach nicht, den Widerspruch in einer schlechten Synthese aufzulösen, sondern kommunizierbar zu machen.[122] *Vermittlung ist ein Mittel, um Konflikte zu perpetuieren*,[123] aber eben auf anderer Ebene, die Kommunikation möglich macht. Dabei wird erneut Vermittlung als Konzept des Aufschubs sichtbar, benennt den permanenten Aufschub der endgültigen Lösung eines Konflikts. Vermittlung in diesem Sinne verstanden als »Konfliktmediation ist also die Kunst entlang einer aporetischen, also widersprüchlichen Sachlogik einen Lernprozess zu steuern, der den notwendigen Konflikt auf Dauer stellt und Rituale seiner ständigen Bearbeitung entwickelt«.[124]

Die von Luhmann beschriebene Erhöhung der Unsicherheit von Konflikten durch die Dritten der Vermittlung ist dabei nicht selten Grund für deren Abwertung oder Ausgrenzung. Ihnen wird, wie Geißler, Illoyalität vorgeworfen. Die positive Erwartung an Vermittlung als Friedensstiftung und die gleichzeitige Abwertung der Vermittler*innen ist ein dominantes Muster der Etymologie des Vermittlungsbegriffs,

---

120 Luhmann: *Soziale Systeme*, S. 540, Herv. i.O.

121 Ebd.

122 Vgl. ebd., S. 541.

123 Vgl. Kap. 2.2 *Vermittlung als Aufschub* und Kap. 3.2 *Unmittelbarkeit bei Fichte*.

124 Schwarz, Gerhard: »Mediation und Sachlogik«. In: Falk, Gerhard/Heintel, Peter/Krainz, Ewald E. (Hg.): *Handbuch Mediation und Konfliktmanagement*. Wiesbaden: VS-Verlag 2005, S. 57–62, hier S. 62.

weshalb ich hier mit einem weiteren Beispiel verdichten will.

So werden derzeit zunehmend Lehrer*innen ›mit Migrationshintergrund‹ als Vermittler*innen adressiert, weil ihnen die Kompetenz zugesprochen wird, aufgrund ihrer ›Herkunft‹ zwischen Schüler*innen und Eltern ›mit Migrationshintergrund‹ und einem etablierten Bildungsdiskurs »Brücken bauen« zu können,[125] gegenseitiges Verständnis und Vertrauen zu fördern.[126] Dabei entsteht der Eindruck, dass hinter dieser Entwicklung weniger repräsentationskritische als vielmehr harmonistische Interessen stehen. Denn die Lehrer*innen ›mit Migrationshintergrund‹ werden zuallererst selbst zu *Anderen* gemacht, die aufgrund dieser Zuschreibung, eigentlich ihrer hybriden Doppelbindung, besser als Mehrheitsdeutsche in der Lage seien, Schüler*innen mit ›vergleichbarem Migrationshintergrund‹ zu disziplinieren.[127] Hier scheinen zwei Möglichkeiten auf, welche Motive der Figur des/der Vermittelnden, also hier die Lehrer*in mit ›Migrationshintergrund‹, zugeschrieben werden. Wo ihr die Disziplinierung im harmonistischen Sinne gelingt, kann sie

125 Akbaba, Yalız/Bräu, Karin/Zimmer, Meike: »Erwartungen und Zuschreibungen. Eine Analyse und kritische Reflexion der bildungspolitischen Debatte zu Lehrer/innen mit Migrationshintergrund«. In: Bräu, Karin/Georgi, Viola B./Karakaşoğlu, Yasemin et al. (Hg.): *Lehrerinnen und Lehrer mit Migrationshintergrund. Zur Relevanz eines Merkmals in Theorie, Empirie und Praxis.* Münster/New York/München et al.: Waxmann, 2013, S. 37–57, hier S. 46.

126 Vgl. ebd., bes. S. 42.

127 Vgl. hierzu auch Fereidooni, Karim: *Diskriminierungs- und Rassismuserfahrungen von Referendar*innen und Lehrer*innen ›mit Migrationshintergrund‹ im deutschen Schulwesen. Eine quantitative und qualitative Studie zu subjektiv bedeutsamen Ungleichheitspraxen im Berufskontext.* Dissertation an der Universität Heidelberg, 2015; als Typoskript online unter http://archiv.ub.uni-heidelberg.de/volltextserver/20203/1/Dissertation%20Karim%20Fereidooni%281%29.pdf (abgerufen am 13.9.2017).

als gewaltförmige Vertreter*in eines harmonistischen Allgemeinen gelten, das sich ihr Anderes einverleibt.[128] Gelingt ihr die Disziplinierung nicht, schlägt ihr möglicherweise Misstrauen entgegen, auf der ›falschen Seite‹ zu stehen. Ihr wird aus harmonistischer Perspektive Illoyalität vorgeworfen.[129] Einerseits werden Vermittler*innen als hybrid orientierte Schlichter*innen angerufen, andererseits gerade deshalb – aufgrund dieser Hybridität – abgelehnt und abgewertet.

Diese schizophren erscheinende Wertung ist kein misslicher Zufall, sondern ein immer wiederkehrendes Muster von Vermittlung und ihrer ambivalenten Logik. Vermittlung ist Ausweis letztlich unauflösbarer, mehrdeutiger gesellschaftlicher Komplexität und zieht auch deshalb Abneigung und Hass auf sich.

Quer gelesen

Der letzte Abschnitt deutet bereits an, dass der eine Wortgebrauch von ›Vermittlung‹ kaum ohne den anderen zu haben ist: Schlichtung braucht Kommunikation – das deutet das semantische Feld von Vermittlung als Schlichtung an. In diesem Sinne lassen sich alle drei Bedeutungsfelder – Vermittlung als Handel, Kommunikation, Schlichtung – zu-, in- und gegeneinander lesen. Ich will diese querende Lektüre im Folgenden probeweise durchführen und mit dem Diskurs der Erziehungswissenschaft kontextualisieren.[130]

---

128 Kap. 4.2 *Geschlossene Vermittlung: Harmonie und Zwang*, und Kap. 4.4 *Geschlossene Kunstvermittlung der Versöhnung*.

129 Vgl. Fereidooni: *Diskriminierungs- und Rassismuserfahrungen*, bes. S. 166 f und 240 f. Vgl. auch Kap. 7.3 *Logik der Cyborgs*, Kap. 7.4 *Ein Beispiel*, und Kap. 7.5 *Kunstvermittlung – queer perspektiviert*.

130 Ein Kontext, der sich, so meine ich, auch deshalb anbietet, weil in der Pädagogik der Begriff ›Vermittlung‹ omnipräsent ist und

So liest etwa Christoph Türcke in *Vermittlung als Gott. Kritik des Didaktik-Kults* den Ausdruck ›Vermittlung‹ im pädagogisch-kommunikativen Sinne in den Wortgebrauch von Vermitteln als Verkaufen hinein. Im Didaktikdiskurs der 1970er und 1980er sieht er Lernstoff als Ware zugerichtet und deren Vermittlung als »optimale Veräußerung« (VaG 130): »die Wahrheit des Lernerfolgs ist der Verkaufserfolg«. (VaG 21) Wissensvermittlung wäre dann im Sinne des BMF zu lesen: Diejenigen dürften sich Vermittler*innen nennen, die durch Lernzielkontrolle, den Abschluss eines ›Lernstoffverkaufs‹ nachweisen könnten. Gleichzeitig erscheint die hier zutage tretende Überlagerung pädagogischer und ökonomischer Diskurse auch als aus Antisemitismus und Sexismus bekanntes Motiv – als Abwertung des Vermittlungsdiskurses wegen der ihm zugeschriebenen Verstrickung in ökonomische Denkweisen. Hinzu tritt nun die perpetuierte Abwertung von Vermittlung in ihrer Deutung als transferable Wissensvermittlung, die sich einen verkürzten technisch-informationstheoretischen Begriff von Didaktik macht.[131]

Auch Günther Schorch liest »pädagogische Vermittlung« in einem mehrfachen Sinne, sowohl als Kommunikation (»im Sinne von ›Übermittlung‹«[132]) als auch als Schlichtung. Bei Letzterer lehnt sich Schorch an Lutz Koch an, der es eine »Lehrerdummheit« nennt, die »rechte Mitte« zu verkennen, »ohne die es keine pädagogische Vermittlung

---

gleichzeitig unbestimmt bleibt, so dass es stets der Anleihen aus anderen Diskursfeldern bedarf. Vgl. hierzu etwa die Auslassung des Lemmas ›Vermittlung‹ in Lexika und Wörterbüchern der Pädagogik und Erziehungswissenschaft. Vgl. Anm. 35 in der *Einleitung* zu diesem Band.

131 Vgl. Kap. 1.2 *Kunstvermittlung und Bildungsreform*.

132 Schorch: »›Pädagogische Vermittlung‹«, S. 252.

gibt, dann etwa, wenn einer entweder über die Köpfe seiner Schüler hinwegredet oder wenn er unter deren Niveau bleibt«.[133] Pädagogische Vermittlung im schlichtenden Sinne würde demnach von einem nicht-äquivalenten Bildungsniveau ausgehen, das es durch einen Kompromiss auszugleichen gilt, um sich ›in der Mitte zu treffen‹. In diesem Sinne wird auch hier die Metapher der Brücke verwendet. Schorch schreibt: »Die pädagogische Vermittlungsfunktion des Lehrers besteht darin, ›Brücken zu bauen‹.«[134]

Spätestens hier ist Einspruch angebracht. Denn wenn schon der Gebrauch von Vermittlung als Kommunikation *in* den Gebrauch von Vermittlung als Schlichtung gelesen wird, dann muss auch deren ambivalenter Charakter bedacht werden. Der Konflikt wird durch Schlichtung nicht gelöst, sondern perpetuiert, »auf Dauer gestellt«, die Lösung aufgeschoben. Hier ist also ein Punkt auszumachen, an dem die semantische Ebene auf die strukturelle führt, d.h. die Bedeutung von Vermittlung als Schlichtung lässt Ambivalenz und Widersprüchlichkeit an die Oberfläche treten, lässt sich als tiefere Struktur quer zu den anderen Bedeutungen lesen. Auch Kommunikation und Wissensvermittlung sind dann nicht als geglückte Vollzüge zu lesen, sondern allenfalls als Versprechen, die Aufschub und Scheitern potenziell mit sich führen.

So sehen zeitgenössische Modelle sozialer Kommunikation dieselbe gerade *nicht* in einem Zusammenhang, in dem eine eindeutige Botschaft ›verschickt‹ wird, sondern vielmehr als Konstruktionsleistung, die Missverstehen immer schon mitdenkt. Kommunikation wird als unverfügbar und

133 Koch, Lutz: »Pädagogik und Urteilskraft. Ein Beitrag zur Logik pädagogischer Vermittlungen«. In: *Vierteljahresschrift für wissenschaftliche Pädagogik*, 74. Jhg. (1998), S. 387–399, hier S. 389.

134 Schorch: »Pädagogische Vermittlung«, S. 262.

unkontrollierbar gedacht.[135] Ebenso wenig kann Wissensvermittlung einen Vorgang des kontrollierten und verlustfreien Transfers meinen. Wissen lässt sich *in diesem Sinne* nicht vermitteln, »es lässt sich«, so Heinz von Foerster, »nicht als eine Art Gegenstand, eine Sache oder ein Ding begreifen, das man [...] von A nach B transferieren kann, um in einem Organismus eine bestimmte Wirkung zu erzeugen«.[136]

Die Perpetuierung des Konflikts, das Misslingen von Kommunikation und Wissenstransfer rufen etwas auf, das ich mit einem Ausdruck von Andreas Gruschka als »Bruchlinien der Vermittlung«[137] bezeichnen will. Das wären diejenigen Stellen, an denen der »üble Nebensinn«[138] der Vermittlung zutage tritt, an denen das, was durch Vermittlung verhießen wurde, durch diese sabotiert wird. Eine solche Bruchlinie im Rahmen von Pädagogik wäre für Gruschka beispielsweise die »Verselbständigung der Vermittlung«, eine Fixierung der Didaktik der 1980er- und 1990er-Jahre auf ihre eigenen Methoden, die, so Gruschka, an Lernenden wie Gegenständen vorbeigehe. Ebensolche Bruchlinien gelte es zu reflektieren: »Es geht um das Reflexivwerden der Vermittlung im Prozess der Vermittlung«,[139] also nicht darum, Vermittlung als vermeintlich didaktisches Übel auszuschließen. Sie müsse vielmehr ihr eigenes Misslingen anerkennen, um ihr Gelingen von dort aus zu entwickeln.

---

135 Vgl. etwa Luhmann: *Soziale Systeme*, S. 195–201, der in diesem Sinne soziale Kommunikation von technischen Medien, wie sie Shannon und Weaver beschäftigt haben, unterscheidet.

136 Foerster, Heinz von/Pörksen, Bernhard: *Wahrheit ist die Erfindung eines Lügners*, S. 10. Hier in der *Einleitung* zu diesem Band.

137 Gruschka: *Didaktik. Das Kreuz mit der Vermittlung*, S. 43.

138 Leopold, Max: *Die Vorsilbe ver- und ihre Geschichte*, S. 264. Hier in Kap. 2.1 *Die Vorsilbe ›ver-‹ und ihr »übler Nebensinn«*.

139 Gruschka: *Didaktik. Das Kreuz mit der Vermittlung*, S. 400.

Von dieser Forderung aus will ich versuchen, einen reflexiven Vermittlungsbegriff zu entfalten; einen Vermittlungsbegriff, der einerseits nicht hinter jene Sprachspiele zurücktritt, die Vermittlung als Verkauf, Kompromiss oder Transfer begreifen – denn all diese Sprachspiele sind Teil der Begriffsrealität –, der aber andererseits die implizite Ambivalenz zwischen Trennen und Verbinden, Lösung und Aufschub, Harmonie und Konflikt, Verstehen und Missverstehen, parteiisch und unparteiisch anerkennt und quer zu den Sprachspielen des Verbindens denkt.

Zunächst gilt es aber, im Folgenden mehrere hier erarbeitete Motive der Wortgeschichte auf Diskurse der Kunstvermittlung anzuwenden.

2.4. Sprachspiel ›Kunst-Vermittlung‹

> An der Vermittlung scheiden sich die Geister; am Ethos der Vermittlung erkennt man den Unterschied zwischen einer bloßen Konsumhaltung und einem emanzipatorischen Anspruch. Hier unterscheidet sich die Ausstellung von Disneyland, vom Uniseminar, von der Diskothek, vom Louis-Vuitton-Shop. Oder sie unterscheidet sich eben nicht.[140]

Als Leiter der *documenta12* von 2007 hat Roger M. Buergel die Vermittlung von Kunst ins Zentrum der Ausstellungspraxis einer Massenveranstaltung gerückt. Das, was eine Ausstellung

140 Roger M. Buergel im Infoflyer zum Vermittlungsprogramm der *documenta 12*; zit. in: Conrads, Martin: »Der Fetisch beobachtet zurück. Überlegungen zur Zukunft der Re-Kreativität«. In: *springerin* Hft. 2 (2009); online unter https://springerin.at/2009/2/der-fetisch-beobachtet-zuruck/ (abgerufen 13.5.2019).

ist, unterscheidet sich, so legt es das Zitat nahe, von allem anderen durch einen bestimmten Vermittlungsbegriff. Die spezifische Vermittlung einer Ausstellung müsse sich von Sprachspielen des Verkaufs, der Unterhaltung, der Lehre absetzen – oder »eben nicht«. Man kann diese negative Aufhebung der Aussage als potenzielles Scheitern des Anspruchs lesen: Die Ausstellung, die sich nicht vom Uniseminar unterscheidet, wäre demnach gescheitert. Oder aber – und so will ich sie verstehen – sie bildet die Öffnung eines multiplen Bedeutungsfeldes, zu dem sich die Vermittlung einer Ausstellung verhalten und von dem sie sich gleichzeitig abheben muss. Das heißt die »bloße Konsumhaltung« ist genauso im Spiel wie der »emanzipatorische Anspruch«; beide sind historisch bedingte Begriffsentwicklungen, verfolgen jedoch einen jeweils anderen Anspruch. Der Begriff der Vermittlung im Rahmen von Kunst ist also nicht singulär zu bestimmen, sondern zunächst auf semantischer Ebene im Konfliktfeld zwischen unterschiedlichen und zuweilen inkommensurablen Sprachspielen von Vermittlung zu verorten.

Das multiple Subjekt ›Kunstvermittler‹

In diesem Sinne einer multiplen Bedeutung des Vermittlungsbegriffs hat Bazon Brock in den 1970ern das Profil des Kulturvermittlers herausgearbeitet. Brock, der die von ihm sogenannte ›Besucherschule‹ auf der *documenta* 4–8 initiiert und geleitet hat, unterscheidet in *Ästhetik als Vermittlung* »die neue Berufsgruppe der Kulturvermittler« von der der Künstler*innen. (ÄaV 298)

Dabei leitet er die Tätigkeit der »Kulturvermittler« von historischen und allgemeinsprachlichen Vorstellungen von Vermittlerfiguren ab:

> Gegen [die] klassischen Auslegungen der Vermittlerrolle [als Bote, Schlichter, Händler, Priester, Schamane] muss die gegenwärtig wieder entstehende Rolle des Kulturvermittlers abgegrenzt werden. Wenn man sich die Tätigkeiten von Pädagogen, Lotsen, Übersetzern und Politikern in Übereinstimmung gebracht denken könnte, dann hätte man damit das Wesen des Kulturvermittlers umrissen. In der Geschichte ist diese Rolle mehrfach ausgebildet worden, etwa durch den platonischen Dialogführer, den Hofnarren des Mittelalters wie auch den uomo universale der italienischen Renaissance [...]. Heute würde man am besten solche Vermittler als Generalisten bezeichnen, vorausgesetzt ist dabei allerdings eine Vielzahl spezialisierter Fähigkeiten und eine in höchstem Maße entfaltete Persönlichkeit. (ÄaV 298 f.)

Dieses Zitat greift gleich mehrere wortgeschichtliche Bewegungen auf, die ich im vorhergehenden Kapitel ausgeführt habe, und setzt sie zueinander in Beziehung. Gleichzeitig wird eine Auslassung sichtbar, da Brock hier in den 1970er Jahren nur männliche Vermittlerrollen aufführt. Die Zusammenführung verschiedener Vermittlerrollen sowie die zwar zeittypische, aber hier dennoch aufzugreifende geschlechtsspezifische Auslassung will ich im Folgenden diskutieren.

An die obige Aufzählung historischer Vermittlerfiguren lassen sich die zahlreichen *action-teachings*, Performances, Fernseh- und Radiobeiträge anschließen, in denen Brock viele dieser Vermittlerfiguren aufführte und als Schulmeister, Messias, Kultursnob, Kunstkritiker, Dolmetscher (von Kunstwerken), Professor und Priester agierte. »Kern der Vermittlungstätigkeit« (ÄaV 299) ist für Brock dabei dreierlei:

Erstens gilt ihm Vermittlung als Kritik, als Widerstand gegen die »*bürgerliche Kunstideologie*«. (ÄaV 251, Herv. i.O.) Die Strategie des Widerstands, die sich Brock dabei vorstellt, ist die einer *negativen* Affirmation, die Herrschaftsverhältnisse verändern will, indem sie Handlungsweisen und Rhetorik der herrschenden Klasse wiederholt, d.h. zur Aufführung bringt, um sie mit ihren eigenen Ansprüchen und ideologischen Voraussetzungen zu konfrontieren. (Vgl. ÄaV 158) Ganz im Sinne der oben genannten Rolle des »Hofnarren« würde der Kulturvermittler Verfahren der »Figur des *Eulenspiegel*« nutzen, um »jemand den Widerspruch zwischen Legitimation und den Konsequenzen seines Handelns zum Bewusstsein zu bringen«. (ÄaV 136, Herv. i. O.) So tritt Brock etwa in seinem als »Pfingstpredigt« betitelten Vortrag als »Professor in der Nachfolge Petri« auf, kritisiert die »Macht des Vermittelns«, die sich »institutionell verselbständigt« (ÄaV 106) habe – etwa als Kunstmarkt oder als Kunstkritik – und wendet sich *mit* der Macht des Vermittelns dagegen, will einen Weg vorzeichnen, der Veränderung ermöglicht. Brock bringt demnach mehrere bürgerliche Figuren in Deckung, etwa Kunstkritiker und Priester, um gemeinsame ideologische Grundlagen aufzuzeigen – wie die Hoffnung auf die »Identität von Botschaft und Empfang« (ÄaV 105) – und andererseits den kritischen Gehalt der Figuren herauszuarbeiten und gegen diese selbst zu wenden.

Brock vollzieht damit etwas, was ich an anderer Stelle eine Vermittlung zweiter Ordnung genannt habe,[141] eine Vermittlung dessen, *wie* im bürgerlichen Sinne Kunst vermittelt wird, nämlich, folgt man Brock, als Predigt des Kritikers, der zwischen der Produktion göttlich-künstlerischer Botschaft und der Rezeption als demütiger Empfängnis vermittelt.

Zweiter Kern der Vermittlung »ist die der Verhaltenssteuerung, aber nicht im Sinne einer dirigistischen Manipulation, sondern im Sinne einer ›Anleitung zu sich selbst‹« (ÄaV 299),

141 Vgl. Kap. 1.2 *Kunstvermittlung und Institutionskritik.*

als Ermöglichung, eigene Wege zur Kunsterfahrung zu finden. Damit wendet sich Brock sowohl gegen die Vorstellung, »[d]ie Werke sprechen für sich selbst«,[142] als auch gegen die Didaktik der Überredung zu einer bestimmten Deutung. Vermittlung im Rahmen von Kunst habe also gleich mehrfach mit Macht zu tun: als Widerstand gegen herrschaftliche Verhältnisse und als Selbstermächtigung im Hinblick auf Kunst, eingeleitet durch einen Dritten, der »selbst als unantastbare dritte Instanz im Vermittlungsprozess anerkannt« wird und demnach – so wie der Mittler bei Zedler[143] – gesteigerte Machtoptionen auf sich und seine ›generalistische‹ Position vereinen kann; ein Hofnarr, der als scheinbar ohnmächtige Figur die Mächtigen veralbert und im Hintergrund doch wieder eine mächtige Position einnimmt.

Drittens versteht Brock Vermittlung im Rahmen von Kunst auch im Sinne des Lehrens und schreibt: »Die Ausstellungsinstitute können meiner Meinung nach nur noch als Schulen existieren«, und weiter: »Man muss natürlich fordern, daß die Aussteller sich bemühen, das Laienpublikum zu einem professionellen Publikum auszubilden. Und dem liegt ja auch meine Vorstellung von der Besucherschule zugrunde, wobei betont wird: Schule und Ausbildung und Zwang.« (ÄaV 248) Erneut hat Kunstvermittlung mit Macht zu tun; einerseits im Sinne des Zwangs, jemanden auch dann zu ›schulen‹, wenn er oder sie nicht will. Nähme Brock sich selbst ernst, wäre Zwang jedoch als pädagogisches Paradox zu begreifen, als »Freiheit bei dem Zwange«,[144] da Brock

142 Brock, Bazon: *Besucherschule d7. Die Hässlichkeit des Schönen*. Kassel: D+V Paul Dierichs 1982, S. 3.

143 Vgl. Kap. 2.1 *›mittel‹ und ›mitte‹*.

144 Immanuel Kant formulierte dieses Paradox in einer Vorlesung zur Pädagogik: »Eines der größten Probleme der Erziehung ist,

ja gerade nicht manipulieren, sondern eine »Anleitung zu sich selbst« bereitstellen will. Andererseits geht es hier auch um den Versuch einer Abwehr. Brock will sich abgrenzen von der »Mitmachideologie« der Museumspädagogik, die »das Museum als Spielplatz« begreift. (ÄaV 227) Brocks Abwehr ist dann mit der Irene Belows vergleichbar, die »fachfremde Tätigkeiten« als »Waffelbacken«[145] aus dem Diskurs der Kunstvermittlung ausschließen will, um denselben aufzuwerten. Brock wäre damit beteiligt am Kampf um Anerkennung der Kunstvermittlung im Kunstdiskurs der späten 1970er-Jahre. Somit sind bei Brock zwei unterschiedliche Prägungen des Kunstvermittlungsbegriffs vereint, die ich von den 1970er-Jahren aus als parallele beschrieben habe, nämlich ein institutionskritischer Kunstvermittlungsbegriff und ein bildungsbezogener.[146]

Ich halte die Brock'sche Entfaltung des ›Kulturvermittlers‹ von der Wortgeschichte der Vermittlerprofessionen her für ebenso produktiv wie fragwürdig. Die Ambivalenz zwischen Produktivität und Fragwürdigkeit scheint in seiner Forderung nach einer »in höchstem Maße entfalteten Persönlichkeit« auf. Wohlwollend kann ›Entfalten‹ hier als ›Auseinanderfalten‹ gelesen werden. Es wäre dann von einer Person die Rede, die sich nicht durch ihre Identität auszeichnet, durch eine Einheit von Rolle und Person, sondern durch die Differenz und Widersprüchlichkeit verschiedener Rollen.

---

wie man die Unterwerfung unter den gesetzlichen Zwang mit der Fähigkeit, sich seiner Freiheit zu bedienen, vereinigen könne.« Kant, Immanuel: »Über Pädagogik« (1803). In: ders.: *Ausgewählte Schriften zur Pädagogik und ihrer Begründung*, Paderborn: Schöningh 1963, S. 7–74, hier S. 20.

145 Below: »Kunstwissenschaft und Kunstvermittlung«, S. 8. Hier in Kap. 1.2 *Kunstvermittlung und Bildungsreform*.

146 Vgl. Kap. 1.2 *1945 bis 1980*.

Ein Kunstvermittler[147] wäre demnach nicht der ›eine‹, sondern viele, wäre in dem Maße gespalten, wie er den unterschiedlichen Vorstellungen von Vermittlung gerecht und nicht gerecht wird. Dass Brock viele solcher Figuren neben-, über- und durcheinander aufgeführt hat, spricht für diese Lesweise der Differenz. Dafür spricht auch die differenztheoretische Informiertheit des Adorno-Schülers Brock, der das Subjekt – wenn überhaupt als eines – als dezentriertes, nicht mit sich identisches denkt.[148] An Brock anlehnend will ich hier meine noch zu überprüfende These formulieren, *dass Kunstvermittlung, differenztheoretisch verstanden, nichts ist, was von einem Subjekt ›gemacht‹ werden kann.*[149]

Warum halte ich nun diese Spaltung des Kulturvermittlers bei Brock in multiple Rollen für produktiv? Zum Ersten ist der Diskurs der Kunstvermittlung von Anfang an nicht zu trennen von politischen, pädagogischen und ökonomischen Rahmungen, Interessen und Handlungsweisen. Mit

147 Hier ist nicht nur deshalb wiederholt vom ›Kunstvermittler‹ in der männlichen Schreibweise die Rede, weil Brock sich bei affirmativem Bezug ausschließlich auf männliche Rollen konzentriert, sondern auch, weil Frauen in Brocks Texten entweder als ›Hausfrauen‹ vorkommen oder zugerichtet als Objekte, die kurze Röcke oder andere als sexuell aufgeladen dargestellte Kleidungsstücke tragen, an denen Brock ästhetische Theorie veranschaulicht. Zur ›Hausfrau‹ vgl. etwa ÄaV, S. 227. Zum Kleidungsstück vgl. etwa den Vortrag »Der Reißverschluß« (ebd., S. 499 f.) oder »Warum kürzere Röcke?« (ebd., S. 258-262. Vgl. davon abgrenzend sowie zur Reflexion weiblicher Rollenklischees in der Kunstvermittlung Landkammer, Nora: »Rollen Fallen. Für Kunstvermittlerinnen vorgesehene Rollen, ihre Gender-Codierung und die Frage, welcher taktische Umgang möglich ist«. In: Mörsch et al. (Hg.) *Kunst Vermittlung* 2, S. 148–158.

148 Vgl. etwa ÄaV, S. 94–98. Zur Dezentrierung des Subjekts bei Adorno vgl. Kap. 6.1 *Mit Hegel*.

149 Vgl. Kap. 3.3 *Kunstvermittlung ist möglich*, Kap. 4.1 *Dritte Stellung: gesellschaftliche Dimensionen absoluter Vermittlung*, und Kap. 7.1 *Transsubjektivität*.

ebendiesen Rahmungen werden verschiedene Vermittlungslogiken und -rollen aufgerufen, die Brock zum einen erweitert – etwa um kirchliche Vermittlungslogiken – und deren Widersprüchlichkeit er zum anderen durch Aufführung derselben zeigt. Zum Zweiten kann die Spaltung des Kulturvermittlers als Hinweis auf Kunst gelesen werden. Denn auch Kunst wäre ohne ihr Verstricktsein in andere gesellschaftliche Rahmungen nicht zu denken und ist andererseits nichts, was als ›Botschaft‹ aufzufassen wäre, sondern als Zusammenhang, der gleichsam von Widersprüchen durchzogen ist bzw. durch Widersprüche besteht. Kunstvermittlung, mit Sturm, *von Kunst aus* gedacht würde demnach Kunst nicht als eindeutige Botschaft zurichten, sondern deren Unbestimmtheit durch das unbestimmte Wie der Kunstvermittlung fortsetzen.[150] Zum Dritten öffnet Brock ebenjenen Möglichkeitsraum auf der semantischen Ebene, der mir so wichtig für einen Begriff von Kunstvermittlung erscheint, der sich nicht festschreibt, was ihn seiner Beweglichkeit berauben würde, der aber dennoch nicht beliebig ist und durch seinen Anschluss an etymologische Bedeutungsfelder konzeptuelle Tiefe erlaubt.

Gegen Brock will ich jedoch den Einwand vorbringen, dass dessen eigene Rhetorik sehr wohl den Eindruck suggeriert, Kunstvermittlung würde von einer ›Person‹ gemacht – einer offenbar männlichen[151] Person, deren Bedeutung »immer schon hoch« eingeschätzt worden sei. Das Konzept einer im »höchstem Maße entfalteten Persönlichkeit« kann auch dafür stehen, dass diese Persönlichkeit enorme Räume für

150 Zur Wendung Kunstvermittlung ›von Kunst aus‹ bzw. zum Begriff der Kunstvermittlung als Fortsetzung von Kunst vgl. die Setzungen von Eva Sturm in VKa bzw. im Kap. 4.3 *Schließung und Öffnung. bedingte Kunstvermittlung*.

151 Vgl. Anm. 147 in diesem Kapitel.

sich beansprucht, sich also in dem Maße »entfaltet«, wie sie Machtoptionen in die verschiedensten Tätigkeitsfelder hineinfaltet. Kunstvermittlung wäre vollkommen zugeschnitten auf diese Figur, den Generalisten, mit dem sich Brock offenbar selbst meint, und damit die Idee vom mächtigen Subjekt, das Kunstvermittlung ›macht‹, perpetuiert. Perpetuiert wird durch Brock nicht zuletzt der Geniekult des Kunstdiskurses der Moderne, er wird nur an eine andere Stelle geschoben: vom Künstler auf den Kunstvermittler.

Um einen anderen Weg als Brock einzuschlagen, will ich einer ähnlichen Entwicklung folgen, der Verschiebung des Genies vom Künstler auf den Kurator. So ist mit Harald Szeemann eine Figur des Kurators entstanden, die sich als »Macher«, als Impresario begreift und nicht selten »ihr kuratorisches Konzept als das eigentliche künstlerische Produkt« versteht.[152] Die Ablehnung einer reproduzierenden Rolle zugunsten einer der Produktion mag mit daran beteiligt sein, weshalb Sigrid Schade hier von einem »traditionell männlich konnotierten« Konzept des Kurators spricht.[153] In dezidierter Abwendung zu dieser männlich-subjektbezogenen Vorstellung verschiebt sich in den späten 1990er-Jahren der Diskurs des Kurators zunehmend zu dem des *Curatings*.[154] Hier sollen nicht mehr Fähigkeiten und Professionalisierung einer einzelnen Person das bestimmen, was ›Kuratieren‹ meinen kann, sondern, so Beatrice von Bismarck,

152 Schade, Sigrid: »Zu sehen geben: Reflexionen kuratorischer Praxis«. In: Richter, Dorothee/Schmidt, Eva (Hg.): *Curating Degree Zero*. Nürnberg: Verlag für moderne Kunst 1999, S. 9–11, hier S. 11.

153 Ebd.

154 Vgl. Bismarck, Beatrice von: »Curating«. In: Butin, Hubertus (Hg.): *DuMonts Begriffslexikon zur zeitgenössischen Kunst*. Köln: DuMont 2002, S. 56–59, hier S. 58.

spezifische »Handlungsformen und Verfahren«.[155] Curating könnte also ebenso die Zusammenarbeit vieler am Kunstfeld Beteiligten meinen, würde sich »stärker inhaltlich als personell bestimmen«.[156] In aller Konsequenz bedeutet dies, dass Curating von Kurator*innen sowie Kritiker*innen, Künstler*innen und Kunstvermittler*innen geleistet werden kann. Das heißt aber auch, dass Kunst ›machen‹, kritisieren, ausstellen und vermitteln nicht dasselbe sind, also inhaltlich voneinander zu unterscheiden sind.

Kunstvermittlung als multiples Handlungsfeld

Ich will diese Begriffsverschiebung im Diskurs des Curatings aufgreifen und nicht fragen, was ›*den* Kunstvermittler‹ von anderen Berufsvertreter*innen unterscheidet, sondern inwiefern sich Kunstvermittlung als Handlungs- und Begriffsfeld differenziert. Gleichzeitig will ich Brock dahingehend folgen, dass ich das Begriffsfeld der Kunstvermittlung nicht einheitlich entwerfe, sondern im multiplen Spannungsfeld der Etymologie von ›Vermittlung‹. Das Folgende ist dabei als erste skizzenhafte Annäherung daran zu lesen, wie ich Kunstvermittlung verstehe. Bei aller Vorläufigkeit werden Rahmungen des Begriffs formuliert, von denen ich im Laufe der Arbeit nicht mehr zurücktreten will.

155 Ebd.
156 Ebd.

Kunstvermittlung liegt quer zu gesellschaftlichen Verhältnissen

Der grundsätzliche Bezug des Begriffs der Kunstvermittlung auf Gesellschaft ist nicht selbstverständlich. Ich will diesen Bezug zunächst aus der These ableiten, dass Kunstvermittlung grundsätzlich Kommunikation involviert und sich auf diese Weise nicht außerhalb von Gesellschaft verorten lässt.[157] Die Umkehrfrage zu dieser These ist: Was wäre Kunstvermittlung ohne Kommunikation? Ein Gedankenspiel, eine kontemplative Perspektive ohne Öffentlichkeitsbezug. Dabei ist ein kontemplativer Vermittlungsbegriff im Rahmen von Kunst durchaus historische Realität. So etwa in der von Brock verworfenen bürgerlichen Idee, dass Kunst sich selbst vermitteln müsse, oder, wie noch zu zeigen sein wird, bei Adorno, nach dem die Vermittlung zwischen Objekt und Subjekt der Kunst nicht in einem Dritten liegt, und Kommunikation ausgeschlossen wird.[158] Eine solche Vorstellung geht aber am Sprachspiel von ›Vermitteln‹ als Mitteilung vorbei. Aktuellen Diskursen zufolge bedarf es laut Eva Sturm nicht nur der Produktion und Rezeption, sondern auch der Öffnung eines »kommunikativen Raum[s]« (VKa 89), eines, nach Rahel Puffert, »Auditorium[s]«,[159] in dem das, was jeweils bezüglich Kunst geschieht, mit anderen geteilt, also

---

157 Zum Zusammenhang zwischen Kommunikation und Gesellschaft vgl. Luhmann, Niklas: *Die Gesellschaft der Gesellschaft*, Bd. 1. Frankfurt/Main: Suhrkamp 1998, bes. S. 93–100.

158 Vgl. Kap. 1.2 *1945 bis 1980* und Kap. 6.3 *Zum Verhältnis von Kunst und Gesellschaft bei Adorno.*

159 Puffert, Rahel: »Vorgeschrieben oder ausgesprochen? Oder: was beim Vermitteln zur Sprache kommt«. In: schnittpunkt – Jaschke, Beatrice/Martinz-Turek/Sternfeld, Nora (Hg.): *Wer spricht? Autorität und Autorschaft in Ausstellungen.* Wien: Turia + Kant 2005, S. 59–71, hier S. 69.

mit-geteilt wird. Insofern Kunstvermittlung immer auch Kommunikation ist, sie verweist auf Öffentlichkeit, auf Gesellschaft als notwendige Bezugsgröße von Kunstvermittlung.

Mit welchem semantischen Bezug die involvierten gesellschaftlichen Verhältnisse gelesen werden können, steht nach wie vor im Zentrum der Begriffskonflikte.

Ausgehend von der Wortgeschichte von ›Vermittlung‹ steht zunächst die Beobachtung, dass das Sprachspiel des Vermittlungsbegriffs als Kommunikation auch das der ›Wissensvermittlung‹ hervorgebracht hat.[160] Insofern diese im Kontext pädagogischer Prozesse gedacht wird, ist Kunstvermittlung ebenfalls als pädagogischer Begriff zu lesen. Dabei gehen gleichfalls unterschiedliche pädagogische Formen ein, die *insofern* dem Begriff der Kunstvermittlung unterschiedliche Ausformung verleihen; die also Pädagogik mit einer klaren Adressierung verbinden, oder gerade nicht einseitig verstehen, sondern als wechselseitiges Verhältnis, in dem sich Wissen und Nichtwissen, Erziehen und Erzogen-Werden auf mehreren Seiten verortet, in dem also eine »Anerkennung unterschiedlichen Wissens«[161] und eine mehrdeutige Rollenverteilung möglich ist.

Spätestens durch pädagogische Deutungen des Vermittlungsbegriffs rücken aber aufgrund der »Unmöglichkeit herrschaftsfreier Bildungsprozesse«[162] Fragen nach der Hierarchie der Vermittlungsverhältnisse in den Fokus. Kunstvermittlung ist also auch auf Teilhabe und die Verteilung

---

160 Vgl. Kap. 1.2 *Kunstvermittlung und Bildungsreform* und Kap. 2.3 *Von Mitteilung zu Vereindeutigung. Vermittlung als Kontrolle.*

161 Mörsch: »Educational Einverleibung«, S. 251.

162 Wimmer, Michael: »Lehren und Bildung. Anmerkungen zu einem problematischen Verhältnis«. In: ders./Schuller, Marianne/Pazzini, Karl-Josef (Hg.): *Lehren bildet? Vom Rätsel unserer Lehranstalten*. Bielefeld: transcript 2010, S. 13–37, hier S. 18.

von gesellschaftlichen Ressourcen hin zu lesen, und demnach ebenso ein politischer Begriff. Kunstvermittlung soll das, was Kunst betreffend geschieht, mit-teilen, nicht nur im kommunikativen, sondern auch im politischen Sinne, soll sich die Frage stellen, wer dabei ist und wer nicht. Kunstvermittlung hat demnach mit Machtverhältnissen zu tun, mit Ein- und Ausschlüssen des Kunstdiskurses, und ist auch insofern nicht dasselbe wie Kunstkritik.[163]

Auch Brock hat die Frage nach der Teilhabe zu einer der Kunstvermittlung gemacht und reagiert auf die sozialdemokratische Forderung nach einer ›Kultur für alle‹[164] mit folgender Einschränkung: »Jeder Bürger, der an Kunst interessiert ist, sollte Möglichkeiten finden, sein Interesse ins Spiel zu bringen.«[165] Wer aber ist ein »Bürger« und wer nicht? Welche natio-ethno-kulturellen, klassenbezogenen und heteronormativen Ordnungen werden stillschweigend vorausgesetzt, damit jemand als »Bürger« gilt? Warum wird wer als »an Kunst interessiert« gedacht und wer nicht? Wenn Kunstvermittlung tatsächlich als Teilhabe gilt, muss sie aus einer differenzorientierten Perspektive Fragen nach Ein- und Ausgrenzungen stellen. Wenn mit Mörsch Kunstvermittlung »die Praxis [ist], Dritte einzuladen, um Kunst und ihre Institutionen für Bildungsprozesse zu nutzen«

---

163 Kunstkritik richtet sich zwar immer auch an Öffentlichkeit, reflektiert jedoch im Allgemeinen nicht, *wer* nun genau adressiert wird und *wer nicht*. Das bedeutet nicht, dass nicht auch Praxen der Kunstkritik die sozialen Ein- und Ausschlüsse des Kunstdiskurses bearbeiten könnten. Sie sind dann aber *auch* Kunstvermittlung, überschneiden sich also in ihrem Handlungsfeld mit einem anderen. Für die historische Nähe von Kunstvermittlung und Kunstkritik vgl. Kap. 1.1 *1900 bis 1945*.

164 Vgl. Hoffmann, Hilmar: *Kultur für alle. Perspektiven und Modelle.* Frankfurt/Main: S. Fischer 1979.

165 Brock: *Besucherschule d7*, S. 8.

(AK9), gilt es, sich reflexiv mit den Ambivalenzen von Teilhabeprozessen auseinanderzusetzen.[166] Gleichzeitig gilt es, auch hier einer etymologischen Verschiebung Rechnung zu tragen, die Vermitteln im Sinne von ›mit-teilen‹ zum Verkauf werden ließ.[167] Der Begriff der Kunstvermittlung ist deshalb auch als ökonomischer Begriff zu verstehen, involviert Diskurse der Kapitalbewegung, des Managements und der Dienstleistung. Kunstvermittlung ist Arbeit, die einen Tauschwert produziert. Damit wird einerseits die historische Perspektive von Kunstvermittlung berücksichtigt, welche dieselbe immer schon in ökonomische Verhältnisse verstrickt sieht. Kunstvermittlung als Dienstleistung zu lesen stellt wiederum den Zusammenhang zwischen der Abwertung des Arbeitsfelds und der abwertenden Feminisierung dienstleistender Berufe heraus, und stellt so auch die Frage nach einer Ethik der ökonomischen Perspektiven von Kunstvermittlung.[168]

Diese Auflistung der semantischen Bedeutungsbandbreite von Kunstvermittlung ist dabei keineswegs vollständig. Mir geht es dabei auch nicht um Vollständigkeit, sondern um den erneuten Hinweis darauf, dass der Begriff der Kunstvermittlung nicht in Bezug auf eines der genannten Felder aufgeht, sondern sich gerade als mehrdeutiger Bezug quer zu diesen Feldern herausbildet. Die Mehrdeutigkeit des Begriffs ist dabei nicht nur auf der semantischen Ebene zu suchen, sondern gleichsam auf der strukturellen. Um das verdeutlichen zu können, wechsle ich zunächst noch einmal zur

166 So wie es Carmen Mörsch im selben Text auch einfordert. Vgl. AK.

167 Vgl. Kap. 2.2 *Vermittlung als Hilfsmittel, Verkauf und Mitteilung*.

168 Vgl. Kap. 2.3 *Von Teilhabe zu Handel*. Vgl. hierzu auch Carmen Mörsch in DBdA, S. 239.

semantischen Ebene und ergänze um die Wortbedeutung von ›Vermittlung‹ im Sinne von Schlichtung und Konflikt.

Kunstvermittlung liegt quer zu Schlichtung und Konflikt

Dass sich der Begriff der Kunstvermittlung auch aus seinem Bezug auf die Bedeutung als Schlichtung verstehen lässt, haben Johannes Kirschenmann und Werner Stehr konstatiert: »[…]zeitgemäße Kunstvermittlung […] steht zwischen den Fronten«;[169] etwa zwischen den Erwartungen des Publikums und den Vorstellungen einer Ausstellungsleiter*in.[170] Ausgehend von der Wortgeschichte des Vermittlungsbegriffs müsse Kunstvermittlung »aus einem Feld der Neutralität heraus versuchen, einen Ausgleich zu schaffen«.[171] Damit rufen Kirschenmann und Stehr die harmonistische Hoffnung auf einen »neutralen Mittler« auf,[172] wie Helmut Schultz in den 1920er-Jahren, und schließen an Zedlers Vorstellung vom Mittler an, der nach Äquivalenz zwischen den zu Vermittelnden sucht,[173] auf dass sie sich, so Lutz Koch, in der »rechten Mitte« treffen mögen.[174] Eine solche Idee von Kunstvermittlung als Schlichtung habe ich

169 Kirschenmann/Stehr: »Die Kuh muß zurück aufs Eis«, S. 7.

170 Zu diesem Verhältnis, in dem es kaum möglich ist, sich neutral zu verhalten, vgl. Henschel, Alexander: »Treten und Vertreten«. In: Mörsch et al. (Hg.): *Kunstvermittlung* 2, Bd. 2, S. 225.

171 Kirschenmann/Stehr: »Die Kuh muß zurück aufs Eis«, S. 7. Hier in der *Einleitung*.

172 Schultz, Helmut: *Johann Vesque von Püttlingen*, S. 9. Hier in Kap. 1.1 *1900 bis 1945*.

173 Vgl. Kap. 2.1 *›mittel‹ und ›mitte‹*.

174 Koch, Lutz: »Pädagogik und Urteilskraft«, S. 389. Hier in Kap. 2.3 *Quer gelesen*.

bereits im Kontext des wilhelminischen Deutschlands ausgemacht. Kunstvermittlung als »Bindemittel«[175] wäre dann nicht nur Vehikel für soziale Befriedung, sondern auch für nationale Einheit.

Kunstvermittlung als Schlichtung ruft also erneut die Metapher der Brücke auf. »Es sei denn«, so Nora Sternfeld, »wir nehmen die Vorsilbe ›Ver-‹ in dem Wort ernst. Dann geht es beim ›Vermitteln‹ auch darum, sich der Idee einer einfachen Übermittlung oder jener einer konsenssuchenden Mediation zu widersetzen«.[176] Eine These, die sich, wie oben gezeigt, mit Leopolds Untersuchung der Vorsilbe ›ver-‹ präzisieren und begründen lässt. Mein Plädoyer ist aber nicht, Kunstvermittlung neu zu denken, sondern umgekehrt: Es geht mir darum, den Begriff der Kunstvermittlung mit seinen historischen und etymologischen Bedingungen zu konfrontieren und zu zeigen, dass Kunstvermittlung von Anfang an nicht nur identitätspolitische Wirkung entfaltet, sondern auch Gegenbewegungen hervorgebracht hat; dass ›Vermitteln‹ ›Trennen‹ bedeuten kann und diese Doppelbedeutung auch im aktuellen Sprachgebrauch nicht eliminiert ist, sondern immer wieder Spuren hinterlässt. Vermittlung verbindet und trennt gleichermaßen, muss in der Differenz dieser gegenläufigen Bedeutungen beschrieben werden. Wenn also Kunstvermittlung die Semantik von ›Schlichtung‹ involviert, dann ist sie auch als Konflikt zu lesen. Verortet sich Kunstvermittlung quer zu gegenläufigen Interessen, perpetuiert sie den Konflikt dazwischen, verschiebt ihn aber möglicherweise auf andere Ebenen, thematisiert, durchkreuzt,

175 Schubert: »Kunst, bildende in der Erziehungsschule«, S. 185. Hier in Kap. 1.1 *1900 bis 1945*.

176 Sternfeld: *Verlernen vermitteln*, S. 9.

verdreht und untergräbt asymmetrische Machtverhältnisse, statt sie aus einer vermeintlich neutralen Position heraus ausgleichen zu wollen.

Noch einmal: Quer gelesen. Bruchlinien der Kunstvermittlung

Ich habe bereits den Versuch unternommen, die Polarität zwischen Schlichtung und Konflikt als strukturelle Ambivalenz zu begreifen und gegen die Bedeutungen von Vermittlung als Teilhabe und als Kommunikation zu lesen.[177] Es hat sich gezeigt, dass von dieser Warte aus der ›üble Nebensinn‹ der Vermittlung keineswegs restlos verschwunden ist, sondern durch alle Wortbedeutungen hindurch die Verheißungen, die an Vermittlung geknüpft sind, sabotiert und verdreht. Auch hier, bei den Rahmungen zum Begriff der Kunstvermittlung, lässt sich die letzte Bedeutungsdimension, Kunstvermittlung als Konflikt, quer zu den anderen richten. Ich will im Folgenden den Versuch für das Feld der Kunstvermittlung exemplarisch wiederholen und Beispiele aus dem Diskurs der Kunstvermittlung vorbringen, in denen die Verheißung der Kunstvermittlung durch die Kunstvermittlung selbst sabotiert wird, d.h. die strukturelle Ebene quer zur semantischen legen. Ich will dabei zeigen, dass die negative Seite der Vermittlung durchaus auch als produktiv diskutiert wird – allerdings selten unter dem Label ›Vermittlung‹, das für den Harmoniediskurs zu stehen scheint.

Was aber sollte an Kunstvermittlung als misslungener Kommunikation produktiv sein? Ein Beispiel: Nora Land-

177 Vgl. Kap. 2.3 *Quer gelesen.*

kammer beschreibt im Rückblick auf eine Führung auf der *documenta 12* die Situation, bei der sie einer schweigenden Gruppe gegenüberstand, selbst Antworten verweigerte und schließlich ins Stottern geriet. In diese Kommunikationslücke sprangen nach und nach die Teilnehmer*innen und setzten die Führung mit Landkammer im Dialog fort. Sie schreibt: »Eigentlich erst durch die – kurzzeitige – Verweigerung der Schlüsselkompetenz, die den Job ausmacht, nämlich sprechen, wurde ein für alle Beteiligten produktiver Dialog möglich.«[178] Es geht also nicht um das Misslingen von Kommunikation an sich, sondern um die Differenz zwischen beiden, um das Überführen von einer gewohnten Kommunikationssituation (die Kunstvermittler*in spricht) in eine ungewohnten Kommunikationssituation (alle sprechen miteinander), die erst durch den Abbruch möglich wurde (die Kunstvermittler*in spricht nicht, bzw. bricht beim Stottern Worte ab).

In einem ähnlichen Sinne, als Abbruch, ist mit Pazzini Kunstvermittlung als Entbildung, als negative Seite von Bildung zu begreifen.[179] Kunstvermittlung sei »Trennmittel«, führe idealerweise eine unvorhersehbare, unverfügbare Relation vor, »[so] dass jemand aus den gewohnten Sichtweisen herausverführt wird und so dumm fällt, dass er nach neuen Anbindungen sucht. Vielleicht zieht er sich dann an Kunst hoch. Oder am Vermittler oder an beidem«.[180] Bildung im Angesicht der Kunst sei ohne Trennung, ohne hindernd zwischen gewohnte Bindungen zu treten, ohne Entbildung nicht zu haben.

---

178 Landkammer: »Rollen Fallen«, S. 156. Landkammer bezieht sich hier auf Eva Sturm, bes. IE, S. 100 und S. 260.

179 Vgl. Kap. 1.3 *Differenzorientierte Kunstvermittlung*.

180 Pazzini: »Vermittlung ist Anwendung«, S. 86.

Dass Kunstvermittlung im Sinne des Zeigens nicht bloßes Herstellen unmittelbarer Erfahrung, sondern auch als Nicht-Zeigen, also gleichfalls als »hindernd wozwischen treten« gedacht werden muss, scheint im folgenden Zitat des Kunsthistorikers Heinrich Dilly durch, der 1975 über die Diaprojektion als Mittel der Kunstgeschichte schreibt:

> Diejenigen, die sich als Interpreten von Kunstwerken und somit als die kompetenten Vermittler von Kunst verstehen, treffen im Allgemeinen nicht die Unterscheidung zwischen dem Arbeitsmittel, mit dessen Hilfe der jeweilige Gegenstand erforscht werden kann, und dem Medium, durch das sie Kunstwerke kennen lernen, und übersehen allzu häufig, dass sie selbst Kunstwerke nur vermittelt erfahren.[181]

Das Medium ist etwa eine Ausstellung, die suggeriert, Kunstwerke seien dort unmittelbar zu erfahren. Dagegen wurde bereits der Einwand vorgebracht, dass die Ausstellung als »Verteilerapparat«[182] zu begreifen ist, als Medium bzw. Mittel, das ebenso trennt wie verbindet. Auch wenn sich das Medium der Ausstellung beim Betrachten von Kunstwerken selbst nicht zeigt, selbst nur Spuren hinterlässt, ist es konkret an der Erfahrung von Kunst beteiligt, tritt also zwischen Betrachter*in und Kunstwerk. Die Vermittlung durch die Ausstellung bedeutet demnach Aufschub. Die Unmittelbarkeit des Werks ist genauso wenig im Hier und Jetzt zu haben wie die Heilige in der Bilderverehrung.[183]

---

181 Dilly, Heinrich: »Lichtbildprojektion – Prothese der Kunstbetrachtung«. In: Below (Hg.): *Kunstwissenschaft und Kunstvermittlung*, S. 153–172, hier: S. 154.

182 Schneede.: »Sieben Abschnitte über Kunst«, S. 38. Hier in Kap. 1.2 *Kunstvermittlung als Institutionskritik.*

183 Vgl. Kap. 2.2 *Historisch-semantische Begriffsgeschichte.*

Der aufschiebende Charakter der Vermittlung setzt sich fort, wenn weitere Medien ins Spiel kommen, die Dilly »Arbeitsmittel«, bzw. »Prothesen der Kunstbetrachtung« nennt,[184] z.B. die Diaprojektion eines Gemäldes. Die »Vermittler von Kunst« setzten nun, so Dilly, »im Allgemeinen« die Erfahrung des Werks in der Ausstellung mit der Erfahrung der Diaprojektion des Werks in eins, träfen keine Unterscheidung zwischen beiden. Das bedeutet, dass die Diaprojektion nicht nur die unmittelbare Erfahrung des Werks erneut aufschiebt, sondern ebenso die – gleichfalls ›nur‹ vermittelte – Erfahrung des Werks in der Ausstellung. Die Diaprojektion also eine Vermittlung der Vermittlung und Hinweis auf die Unendlichkeit des Aufschubs, wenn Kunst vermittelt wird.

Die drei bisherigen Beispiele haben gezeigt, wie Vermittlung die Kunstvermittlung als Kommunikation, Bildung und Zeigegeste zu sabotieren vermag: als Stottern, als Dumm-Hinfallen, als permanenten Aufschub in der Geste des Zeigens. Was aber wäre die Sabotage, die negative Seite der Teilhabe? Was wäre also z.B. ein Ausschluss, der eigentlich als Einschluss, als Einladung zur Teilhabe am Kunstdiskurs gedacht war? Sternfeld schreibt im Hinblick auf Vermittlungskonzepte, die zur Inklusion marginalisierter Gruppen dienen sollen, diese würden »bei näherer Betrachtung viel mehr von Zuschreibungen als von Selbstdefinitionen getragen. Hier werden zumeist neue Zielgruppen definiert, deren Anliegen zur Inklusion als benannte und ausgemachte gesellschaftliche Gruppen in zahlreichen Aspekten die Exklusion [...] sogar verstärken kann.«[185] Die

184 Dilly: »Lichtbildprojektion«, S. 153.

185 Sternfeld: »Um die Spielregeln spielen!«, S. 124.

Einladung, etwa an »ehemalige Drogensüchtige« wird nicht zuletzt deshalb zur Ausladung,[186] weil die Adressierungen immer noch einseitig ausgerichtet sind, von den Akteur*innen des Kunstdiskurses an diejenigen, die als *Andere* markiert werden. Anerkennung wird so verunmöglicht, wird etwa durch die stete Subinformation unterlaufen, selbst nicht gefragt worden zu sein, als wer jemand bezeichnet werden und auftreten will, und als wer nicht. Kunstvermittlung bildet dann gerade keine Brücke, sondern einen Riss.[187]

Gleichzeitig kann von der negativen Seite der Teilhabe, dem Ausschluss und dem Riss, zur positiven gelangt werden.[188] So schreibt Marie-Luise Angerer über das Vorwort von Lucy Lippard zur Wiener Ausstellung *MAGNA. Feminismus: Kunst und Kreativität* von 1975: »Natürlich habe Kunst kein Geschlecht, doch der Künstler und die Künstlerin hätten eines. Deshalb seien separierte Frauenräume notwendig, um dem unsichtbaren – weiblichen – Geschlecht den öffentlichen Blick und die damit verknüpfte Anerkennung zuteilwerden zu lassen.«[189] Vermittlung schafft dann konkret Ausschlüsse, um Teilhabe zu ermöglichen. Vermittlung im Rahmen von Kunst schafft Trennungslinien und markiert Schutzräume, die in der Wendung ›für alle‹ nicht möglich sind.[190]

---

186 Vgl. ebd.

187 Vgl. Henschel: »Die Brücke als Riss«. Vgl. zur Brückenmetapher in der Kunstvermittlung bes. Kap. 3.3 *Vermittelte Einheit zwischen Kunst und Publikum?*

188 Ausführlicher als in dieser Skizze wird der Zusammenhang zwischen Öffnung in Schließung in einem späteren Kapitel besprochen. Vgl. Kap. 4.4 *Schließung und Öffnung: absolute Kunstvermittlung.*

189 Angerer, Marie-Luise: Art. »Feminismus und künstlerische Praxis«. In: Butin (Hg.): *Begriffslexikon*, S. 81–85, hier S. 81.

190 Vgl. Henschel: »Wen meint ›alle‹?«.

Ich will dieser letzten Spur, nach der die Vermittlung der Kunstvermittlung nicht nur von der positiven auf die negative, von der verbindenden auf die trennende Seite führen kann, sondern auch umgekehrt folgen und auf Bazon Brocks Entwurf des Kunstvermittlers zurückkommen.

Brock macht es zum Kern der Kunstvermittlung, Widerstand zu leisten gegen die »bürgerliche Kunstideologie«. Er ruft damit bereits ein negatives Konzept von Kunstvermittlung auf, die sich nicht als Harmonisierungsmaschine begreift, sondern, mit Hilfe der Vermittlungsstrategie der negativen Affirmation, als Inszenierung eines Konflikts. Ich habe gezeigt, dass diese Rhetorik Brocks letztlich doch bürgerliche Ästhetik *positiv* affirmiert, nämlich da, wo er den Kunstvermittler als souveränes, männliches Subjekt setzt, das als im »höchstem Maße entfalteten Persönlichkeit« alle Fäden der Vermittlung in der Hand hält. Die Negation wird zur Position. Davon ausgehend möchte ich zu meinen Beispielen aus mehr als 40 Jahren Kunstvermittlungsdiskurs einen Zusammenhang formulieren.

Ich habe mehrfach die These vorgebracht, (Kunst-)Vermittlung sei nicht ohne die negative Seite, die Seite des Trennens, des Aufschubs und des Konflikts, zu haben. Damit will ich nicht annehmen, dass die positive Seite der Vermittlung zugunsten der negativen aufzugeben wäre. Sie würde sonst zu einer Anti-Bewegung und wiederholte damit lediglich die binäre Logik bürgerlicher Ideologien, gegen die sie sich richtet. Ich habe außerdem angedeutet, dass nicht nur der Wunsch nach Verbindung durch Kunstvermittlung zu Trennung führt, sondern auch umgekehrt der Wunsch nach Trennung zu Verbindung. So sind auch Trennung und Schließung nicht ohne Verbindung und Öffnung zu haben. Die Aufgabe der positiven Seite des Vermittlungsbegriffs, also die des Verbindens, würde zudem an allen Sprachspielen vorbeigehen, die Vermittlung als Identitäts- und Harmoniediskurs spielen, die gleichfalls nicht-hintergehbare Begriffsrealität sind.

Im Sinne eines differenzorientierten Begriffs von Kunstvermittlung gilt es demnach nicht, eine Anti-Logik einzuführen und dem Begriff der Vermittlung überzustülpen, sondern die Ambivalenz des Vermittlungsbegriffs zu reflektieren, um von dort aus eine Begriffspolitik zu ermöglichen, die Kunstvermittlung als widerständig gegenüber identitätspolitischen Diskursen denkt.

Wenn also Sturm eine »Kunstvermittlung« einfordert »die sich differentiell bzw. differenztheoretisch versteht« (VKa 187), ist damit nicht die Eingrenzung auf Kunstvermittlung als Ausschluss, Riss oder Konflikt gemeint, sondern *Kunstvermittlung als Reflexion des Widerspruchs zwischen Einschluss und Ausschluss, Brücke und Riss, Schlichtung und Konflikt, Wissen und Nicht-Wissen*.

Der Zusammenhang zwischen den Beispielen liegt also in einer bestimmten Form, in der eines unaufgelösten Widerspruchs. Dort ist auch die Crux des Vermittlungsbegriffs auszumachen. Denn der strukturelle Zusammenhang des unaufgelösten Widerspruchs könnte nahelegen, dass es sinnlos sei, Kunstvermittlung als Praxis zu betreiben, weil sie sich ohnehin selbst sabotiere und stets zu anderen Seiten führe als zu denen, die man sich von ihr versprochen habe. Um also ausführen zu können, *wie* der Widerspruch der Vermittlung offengelegt, reflektiert und dennoch gehandelt werden kann, bedarf es der Vertiefung in die strukturellen Ebene des Vermittlungsbegriffs, in den Zusammenhang von Widerspruch, Identität und Differenz. Dies soll in den folgenden Kapiteln geleistet werden, in denen sich erhellt, dass die Diskussion dieses Zusammenhangs in der Philosophie eine lange Tradition hat – eine Diskussion, die unter dem Begriff ›Vermittlung‹ geführt wird.

3. Philosophische Begriffsgeschichten – ein Einstieg

So wenig Einheitlichkeit der Wortgebrauch von ›Vermittlung‹ in der Alltagssprache aufweist, so wenig ist auch dem philosophischen Begriff eine feststehende Bedeutung zuzuweisen. Bedeutungszusammenhänge verändern sich, widerstreiten einander. Gleichwohl lassen sich wiederkehrende Motive und Annahmen identifizieren. Die Annahmen, die auf ›Vermittlung‹ im philosophischen Sinne verweisen, beziehen sich dabei auf Relationen. Es geht also stets um die Frage, wie zwei oder mehrere Relata, d.h. an Relationen beteiligte Komponenten, zueinander in Verbindung treten, und inwieweit dabei ein Drittes eine Rolle spielt.

Die philosophische Begriffsgeschichte von ›Vermittlung‹ ist dabei, so Volker Schürmann, »eine der Moderne«.[1] So verweist der Begriff zwar auf die Vorgeschichte, die sich bis zur griechischen Antike und den Gebrauch der Ausdrücke

1 Schürmann: Art. »Vermittlung/Unmittelbarkeit«, S. 2887.

›meson‹ bzw. ›mesiteyo‹ zurückverfolgen lässt.[2] Doch erhält er ein »eigenes philosophisches Profil«, eine wiederholte Aufnahme und begriffliche Schärfung in sich aufeinander beziehenden philosophischen Texten, erst, so Andreas Arndt »um die Wende vom 18. zum 19. Jahrhundert«.[3]

3.1. Antike: Vermittlung und binäre Logik

Im Zusammenhang zu ›Vermittlung‹ lassen sich in der europäischen Antike zwei Grundmotive identifizieren, die in der späteren Diskussion von zentraler Bedeutung sind: die aristotelische Figur des ›dritten Menschen‹ im Anschluss an die Ideenlehre Platons und die Unterscheidung zwischen ›Mittleres‹ und ›Unmittelbares‹ (gr. ›meson‹ und ›ameson‹) in der aristotelischen Logik.

Die Ideenlehre Platons lässt sich, so Christoph Türcke, ideengeschichtlich bereits als Vermittlungsproblem beschreiben.[4] (Vgl. VaG) Platon führt die beobachtbare Ähnlichkeit, die sich zwischen Gruppen von empirischen Einzeldingen ausmachen lässt – z.B. die Ähnlichkeit zwischen verschiedenen Menschen –, auf die Existenz von Ideen zurück, deren unvollkommenes Abbild die Einzeldinge seien. Die Ideen seien dann unwandelbare Urprinzipien, während die Einzeldinge der empirischen Welt Wandel und Verfall ausgesetzt sind. Es stelle sich, so Türcke, aber eben hier das Problem der Vermittlung, also die Frage, in welcher Relation Ideen und Einzeldinge zueinander stehen. (Vgl. VaG 30) Wenn ein

---

2 Vgl. Kap. 2.1 *›mittel‹ und ›mitte‹*.

3 Arndt: Art. »Vermittlung«, Sp. 723.

4 Auch Gilles Deleuze nennt Platons Konzept der Ideenlehre eines der Vermittlung. Vgl. DuW, S. 95.

Ding das Abbild einer Idee sei, dann müsse auch hier eine Ähnlichkeitsrelation bestehen. Demnach müsste – und das ist das Problem – auch hier die These der Ideenlehre anzuwenden sein, nach der die Ähnlichkeit zwischen Relata auf Ideen zurückzuführen ist. Die Ähnlichkeit zwischen Einzelding und Idee müsste also ihrerseits auf eine dritte Idee verweisen, die zwischen beiden vermittelt. Zum Beispiel erfordere – mit Aristoteles, der sich kritisch auf die Ideenlehre Platons bezieht – die Ähnlichkeit zwischen einem Menschen als Individuum und ›dem‹ Menschen als Idee die Existenz eines ›dritten Menschen‹, der die Ähnlichkeit beider herstelle.[5] Daraus zieht Türcke die Konsequenz: »Der Versuch, die Idee und das ihr entsprechende Einzelding auf ein vermittelndes Drittes zurückzuführen, worin die Ähnlichkeit beider gründen soll, provoziert lediglich die Frage, wie denn dies Dritte beschaffen ist und mit den beiden anderen zusammenhängt, deren Zusammenhang es stiften soll.« (VaG 31)

Stellt sich also die Frage nach einem Dritten, stellt sich auch die Frage nach einem Vierten, Fünften usw. Das Problem des ›dritten Menschen‹ stellt sich dabei auf zwei mögliche Weisen: Entweder ist Vermittlung in dieser Lesart das, was zwischen zwei Extremen einen Mittelwert einführt, der beide Extreme – hier: Idee und Mensch – zum Teil enthält. Oder Vermittlung generiert etwas völlig Neues, das weder Idee noch Ding ist. In beiden Fällen stellt sich aber das Problem der Unendlichkeit: Es lassen sich unendlich viele Zwischenwerte zwischen Extremen finden und es lassen sich unendlich viele Alternativen zu einem

5 Vgl. Aristoteles: *Metaphysik*, Bd. 2, hrsg. von Horst Seidel, übers. von Hermann Bonitz. Hamburg: Felix Meiner 1980 (348–322 v.u.Z.), S. 59–63.

Weder-noch-Verhältnis finden. In diesem Sinne argumentiert Türcke: »Alle Anstrengungen, die Vermittlung als etwas Drittes neben den Vermittelten zu fassen, gar als den letzten Grund, aus dem beide hervorgegangen sind, verlieren sich im Bodenlosen.« (VaG 31) Werde Vermittlung durch die Figur eines Dritten hervorgebracht, setze sich ein unendlicher Prozess der Vermittlungen in Gang, eben *kein* verlässliches Urprinzip, oder mit Türcke: Vermittlung lässt keinen ›Boden‹ erkennen.

Das zweite antike Motiv, das wiederum durch Andreas Arndt ins Spiel gebracht wird, ist das der Unterscheidung zwischen ›Mittleres‹ und ›Unmittelbares‹.[6] Für Aristoteles ist die Voraussetzung dafür, dass wir überhaupt etwas wissen können, unbedingt gültige Prinzipien bzw. Axiome anzunehmen, die keines Beweises bedürfen. Im Gegensatz zu Platon sucht Aristoteles solche Urprinzipien nicht in einer Welt der Ideen, sondern in logischen Grundregeln, deren Einhaltung elementare Bedingung für jedes verlässliche Treffen von Aussagen sei. Aristoteles insistiert darauf, dass ein Axiom ein Unmittelbares (›ameson‹, also ›ohne Mitte‹) sein müsse, als – so Arndt – »dasjenige, was nicht aus Anderem abgeleitet werden kann, weil es kein Anderes vor sich hat.« (U 9) Damit wäre eine Aussage, die vermittelt ist, eine, die bedingt ist, also von Bedingungen abhängig, während ein Axiom ein unbedingtes, d.h. ein *unvermittelt* Unmittelbares ist (im Gegensatz zur Idee Platons, deren unmittelbar wirkende Erkenntnis durch ein Drittes vermittelt würde), das wiederum selbst zur Bedingung von anderem wird. Für Aristoteles ist es nur mit der Annahme unvermittelt unmittelbarer Bedingungen möglich, verlässliche Grundsätze für jede Form von

6 Vgl. Arndt, Andreas: Art. »Vermittlung« (2001), Sp. 723.

Wissen zu formulieren. Es müssten also unmittelbar gewisse Sätze festgelegt sein, die außerhalb jeder Beweislast stünden. Nur mit solchen unmittelbar gegebenen Gewissheiten sei es möglich, die Unendlichkeit von sich jeweils zu beweisenden, d.h. zu vermittelnden, Sätzen zu unterbrechen.[7] Vermitteltes Wissen müsse, in der Tradition Aristoteles', stets auf unvermittelte Axiome zurückzuführen sein.

Aristotelische Logik baut dabei auf drei Axiomen auf, nämlich auf dem Satz der Identität (etwas muss mit sich selbst identisch sein, formalisierbar als A=A), dem Satz vom verbotenem Widerspruch (eine Aussage kann nicht wahr und falsch zugleich sein, ¬(A∧¬A)) und dem Satz vom ausgeschlossenem Dritten: *tertium non datur* (ein Drittes ist nicht zulässig, A∨¬A).[8] In dieser bis heute wirkmächtigen Denktradition ist etwas oder eben nicht – und kann nicht ein bisschen etwas anderes sein. Aristotelische Logik ist demnach konstitutiv binär geordnet, unterscheidet strikt zwischen Ja und Nein, wahr und falsch. Nur wer sich bei Aussagen an dieses binäre Regelwerk halte, vermöge ›wahre‹ Aussagen zu treffen, bei denen, so Aristoteles, »Täuschung unmöglich ist«.[9]

Dabei ist insbesondere die Durchsetzung des dritten Axioms – das Gebot vom unzulässigen Dritten – als eine konkrete, historisch nachvollziehbare theoriepolitische Entscheidung zu bewerten, nämlich, so Kurt Röttgers, als »Ausschluss des Sophisten aus der Philosophie. Dieses ist de facto

---

7 Vgl. Aristoteles: *Metaphysik*, Bd. 1, hrsg. von Horst Seidel, übers. von Hermann Bonitz. Hamburg: Felix Meiner 1978 (348–322 v.u.Z.), S. 9.

8 Das Zeichen ›¬‹ steht dabei für eine Negation, ›∧‹ für eine Konjunktion (›und‹) und ›∨‹ für eine Disjunktion (›oder‹). Alle drei Axiome bedingen sich gegenseitig und lassen sich ableiten aus Aristoteles' Metaphysik. Vgl. Aristoteles: *Metaphysik*, Bd. 1, S. 137.

9 Aristoteles: *Metaphysik*, Bd. 1, S. 137.

der Ausschluss einer Position, die den Einschluss des Dritten explizit vorgesehen hatte.«[10] Nach Durchsetzung der aristotelischen *doxa* liegt die Annahme einer dritten Möglichkeit, die sich nicht eindeutig einem der beiden logischen Werte zuordnen lässt, »außerhalb des philosophischen Diskurses«.[11] Hier knüpft auch die erkenntnistheoretische Ablehnung des ›dritten Menschen‹ an: Die aristotelische Logik erfordert notwendig die Ablehnung des logischen Zustands sowohl eines Dritten, das nicht ganz Idee und nicht ganz Ding ist, das nicht ganz wahr oder falsch, Mann oder Frau, Mensch oder Nichtmensch, Sein oder Denken ist, als auch eines Dritten, das sich außerhalb dieser Oppositionen befindet. Ueberweg schreibt, dass

> sich der Ursprung der Lehre vom ausgeschlossenen Dritten in der Aristotelischen Opposition gegen die Platonische Annahme eines zwischen Sein und Nichtsein [oder auch: zwischen Idee und empirischem Ding] zwischentretenden Dritten oder Mittleren nachweisen [lässt].[12]

Diese antiken Motive des ›dritten Menschen‹ und der Unterscheidung mittelbar/unmittelbar sind also Teil der Etymologie des Vermittlungsbegriffs, wodurch dieser mit der Geschichte der binären Logik in der eurozentrischen Philosophie verwoben ist.

Karl Popper, dessen positivistisches Wissenschaftsverständnis der *Logik der Forschung* immer noch wirkmächtig ist, bekräftigt die Gültigkeit des Satzes des verbotenen

10 Röttgers, Kurt: Art. »Der Dritte«. In: Sandkühler, Hans-Jörg (Hg.): *Enzyklopädie Philosophie* (2010), Bd. 1, S. 446–450, hier S. 447.

11 Ebd.

12 Ueberweg, Friedrich: *System der Logik und Geschichte der logischen Lehren*. Bonn: Adolph Marcus 1874, S. 217.

Widerspruchs und damit die Allgemeingültigkeit binärer Logik:

> Wir sehen daraus, daß, falls eine Theorie einen Widerspruch enthält, alles aus ihr abgeleitet werden kann – und deshalb tatsächlich gar nichts. Eine Theorie, die zu jeder Information, die sie vermittelt, noch die Negation dieser Information hinzufügt, kann uns überhaupt keine Information vermitteln. Eine Theorie, die einen Widerspruch enthält, ist deshalb *als Theorie* völlig nutzlos.[13]

Gegen ebendiesen Diskurs der Identität, des verbotenen Widerspruchs und des ausgeschlossenen Dritten, gegen eine Epistemologie der Vereindeutigung, will ich Hegels Entwurf des Vermittlungsbegriffs setzen. Insofern gilt es nun zentrale philosophische Entwicklungen nachzuzeichnen, in denen vom Begriff der Vermittlung die Rede ist und auf die Hegel sich beziehen wird.

3.2. 18. Jahrhundert: Vermittlung zwischen Identität und Differenz

Vermittlung bei Kant

Der Moment, von dem an sich explizit von Vermittlung als philosophischem Begriff sprechen lässt, ist zunächst auf das zweite antike Motiv, die Unterscheidung ›mittelbar/unmittelbar‹ zu beziehen. So stellt Arndt einen inflationären

13 Popper, Karl: *Vermutungen und Widerlegungen. Das Wachstum der wissenschaftlichen Erkenntnis*, hrsg. von Herbert Keuth. Tübingen: Mohr Siebeck 2009 (1963), S. 489 f., Herv. i.O. Popper führt diese These unter der Überschrift »Was ist Dialektik?«. Die These kann damit auch gegen die Negative Dialektik seines Kontrahenten Adorno gelesen werden. Vgl. Kap. 6 *Kritische Vermittlung*.

Gebrauch des Begriffs der Unmittelbarkeit in der Philosophie des späten 18. Jahrhunderts fest, der als kritische Reaktion auf die Transzendentalphilosophie Immanuel Kants und dessen Vermittlungsdenken zu lesen sei. (Vgl. U 12)

Kant sieht die Gesellschaft seiner Zeit von ebenjener Ambivalenz geprägt, die es mit Aristoteles auszuschließen gilt, und erkennt deren Ausdruck auch im Diskurs der Philosophie.[14] Fragt man etwa nach den Begründungen der Philosophie, so stehen sich in der Mitte des 18. Jahrhunderts zwei sich scheinbar gegenseitig ausschließende Primate gegenüber: das Primat des Empirismus, nach dem Erkenntnis nur aus der Erfahrung heraus zu begründen sei, und das des Rationalismus, nach dem Erkenntnis nur aus dem Verstand heraus zu begründen sei. Kants *Kritik der reinen Vernunft* reagiert auf diesen strikten Dualismus.

Zunächst hinterfragt Kant das Primat des Empirismus, nach dem ein Gegenstand, der wahrgenommen wird, uns scheinbar unmittelbar in der Erfahrung vorliegt. Bei der Annahme unmittelbarer Wahrnehmung stellt Kant jedoch den »sogenannten Betrug der Sinne« fest, d.h. etwas wird »für unmittelbar wahrgenommen, was wir doch nur geschlossen haben«.[15] Laut Kant bedarf es für das Schließen auf Erkenntnis über einen Gegenstand sowohl der Sinneserfahrung als auch des Verstandes. Beide, Sinnlichkeit und Verstand werden dabei in ein Verhältnis gesetzt, durch Kants Figur der Einbildungskraft, nach der wir Vorstellungen von Gegenständen auch ohne deren aktuelle Gegenwart haben können. Mittels der Einbildungskraft machen wir uns einen

---

14 Vgl. Bauman: *Moderne und Ambivalenz*, bes. S. 40 f.

15 Kant, Immanuel: *Kritik der reinen Vernunft*, hrsg. von Raymund Schmidt. Hamburg: Felix Meiner 1993 (A 1781/B 1787), hier B, S. 359.

Begriff von einem Gegenstand und ordnen ihn ein. »Beide äußersten Enden, nämlich Sinnlichkeit und Verstand, müssen vermittelst [...] der Einbildungskraft notwendig zusammenhängen, weil jene sonst zwar Erscheinungen, aber keine Gegenstände eines empirischen Erkenntnisses, mithin keine Erfahrungen geben würden.«[16] Einbildungskraft ist wiederum nicht ohne die Bedingungen des Wissens zu haben: Es ist nicht möglich, sich im Prozess der Wahrnehmung außerhalb vorhandenen Wissens zu stellen, das Wahrnehmung immer schon mitstrukturiert. Das heißt, dass Erkenntnis nur »mittelbare Erkenntnis eines Gegenstandes« sein kann.[17]

Unter diesen Voraussetzungen kann es objektives, allgemeingültiges Wissen nicht geben, weil wir im Moment des Erfahrens dem Gegenstand immer schon unseren Stempel aufdrücken und diesen so auch verändern.[18] »*Wissen ist wesentlich Vermittlung*«, schreibt Manfredo A. de Oliveira über Kant: »[K]eine Erkenntnis kann unmittelbar aus der Erfahrung gewonnen werden, sondern nur insofern, als sie eine Bestätigung oder Verwerfung eines Vorwissens ist.«[19] Das heißt zum einen, dass hier mit Vermittlung ein Moment gemeint ist, indem scheinbar objektive Gültigkeit durch Vermittlung sabotiert wird. Vermittlung macht erst den Möglichkeitsraum auf, in dem Wissen sich so, aber auch anders konturiert. Das heißt zum anderen, dass der Verstand

16 Kant: *Kritik der reinen Vernunft* (A), S. 124.

17 Kant: *Kritik der reinen Vernunft* (B), S. 93.

18 Kant fordert in der Vorrede zur zweiten Auflage der *Kritik der reinen Vernunft*, dass sich unsere Erkenntnis nicht nach den Gegenständen, sondern die Gegenstände nach unserer Erkenntnis zu richten hätten. Vgl. ebd., S. XVI.

19 Olivcira, Manfredo Araújo de: *Subjektivität und Vermittlung. Studien zur Entwicklung des transzendentalen Denkens bei I. Kant, E. Husserl und H. Wagner*. München: Wilhelm Fink 1973, S. 44, meine Herv.

kein leeres Gefäß ist, in das sich nach Belieben Wissen abfüllen lässt; er bildet einen inneren Zustand, der die Voraussetzung dafür ist, wie jeweils Wissen sich ordnet. Vermittlung von Wissen in diesem Sinne meint also just das Gegenteil einer transferablen Vermittlung als ›Wissensabfüllung‹, wie sie etwa im Bildungsdiskurs der 1970er-Jahre aufscheint. Begriffshistorisch zeigt sich, dass der Begriff der Vermittlung genau andersherum gemeint war, als permanenter Aufschub der Gültigkeit wie Eindeutigkeit von Wissen.

Dass Kant Vermittlung nicht als Harmoniekonzept, sondern als ambivalenten Prozess denkt, scheint auch in seinem Schreiben über erkenntnistheoretische Widersprüche durch. Über einen Widerspruch, der nicht im Sinne binärer Logik zugunsten einer Seite zu lösen sei, schreibt Kant, dass »kein Mittel übrig[bleibt], den Streit gründlich und zur Zufriedenheit beider Teile zu erledigen, als daß die einander doch so schön widerlegen können«.[20] Kant strebt keine Lösung oder gar »Wahrheit« an, die »eigentlich in der Mitte« zweier entgegengesetzter Positionen liege – wie sie Ancillons harmonisierender Vermittlungsbegriff vorsieht.[21] Stattdessen sucht Kant den »Weg der Beilegung eines nicht abzuurteilenden Streits«,[22] der etwa zeigt, dass beide Seiten – z.B. Empirismus und Rationalismus – mit falschen Voraussetzungen operieren. Vermittlung mit Kant verstanden gleicht gerade keine Widersprüche aus, sondern lässt sie bestehen und fragt nach den Bedingungen, die hinter den Positionen eines Widerspruchs stehen.

---

20 Kant: *Kritik der reinen Vernunft* (B), S. 529.

21 Krug: Art. »Vermittlung - Zusatz: Zur *logischen* Vermittlung«, S. 422. Hier in Kap. *2.2 Vermittlung als Harmonie*.

22 Kant: *Kritik der reinen Vernunft* (B), S. 529.

Wenn in Kants Sinne unvermitteltes und letztgültiges Wissen nicht möglich ist, dann ist auch jedes Postulat jeder politischen, religiösen oder wissenschaftlichen Instanz kritisch zu betrachten. Etwas postulieren kann mit Kant nicht heißen, »einen Satz für unmittelbar gewiss, ohne Rechtfertigung, oder Beweis« auszugeben; andernfalls »ist alle Kritik des Verstandes verloren«.[23] So liegt es nahe, den Begriff der Vermittlung in diesem Sinne mit dem eurozentrischen Diskurs der ›Aufklärung‹[24] Ende des 18. und Anfang des 19. Jahrhunderts zu verknüpfen.

Vermittlung *als* Kritik kann dann auch meinen, feudale Herrschaft oder religiösen Konfessionszwang nicht außerhalb von Begründungszusammenhängen zu stellen. Kants Begriff der Vermittlung in dieser Zeit in eine kritische Tradition zu stellen erscheint auch deshalb sinnvoll, weil dessen Gegenstück, der Begriff der Unmittelbarkeit, zur selben Zeit im rechtlichen Sinne als »direkte Abhängigkeit und Herrschaftsausübung« verstanden wurde.[25] Die behauptete

23 Ebd., S. 285.

24 Ich werde an späteren Stellen ausführlich auf die Ambivalenz dieses Ausdrucks eingehen, insbesondere darauf, welche Rolle er in der eurozentrischen Dominanz durch Kolonisierung gespielt hat und immer noch spielt. Vgl. Kap. 4.2 *Absolute Vermittlung im Aufklärungsdiskurs weißer Vorherrschaft*, und Kap. 7.5 *Postkoloniale Perspektiven – logische und begriffliche Anschlüsse*. Auch Kants Rolle in der Etablierung rassistischen Wissens bei gleichzeitiger Stellungnahme für Kritik und universaler Freiheit muss hier mitbedacht werden. Vgl. hierzu etwa Brumlik, Micha: »Normative Grundlagen der Rassismuskritik«. In: Broden, Anne/Mecheril, Paul (Hg.): *Solidarität in der Migrationsgesellschaft. Befragung einer normativen Grundlage*. Bielefeld: transcript 2014, S. 23–36, und Broeck, Sabine: Art. »Aufklärung«. In: Arndt, Susan/Ofuatey-Alazard, Nadja (Hg.): *(K)Erben des Kolonialismus. Ein kritisches Nachschlagewerk*. Münster: Unrast 2011, S. 232–241.

25 Arndt, Andreas: Art. »Unmittelbarkeit«. In: Ritter, Joachim/Gründer, Karlfried/Gabriel, Gottfried (Hg.): *Historisches Wörterbuch der Philosophie* (2001), Bd. 11, Sp. 236–241, hier Sp. 236.

Universalität der Vermittlung, des immer wieder zu zerlegenden und zu hinterfragenden Wissens, galt als Provokation.[26] Gegen ebendiese Provokation wird – wie Andreas Arndt zeigt – im weiteren Verlauf der Begriff der Unmittelbarkeit im politischen wie im philosophischen Sinne in Stellung gebracht. (Vgl. U 12)

Als entschiedener Kritiker Kants kann etwa Friedrich Heinrich Jacobi gelten, der sich gegen die zunehmende Säkularisierung und gegen jegliche Schulpflicht wendet. Der Vermittlung des Verstandes setzt er die Unmittelbarkeit des Glaubens und der Empfindungen entgegen. Jacobi versucht das Konzept der Vermittlung zu unterlaufen, indem er den impliziten Widerspruch jeder Vermittlung folgendermaßen artikuliert: Sofern Vermittlung zu Wissen führen solle, verhindere sie Wissen. Denn: Vermittlung, die versuche, auf unmittelbare Bedingungen des Denkens zu schließen, und selbst weiß, dass sie daran immer nur scheitern könne, führe lediglich zu Unwissenheit. Sofern lediglich die »Unendlichkeit der *Vermittelungen*« erforscht werde,[27] bekämen wir niemals dasjenige Prinzip zu sehen, auf dem alles gründe. Nicht aber auf Kontingenz müsse unser Wissen gründen, sondern auf Evidenz. Ein solches evidentes Prinzip, auf das sich auch gemeinschaftlich bezogen werden könne, müsse aber, so später Karl Leonhard Reinhold, ein zwingend unmittelbares sein. Es müsse

> unmittelbar aus dem Bewußtsyen geschöpft, und in soferne vollkommen *einfach* und keiner Zergliederung fähig [sein]. Seine Quelle ist eine *Thatsache*, die *als solche*

---

26 Vgl. Oliveira: *Subjektivität und Vermittlung*, S. 104.

27 Jacobi, Friedrich Heinrich: *Schriften zum Spinozastreit*. Hamburg: Felix Meiner 1998 (1789), S. 260, Herv. i.O. Vgl. U, S. 9.

> keine Erklärung zuläßt, durch sich selbst einleuchtet, und eben in dieser Eigenschaft geschickt ist, das *letzte* angebliche Fundament alles Erklärens abzugeben.[28]

Im Zitat Reinholds zeigt auch, wie hier die Unterscheidung ›Vermittlung/Unmittelbarkeit‹ verhandelt wird. Es geht um Eindeutigkeit, die »keiner Zergliederung fähig« ist, um vollkommene *Identität*. Die Identität der Wahrheit, des Wissens, des Menschen und – später bei Fichte – der Nation. Es geht um Identität, die selbst unmittelbar gesetzt ist und durch keine Vermittlung zergliedert, d.h. nicht in Differenz überführt werden soll. Die Spur, dass sich ›Vermittlung‹ im Laufe der philosophischen Begriffsgeschichte als differenz- statt identitätsstiftendes Konzept herausstellt, verdeutlicht sich. Und ebendiese Verknüpfung der Themata ›Vermittlung/Unmittelbarkeit‹ und ›Differenz/Identität‹ wird vom Einheitsdenker des deutschen Idealismus Johann Gottlob Fichte in entscheidender Weise bearbeitet.

Unmittelbarkeit bei Fichte

Fichtes *Wissenschaftslehre* von 1794 widmet sich, wie zuvor Aristoteles, sowie in der Neuzeit Jacobi und Reinhard, der Suche nach einem »absolut ersten, schlechthin unbedingten Grundsatz alles menschlichen Wissens«.[29] Wenn dieser Grundsatz aber ein unbedingter sein soll, dann lässt er sich weder beweisen noch bestimmen, ist demnach nicht

28 Reinhold, Karl Leonhard: *Über das Fundament des philosophischen Wissens*, hrsg. von Wolfgang H. Schrader. Hamburg: Felix Meiner 1978 (1791), S. 78, Herv. i.O. Vgl. U, S. 12.

29 Fichte, Johann Gottlieb: *Grundlage der gesamten Wissenschaftslehre als Handschrift für seine Zuhörer*, hrsg. von Reinhard Lauth/Hans Gliwitzky. Stuttgart/Bad Cannstatt: Frommann/Holzboog 1965 (1794), S. 255.

»vermittelst dieser abstrahierenden Reflexion[en]« herzuleiten,[30] also überhaupt nicht zu vermitteln. Ein erstes Prinzip der Philosophie müsse vielmehr durch eine unmittelbare »Thathandlung« hergestellt werden.[31] Diese Tat sieht Fichte in der Bewusstwerdung des menschlichen Ich seiner selbst: Das Ich stellt den Satz »Ich bin Ich« fest und ist damit »zugleich das Handelnde, und das Produkt der Handlung«.[32] Sofern sich das Ich seiner Selbst bewusst wird, ist es »unmittelbares Bewusstseyn«,[33] eine durch kein Drittes vermittelte Identität des Ich. Doch würde das Ich in dieser absoluten Selbstbeziehung inhaltlich leer bleiben, so dass es wiederum nicht zu Wissen über etwas anderes kommen könnte. Deshalb setzt sich das Ich ein Nicht-Ich entgegen, also all das, was Ich nicht ist.[34] Erst indem ein Ich sich auf seine Umwelt bezieht, wird es sich seiner Selbst gewahr.

In welcher Relation stehen Ich und Nicht-Ich zueinander? Zunächst in Form eines Widerspruchs: Sie sind logisch entgegengesetzte Momente; Nicht-Ich ist die Negation von Ich (A und ⌐A).[35] Soll nun ›Ich‹ als unbedingtes Prinzip der Philosophie, mithin allen Wissens gelten, müsste dieses aber gerade *unmittelbar* mit sich identisch, durch kein Fremdes bedingt sein.

Nun liegt für den aristotelischen Satz vom ausgeschlossenen Widerspruch, dem Fichte folgt, die Formel ›A= ⌐A‹

30 Ebd.

31 Ebd.

32 Ebd., S. 259.

33 Fichte, Johann Gottlieb: *Versuch einer neuen Darstellung der Wissenschaftslehre*, hrsg. von Jacob, Hans/Lauth, Reinhard. Stuttgart/Bad Cannstatt: Frommann/Holzboog 1970 (1797), S. 277.

34 Fichte: *Grundlage der gesamten Wissenschaftslehre*, S. 266.

35 Zur Notation der formalen Logik vgl. Kap. 3.1 *Antike und binäre Logik*, Anm. 8.

(und damit die Identität von Ich und Nicht-Ich) außerhalb jeder Wissenschaft.[36] Wie also den Widerspruch bearbeiten, um zur Identität des Ich zu kommen, die Fichte anstrebt? Fichte prüft die Möglichkeit der *Vermittlung* des Widerspruchs. Dabei appliziert er die Wortbedeutung von ›Vermittlung‹ als Streitschlichtung auf das Feld der Logik.[37] Fichte stellt fest, dass eine Synthese, die durch ein vermittelndes Element zwischen zwei zueinander entgegengesetzten zustande kommt – im Falle eines Streits etwa durch einen Kompromiss –, »in der Mitte [zwar] alles richtig vereint, und verknüpft; nicht aber die beiden äußersten Enden« zu einer wahren Einheit zu führen vermag.[38] Man könne zwar »immer fortfahren, Mittelglieder zwischen die Entgegengesetzten einzuschieben; [aber] dadurch wird der Widerspruch nicht vollkommen gelöst, sondern nur weiter hinaus gesetzt«. So könne man etwa zwischen Ich und Nicht-Ich ein Mittelglied X schieben, das eine Mischung aus Ich und Nicht-Ich wäre, so dass ein unmittelbarer Widerspruch vermieden würde. »Bald aber entdeckt man, daß in diesem X doch wieder ein Punkt seyn müsse, in welchem Ich und Nicht-Ich unmittelbar zusammentreffen«,[39] so dass der Einschub eines weiteren Mittelglieds vonnöten sei, usw. – eine Argumentation, die der des ›dritten Menschen‹ von Aristoteles entspricht. »Lange zwar wird der Streit durch Vermittelung geschlichtet«,[40] aber der Widerspruch wird doch nur an eine andere Stelle verschoben, so dass die tatsächliche

36 Vgl. ebd.

37 Vgl. Kap. 2.2 *Vermittlung als Harmonie.*

38 Fichte: *Grundlage der gesamten Wissenschaftslehre*, S. 300.

39 Ebd.

40 Ebd., S. 301.

Identität der Entgegengesetzten nicht möglich ist. Die Lösung des Konflikts wird durch Vermittlung aufgeschoben.

Wie also löst Fichte den Konflikt zwischen den antagonistischen Momenten des Selbstbewusstseins? Er konstituiert das Nicht-Ich, die Umwelt des Ich, als Konstruktion des Ich und folgert, dass das, was das Ich als Welt sieht »in Wahrheit nur der Entwurf einer Welt im schöpferischen Ich« ist.[41] Das Ich wird sich als Subjekt seiner selbst als Objekt *durch* das Nicht-Ich bewusst. Ich als Subjekt und Ich als Objekt sind dann identisch gesetzt, als Ich(Subjekt)=Ich(Objekt), oder: ›Ich bin Ich‹.

Das ›Ich‹ Fichtes ist so wieder im Reinen mit dem aristotelischen Satz der Identität. Dabei wird »alle Wirklichkeit [...] zur Tat des Ich«.[42] Ein idealistischer Gedanke, der sich aus einer radikal verstandenen Freiheit des Subjekts heraus versteht und sich gegen jeden Materialismus wendet, nach dem der Mensch als Passivum den Dingen der Welt ausgesetzt wäre. So wird das Bewusstsein von der eigenen Identität zur obersten und unmittelbaren, weil unvermittelten Grundlage jeden Wissens.

Dieses erste Prinzip des Wissens wird durch unmittelbare Tat, nicht durch vermittelnde Reflexion oder gar eine vermittelnde dritte Instanz gewonnen. Diese Begriffspraxis, nach der sich alle Vermittlung der Unmittelbarkeit unterordnet, wird durch Fichtes Schriften auf sozialpolitische Kontexte angewandt. So appliziert er das Prinzip idealistischer Identität in seinen *Reden an die deutsche Nation* auf ein nationales ›*Wir* sind *Wir*‹. Auch hier gilt es zu schlichten,

41 Ludwig, Ralf: *Hegel für Anfänger. Phänomenologie des Geistes*. München: dtv 2009, S. 20.

42 Ebd., S. 21.

mit Blick auf konfessionelle, territoriale und politische Zerrissenheit die Harmonie einer bis dahin nicht existierenden nationaldeutschen Einheit herbeizureden. Vergleichbar mit der Setzung des Ich, das sich durch den Satz ›Ich bin Ich‹ erst hervorbringt, vollzieht Fichte so eine performative Geste, die die Nation als solche erst hervorbringt. Das kann aber nur gelingen, wenn sich die Nation als gesamtdeutsches *Wir* ein Nicht-*Wir* entgegensetzt. Dieses Verhältnis setzt Fichte insbesondere in dem Redeteil *Hauptverschiedenheit zwischen den Deutschen und den übrigen Völkern germanischer Abkunft*[43] *ein*. Von diesen Unterscheidungen ausgehend klärt er über die »deutschen Grundzüge« sowie über die »Erfassung der Ursprünglichkeit, und Deutschheit eines Volkes« auf.[44] Erst indem sich die deutsche Nation also ein Nicht-*Wir*, ein Fremdes gegenübersetzt, kommt sie zur Identität ihrer selbst. ›*Wir* (Subjekt) sind *Wir* (Objekt)‹.

Einer solchen totalen Identität steht aber noch etwas im Wege, nämlich die tiefe Zerstrittenheit der einzelnen Parteien dieser imaginierten Nationalgemeinschaft. Auch hier prüft Fichte wieder die Möglichkeit der Vermittlung. Die Figur des Dritten, einen deutschen Monarchen etwa, der als autoritäre Instanz zwischen den Parteien vermitteln könnte, lehnt er ab. Zum einen, weil auch dieser in seiner Person den Widerspruch zwischen den einzelnen Parteien nicht lösen, sondern immer nur aufschieben könne.[45] Zum anderen dürfe das nationale Selbstbewusstsein nicht durch einen Dritten aufgedrängt, sondern die Nation müsse sich

43 Vgl. Fichte, Johann Gottlieb: *Reden an die deutsche Nation*, hrsg. von Alexander Aichele. Hamburg: Felix Meiner 2008 (1808), S. 60–76.

44 Vgl. ebd., S. 93–107 und S. 108–126.

45 Vgl. Kap. 2.2 *Vermittlung als Aufschub*.

unmittelbar ihrer selbst bewusst werden und *darin* Einigkeit finden. Dennoch schlägt Fichte Vermittlung vor, aber lediglich nachrangig, als Mittel zum Zweck. Sie gilt ihm als vertiefende »Erziehung der Nation«, die »entweder ihr ausschließendes Besitztum bleibt, oder [...] unverringert bleibt bei unendlicher Teilung«,[46] Vermittlung hat hier nur ein Ziel – die kollektive Erkenntnis der Einzigartigkeit des deutschen Volkes und der Andersartigkeit der anderen Völker, so dass sich das nationale *Wir* als Unmittelbares, mit sich Identisches herstellen kann. Vermittlung ist der Unmittelbarkeit untergeordnet.

Die Harmonie der unmittelbar mit sich identischen Nation ist demnach um den Preis der Markierung und Exklusion der *Anderen*, der Nichtdeutschen erkauft. Fichtes Reden haben hier nicht nur teil an der Begründung des deutschen Nationalismus.[47] Sein vehementes Eintreten gegen Vermittlung folgt einem Gebot der Reinheit, nach dem alles, was totaler *Wir*-Identität entgegenstehen könnte, ausgeschlossen werden muss. Er vollzieht in seinen Reden ein klares Ordnungsprinzip, das Menschen eindeutige Nationen und, damit verbunden, eindeutige Mentalitäten und Kulturen zuweist[48] – eine Ordnung, die Paul Mecheril als die des Rassismus beschreibt: »Im Ordnungsprinzip des Rassismus werden Menschen eindeutigen Plätzen zugewiesen und klaren Positionen zugeordnet. Rassismus ordnet Körper und die ihnen zugeschriebenen

46 Fichte: *Reden an die deutsche Nation*, S. 21.

47 Vgl. Aichele, Alexander: »Einleitung« (2001). In: Fichte: *Reden an die deutsche Nation*, S. VII–LXXXIX, hier S. LXXVI f.

48 Vgl. hierzu Christian Strub, der Fichtes Reden »performativen Rassismus« nennt. Strub, Christian: »Absonderung des ›Volks der lebendigen Sprache‹ in deutscher Rede. Die Performanz von Fichtes *Reden an die deutsche Nation*«. In: *Philosophisches Jahrbuch*, Bd. 111 (2004), S. 384–415, hier S. 412.

›Identitäten‹ und Handlungspraxen im Raum.«[49] Dabei ist dies eine *binäre* Ordnung, die als strikte »binäre Opposition« zwischen »einem natio-ethno-kulturellen ›Wir‹ und ›Nicht-Wir‹« auftritt.[50] Die *Anderen* sind in dieser Beziehung dann nicht nur deshalb untergeordnet, weil Fichte dem deutschen *Wir* Überlegenheit und Dominanz zuordnet, sondern auch, weil mit der performativen Unterscheidung *Wir/Andere* die *Anderen* als *Andere* überhaupt erst hergestellt werden und zum Objekt des *Wir* geraten.

Seine aufgeführte Überwindung der Zweiheit in unmittelbare Einheit, d.h. der Übergang von einem zerrissenen, nicht-existenten Reich deutscher Nation in eine unmittelbar vereinte Nation in harmonischer Reinform,[51] ist demnach keine Überwindung binärer Logik. Die Herstellung der Einheit, die »beruhigend unambivalent, ohne grundlegende Spannung« erscheint,[52] funktioniert nur unter einem neuen Ausschluss. Die Differenz wird also auch bei Fichte nicht aufgelöst, sondern an eine andere, vermeintlich schmerzfreie Stelle geschoben.

Mir geht es in diesem Kapitel darum, zu zeigen, inwiefern der Begriff der Vermittlung in den historischen Zusammenhang zwischen Logik und Identitätsphilosophie verwickelt ist. Es zeigt sich: Im Diskurs der Identitätsphilosophie, die sich auf die aristotelische Logik beruft, wird Vermittlung als Störung begriffen, als das, was vollkommener Identität entgegensteht. Sie ist folglich das, was ausgeschlossen oder zumindest untergeordnet werden muss. Es erscheint logisch

49 Mecheril: *Migrationspädagogik*, S. 156.

50 Ebd., S. 177.

51 Vgl. Kap. 2.2 *Exkurs: Harmonie, Reinheit und Ausschluss der Ambivalenz.*

52 Mecheril: *Migrationspädagogik*, S. 42.

notwendig, den Begriff der Vermittlung auszuschließen, weil er – wie Fichte gezeigt hat – im System aristotelischer Logik nicht halten kann, was er politisch zu versprechen scheint, nämlich, sich ausschließende Gegensätze zu einer Identität zu synthetisieren.

Während der Unmittelbarkeitsdiskurs auf Identität ausgerichtet ist, verhält sich jener der Vermittlung widerständig dazu. Vermittlung vermag Widersprüche nicht zu lösen, sondern schiebt deren Lösung permanent auf, zielt reflexiv verstanden weder auf die reine Möglichkeit noch die reine Unmöglichkeit des Wissens, sondern auf den unentschiedenen Widerspruch zwischen beidem.

Der Blick auf den älteren Wortgebrauch von ›Vermittlung‹ plausibilisiert diese These. So changiert die Semantik zwischen Trennen und Verbinden, Streiten und Schlichten, speist sich also aus der Ambivalenz heraus. Der Wortgebrauch des 19. Jahrhunderts hat diese Anlage zugunsten der jeweils harmonisierenden Konnotation des Vermittlungsbegriffs gewendet: ›Vermitteln‹ bedeutet nun eindeutig ›verbinden‹, ›schlichten‹ und ›befrieden‹.[53] Diese Umdeutung lässt sich an die Philosophie Hegels knüpfen, für den Vermittlung und Unmittelbarkeit – und damit korrelierend: Differenz und Identität – selbst identisch gesetzt sind und in einem einzigen Konzept aufgehen, das Hegel ›Absolute Vermittlung‹ nennt. Es geht mir im vierten Kapitel auch darum, zu zeigen, dass die Rezeptionsgeschichte des Hegel'schen Vermittlungsbegriffs inkonsistent verläuft. Je nach Lektüre erscheint Vermittlung als zwanghafte Versöhnung oder radikale Zersetzung – oder beides.

---

53 Vgl. Kap. 2.2 *Vermittlung als Harmonie.*

Zunächst gilt es aber, Erträge des vorangegangenen Kapitels auf Diskurse der Kunstvermittlung anzuwenden.

3.3. Binäres in der Kunstvermittlung

> Rogoff schlägt einen Blickwechsel vor, der darin besteht, dass binäre Logiken von Akteuren und Betrachtern durchkreuzt werden: »[...] a shift of the traditional relations between all that goes into making and all that goes into viewing, the objects of visual cultural attention«.[54]

Die Wendung »binäre Logiken« ist im Diskurs differenzorientierter Kunstvermittlung eine gängige. Sie hält insbesondere Einzug durch die Orientierung der Bezugstheorien der Kunstvermittlung an dekonstruktiven Positionen.[55] So untersucht Jacques Derrida in expliziter Anlehnung an die formale Logik von Aristoteles, inwiefern die eurozentrische Philosophie und Sprachwissenschaft von binärem Denken durchzogen sind.[56]

Aber auch abseits ihrer konkreten Nennung wirkt binäre Logik in der Kunstvermittlung. Vergleichbar mit dem ›Urkonflikt‹ der christlichen Mythologie, der Vermittlung erst nötig bzw. möglich macht,[57] steht ein konstituierender Konflikt zwischen Zweien auch am Anfang der Kunstvermittlung. Dieser scheint sowohl im Zitat Sternfelds durch

54 So Nora Sternfeld über Irit Rogoff. Sternfeld: »Plädoyer: Um die Spielregeln spielen!«, S. 123.

55 Vgl. Kap. 1.3 *Differenzorientierte Kunstvermittlung*.

56 Vgl. zum Bezug Derridas auf Aristoteles etwa Derrida, Jacques: »Das Supplement der Kopula« (1971). In: ders.: *Randgänge der Philosophie*, hrsg. von Peter Engelmann, übers. von Gerhard Ahrens. Wien: Passagen 1999, S. 195–227.

57 Vgl. Kap. 2.1 *›mittel‹ und ›mitte‹*.

als auch in dem von Schultz, von dem ausgehend im ersten Kapitel die Begriffsgeschichte von Kunstvermittlung entwickelt wurde. Schultz stellt dem »Werk« die »Welt«[58] gegenüber, Sternfeld den »Akteuren« die »Betrachter«. Auf der einen Seite steht also das, was als Kunst produziert wird, sowie die Produzierenden selbst, und auf der anderen Seite diejenigen, die Kunst rezipieren bzw. betrachten. Das Konflikthafte dieser Zweierrelation beginnt dann, wenn Ansprüche des einen über das andere geltend gemacht werden. So suggeriert die These, dass ›gute Kunst‹ sich selbst vermitteln müsse, den Anspruch an Kunst, dass das, was sich nicht von selbst erklärt keine ›gute Kunst‹ sein könne. Im Umkehrschluss müsste ›gute Kunst‹ auch als solche hingenommen werden, die Rezeption also als demütig entgegennehmende und eben keine produktive, die dem Werk etwas hinzufügt oder es gar mit hervorbringt. Wem sich dagegen ›gute Kunst‹ nicht von selbst erklärte, der stünde außerhalb des Kunstdiskurses, hätte nicht die Mittel für adäquaten Kunstgenuss.

Eben dieser binäre Konflikt zwischen Kunst und Publikum lässt sich durch die Geschichte des Kunstvermittlungsbegriffs hindurch lesen. Stets wird eine Gegenüberstellung von Produktion und Rezeption bemüht; auch dann, wenn sie hinterfragt und durchkreuzt werden soll. Der Konflikt wird allerdings zunehmend verschoben zu einem zwischen »Akteuren und Betrachtern«, wie Sternfeld oben schreibt. Die Verschiebung von »Werk«, »Schöpfung« und »Schöpfer« hin zu »Akteuren« macht es dabei möglich, nicht nur Künstler*innen als Akteur*innen von Kunst zu

58 Schultz, Helmut: *Johann Vesque von Püttlingen*, S. 9. Hier in Kap. 1.1 *1900 bis 1945*.

denken, sondern alle an der Produktion und Distribution des Kunstsystems Beteiligten, wie Kurator*innen, Kunstkritiker*innen, Kunstvermittler*innen usw. Gegenüber den Akteur*innen richtet sich Kunstvermittlung zunehmend an die, die nicht ohnehin schon im Kunstdiskurs agieren. So ist auf der einen Seite von einem kunstöffentlichen *Wir*[59] *die Rede, das auf der anderen Seite auch ein Nicht-Wir*, die *Anderen*, hervorbringt.[60] Die *Wir/Andere*-Unterscheidung ist insofern komplexer, als sie auf der *Wir*-Seite bereits Unterscheidungen enthält, nämlich etwa die zwischen Akteur*innen und Betrachter*innen. Denn so verstehe ich das geforderte kunstöffentliche *Wir*: Es ist nicht unterscheidungslos, sondern enthält seinerseits wechselseitige Verhältnisse zwischen Produktion und Rezeption, Akteur*innen und Betrachter*innen. Damit ist aber die binäre Unterscheidung drinnen/draußen nicht aufgehoben, sondern lediglich an eine andere Stelle geschoben: Dem *Wir* stehen die *Anderen* gegenüber, die weder Akteur*in noch Betrachter*in sind. So formiert sich die Hoffnung quer durch die Geschichte des Kunstvermittlungsbegriffs, dass den *Anderen* ein Zugang zum kunstöffentlichen *Wir* verschafft werde. Kunstvermittlung soll Öffnung schaffen, die Grenzen zwischen Produktion und Rezeption, Akteur*innen und Betrachter*innen, *Wir* und *Anderen* hinterfragen und Übergänge schaffen. Wie und mit welchem

59 Vgl. zum kunstöffentlichen *Wir* Rebentisch, Juliane: *Ästhetik der Installation*. Frankfurt/Main: Suhrkamp 2003, S. 288. Vgl. zur Produktion eines Nicht-*Wir* in diesem Kontext Henschel, Alexander: »Das ›Wir‹ ist die sichere Seite. Logische Zusammenbrüche und ihr politischer Kitt«. In: ifa et al. (Hg.): *Kunstvermittlung in der Migrationsgesellschaft*, Berlin/Stuttgart: ifa 2012, S. 66–74, bes. S. 66–70; online unter https://www.kultur-vermittlung.ch/zeit-fuer-vermittlung/download/materialpool/MFE0404.pdf, (abgerufen am 6.6.2019).

60 Vgl. Kap. 3.2 *Unmittelbarkeit bei Fichte*.

Begriff der binäre Konflikt bearbeitet werden soll, ist eine andere Frage.

Im Folgenden werden, in Bezug auf Aristoteles, Kant und Fichte, drei Konzepte vorgestellt. Ich will erstens Kunstvermittlung als Harmoniediskurs verstehen und zeigen, inwiefern sie in binäre Diskurse verstrickt bleibt. Zweitens will ich die Gegenbewegung dazu ausführen, die im Kunstdiskurs für Unmittelbarkeit votiert. Ebendiese Gegenbewegung will ich drittens umwenden, Differenz also als konstitutives Merkmal gelingender Kunstvermittlung befragen.

Vermittelte Einheit zwischen Kunst und Publikum?

Von Fichte ausgehend könnte der Versuch unternommen werden, die durchgängige Differenz zwischen zwei als unvereinbar erscheinenden Seiten, wie denen zwischen Kunst und Publikum, zu vermitteln.[61] Ausgehend von einem Harmonie verheißenden Vermittlungsbegriff könnte also der Versuch unternommen werden, die eine Seite mit der anderen zu versöhnen, um so eine befriedete Einheit der Kunst herbeizuführen, die sowohl den Ansprüchen der Kunst gerecht wird als auch denen des Publikums. Bei diesem Versuch ist auf die Metapher der Brücke zurückzukommen, auf der es sich in der Mitte treffen lässt.[62]

61 Vgl. ebd.

62 Zum Verständnis von Kunstvermittlung als Hilfe und in Anlehnung an die Brückenmetapher vgl. auch Goebl, Renate: »Wissenschaftliche Untersuchung und Evaluierung von Vermittlungsarbeit: Fragmente und Ideenskizzen«. In: AdKV (Hg.): *Kunstvermittlung zwischen partizipatorischen Kunstprojekten und interaktiven Kunstaktionen*. Berlin: vice versa 2002, S. 38–44, hier S. 39. Vgl. Kap. 1.3 *Der Begriff der Vermittlung im Audience Development* und Kap. 2.3 *Vermittlung als Versöhnung*.

Diese Metapher spiegelt aber ein Verständnis von Vermittlung wider, das, mit Fichte, unaufhörlich Widersprüche produziert, da Vermittlung als Verheißung von Einheit nur wieder Aufschub wäre. Das würde aber bedeuten, dass Kunstvermittlung in dieser Weise die Binarität der Ausgangssituation weder aufhebt noch stört. So verstandene Kunstvermittlung perpetuierte vielmehr die Binarität zwischen Produktion und Rezeption, zwischen Akteur*innen und Betrachter*innen, zwischen *Wir* und *Anderen*, weil sie von einem eindeutigen Hier-und-Dort ausgeht. Die Metapher der Brücke lässt stets an zwei getrennte Seiten denken.

Ich will deshalb noch weitergehen, will nicht die binäre Vorstellung von Kunstvermittlung als Brücke als Reaktion auf den binären Urkonflikt betrachten, sondern harmonisierend verstandene Kunstvermittlung und binäre Logik der Kunst als sich wechselseitig bedingende Beziehung begreifen. Gerade ein harmonisierender Vermittlungsbegriff scheint mir auf die Vorstellung von zwei getrennten Positionen angewiesen zu sein. Besonders mächtig wird diese Logik dann, wenn sie von einem Einheitsdenken verdeckt wird, indem das Ziel harmonischer Einheit behauptet und die selbst produzierten Ausschlussmechanismen nicht reflektiert werden. Das Übersehen binärer Logik kann dann dazu führen, dass die Einheit des *Wir* als – um einen aristotelischen Ausdruck zu bemühen – ›wahr‹ empfunden wird und Verwunderung über die herrscht, die sich dem kunstöffentlichen *Wir* noch nicht angeschlossen haben.

Spätestens hier wird deutlich, dass die Unterscheidung *Wir*/*Andere* weder äquivalent, noch mit gleichen Machtoptionen ausgestattet ist. Mit Zedler bräuchte es gerade hier eine mächtige Mittler*in, die ihre »Gewalt zeige, vermöge derer [sie] dem sich zum Frieden anschickenden Theile beystehen, und den anderen zu einem billigen Vergleiche nötigen könne«,[63] die sich im nicht-äquivalenten Verhältnis auf die ›andere‹, die schwächere Seite schlägt. Allein, es hat sich gezeigt, dass dies gar nicht so einfach ist, weil der identifizierende Blick auf die ›andere‹ Seite dieselbe mit herstellt.

Unmittelbare Einheit zwischen Kunst und Publikum?

Wenn harmonisierende Kunstvermittlung Konflikte nicht löst, sondern lediglich verdeckt und aufschiebt, die binäre Ordnung also nicht nur wiederholt, sondern mit hervorbringt und perpetuiert, wie soll es dann möglich sein, eine nicht-ausschließende Einheit herzustellen?

Zu prüfen ist die Möglichkeit, die sich Fichte statt der Vermittlung vorstellt: die mögliche Unmittelbarkeit des Verhältnisses zwischen Kunst und ihrem Publikum. Es ist, mit Fichte, zu prüfen, ob die gesellschaftliche Einheit der Kunst, wenn nicht im Modus der Vermittlung, so doch im Modus der Unmittelbarkeit hergestellt werden kann, also die unmittelbare Beziehung zwischen Produktion und Rezeption, Kunstwerk und Betrachter*in.

Zu diesem Thema, dem der Unmittelbarkeit, wurde, das habe ich oben gezeigt, im Kunstdiskurs des Nachkriegsdeutschlands konkret Stellung bezogen. Mit der von Andrea Hubin diagnostizierten »Abwehr von Vermittlung«[64] der 1950er und 1960er-Jahre ging auch die Hoffnung einher, Kunst möge sich autonom und unmittelbar präsentieren. Moderne Kunst bedürfe keiner Begründung und

---

63 Zedler: *Universal-Lexikon*, Sp. 619. Hier in Kap. 2.1 *›mittel‹ und ›mitte‹*.

64 Hubin: »›Und so meinen wir auch‹«, S. 311. Hier in Kap. 1.2 *1945 bis 1980*.

Durchsetzung. In diesem Sinne zitiert Hubin den Kunstkritiker Albert Schulze-Vellinghausen: »Noch unmittelbarer ist die Sprache der Kunst. Ihre Dokumente haben eine Übersetzung nicht nötig.«[65] Dieses Zitat kann mit dem Begriff des aristotelischen Axioms gelesen werden, dem unbedingt gültigen Prinzip, das sich unvermittelt, also ohne Mitte außerhalb von Begründungszwängen stellt.[66] Ein Kunstwerk wäre dann unbedingte Bedingung für jedes Sprechen und Denken über dieses Kunstwerk.

Die Zitate von Haftmann und Schulze-Vellinghausen sind damit auch mit Positionen der Kunstkritik der 1950er-Jahre im angloamerikanischen Raum vergleichbar, etwa der Michael Frieds, welche die Möglichkeit einer Kunsterfahrung ›im Nu‹ favorisieren, d.h. einer Erfahrung von Kunst, die im Moment des Erfahrens gegenwärtig wird und unmittelbar einleuchtet.[67]

Dabei geht die Vorstellung unmittelbarer Erfahrung von Kunst dem Kunsttheoretiker Michael Lingner zufolge noch weit hinter die 1950er-Jahre zurück:

> Je konsequenter es der Kunst seit dem 19. Jahrhundert gelang, sich von kulturellen Überlieferungen und kunstfremden Inhalten unabhängig zu machen, desto mehr konnte sich die Idee der Unmittelbarkeit ästhetischer Erfahrung durchsetzen. Dass es möglich sei, auf eine unvermittelte, quasi voraussetzungslose Weise ästhetische Erfahrung zu machen, war eine Vorstellung, die bis heute ebenso nahe liegend, wie verlockend geblieben ist.[68]

---

65 Schulze-Vellinghausen, Albert zit. nach Hubin: »›Und so meinen wir auch‹«, S. 317.

66 Vgl. Kap. 3.1 *Antike: Vermittlung und binäre Logik.*

67 Vgl. hierzu Rebentisch: *Ästhetik der Installation*, S. 45.

68 Lingner, Michael: »›Kunstvermittlung als künstlerische Aufgabe?‹ – Formate partizipatorischer Kunst(auf)führungen / Ein Projektbericht«.

An diese Vorstellung einer voraussetzungslosen, unmittelbaren Kunsterfahrung lässt sich mit Fichte fragen, wie denn nun das widersprüchliche Verhältnis zwischen Kunst und Publikum zu behandeln ist. Von Fichte ausgehend würde sich der Widerspruch auflösen, wenn das Publikum nicht als dasjenige gedacht wird, welches der Kunst entgegensteht, sondern als das, welches erst durch Kunst hervorgebracht wird. Vergleichbar mit dem ›Ich‹, das ohne die Setzung der Umwelt als ›Nicht-Ich‹ leer bliebe,[69] existiert auch Kunst nur in Bezug auf ihr Publikum, wäre ohne Bezug zur Öffentlichkeit konzeptuell leer. Und während die Welt bei Fichte »in Wahrheit nur der Entwurf einer Welt im schöpferischen ich« ist,[70] so wäre die Betrachter*in von Kunst Entwurf des Kunstwerks.[71] Das Publikum wäre dann, so der Kunsttheoretiker Gerald Raunig, bloße »rezeptive Figur«,[72] passive Öffentlichkeit, als konstruktive Leistung des Kunstwerks also unmittelbarer Teil desselben, statt ihm entgegenzustehen. Die Einheit der Kunst wäre somit hergestellt.

In: team*partake (Hg.): *Kunstvermittlung als künstlerische Aufgabe?* Hamburg: Selbstverlag, 2009, S. 5–7, hier S. 5.

69 Vgl. Kap 3.2 *Unmittelbarkeit bei Fichte.*

70 Ludwig: *Hegel für Anfänger*, S. 20. Hier in Kap 3.2 *Unmittelbarkeit bei Fichte.*

71 Vgl. hierzu Kemp, Wolfgang: »Kunstwissenschaft und Rezeptionsästhetik«. In: ders. (Hg.): *Der Betrachter ist im Bild. Kunstwissenschaft und Rezeptionsästhetik.* Köln: DuMont, 1985, S. 7–27, bes. S. 22. Rahel Puffert schließt auch bei Kemps Rezeptionsästhetik an, um ihren werkimpliziten Kunstvermittlungsbegriff zu entwickeln. (Vgl. Puffert: *Die Kunst und ihre Folgen*, bes. S. 159–195). Es lässt sich freilich auch umgekehrt das Kunstwerk als Produkt des ›schöpferischen Ich‹ konzipieren.

72 Raunig, Gerald: »Spacing the Lines. Konflikt statt Harmonie. Differenz statt Identität. Struktur statt Hilfe«. In: Rollig/Sturm: *Dürfen die das?*, S. 118–127, hier S. 122.

Dass eine so verstandene unmittelbare Beziehung zwischen Kunst und Publikum als herrschaftliche gedacht werden kann, lässt sich nicht nur der Bewertung von Andreas Arndt entlehnen, der im Kontext feudaler Herrschaft Unmittelbarkeit als »direkte Abhängigkeit und Herrschaftsausübung« begreift,[73] sondern auch aus der Kunsttheorie herleiten. So schreibt Jacques Rancière in Hinblick auf das Publikum eines Theaterstücks: »Es gibt kein Theater ohne Zuschauer. [...] Aber zuschauen ist schlecht«, denn: »Der Zuschauer/die Zuschauerin ist im gleichen Maße von der Fähigkeit zu wissen, wie von der Möglichkeit zu handeln ausgeschlossen.«[74] Die unmittelbare Beziehung zu den *Anderen* ist, von Fichte, Raunig und Rancière aus gedacht, eine der Unterordnung der *Anderen.* Nicht nur deshalb, weil die *Anderen* nur als Konstruktion hervorgebracht werden, sondern auch, weil die Beschränkung auf unmittelbares Erfahren von Kunst den Ausschluss vielfältiger Kritik, reflexiver Befragung und Kontingenz bedeutet. Unmittelbare Kunst ist – nach diesem Begriff von Unmittelbarkeit – selbstevident, ›erklärt sich selbst‹. Insofern geht die Favorisierung der unmittelbaren Beziehung zwischen Kunst und Publikum auch mit einer »systematischen Abwertung schulisch erworbenen Wissens zugunsten einer Kunstbetrachtung [einher]«, so Andrea Hubin, »[die] nur unmittelbare Erfahrung und nicht zu kommentierender Genuss als schicklich gelten« lässt.[75] Der Fokus auf unmittelbaren Genuss statt auf

73 Arndt: Art. »Unmittelbarkeit«, Sp. 236. Hier in Kap. 3.2 *Vermittlung bei Kant.*

74 Rancière, Jacques: »The emancipated Spectator. Ein Vortrag zur Zuschauerperspektive«. In: *Texte zur Kunst*, Hft. 58 (2005), S. 35–51, hier S. 36.

75 Hubin: »›Und so meinen wir auch‹«, S. 318.

Wissensvermittlung produziert so wieder Ausschluss, nämlich, mit Pierre Bourdieu gedacht, all jener, die nicht schon von im vornherein mit den gesellschaftlichen Ritualen des Kunstgenusses vertraut sind.[76]

Ein solcher Diskurs, der Wissensvermittlung ab- und Unmittelbarkeit der Erfahrung aufwertet, lässt sich auch mehrfach im Kontext von Kunstvermittlung beobachten, besonders zur Wende des 19. ins 20. Jahrhundert in den Texten von Alfred Lichtwark.[77] So wird Lichtwark zwar mehrfach als ein Begründer oder gar »Ahnvater«[78] moderner Kunstvermittlung genannt, wertet jedoch systematisch Formen der Wissensvermittlung ab, und stellt unmittelbares Erleben von Kunstwerken in den Vordergrund. So lehnt er dezidiert die Vermittlung kunstgeschichtlichen Wissens ab. Für Kinder hält er es für »direkt schädlich«,[79] weil es nicht an deren Erfahrung anknüpfen, sie nicht »interessieren« würde.[80] Auch Formen der Einübung in Kritik lehnt Lichtwark ab. Kritik an Kunstwerken gegenüber Kindern zu äußern hält er für eine »abscheuliche Angewohnheit«, während die »Lust« der Kinder »zu kritisieren und Kritiken zu hören, [...] in unserem Jahrhundert die unmittelbare Freude an allen grossen Erscheinungen der Kunst im Herzen von Millionen und

76 Vgl. Bourdieu, Pierre: *Die feinen Unterschiede. Kritik der gesellschaftlichen Urteilskraft*, übers. von Bernd Schwibs und Achim Russe. Frankfurt/Main: Suhrkamp 2012 (1979).

77 Vgl. Kap. 1.1 *1900 bis 1945*.

78 So Ulli Seegers über Lichtwark (vgl. Seegers: »Vermitteln«, S. 7).

79 Lichtwark: *Übungen in der Betrachtung von Kunstwerken*, S. 26. Vgl. hierzu Kiyonaga, Nobumasa: »Alfred Lichtwarks Kunstbetrachtungsunterricht«. In: Meyer, Torsten/Sabisch, Andrea (Hg.): *Kunst Pädagogik Forschung. Aktuelle Zugänge und Perspektiven*. Bielefeld: transcript, 2009, S. 123–136, hier bes. S. 128 f.

80 Lichtwark: *Übungen in der Betrachtung von Kunstwerken*, S. 27.

aber Millionen zerstört« hätte.[81] Eben auf Unmittelbarkeit zielen die Kunstbetrachtungen Lichtwarks. Die »unmittelbare Beobachtung« von Originalen in der Ausstellung solle Kinder ›berühren‹,[82] sie zur Genussfähigkeit erziehen: »Das Kind versteht unmittelbar.«[83]

Dass eine derartige Abwertung von Vermittlung ausgerechnet im Kontext Kunstvermittlung geschieht, ist weniger widersprüchlich als es den Anschein hat und lässt sich wiederum mit Fichte einordnen.[84] Auch Fichte führt in seinen Reden an die deutsche Nation die Begriffe ›Vermittlung‹ und ›Unmittelbarkeit‹ parallel, wertet jedoch Vermittlung als notwendiges Übel zugunsten von Unmittelbarkeit ab. Unmittelbar mit sich vereinigt und identisch solle die deutsche Nation sein, durch nichts vermittelt, durch nichts getrennt.[85] Um dieses Ziel aber zu erreichen, müsse Vermittlung betrieben werden, müsse durch Schulerziehung ›deutsches‹ Wissen, etwa über deutsche Künstler, vermittelt werden. Lichtwark verfolgt gleichfalls das Ziel nationaler Identität, setzt aber zur Umsetzung nationaler Interessen auch methodisch auf Formen der Unmittelbarkeit. Es geht ihm um die Stiftung eines unmittelbar erfahrenen Nationalgefühls, so dass »für die deutsche Jugend […] die deutschen Meister

---

81 Ebd., S. 28.

82 Lichtwark: »Die Übungen in der Betrachtung der Kunstwerke«. In: *Versuche und Ergebnisse der Lehrervereinigung für die Pflege der künstlerischen Bildung in Hamburg*, Hamburg: Janssen, 1901, S. 1–7, hier S. 5.

83 Lichtwark: *Übungen in der Betrachtung von Kunstwerken*, S. 32.

84 Ein vergleichbares, wenn auch anders motiviertes Muster, nach dem unter dem Begriff der Kunstvermittlung für Unmittelbarkeit votiert wird, werde ich in Kap. 5.4 *Neue Unmittelbarkeiten in der Kunstvermittlung ausführen.*

85 Vgl. Kap. 3.2 *Unmittelbarkeit bei Fichte.*

voranstehen müssen«.[86] Auf diese Weise schottet sich unmittelbares Wissen nach außen ab. »Wie unsere germanischen Meister unmittelbar zu Herzen gehen«[87] ist nach dieser Idee *Anderen* nicht vermittelbar, könne nur aufgrund nationaler Identität unmittelbar erfahren werden.[88]

Auf der anderen Seite finden die auf Unmittelbarkeit fokussierten Methoden der Bildbetrachtung in einem hochgradig vermittelten Kontext statt. Lichtwarks Unternehmungen waren vielfältig eingebunden in Industrie und Handwerk sowie die deutsche Nationalbewegung des 19. Jahrhunderts.[89] Eingebettet in diesen Rahmen waren Lichtwarks Kunstbetrachtungen also sehr wohl von Vermittlung geprägt: im Sinne einer bestimmten Auswahl, die bestimmten Interessen folgt und in einem bestimmten Kontext, nämlich im Museum, präsentiert wird, in dem nichts Unmittelbares stattfinden kann. Die von Lichtwark behauptete Unmittelbarkeit ist eine inszenierte, oder besser: vermittelte Unmittelbarkeit – eine, die ihre eigene Vermitteltheit verschleiert und vom Ziel der nationalen Vereinigung und internationalen Konkurrenzfähigkeit beseelt ist.

Im Diskurs der Unmittelbarkeit ist aus der Zweiheit von Kunst und Publikum also zunächst eine Einheit geworden, in der sich Kunst unmittelbar genießen lässt; dies aber nur durch gleichzeitigem Ausschluss aller, die – etwa aufgrund

86 Lichtwark: *Übungen in der Betrachtung von Kunstwerken*, S. 32.

87 Ebd., S. 33.

88 Vgl. hierzu den bereits oben zitierten Conrad Schubert: »Das deutsche Auge saugt sich doch nur an dem fest, was aus deutschem Sinn geboren ist«. Schubert: »Kunst, bildende in der Erziehungsschule«, S. 185. Hier in Kap. 1.1 *1900 bis 1945*.

89 Vgl. Hoppe-Sailer, Richard: »Kunstvermittlung heute – ein kritischer Überblick«. In: Schöppinger Forum der Kunstvermittlung (Hg.): *Transfer*, Bd. 2, S. 10–20, hier S. 12.

von Klasse oder nationaler Ordnungen – erst gar keinen Zugang zu anerkannten Ritualen des Kunstgenusses haben.[90] Die Entzweiung von Kunst und Publikum, die im Unmittelbaren vereint wird, hat sich dann lediglich verschoben zu einer zwischen dem *Wir* der Kunstöffentlichkeit – Betrachter*innen eingeschlossen – und *Anderen*. Der Binarität zwischen Drinnen und Draußen entkommt also auch der Unmittelbarkeitsdiskurs nicht.

Kunstvermittlung ist möglich – nicht trotz, sondern wegen Differenz

An dieser Stelle will ich eine Parallele hervorheben. Ich habe im ersten Kapitel die Begriffsgeschichte von Kunstvermittlung als Abfolge von Wellen und Wellentälern dargestellt, von Aus- und Einschlüssen, Ab- und Aufwertungen. Die philosophische Begriffsgeschichte von Vermittlung zeigt ähnliche Abfolgen. Sie zeigt auch, dass im Moment der Abwertung des Begriffs der Vermittlung der Begriff der Unmittelbarkeit aufgewertet wird. Dies macht nochmals deutlich, dass das Fehlen des Begriffs der Kunstvermittlung keine bloße Lücke ist, sondern dass dort etwas anderes am Werk ist, nämlich ein Diskurs des Unmittelbaren.

Die parallele Betrachtung von Kunstvermittlung und Vermittlung aus philosophisch-historischer Perspektive macht noch etwas anderes möglich. Sie zeigt, so meine These, dass

90 Vgl. zum Zusammenhang zwischen adressierter Genussfähigkeit und sozialer Exklusion Puffert, Rahel: »Geschmack als Differenz, die den Unterschied macht? Urteilsbildung und soziale Ungleichheit in der Kunstvermittlung«. In: *Art Education Research*, Nr. 10 (2015); online unter http://oops.uni-oldenburg.de/2720/1/AER10_puffert.pdf (abgerufen am 6.6.2019).

die von Sturm eingeforderte Umdeutung von ›Vermittlung‹ in einen Differenzbegriff weniger eine *Um-* als vielmehr eine *Rückdeutung* sein könnte.[91] Kant hat es vorgeführt und Vermittlung als Störmechanismus der Erkenntnis beschrieben.[92] Noch deutlicher wird der Begriff der Vermittlung bei Fichte zu einem des Widerspruchs, der durch nichts einzuholenden Differenz – wenn auch mit umgekehrten Vorzeichen in der Wertung des Begriffs.

Die Argumente der Abwehr von Vermittlung will ich im Folgenden nutzen, um dieselbe zu stützen. Davon ausgehend will ich den Versuch unternehmen, Diskurse differenzorientierter Kunstvermittlung mit dem Vermittlungsbegriff von Kant und Fichte zu begründen. Es geht also um Diskurse, für die Kunstvermittlung stets ein Handeln in einem, wie Carmen Mörsch schreibt, »durch Widersprüche und widerstreitende[...] Interessen strukturierten Raum« ist,[93] die sich oft scheuen, diesem widersprüchlichen Raum den Namen ›Vermittlung‹ zu geben: »*Kunstvermittlung* – der Name ist erstens unmöglich und zweitens uferlos. Er ist insofern unmöglich, weil er tut, als könne man Kunst vermitteln. »Dabei kann man das gar nicht«, so Eva Sturm.[94] Sie nimmt Bezug auf den Begriff des Widerstreits in Anlehnung an den Philosophen Jean-François Lyotard. Ich will nun zeigen, dass sich Kunst mit einem *anderen* Vermittlungsbegriff sehr wohl *als* Widerstreit vermitteln lässt, nämlich von Kant aus

---

91 Vgl. VKa, S. 187. Vgl. hierzu auch Henschel: »Das Neue liegt im Alten. Historische Perspektiven auf einen Kunstvermittlungsbegriff der Differenz«. In: Meyer/Kolb (Hg.): *What's next? Art Education*, München: kopaed 2015, S. 125–127.

92 Vgl. Kap. 3.2 *Vermittlung bei Kant*.

93 Mörsch: »Verfahren, die Routinen stören«, S. 28.

94 Sturm in Mörsch/Sturm: »Vermittlung – Performance – Widerstreit«, S. 1, Herv. i.O.

gedacht im Sinne einer »Beilegung eines nicht abzuurteilenden Streits«.[95]

Um diesen Streit geht es auch bei Lyotard, bei dem der Widerstreit sich »zwischen zwei Sätzen, vor allem aber zwischen verschiedenen Diskursarten [ereignet]. Prinzipiell ist er nicht zu schlichten, weil die übergreifende Urteilsregel fehlt.«[96] Erneut taucht eine binäre Konstruktion auf. Diese ist aber nicht *aristotelisch*-binär. Warum? Und was hat das mit Kunstvermittlung zu tun? Ausgehend von der binären Konstruktion zwischen Akteur*innen und Betrachter*innen lässt sich zuspitzen: Beide wollen zu ihrem Recht kommen, wollen gegenüber dem jeweils Anderen Ansprüche geltend machen. Forderte zum Beispiel das Publikum einer Großausstellung schriftliche und faktenorientierte Informationen zu Künstler*innen und Kunstwerken ein, die von der Ausstellungsleitung verweigert würden,[97] stünden sich die Ansprüche von Akteur*innen und Publikum unvereinbar gegenüber. Aufgabe von Kunstvermittlung als Widerstreit wäre es dann gerade nicht, den Widerspruch aufzulösen – denn nach welcher Urteilsregel sollte das geschehen? Nach Aristoteles wäre aber ein Widerspruch verboten, läge außerhalb eines legitimen Diskurses. Es wäre im Falle eines Widerspruchs zwingend notwendig, die eine Seite als wahre und die andere als falsche zu identifizieren, ähnlich z.B. bei

95 Kant: *Kritik der reinen Vernunft (B)*, S. 529. Hier in Kap. 3.2 *Vermittlung bei Kant*.

96 Sturm in Mörsch/Sturm: »Vermittlung – Performance – Widerstreit«, S. 3. Vgl. auch Lyotard, Jean-François: *Der Widerstreit*, übers. von Joseph Vogel. München: Fink 1987 (1984), bes. S. 9.

97 So gab es auf der documenta 12 weder fest installierte Ausstellungstexte, noch Hinweise darauf, aus welchem Land die Künstler*innen stammen. Das Fehlen solcher Hilfen und Hinweise wurde vom Publikum wiederholt kritisiert.

der Rechtsprechung: Stehen sich vor Gericht zwei Parteien gegenüber, deren Aussagen sich total ausschließen, muss das Gericht ein Urteil fällen, d.h. der einen Seite Recht und der anderen Unrecht zuteilen.[98] Von einem solchen Umgang mit Konflikten grenzt Sturm mit Lyotard den Begriff des Widerstreits ab. Kunstvermittlung als Widerstreit habe nicht die Lösung eines Konflikts zur Aufgabe, sondern müsse zunächst Konflikte ans Licht bringen. Sie müsse zudem sensibel für den Fall sein, dass ein Widerstreit in einen Rechtsstreit »verpuppt« wird: »Dann schweigt eine Konfliktpartei, sie unterliegt.«[99] Genau darum müsse es gehen: »den Widerstreit zu bezeugen, indem man ihm ein entsprechendes Idiom« verschaffe.[100] Für das genannte Beispiel könnte das bedeuten: Kunstvermittlung als Widerstreit besteht nicht im Fällen eines Urteils, etwa in der Durchsetzung der Position der Leitung gegenüber dem Publikum (oder umgekehrt). Damit würde die eine Seite zum Schweigen gebracht. Kunstvermittlung als Widerstreit besteht vielmehr darin, den Konflikt zwischen ›Informationen haben wollen‹ und ›Informationen verweigern‹ auf einer anderen Eben zur Sprache zu bringen, eine Sprache zu finden, die den Konflikt perpetuiert und gleichzeitig kommunizierbar macht, um ihn von dort aus gemeinsam fortsetzen zu können.[101]

---

98 Vgl. hierzu auch die Setzung Begriffs der *mediation*, der sich gegen die Konfliktlösung durch Gerichte wendet. Vgl. Kap. 2.3 *Vermittlung als Versöhnung*.

99 Ebd., S. 4. Vgl. Mörsch/Sturm: »Vermittlung– Performance– Widerstreit«, S. 3 f.

100 Lyotard: *Der Widerstreit*, S. 33.

101 Der oben erwähnte Konflikt auf der *documenta 12* (vgl. Anm. 97 in diesem Kapitel) kam wiederholt in öffentlichen und durch Kunstvermittler*innen moderierten Gesprächen in der sogenannten »documenta Halle« zur Sprache. Vgl. Zur documenta Halle *als* Vermittlung Wieczorek, Wanda: »documenta 12 Halle.

Bei Kunstvermittlung als Widerstreit geht es auch nicht darum, den einen Diskurs der Kunstvermittlung gegen den anderen auszuspielen (etwa Kunstorientierung gegen Institutionskritik), sondern gerade den Widerstreit dazwischen aufzuführen, um so der Kontingenz des Vermittelns von Kunst Geltung zu verschaffen. Kunstvermittlung als Widerstreit befragt auch die Machtverteilung von Verhältnissen, fragt also, ob es dominante Diskurse der Kunstvermittlung gibt, die normalisierend wirken. Kunstvermittlung als Widerstreit ist damit eine Kunstvermittlung zweiter Ordnung, beschränkt sich nicht auf das Was der Vermittlung, sondern fragt immer danach, Wie Kunst vermittelt wird, um von dort aus Einheitlichkeit und normalisierende Effekte zu stören.

Kunstvermittlung als Widerstreit kann als Raum der Differenz begriffen werden, der sich gerade als Vermittlung widerständig gegenüber der aristotelischen *doxa* der Identität verhält. Insofern will ich hier meine These untermauern, dass es möglich sei, Vermittlung ambivalent zu denken, als unentschiedenen Widerspruch zwischen Identität und Differenz.[102] Mit Vermittlung ist, das hat Fichte gezeigt, kein widerspruchsfreier Raum zu machen.

Dennoch setzt der Philosoph und Kunsttheoretiker Gerald Raunig den Begriff der Vermittlung gegen solche Räume der Differenz. Auch Raunig greift die binäre Logik des Kunstbetriebs auf, speziell die Unterscheidung zwischen einem kunstöffentlichen *Wir* und den *Anderen*, die nicht dazugehören,

---

Die Ausstellung als Produktionsformat«. In: dies. et al. (Hg.): *Kunstvermittlung 1. Arbeit mit dem Publikum, Öffnung der Institution. Formate und Methoden der Kunstvermittlung auf der documenta 12.* Zürich/Berlin: diaphanes, 2009, S. 191–203.

102 Vgl. Kap. 2.4 *Noch einmal: Quer gelesen. Bruchlinien der Kunstvermittlung.*

denen aber, einer »Devise der Fürsorge« folgend,[103] zu einem Zugang verholfen werden soll. Geht die Hilfe vom Gedanken einer harmonisierten Einheit aus, in welche die *Anderen* integriert werden sollen, schlägt die vermeintlich öffnende Geste nicht selten in den eigentlichen Ausschluss um. Die Brücke wird zum Riss.

Diesem Harmoniediskurs setzt Raunig ein Kunstverständnis entgegen, in dem gerade Kunst Situationen herstelle, die »Differenzen erst zum Tanzen [...] bringen«, indem Kunst einen Raum für die Kollision festgeschriebener und einander widerstreitender Weltverständnisse ermögliche:

> Der Gegensatz zu unproduktiven und unbeweglichen absoluten Differenzen und einer ebenso absoluten Grenze kann nicht die Beseitigung der Grenze sein. [...] Statt die Differenzen und die sie konstituierende Grenze in einem gegensatzlosen, einheitlichen und verwaschenden Brei der Harmonie aufzulösen, müssen beide – Grenze und Differenzen – produktiv gemacht und als produktive auf Trab gehalten werden. Aus der absoluten Grenz-Linie wird ein Grenz-Raum, die Grenze wird von einem Nicht-Ort zu einem Ort des Trainings der Differenz.[104]

Nicht nur gegen die aristotelische Logik des Entweder/Oder ist die Rede Raunigs zu lesen, sondern auch gegen den Unmittelbarkeitsdiskurs von Fichte, in dessen Wissenschaftslehre Unvereinbares zu einer unmittelbaren Einheit verschmelzen soll.[105] Stattdessen favorisiert Raunig das Verhältnis zwischen Kunst und Öffentlichkeit als eines, in dem das Publikum nicht, wie oben, als notwendiges Übel in einer rezeptiven Figur unmittelbar aufgelöst, sondern als

103 Vgl. Raunig: »Spacing the Lines«, S. 119.

104 Ebd., S. 123.

105 Vgl. Kap. 3.2 *Unmittelbarkeit bei Fichte.*

Beteiligte am Dissens hervorgebracht wird, ohne den Kunst nicht zu denken wäre.

Nun könnte es naheliegen, den Grenz-Raum Raunigs mit Sturms Konzept von Kunstvermittlung als Widerstreit in Verbindung zu bringen. Beide schreiben mit ihrem jeweiligen Kunstbegriff gegen einheitliche Räume an, für einen Zusammenhang, in dem Konflikte und Differenzen nicht zugunsten einer vermeintlichen Harmonie verdeckt, sondern produktiv eingesetzt werden. Doch mit Kunstvermittlung will Raunig offenbar nichts zu tun haben, denn die Herstellung von Situationen, die »Differenzen zum Tanzen bringen« sieht er bereits durch einen veränderten Werkbegriff gegeben, weg vom Darstellen hin zum Herstellen von Strukturen.[106] Von dort aus, von einem Werkbegriff, der nur als Prozess zu haben ist, aus dem auch Kunst selbst nicht als unmittelbar vorhandenes und in sich selbst evidentes Ding hervorgeht, sei das Publikum bereits als »aktive Öffentlichkeit« hervorgebracht. »Und wenn dem so ist«, so Raunig, »dann gibt es auch nichts mehr zu vermitteln.«[107] Raunigs Vermittlungsbegriff scheint sich dabei ganz im Sinne der »helfenden Hand« zu verstehen, gegen die er sich wendet. Kunstvermittlung als Drittes zwischen Kunst und Öffentlichkeit scheint ihm als ebenjene harmonisierende »Fürsorge« zu gelten, die nicht nur die Auflösung der Differenzen zwischen *Wir* und *Anderen* behauptet, sondern gerade dadurch die »Exklusion des/r ›Anderen‹« fortschreibt.[108] Theorien wie Akteure*innen der Kunstvermittlung kommen dabei in Raunigs Texten nur als unerwähntes, ausgeschlossenes

106 Vgl. Raunig: »Spacing the Lines«, S. 125.

107 Ebd., S. 122. Ich folge damit einem Hinweis von Eva Sturm. Vgl. VKa, S. 126.

108 Ebd., S. 126.

Drittes in der binären Beziehung zwischen Kunst und Publikum vor.

Der harmonisierende Vermittlungsbegriff Raunigs schließt zwar an die etymologischen Phasen von ›Vermittlung‹ an, in denen der Begriff als Hilfe, Versöhnung, Harmoniemittel galt.[109] Raunigs Abwertung des Vermittlungsbegriffs verwundert dennoch, entwickelt er sein Konzept des Grenz-Raums doch explizit vom deutschen Idealismus ausgehend, dessen Vertreter Kant, Fichte und vor allem Hegel für Vermittlungsbegriffe stehen, die sich mit Raunigs Plädoyer für »Konflikt statt Harmonie. Differenz statt Identität« decken.[110]

Dagegen hat Nora Sternfeld auf einen Vermittlungsbegriff verwiesen, der es erlaubt, differentielle Räume zwischen Kunst und Publikum aus dem Begriff heraus zu entwickeln: »Mitten im Begriff der Kunst-ver-mittlung soll also ein Raum für Dissens eröffnet werden, verbunden mit der Möglichkeit, dass Unerwartetes geschieht.«[111] So sei die Vermittlung von Wissen weniger darauf angelegt, dass Wissen tradiert und gesichert werde, »sondern auch reflektiert und vielleicht sogar erschüttert«.[112]

Wie aber könnte ein solcher Vermittlungsbegriff begründet werden, wenn nicht nur im Verweis auf sein Präfix? Zunächst ließe sich Sternfelds Vorschlag eines öffnenden Vermittlungsbegriffs sowie ihre Konzeption von Wissensvermittlung etwa an Kant anschließen. Wissensvermittlung ließe sich hier eher als Kritik und Aufschub der Gültigkeit

109 Vgl. Kap. 2.2 *Vermittlung als Harmonie.*

110 So der Untertitel des Textes von Raunig. Vgl. Raunig: »Spacing the Lines«, S. 118. Vgl. Kap. 4 *Hegels Philosophie der Vermittlung.*

111 Sternfeld: *Verlernen vermitteln*, S. 10. Vgl. Kap. 2.4 *Kunstvermittlung liegt quer zu Schlichtung und Konflikt.*

112 Ebd., S. 9.

von Wissen verstehen, statt als dessen Herstellung oder gar Tradierung. Auch hier ist also, so meine These, ein Neudenken des Begriffs der Kunstvermittlung durch einen historischen Rückbezug auf die Etymologie des Begriffs zu begründen.

In Sinne von Vermittlung als Erschütterung und Störung rückt Sternfeld den Begriff des Vermittelns in die Nähe des Verlernens. ›Verlernen‹ bzw. ›Unlearning‹ bezieht sie auf die postkolonialen Theoretikerinnen María do Mar Castro Varela und Nikita Dhawan.[113] (Vgl. BtR, bes. 349–352) Dabei geht es zunächst um das Aufdecken von erlerntem Wissen, das als naturalisiertes erscheint, wie etwa die Binarität der Geschlechter oder die zwischen nationalem *Wir* und *Anderen*. Dabei soll tradiertes Wissen nicht aufgegeben, sondern transformiert werden, in dem vom tradierten Kanon und tradierten Ordnungen ausgeschlossenes Wissen eingebunden wird.[114] So sollen, wie im obigen Zitat Sternfelds bereits angesprochen, binäre Logiken »durchkreuzt« werden im Sinne eines aktiven Verlernens aristotelischer Urteilsregeln. Könnte also eine differenzorientierte Kunstvermittlung darin bestehen, binäre Logiken zu verlernen?

Ich habe oben gezeigt, dass die aristotelische Logik kein naturgewolltes Prinzip, sondern aus einer konkreten philosophischen wie politischen Entwicklung hervorgegangen ist.[115] Aristotelische Logik ist also gleichfalls erlerntes Wissen, das z.B. die harte Logik des Rassismus und Sexismus,[116]

113 Castro Varela und Dhawan beziehen sich dabei wiederum auf Gayatri C. Spivak.

114 Vgl. Sternfeld: *Verlernen vermitteln*, S. 15.

115 Vgl. Kap. 3.1 Antike: *Vermittlung und binäre Logik*.

116 Zum Zusammenhang zwischen Rassismus und binärer Logik vgl. Kap. 3.2 *Unmittelbarkeit bei Fichte* und Kap. 7.5 *Postkoloniale*

aber auch jene von kunstöffentlichem *Wir* und *Anderen* erst möglich macht.

Muss also eine Kunstvermittler*in, die Räume des Widerstreits im Sinne von Sturm möglich machen will, verlernen, aristotelisch zu denken? Muss sie sich Entscheidungen verbieten, etwa zwischen den Bedürfnissen des Publikums und dem Anspruch der Ausstellungsleitung? Laut Sternfeld geht es »beim Unlearning nicht vorrangig um individuelle Ver-Lernprozesse«, denn: »Eine solche Vorgehensweise ginge nämlich mit der Gefahr einher, die machtvollen Konstruktionen und Zuschreibungen auf eine individuelle Ebene zu verschieben.«[117] Statt also der bloßen Personalisierung des Problems gilt es, Verlernen gemeinsam zu betreiben, also erneut Vermittlung als Mitteilung zu denken, als das Miteinanderteilen von Wissen und Nichtwissen. Ist also, von Sturm und Sternfeld ausgehend, Kunstvermittlung als Verlernen aristotelischer Ordnungen im Rahmen von Kunst gedacht, als mitgeteilter Ort des Widerstreits, dann ist Kunstvermittlung erneut keine Tätigkeit eines Subjekts, sondern ein gemeinschaftlicher Prozess.[118] Ich schließe mich damit Sturm an und wiederhole, dass »man« Kunst nicht vermitteln kann; jedoch nur, sofern »man« ein einzelnes Subjekt meint. Sofern es aber möglich ist, gemeinschaftliche Räume des Widerstreits angesichts von Kunst herzustellen, ist es auch möglich, Kunst zu vermitteln.

Perspektiven. Zum Zusammenhang zwischen Sexismus und binärer Logik vgl. etwa Butler: *Das Unbehagen der Geschlechter.*

117 Sternfeld: *Verlernen vermitteln*, S. 16.

118 Vgl. Kap. 2.4 *Kunstvermittlung als multiples Handlungsfeld*, Kap. 4.1 *Dritte Stellung – gesellschaftliche Dimensionen absoluter Vermittlung*, und Kap. 7.1 *Transsubjektivität.*

Mit dieser Behauptung geht es mir nicht darum, zu zeigen, welche Thesen falsch und welche wahr sind (Vermittlung sei möglich/unmöglich). Es geht mir um das Experiment, was mit der These von Sturm (Vermittlung ist unmöglich) geschieht, wenn der darin verborgene Vermittlungsbegriff (Vermittlung ist Verbindung) verändert wird, hier in Richtung Differenz. Das Ergebnis spricht dann nicht für oder gegen die untersuchten Thesen, sondern für einen Blick auf die begrifflichen Voraussetzungen. Wenn der Begriff der Vermittlung unterschiedlich verstanden werden kann, sind auch sich widersprechende Behauptungen möglich, was diese Voraussetzung jeweils für theoretische Fundierungen der Kunstvermittlung bedeuten kann. Mir ist also daran gelegen, entgegen Poppers Forderung nach widerspruchsfreier Wissenschaft[119] die Ambivalenz stehen zu lassen: Kunstvermittlung ist möglich und unmöglich – je nachdem, mit welchem Vermittlungsbegriff operiert wird, von welchen Räumen die Rede ist und nicht zuletzt auch, was ›möglich‹ meint.

An dieser Stelle soll vorläufig ein reflexiver Vermittlungsbegriff gesetzt werden: einer, der weder für pure Harmonie noch für pure Trennung votiert, sondern den Widerspruch dazwischen stehen lässt und nach den begrifflich-theoretischen Voraussetzungen fragt, wie also die Behauptungen von Vermittlung als Verbindung oder Trennung, Öffnung oder Schließung, jeweils zustande kommen. Von dort aus ist es dann möglich, die begrifflichen Voraussetzungen der einen oder anderen These (etwa bei Sturm oder Raunig) als Einladung zu begreifen, dieselben mit anderen begrifflichen Voraussetzungen zu konfrontieren und umzudeuten.

119 Vgl. Kap. 3.1 *Antike: Vermittlung und binäre Logik.*

Das bedeutet auch, dass die hier unternommene Untersuchung des Begriffs der (Kunst-)Vermittlung als Zuarbeit für einen differenztheoretischen Diskurs nicht zu Ende sein kann. Die Verführung, Fichte umzuwerten und von hier aus einen positiven Vermittlungsbegriff der Differenz und Öffnung zu setzen, liegt vielleicht nahe. Eine solche Setzung würde aber nicht nur an harmonistischen Sprachspielen vorbeigehen. Vor allem ist bislang ungeklärt, wie sich das Verhältnis von Harmonie und Differenz im Begriff der Vermittlung abbildet, wie beide Konzepte *zusammenhängen*. Auch noch ungeklärt ist das Verhältnis zwischen Vermittlung und Unmittelbarkeit. Denn wiederum nahe liegen könnte es, diese beiden Konzepte als sich ausschließend zu begreifen. Dabei zeigt der Verweis auf Alfred Lichtwark, dass beide Konzepte nicht derart auseinanderzuhalten sind, dass zuweilen unter dem Namen der Unmittelbarkeit Vermittlung abgelehnt und ausgeschlossen wird, und dabei zugrundeliegende Vermittlungsverhältnisse verschleiert werden.

Es gilt also, die Untersuchungen fortzusetzen und dabei der Spur der Verwobenheit von Unmittelbarkeit und Vermittlung, Harmonie und Differenz zu folgen. Das eine wird als Kritik des anderen vorgebracht; beide bedingen einander und schließen sich doch aus. Dabei gehen in der philosophischen Begriffsgeschichte bis Fichte der Begriff der Unmittelbarkeit mit Identität und der der Vermittlung mit Differenz einher. Mit Hegels Texten verschiebt sich diese Ordnung signifikant.

4. Hegels Philosophie der Vermittlung

Bis hierhin stehen sich zwei Konzepte unvereinbar gegenüber: das der Vermitteltheit allen Wissens (Kant) und das seiner Unmittelbarkeit (Aristoteles, Jacobi, Fichte). Hegel schlägt sich auf keine der beiden Seiten. Er gesteht einerseits der Unmittelbarkeit des Wissens ihre Berechtigung zu, übt aber gleichzeitig »fundamentale Kritik« (U 23) an jeder Idee einer *unvermittelten* Unmittelbarkeit als an einem behaupteten Wissen, das sich nicht selbst begründen muss. In seiner *Wissenschaft der Logik* heißt es,

> daß es Nichts gibt, nichts im Himmel oder in der Natur oder im Geiste oder wo es sey, was nicht ebenso die Unmittelbarkeit enthält, als die Vermittlung, so daß sich diese beyden Bestimmungen als *ungetrennt* und *untrennbar* und jener Gegensatz sich als ein Nichtiges zeigt.[1]

1 Hegel, Georg Wilhelm Friedrich: *Wissenschaft der Logik. Erster Teil: Die Objektive Logik. Erster Band: Die Lehre vom Sein*, hrsg. von Friedrich Hogemann u. Walter Jaeschke. Hamburg: Felix Meiner 1985 (1832). S. 54, Herv. i.O.

Diesen Zustand, in dem Vermittlung und Unmittelbarkeit zusammengehen, nennt Hegel absolute Vermittlung. Dies markiert eine Wendung in der Begriffsgeschichte. Neben der philosophischen Rezeption nimmt der Vermittlungsbegriff Hegels Einfluss auf benachbarte Wissenschaften, wie die Rechts-, Geschichts-, Politik- und Sozialwissenschaften.

Ich werde deshalb der Hegel'schen Prägung des Vermittlungsbegriffs viel Raum geben und dabei in folgenden Schritten vorgehen: Erstens beziehe ich mich auf Hegels Texte selbst, um den Vermittlungsbegriff zu konturieren (Kap. 4.1). Zweitens unterscheide ich zwei Lesarten dieses Begriffs und schlage eine dritte vor (Kap. 4.2). Drittens beleuchte ich Hegels Vermittlungsbegriff in der Kritik (Kap. 5, 6 und 7). Zwischendurch stelle ich wiederholt Anschlüsse an Theorien der Kunstvermittlung her.

4.1. Vermittlung als Unmittelbarkeit

Ich werde nun das, was Hegel mit Vermittlung meint, entlang von drei Stufen skizzieren. Dabei geht es zunächst um erkenntnistheoretische Probleme, die durch den Begriff der Vermittlung an gesellschaftliche Perspektiven geknüpft werden. Hegel entwickelt den Begriff der Vermittlung auch aus dem heraus, was hier mit Aristoteles, Kant, Jacobi und Fichte bereits herausgearbeitet wurde, auf deren Positionen ich immer wieder Bezug nehmen werde.

Ich skizziere die drei Stufen entlang der Kapitel zur ersten, zweiten und dritten »Stellung des Gedankens zur Objectivität« in der *Enzyklopädie der philosophischen Wissenschaften* (vgl. E 69–118), ergänze aber um weitere Textstellen Hegels.

Erste Stellung: unmittelbare Erfahrung

Hegels Ordnung der drei möglichen Stellungen eines denkenden Subjekts zu einem Gegenstand stellt die Frage voran, wie ein Subjekt Wissen über ein Objekt erlangen kann. Die erste mögliche Stellung beginnt damit, durch Sinneserfahrung dem Objekt ein identifizierbares Sein zu unterstellen. Das Denken der ersten Stellung zur Objektivität geht, so Hegel, »geradezu an die Gegenstände, reproduciert den Inhalt der Empfindungen und Anschauungen aus sich zu einem Inhalte des Gedankens und ist in solchem als der Wahrheit befriedigt«. (E 69 f.) Dieses Wissen nennt Hegel unmittelbares Wissen:

> Das Wissen, welches zuerst oder unmittelbar unser Gegenstand ist, kann kein anders seyn, als dasjenige, welches selbst unmittelbares Wissen, *Wissen* des *unmittelbaren* oder *Seyenden* ist. Wir haben uns ebenso unmittelbar oder aufnehmend zu verhalten, also nichts an ihm, wie es sich darbietet, zu verändern, und von dem Auffassen das Begreifen abzuhalten.[2]

In dieser Stellung wird dem Gegenstand ein unveränderliches Sein zugeschrieben. Er ist mit sich selbst gleich; wäre er das nicht, könnte er nicht genau bestimmt werden. Aus logischer Sicht geht diese Stellung mit der aristotelischen Logik konform, die jedem Gegenstand eine exakte Identität unterstellt: A=A. Gäbe es widersprüchliche Meinungen dazu, was ein einzelner Gegenstand ist, müsste sich zwangsläufig die eine oder die andere Meinung als falsch

2 Hegel, Georg Wilhelm Friedrich: *Phänomenologie des Geistes*, hrsg. von der Rheinisch-Westfälischen Akademie der Wissenschaften, Hamburg: Felix Meiner 1980 (1807), S. 63, Herv. i.O.

erweisen, sonst ginge die Identität nicht auf: $\neg(A \wedge \neg A)$.[3] Hegel bezeichnet die aristotelische Metaphysik daher als »Dogmatismus«. (E 72)

Zweite Stellung: bedingte Vermittlung und Dezentrierung des Subjekts

Die zweite Stellung lässt sich zunächst als Kritik an der ersten lesen. Hegel bezieht sich hier auf Kant, der den Glauben an unmittelbares empirisches Wissen für einen »Betrug der Sinne« hält.[4] Hegel argumentiert ähnlich: Er sieht den Fehlschluss der ersten Stellung zur Objektivität darin, dass diese nicht reflektiert, dass sie bereits eine Stellung, also eine Beziehung *ist* – nämlich eine Subjekt-Objekt-Beziehung. Auch eine unmittelbare Beziehung ist eben eine Beziehung und diese kann nicht folgenlos bleiben, will ein Subjekt etwas über ein Objekt wissen. Gäbe es keine Beziehung, also kein Subjekt, das den Gegenstand erkennt, wäre dieser reine Gegenstand – der ein Sein an-sich hätte – Nichts: »*Das reine Seyn und das reine Nichts ist [...] dasselbe.*«[5] Genauso leer bliebe das pure Ich=Ich Fichtes, wenn es sich nicht auf etwas anderes bezöge.[6]

Es braucht zum Wissen also eine Form der Gegenüberstellung, der Negation; ein erkennendes Subjekt, das sich selbst zum Gegenstand in Beziehung setzt: Ich und Nicht-Ich,

---

3 Vgl. 3.1 *Antike: Vermittlung und binäre Logik*. Zur Notation formaler Logik vgl. dort Anm. 8.

4 Kant: *Kritik der reinen Vernunft (B)*, S. 359. Hier in Kap. 3.2 *Vermittlung bei Kant*.

5 Hegel: *Wissenschaft der Logik. Erster Teil, Erster Band*, S. 69, Herv. i.O.

6 Vgl. Kap. 3.2 *Unmittelbarkeit bei Fichte*.

Subjekt und Objekt.[7] Während die erste Stellung das Objekt als ein Seiendes beobachtet, beobachtet die zweite Stellung das Objekt als ein vom Subjekt Erkanntes, Gedachtes, Gefühltes. Während das Objekt der ersten Stellung beziehungslos zu bleiben scheint, gerät in der zweiten Stellung die Subjekt-Objekt-Beziehung in den Blick. Das Subjekt unterscheidet sich selbst vom Objekt.

Wird diese Unterscheidung vom Subjekt reflektiert, hat dies Folgen für den zu erkennenden Gegenstand. An Kant anschließend, für den im Moment des Erfahrens dem Gegenstand immer schon unser ›Stempel aufgedrückt‹ wird, (vgl. E 77–98) entwirft Hegel Erkenntnis als konstruktive Leistung, mit der der Gegenstand erst *wird* – im Gegensatz zur ersten Stellung, wo er bereits *ist*.[8]

Nun könnte man daran denken, Fichtes Position ebenfalls dieser zweiten Stellung zuzurechnen. Fichte totalisiert ja die konstruktive Leistung des Subjekts. Das Ich wird sich durch Nicht-Ich seiner selbst bewusst, erkennt aber auch, so Fichte, dass Nicht-Ich nur ein Produkt seiner selbst ist: »Alle Wirklichkeit wird zur [...] Tat des Ich«,[9] so dass das Ich total frei ist. Eine Freiheit aber, die Hegel eine »negative Freyheit« nennt, eine »Furie des Zerstörens« (PdR 33) all dessen, was anders, was nicht Ich ist. Hegels zweite Stellung

---

7 Vgl. Hegel, Georg Wilhelm Friedrich: »Differenz des Fichtschen und des Schellingschen Systems der Philosophie« (1801). In: ders.: *Jenaer kritische Schriften*, hrsg. von Hartmut Buchner u. Otto Pöggeler, Hamburg: Felix Meiner, 1968 (1801), S. 1–92; vgl. auch ders.: *Phänomenologie*, S. 63.

8 »Alles ist werden«, so Hegel über die Konstruktionsleistung der Erkenntnis, nach der weder Subjekt noch Objekt ein unveränderliches Sein zugeschrieben werden kann. Hegel: *Wissenschaft der Logik. Erster Teil, Erster Band*, S. 70.

9 Ludwig: *Hegel für Anfänger*, S. 20. Hier in Kap. 3.2 *Unmittelbarkeit bei Fichte.*

wendet sich so gegen ein »Identitätsbewusstsein des Geistes, der repressiv sein Anderes sich gleich macht«.[10]

Während für Fichte die Stellung des Subjekts zum Objekt gar keine solche ist, sondern nur die unmittelbare Einsicht, dass Ich=Ich ist, so muss für Hegel die zweite Stellung zur Objektivität zwangsläufig eine der Vermittlung sein. Reflektieren wir, dass wir uns im Moment des Erkennens eines Gegenstands von diesem unterscheiden und diesen mit herstellen, müssten zweierlei Konsequenzen gezogen werden. Erstens: Das anfängliche Sein des Gegenstands (erste Stellung) wird durch meine Selbsterkenntnis verändert (zweite Stellung). Formalisiert könnte das lauten: A wird durch B zu A'. Zweitens: Wenn ich dem Gegenstand kein reines Sein unterstellen kann, kann auch ›Ich‹ kein reines Sein meinen (das wäre die erste Stellung zu mir selbst), sondern nur eines, das sich erst durch die Beschäftigung mit Gegenständen erkennt und so auch verändert (zweite Stellung zu mir selbst): B wird durch A zu B', oder mit Fichte: Ich wird durch Nicht-Ich zu Ich'. Daraus ergibt sich für Hegel,

> daß weder das eine noch das andere nur *unmittelbar*, in der sinnlichen Gewißheit ist, sondern zugleich als *vermittelt*; Ich habe die Gewißheit *durch* ein anderes, nämlich die Sache; und diese ist ebenso in der Gewißheit durch ein anderes, nämlich durch Ich.[11]

Hier vollziehen sich entscheidende Wendungen des Vermittlungsbegriffs. Zunächst ist hervorzuheben, dass hier kein

10 So schreibt es Adorno, und wird – gemäß seines Verfahrens der immanenten Kritik (vgl. Kap. 6 *Kritische Vermittlung*), also ›mit Hegel gegen Hegel‹ – ebendieses Argument gegen Hegel wenden. Adorno, Theodor W.: »Zu Subjekt und Objekt«. In: ders.: *Stichworte. Kritische Modelle 2*. Frankfurt/Main: Suhrkamp 1969, S. 151–168, hier S. 153.

11 Hegel: *Phänomenologie*, S. 64, Herv. i.O.

externes Drittes, kein X vorkommt, das zwischen zwei Extremen vermittelt. Vermittlung spielt sich zwischen zweien ab, die dadurch so in Bewegung geraten, dass sie im Anschluss sich selbst nicht mehr ganz gleich sind. Nicht A=A steht B=B unmittelbar gegenüber; A wird durch die Vermittlung von B zu A' bewegt und umgekehrt. Der Gegensatz zwischen Ich und Nicht-Ich, zwischen Subjekt und Objekt wird also, im Gegensatz zu Fichte, vermittelt – allerdings nicht so, dass ein moderierender Mittelweg gefunden würde. Bei Hegel müsse vielmehr, so Heiko Knoll und Jürgen Ritsert, von der »Vermittlung der Gegensätze in sich« gesprochen werden.[12] Was meint das genau?

Will ich etwas über das Ich erfahren, werde ich auf das verweisen, was Nicht-Ich ist. Umgekehrt gilt das genauso. Der anfänglich unmittelbare Gegensatz zwischen zwei Polen wird durch Vermittlung in den jeweiligen Pol selbst wieder eingetragen. Die Mitte der Hegel'schen Vermittlung sitzt also nicht zwischen den Vermittelten: Das Vermittelnde ist das jeweils Andere. Die Dezentrierung des Subjekts und die Dezentrierung des Objekts stehen in einem interdependenten Verhältnis zueinander: Sie bedingen sich gegenseitig und durchkreuzen einander – ein Verhältnis, das Hegel mit dem Begriff der Vermittlung kennzeichnet.

Nun ist der Gegensatz zwischen Ich und Nicht-Ich, den Hegel hier vermittelt, nur ein Beispiel. Jeder bestimmbaren Idee, Vorstellung, jedem bestimmbaren Gegenstand oder Begriff wohne ein solcher Gegensatz inne. (Vgl. E 85) Das heißt aber wiederum, dass – wie bei Kant – alles Wissen in diesem Sinne nur vermittelt sein kann. Das hat zum Beispiel

12 Knoll, Heiko/Ritsert, Jürgen: *Das Prinzip der Dialektik. Studien über strikte Antinomie und kritische Theorie*. Münster: Westfälisches Dampfboot 2006, S. 63.

Auswirkungen darauf, was es heißt, jemandem etwas zu erklären, also das zu tun, was hier an anderen Stellen ›Wissen vermitteln‹ genannt wurde.[13] »Erklären und Begreifen«, so Hegel dazu, »heißt hiernach, Etwas als *vermittelt* durch ein *Anderes* aufzuzeigen.« (E 101, Herv. i.O.) Er schreibt ›Erklären heißt Vermitteln‹ und nicht ›Vermitteln heißt Erklären‹. Das ist entscheidend, denn begreift man ›Erklären‹ als Prozess, in dem jemandem etwas so auseinandergesetzt wird, »dass der andere die Zusammenhänge versteht«,[14] dann stellt sich die Frage, auf welche Weise die Auseinandersetzung vonstattengeht. Die Begriffsgeschichte von ›Erklären‹ legt dabei ein geradezu kathartisches Konzept nahe. Wenn etwas erklärt wird, wird es ge-klärt, also gewissermaßen gereinigt von Missverständnissen und Widersprüchen, mithin von allem, was die Sicht auf dieses Etwas trüben könnte.[15] So könnte man meinen, dass die perfekte Erklärung den Schleier von einem Gegenstand ziehen könnte. Dies wäre aber nur in Hegels erster Stellung zur Objektivität zu haben, zu einem völlig mit sich identischen Gegenstand. Jeder Versuch, sich zu diesem zu verhalten, muss im Modus des Vermittelns erfolgen, in dem weder der Gegenstand sich selbst gleich bleibt, noch all das, was zur Erklärung dient, noch diejenigen, die sich zum Gegenstand verhalten, sich selbst gleich bleiben. Wird ein Beispiel benutzt, um etwas zu erklären, zielt dies immer auch etwas daneben, reichert den

13 Vgl. Kap. 1.2 *Kunstvermittlung und Bildungsreform*, und Kap. 2.3 *Von Mitteilung zu Vereindeutigung*.

14 *Duden. Das große Wörterbuch der deutschen Sprache*, Bd. 3, hrsg. Wissenschaftlicher Rat der Dudenredaktion. Mannheim/Leipzig/Wien/Zürich: Duden 1999, S. 1082.

15 Vgl. Grimm, Jacob/Grimm, Wilhelm: Art. »erklären«. In: dies.: *Deutsches Wörterbuch*, Bd. 3, hrsg. Deutsche Akademie der Wissenschaften. Leipzig: S. Hirzel 1862, Sp. 875.

Gegenstand mit Kontext an, der diesem nicht per se angehörte. Das Andere des Vermittelns wird Teil des Gegenstands, bringt diesen in Bewegung. Durch die Reihenfolge Hegels, nach der Erklären Vermitteln und nicht Vermitteln Erklären heißt, wird also nicht das Konzept der Vermittlung gereinigt, sondern das Konzept der Erklärung wird ver*un*reinigt.

Die zweite Stellung zur Objektivität betont demnach, »dass es eine pure Evidenz des Wissens ohne begriffliche Vermittlung/Zurichtung nicht gibt, daß auch Zeigehandlungen sich nicht durch sich selbst erläutern«.[16] Der Widerspruch, der einmal durch Vermittlung in einen Gegenstand eingegangen ist, lässt sich nicht einholen. Die Vermittlung dieser zweiten Stellung des Subjekts zum Objekt will ich in Anschluss an Hegel *bedingte Vermittlung* nennen.[17] Sie stellt permanent Bedingungen an jede Form von Erkenntnis.

Dritte Stellung: gesellschaftliche Dimensionen absoluter Vermittlung

Nun befinden wir uns an einer bekannten Stelle in der Diskussion um die Unterscheidung unmittelbar/vermittelt. Genau wie Kant zeigt auch Hegel, dass Wissen nur vermittelt sein kann. Dennoch ist das Phantasma der unvermittelten Wahrheit bei ihm nicht ausgelöscht: Da jede Vermittlung nur etwas Endliches vermitteln kann, das mit der nächsten

---

16 Gamm, Gerhard: *Der deutsche Idealismus. Eine Einführung in die Philosophie von Fichte, Hegel und Schelling*. Stuttgart: Reclam 1997, S. 130.

17 So schreibt Hegel in der Enzyklopädie: »Das Denken als Thätigkeit des Besonderen hat nur die Kategorien zu seinem Producte und Inhalte. Diese, wie sie der Verstand festhält, sind *beschränkte* Bestimmungen, Formen des *Bedingten, Abhängigen, Vermittelten.*« E, S. 100, Herv. i.O.

Vermittlung endet, die neue Bedingungen stellt – da das subjektive Erkennen also stets auf diese endlichen Bestimmungen beschränkt ist, lässt sich, so Hegel, nicht das über ein Objekt erfahren, was er Wahrheit nennt. Denn das »Wahre liegt außer dem Mechanismus solchen Zusammenhangs, auf welchem das Erkennen eingeschränkt sey.« (E 101) »Das Wahre ist das *Ganze.*«[18] Wer die Wahrheit eines Gegenstands erkennen will, muss das Ganze seiner Vermittlungen erkennen. Dieses Ganze kann aber nur dann ein Wahres sein, wenn es absolut ist; wenn es nichts außer sich hat und nicht schon wieder eine mögliche Vermittlung lauert, die die Wahrheit erschüttern könnte. Absolute Wahrheit muss *unmittelbar*, unmittelbar gewiss sein. Wie soll das gehen, wenn Wissen nur vermitteltes Wissen sein kann? Hegel schreitet zur nächsten Stufe der Vermittlung, der dritten Stellung zur Objektivität.

Die Herausforderung dieser Stellung besteht darin, die Beziehung zwischen Unmittelbarkeit und Vermittlung anders als einander fundamental ausschließend zu denken. Für Hegel ist beides wichtig: die Annahme der Vermitteltheit allen Wissens und die eines unmittelbaren Wissens, das mit sich identisch ist. Wie kann aber beides gleichzeitig sein? Hegel nennt ein Beispiel: Er nennt einen Mathematiker, dem eine Lösung »unmittelbar in seinem Bewußtseyn präsentier[t]« wurde. Die Lösung ist aber gleichzeitig »Resultat der verwickelten höchst vermittelten Betrachtungen«. (E 107) Ein anderes Beispiel: »Daß ich in Berlin bin, diese meine unmittelbare Gegenwart, ist vermittelt durch die gemachte Reise«. (E 108) Es scheint also Punkte zu geben, an denen etwas als unmittelbar wahrgenommen wird, was doch vermittelt ist.

18 Hegel: *Phänomenologie*, S. 19, meine Herv.

Doch das, die unmittelbar präsente und doch vermittelte Lösung des Mathematikers ist nicht das, was Hegel absolutes Wissen, mithin Wahrheit, nennt. Die *besondere* Lösung kann erst dann absolutes Wissen werden, wenn sie eine *allgemeine* wird, wenn der Gegenstand so sichtbar ist, dass er »Bewußtsein *Aller*«. (E 111, Herv. i.O.) wird, dass ein *common sense* darüber besteht, was ihn ausmacht. Dann könne das Wahre eines Gegenstands gesehen werden. So führt Hegel in der dritten Stellung eine gesellschaftliche Dimension ein.

Nun klingt dieser am *common sense* orientierte Wahrheitsbegriff, als müsste lediglich ein gesellschaftlicher Konsens darüber bestehen, worin die Wahrheit eines Gegenstands liegt, so dass sich von absolutem Wissen sprechen ließe – dann also, wenn gemeinschaftlich ›alle Vermittlungen‹ ergründet wurden. Aber so einfach ist es nicht.

Zum einen muss Hegels Konzept von ›alle‹ tatsächlich aus allen Mitgliedern einer Gesellschaft bestehen.[19] Das »wahrhaft *Allgemeine*« muss ein totales, darf kein partikulares sein.[20] Das ist aber ein Konzept von ›alle‹, das nie ganz aufgehen kann. »Die empirische Allheit *bleibt* darum eine *Aufgabe*; ein *Sollen*, welches so nicht als ein Seyn dargestellt werden kann.«[21] Es handelt sich also um einen Anspruch, der kein Sein wiedergibt, sondern ein gesellschaftliches Werden antreibt.

Zum anderen geht es Hegel gar nicht um einen Konsens in dem Sinne, dass widerspruchslose Einigkeit über einen Gegenstand herrscht. Das bedeutete einen Rückfall in den

---

19 Vgl. Hegel, Georg Wilhelm Friedrich: *Wissenschaft der Logik. Zweiter Band: Die subjektive Logik*, hrsg. von Friedrich Hogemann u. Walter Jaeschke. Hamburg: Felix Meiner 1981 (1816), S. 75.

20 Ebd., Herv. i.O.

21 Ebd., Herv. i.O.

metaphysischen Dogmatismus der ersten Stellung des Gedankens zum Objekt, den Ausschluss von Vermittlung, wogegen Hegel sich ja dezidiert wendet. Die Widersprüche, die sich durch Vermittlung in die Gegenstände und Subjekte eingenistet haben, lassen sich auch hier nicht mehr einholen.

Genau dieses Problem, die Unmöglichkeit der Synthese aus Unmittelbarkeit und Vermittlung, aus Identität und Differenz, benennt Hegel. Auf der einen Seite wird erkannt, dass Wissen ein vermitteltes sein muss und Gegenstände nur als differente erkannt werden können. Auf der anderen Seite erscheint es aber als Antrieb des Wissens, über die Identität von Gegenständen wissend verfügen zu können.[22] Es muss, folgt man Hegel, dieses absolute, unmittelbare Wissen also geben, sonst wäre jeglicher Wissensdurst sinnlos. »Die Vermittlung dieses Widerspruchs« zwischen vermitteltem Wissen und unmittelbarem Wissens »ist die philosophische Reflexion«.[23] ›Vermitteln‹ heißt dabei nicht ›in einer widerspruchsfreien Synthese auflösen‹, sondern ›Vermittlung der Gegensätze in sich‹: Die erste Stellung zeigt, dass vermitteltes Wissen unmittelbar sein, die zweite Stellung, dass unmittelbares Wissen vermittelt sein muss. Die Synthese dieser Sätze, »Der Gegenstand ist unmittelbar« und »Der Gegenstand ist vermittelt«, ist nicht sagbar. Die Synthese des Widerspruchs, d.h. die dritte Stellung, ist nicht auf den Begriff zu bringen.

Durch die philosophische Reflexion des Widerspruchs kann dieser, so Hegels Vokabular, *aufgehoben* werden. Das heißt nicht, dass ein Widerspruch eliminiert wird; er bleibt

22 Vgl. etwa Hegel: *Phänomenologie*, S. 108.

23 Hegel: »Differenz«, S. 16.

erhalten, wird auf-*gelesen* und *an*-gehoben in eine andere, reflexive Stellung, in der Vermittlung und Unmittelbarkeit zusammen gedacht werden.[24]

Ein Beispiel: Was geschieht, wenn das Objekt, von dem in allen drei Stellungen die Rede ist, ich selbst bin? Dann wäre der Unterschied zwischen den ersten zwei Stellungen folgender: Die erste Stellung glaubt meine eigene Identität unmittelbar fassen zu können. Die zweite stellt wiederum fest, dass jeder Versuch, mich selbst zu fassen, immer wieder auf Anderes zurückfällt, das ich etwa brauche, um mich selbst beschreiben zu können. In der zweiten Stellung bin ich also niemals unmittelbar, sondern stets nur vermittelt zu haben. Die dritte Stellung würde nun ebendieses Problem reflektieren und feststellen, dass ich in der Auseinandersetzung mit dem Anderen – und dieses Andere wäre hier ein gesellschaftliches – zu mir selbst komme. Meine unmittelbare Identität liegt gerade darin, mit Anderem, Differentem vermittelt, auf meine gesellschaftliche Umwelt angewiesen zu sein. Wenn ich über mich nachdenke, werde ich auf anderes verwiesen – das ist der Gang von der ersten zur zweiten Stellung. Wenn ich über anderes nachdenke, bin ich in anderem selbst präsent – das ist der Gang von der zweiten zur dritten Stellung. Die dritte Stellung zur Objektivität »realisiert sich« also, so schreibt Arndt über Hegel, »als Einheit von Selbst- und Fremdbeziehung«. (U 28)

Das, was in der dritten Stellung als unmittelbares Wissen – Wissen von mir selbst, Wissen von allem anderen – erscheint,

---

24 Vgl. dazu auch Jacques Derrida, der die häufige Übersetzung des Hegel'schen Begriffs ›Aufhebung‹ durch das französische *suppression*, also Auslöschung, kritisiert. Vgl. Derrida, Jacques: *Glas. Totenglocke*, übers. von Hans D. Gondek und Markus Sedlacek. München: Wilhelm Fink 2006 (1971), S. 153.

ist also in sich vermittelt und hat kein Außen mehr. Hegel schreibt hierzu:

> Für das Wahre aber kann nur ein Inhalt erkannt werden, in sofern er nicht mit einem Anderen vermittelt, nicht endlich ist, also sich mit sich selbst vermittelt, und so in Eins Vermittlung und unmittelbare Beziehung auf sich selbst ist. (E 114)

Diesen Zustand des absoluten Wissens, in dem alle Vermittlungen aufgehoben werden – und hier kann ›aufheben‹ auch ›bewahren‹ meinen – nennt Hegel »absolute Vermittlung«.[25] Unmittelbar und absolut ist die Vermittlung, wenn sie nichts mehr außer sich hat; vermittelt ist sie, wenn sie nicht leer ist, wie in der ersten Stellung. Der Gegenstand ist in der dritten Stellung des Gedankens, in der gesellschaftlichen Ganzheit der Vermittlungen, mit sich selbst vermittelt.

Hegel nennt diesen Zustand des absoluten Wissens, das vermittelt und unmittelbar zugleich ist, ›Geist‹.[26] Dabei ist ›Geist‹ vor allem als gesellschaftliche Tätigkeit zu verstehen: »[D]ie Möglichkeit der Vermittlung«, so Thomas Rentsch, stellt »eine zwar ständig bedrohte, oft scheiternde, aber auf jeden Fall nur gemeinsame Möglichkeit von Menschen« dar.[27] Auch bei Hegel ist Vermittlung nicht von einem einzelnen Subjekt zu leisten.[28]

So sehr die Allheit einer Gesellschaft nur ein Sollen sein kann, so wenig ist der Geist einer, »der ewige Gehalte

25 Hegel: *Phänomenologie*, S. 108.

26 Ebd., S. 22.

27 Rentsch, Thomas: *Negativität und praktische Vernunft*, Frankfurt/Main: Suhrkamp 2000, S. 262.

28 Vgl. Kap. 3.3 *Kunstvermittlung ist möglich*.

vorzeigt«.[29] Er »zeigt vielmehr einen Prozess auf«, in dem sichtbar wird, was einer Gesellschaft »als ihr ideales Wesen, ihre Freiheit gilt«.[30] Das heißt: Die absolute Vermittlung des Geistes ist zeitgebunden. Veränderung ist impliziert.

Zusammenfassung der drei Stellungen

Die erste Stellung zur Objektivität begreift ein beobachtetes Objekt als unmittelbares, positives Sein. Die zweite Stellung denkt das Objekt als das Andere seiner selbst. Selbst und Anderes, Ich und Nicht-Ich, Subjekt und Objekt sind vermittelt, und zwar im Modus der Vermittlung der Gegensätze in sich, aus der weder Selbst noch Anderes unverändert hervorgehen. Mit Hegel habe ich diese Vermittlung bedingte Vermittlung genannt. Sie ist ein permanenter Regress/Progress. In der dritten Stellung vollzieht sich die absolute, d.h. unbedingte Vermittlung. Der Widerspruch, der hier vermittelt wird, ist nicht der zwischen Ich und Nicht-Ich, Subjekt und Objekt, sondern zwischen Unmittelbarkeit und Vermittlung, erster und zweiter Stellung zur Objektivität. Auch hier wird vermittelt als ›Vermittlung der Gegensätze in sich‹: Die Unmittelbarkeit enthält das Moment der Vermittlung – und die Vermittlung das der Unmittelbarkeit. Die Identität des Objekts scheint also wiederhergestellt, als eine des innergesellschaftlichen Widerspruchs, des Vermitteltseins mit Anderem und Anderen. Der permanente Regress/Progress der einfachen Vermittlung scheint gestoppt, die Vermittlung erscheint als fundamental selbstreflexiv.

29 De Vos, Lu: Art. »Geist«. In: Cobben, Paul et al. (Hg.): *Hegel-Lexikon*. Darmstadt: Wissenschaftliche Buchgesellschaft 2006, S. 222–227, hier S. 225 f.

30 Ebd, S. 226.

Was ist das Surplus, das Hegel in die Begriffsgeschichte einbringt? Auf der Ebene der bedingten Vermittlung scheint er sie ja kontinuierlich fortzuschreiben. Die absolute Vermittlung dagegen erscheint als Diskontinuität. Standen sich bisher die Konzepte der Vermittlung (Kant) und der Unmittelbarkeit (Aristoteles, Jacobi, Fichte) gegenüber, gehen beide bei Hegel in einem Konzept auf, das mit dem bisherigen Diskurs der Identitätsphilosophie, in dem Vermittlung als Störung galt, bricht.

4.2. Zwei Lesarten

Wie schon angedeutet lässt sich die absolute Vermittlung Hegels auf zwei Arten lesen: auf eine, die absolute Vermittlung als zwanghafte Versöhnung begreift – ich nenne sie *geschlossene Vermittlung* –, und auf eine, die sie als radikale Zersetzung – als *offene Vermittlung* – versteht.

Geschlossene Vermittlung: Harmonie und Zwang

Das »Problem der Hegel'schen Rede« (U 25), schreibt Andreas Arndt, liegt in der dritten Stellung des Gedankens zur Objektivität. Es geht wieder um den Kampfbegriff der Identität und darum, wie diese im Verhältnis zu Differenz gedacht wird. Wenn Hegel einerseits schreibt »das Wahre ist das Ganze« und andererseits das Primat der Vermittlung setzt, dann kann das Verhältnis von Identität zu Differenz in dieser Lesart nur folgendermaßen gedacht werden: Es gibt ein unmittelbares mit sich identisches absolutes Ganzes (Wissen, Gott, Staat, Selbstbewusstsein), das in sich vermittelt, differenziert und widersprüchlich angelegt ist.[31] Differenzen sind dann nur noch *Binnen*differenzen. Das heißt, dass jede Vermittlung, jede Differenz, jeder Widerspruch »nur als die Selbstunterscheidung einer Einheit gedacht wird, die darum«, so Arndt, »zugleich das immanente [Ziel] aller Vermittlungen darstellt«. (U 25) An dieser Stelle wird erneut deutlich, warum die Wortbedeutung von ›Vermittlung‹ als ›Mittel‹ erhellend ist:[32] Vermittlung wird hier zum Mittel, das sich von seinem Zweck her versteht. Jede Vermittlung ist vom Zweck des absoluten Ganzen beseelt und von diesem im Vorhinein schon mit strukturiert. »[Diese] Vermittlung ist *Selbstrepräsentation.*« (U 29, Herv. i.O.) In diesem Sinn ist die Vermittlung eine geschlossene, sie kann immer nur zirkulär auf ihr eigenes Ganzes verweisen.

Das Problem dieser geschlossenen Vermittlung ist nun, dass der Negativität und Widersprüchlichkeit der zweiten Stellung des Gedankens zur Objektivität der Zahn gezogen wird. Was ist ein Widerspruch, was ein Konflikt noch wert, wenn er ohnehin nur ein Ziel hat, nämlich das einer versöhnenden Einheit? Ein solches, mit sich identisches Absolutes – als Gott, als Staat, als Wissen – wäre in der Lage, jede noch so kleine oder große Störung seiner selbst zu absorbieren, sich einzuverleiben und als selbstkonstitutives Element einzusetzen. Wenn es kein Außen gibt, gibt es auch keine reale Störung. »Einen bleibenden Riß oder Bruch«, so Christoph Türcke – den ich hier diese Lesart vertreten lasse –, »gibt es nirgends.« (VaG 109)

Besonders deutlich wird der zwanghaft-versöhnende Charakter der geschlossenen Vermittlung, wenn Hegel sie vom erkenntnistheoretischen Feld auf Gesellschafts- und

31 Hegel: *Phänomenologie*, S. 19. Hier in Kap. 4.1 *Dritte Stellung*.

32 Vgl. Kap. 2.1 *›mittel‹ und ›mitte‹*.

Staatstheorie überträgt. Wie verhalten sich etwa einzelnes Individuum und Allgemeines im absoluten Staat zueinander, den Hegel sich vorstellt? In den *Grundlinien der Philosophie des Rechts* skizziert er es: Die bürgerliche Gesellschaft eines Staates sei zunächst da von Widersprüchen geprägt, wo Einzelinteressen kollidieren, etwa die Bedürfnisse unterschiedlicher Marktteilnehmer*innen: Die einen wollen günstig einkaufen, die anderen teuer verkaufen. (Vgl. PdR 190) Ebendiese Widersprüche sollen so vermittelt werden, dass sie in der unmittelbaren Allgemeinheit des Staates aufgehoben werden, sich einzelne Individuen, die ihre besonderen Interessen verfolgen, also die allgemeine Idee eines versöhnenden Staates, dessen *Geist*, zu eigen machen. Das heißt für Türcke, dass »in der alles mit allem vermittelnden Bewegung« der Einzelne in seiner Besonderheit dem Allgemeinen geopfert wird (VaG 114); und das in dem Glauben, im Diktat des Allgemeinen zu sich selbst gefunden zu haben.

Die Lesart Türckes bestätigt sich in den institutionellen Figuren, denen Hegel die Aufgabe der Vermittlung zudenkt. Eine Schlüsselrolle beim Vollzug einer gesellschaftlichen Allgemeinheit kommt z.B. der institutionalisierten »Vermittlung« zu, »welche Entwicklung, Erziehung, Bildung heißt«. (E 108) Erziehung und Bildung zielen aufs *Ganze*, auf »unmittelbare[s] Wissen von Gott, vom Rechtlichen, vom Sittlichen« (E 108), auf den allgemeinen Geist eines Staates.

Nun können aber Bildung und Erziehung zufällig verlaufen, auch entgegen dem, was als Allgemeinwohl gilt. Um allem entgegenzuwirken, was die Versöhnung zwischen Einzelnem und Allgemeinheit gefährden könnte, führt Hegel deshalb eine weitere Vermittlungsinstanz ein, die ›Polizei‹. (Vgl. PdR 189–196) Als »höhere[r] Leitung« kommt ihr etwa die Aufgabe zu, Schulen und Waisenhäuser zu installieren, um der »*Willkühr* und Zufälligkeit *der Eltern*, auf die *Erziehung*, insofern sie sich auf Fähigkeit, Mitglied der Gesellschaft zu werden, beziehet« entgegenzuwirken. (PdR 196 u. 192, Herv. i.O.) Die Polizei Hegels durchdringt aber nicht nur das Erziehungswesen eines Staates, sondern alle Bereiche, die die Vermittlung Einzelner mit dem Allgemeinen betreffen. Die Polizei beugt unkontrollierbaren Handlungen Einzelner vor und sichert so die öffentliche Ordnung; sie verhindert Armut und verhindert so die »Erzeugung des *Pöbels*« (PdR 194); sie wacht über den Warenverkehr und beugt so dem Streit einzelner Marktteilnehmer*innen vor; sie sorgt für die Bereitstellung und Sicherung infrastruktureller Bedingungen für einen funktionierenden Markt. Die Polizei Hegels nimmt damit eine alles kontrollierende Position ein, deren Vermittlung ökonomische, politische wie pädagogische Felder durchdringt.

Schafft es eine Gesellschaft so nicht, ihre inneren Widersprüche zu versöhnen und in einen höheren Zustand aufzuheben, bleibt für Hegel das »Mittel der *Kolonisation*«: Sie sucht sich, vermittelt durch die Polizei, »neue Böden« (PdR 196, Herv. i.O.) und verschiebt die Widersprüche an eine andere Stelle. Ein Wort zu den Gesellschaften auf diesen ›neuen Böden‹ verliert Hegel an dieser Stelle nicht.[33] So wirkt die Vermittlung der Polizei einerseits versöhnend, weil sie Streit, Armut und Chancenungleichheit auszugleichen sucht, andererseits totalitär, weil sie allem, was ihr nicht am Gemeinwohl ausgerichtet erscheint, mit Zwang begegnet.

33 Ich komme später auf das Verhältnis zwischen Hegels Vermittlung und dem Diskurs der Kolonisation zurück. Vgl. Kap. 4.2 *Absolute Vermittlung im Aufklärungsdiskurs*, und Kap. 7.5 *Postkoloniale Perspektiven*.

Ihren totalen Vollzug findet die geschlossene Vermittlung, wenn im totalen Geist auch noch das zusammenfällt, was in der eurozentrischen Philosophie bisher getrennte Sphären waren – Gott, Welt, Seele bzw. in der Neuzeit Staat und Individuum, Philosophie und Religion. (Vgl. VaG 114) Ein Möbiusband,[34] dessen Außenseite mit der Innenseite zusammenfällt: Jeder Versuch, nach außen zu gelangen führt ins Innere zurück.

Offene Vermittlung: Absoluter Zerfall

An dieses Bild des Möbiusbandes kann auch die entgegengesetzte Lesart anknüpfen. Fällt nämlich die Außen- mit der Innenseite zusammen, führt auch jeder Versuch, ins Innere zu gelangen, immer nur nach außen.

Zunächst geht dies mit der ersten Lesart konform, wenn es darum geht, was für Hegel »Totalität« ist: eine stets auf sich selbst verweisende, zirkuläre Vermittlungsstruktur. Ein Unterschied liegt in der Deutung des Begriffs ›Geist‹. Während für die erste Lesart der Hegel'sche Geist als eine Art Übersubjekt alle nur möglichen Vermittlungen im Vorhinein schon mitstrukturiert, so verweist dagegen Gerhard Gamm – den ich die zweite Lesart vertreten lasse – auf Hegels Weigerung, die Synthese aller Vermittlungen auf den Begriff zu bringen.[35] Wenn nun aber der spätere Hegel doch einen Namen setzt, nämlich ›Geist‹, ist damit keine Positivität gemeint,

---

34 Vgl. Gamm: *Der deutsche Idealismus*, S. 109. Ein Möbiusband lässt sich als Modell darstellen, in dem zunächst ein Papierstreifen zum Kreis geformt wird; vor dem Zusammenfügen der beiden Enden wird das eine Ende in sich verdreht, dann werden die beiden Enden zusammengeklebt.

35 Vgl. ebd. und Kap. 4.1 *Dritte Stellung*.

kein vorhandenes Sein. ›Geist‹ ist erst einmal ein selbstbezüglicher und gesellschaftlicher Denkprozess, dessen Vollendung immer nur ein Sollen, aber kein Können sein kann.[36] Das heißt aber, dass bei jedem Erkenntnisversuch ein Rest bleibt, der die Sache wieder nicht ganz trifft. Dieser negative Rest ist es, der die Bedeutung der Totalität der ersten Lesart in ihr Gegenteil verkehrt. ›Geist‹ vereint nämlich einen absoluten, nicht einzuholenden blinden Fleck einerseits und die Begierde, blinde Flecken aufzudecken, andererseits. Damit ist ›Geist‹ kein Übersubjekt, das alle Vermittlung mit einem Strick verzurrt, sondern er sitzt immer mittendrin.

»Geist«, schreibt Gamm über Hegel, »ist das, was dazwischen ist, was dazwischentritt, die Mitte oder das Vermittelnde«,[37] aber nicht als mäßigender Ausgleich, auch nicht als kontrollierende Instanz – also gerade nicht als Polizei –, die den Zweck der Vermittlung sicherstellen soll. Vielmehr sei der Geist »das ›Mehr‹; er/es bildet das Supplement all unseres Denkens, Sprechens und Handelns«.[38] Ich verstehe Gamms Supplement im Sinne von Jacques Derrida. Das bedeutet, dass der Geist als Supplement zwei unterschiedliche Gesten in sich vereint: die der Addition und die der Ersetzung.[39] Auf erkenntnistheoretischem Feld würde Geist demnach immer dort hinzutreten, wo zum sicher Geglaubten neues Wissen hinzukommt – aber eben nicht so, dass das Neue von Außen ans Alte andockt, sich bedingungslos addiert, sondern so, dass das Neue alles Dagewesene in Frage

36 Vgl. ebd.

37 Vgl. Gamm: *Der deutsche Idealismus*, S. 114.

38 Ebd., S. 112.

39 Vgl. Derrida, Jacques: *Grammatologie*, übers. von Hans-Jörg Rheinberger und Hanns Zischler. Frankfurt/Main: Suhrkamp 1974 (1967), S. 250.

stellt, verschiebt und transformiert. Das heißt, dass Geist in diesem Sinne nicht nur auf das mögliche Mehr verweist – das Mehr des Wissens beispielsweise –, sondern auch gleichzeitig auf den Mangel[40] des Aktuellen. Das Aktuelle – als Wissen oder als Staat – ist immer mangelhaft, kann nicht zur Vollendung gelangen und strebt doch dorthin.

Dabei ist es Derrida selbst, der den Supplement- mit dem Vermittlungsbegriff verknüpft: Sofern ein Supplement das aktuell sicher Geglaubte verschiebt, und sich auch zu dieser Verschiebung immer wieder neue Supplemente einschieben,

> wird die Notwendigkeit einer unendlichen Verknüpfung sichtbar, die unaufhaltsam die supplementären Vermittlungen [médiations] vervielfältigt, die gerade den Sinn dessen stiften, was sie verschieben: die Vorspiegelung der Sache selbst [oder mit Hegel: des Dings an-sich], der unmittelbaren [immédiate] Präsenz, der ursprünglichen Wahrnehmung. Die Unmittelbarkeit ist abgeleitet. Alles beginnt durch das Vermittelnde [l'intermédiaire], also durch das, was »der Vernunft unbegreiflich« ist.[41]

Kein Unmittelbares wäre demnach als Echtes, Authentisches wahrzunehmen, sondern – und hierin zeigt sich die Nähe von Derrida zu Hegel – immer nur als dasjenige, welches abgeleitet ist, entstanden aus einer supplementären Verschiebung/Ersetzung. Unmittelbarkeit ist auch mit Derrida nur als vermittelte zu haben.

---

40 Ich verwende an dieser Stelle den Begriff des Mangels im umgangssprachlichen Sinn, als »etw., was an einer Sache nicht so ist, wie es sein sollte, was die Brauchbarkeit beeinträchtigt u. von jmdm. als unvollkommen, schlecht o.Ä. beanstandet wird«. *Duden*, S. 1153. An anderer Stelle werde ich mit Eva Sturm einen erweiterten Begriff des Mangels anführen. Vgl. Kap. 4.3 *Schließung und Öffnung: bedingte Kunstvermittlung.*

41 Derrida: *Grammatologie*, S. 272.

Das Supplement vermittelt also, ist das »Mittelding [*l'intermédiaire*] [...], die Mitte [*milieu*] und die Vermittlung, der Mittelbegriff [*le terme moyen*]« zwischen dem anwesenden unvollständigen Wissen und dem Ganzen, dem abwesenden vollständigen Wissen.[42] Das Ganze Hegels muss doppelt gelesen werden: als das aktuelle und vorhandene Ganze, das bei Näherem betrachtet eben nicht vollständig ist, und als das totale Ganze, das als bloße Potenz immer wieder auf die Mangelhaftigkeit des Aktuellen verweist. Insofern liest Gamm die Hegel'sche Rede vom Wahren als Ganzes als »Kritik der verfügenden Geste«.[43] Über das Ganze kann niemals total verfügt werden: Kein Begriff, keine Darstellung des Empirischen, kein Staat würde jemals das treffen, was ›Alles‹ meinen könnte; und doch dürfe sich das mangelhafte Aktuelle nie zufriedengeben. Die absolute Vermittlung dieser Lesart ist demnach eine offene, da in jedem Moment des Zeigens, Erklärens, Deutens das Supplement des Geistes dazwischentritt und den Möglichkeitsraum des Gezeigten, Erklärten, Gedeuteten öffnet. Absolute Vermittlung als offene ist dann ein permanenter Zersetzungsprozess, der gerade durch die Idee eines Ganzen in Gang gesetzt wird.

Die Bedeutung der nicht vorhandenen Außenseite des totalen Geistes, die oben als absoluter Zwang des einzelnen Subjekts gelesen wurde, verkehrt sich nun ebenfalls in ihr Gegenteil. Wenn es kein Außen des Geistes gibt, dann gibt es auch keine göttliche Beobachter*in mehr, auf die Wahrheit, Gerechtigkeit und absolutes Wissen geschoben werden könnte.[44] Da ist keine Trennung mehr zwischen Objekt- und

42 Ebd.

43 Gamm: *Der deutsche Idealismus*, S. 119.

44 Vgl. ebd., S. 117.

Metaebene, zwischen Form und Inhalt, wie es noch in der formalen Logik angezeigt ist. Alles ist mit allem kontaminiert. Es gibt nur noch eine Allgemeinheit an internen Beobachter*innen, die zirkulär wieder sich selbst und ihrer Unzulänglichkeit begegnen.

Ein Vorschlag: Vermittlung als reflexiv-unentschiedener Begriff

Was also tun, wenn im Folgenden von einer ›absoluten Vermittlung im Hegel'schen Sinn‹ die Rede sein soll? Muss sie als geschlossene oder als offene zu denken sein?

Sich für eine der beiden Lesarten zu entscheiden scheint nicht angezeigt. Einen mäßigenden dritten Vermittlungsbegriff zu generieren würde Hegels Text nicht gerecht, da sein Begriff zwischen einander scheinbar ausschließenden Möglichkeiten polarisiert: offen und geschlossen, Versöhnung und Zersetzung, Zwang und Kritik. Mein Vorschlag ist nun der, die Begriffssituation, die Hegel hier hinterlässt, als eine unentschiedene anzunehmen, *Vermittlung deshalb als unentschiedenen Begriff zu denken*.

Ich will meinen Vorschlag mit der Formulierung von Adorno plausibilisieren, die »Hegelsche Philosophie« stehe »auf des Messers Schneide«. (DSH 288) Hegel provoziere durch seine spezifische Rhetorik eine Lektüre, die nur Extreme zulasse und gleichzeitig die Entscheidung für das eine oder andere Extrem zum Risiko mache. Als würde jeweils nicht viel fehlen, und die Lektüre schlüge in ihr Gegenteil um. So stellt, mit Adorno, Hegels Vorliebe für Äquivokationen der Lektüre permanent Fallen: Gerade den Ausdruck der Unmittelbarkeit – und mit ihm korrelierend wohl auch jenen der Vermittlung – setze Hegel in derart unterschiedlichen und zuweilen sich widersprechenden Bedeutungen ein (vgl. DSH 346), dass in der Folge ganze Passagen »in der Schwebe« (DSH 327) gehalten würden. Adorno zufolge hat diese Schwebe aber Kalkül. Hegel habe vom Vermittelten, vom Prozesshaften, nicht-begrifflich Zugerichteten gesprochen und dies eben als Vermittlung, als Prozess, als nicht-begrifflich Zugerichtetes aussprechen wollen, sich aber gleichzeitig der Begriffe bedienen müssen. (Vgl. DSH 353) Die Folge einer solchen Textordnung bringt Thomas Rentsch auf den Punkt: »Hegel spricht nahezu eine reine Sinnsprache, keine Referenzsprache.«[45] Hegel sei nicht daraufhin zu lesen, was der Text bedeutet, sondern welche Verstehensweisen sich durch die jeweilige Lektüre herstellen.

Davon ausgehend müsste der von mir vorgeschlagene unentschiedene Vermittlungsbegriff im Moment der Anwendung Entscheidungen provozieren: Ich muss sagen, was ich mit Vermittlung meine, muss mir aber gleichzeitig der Kontingenz der Entscheidung bewusst sein, d.h. der Begriff der Vermittlung könnte genauso gut ins Gegenteil kippen. Insofern ist der Begriff, den ich vertrete, *reflexiv*-unentschieden, kein Raum der Beliebigkeit, sondern der begründeten Setzungen, die darum wissen, dass sie mit Mangel behaftet sind und dass sie auch als ihr Gegenteil möglich sind.

Entscheiden, nach welcher Seite der Vermittlungsbegriff ausschlägt, lässt sich also nur dann, wenn man ihn anwendet, wenn man etwas mit ihm macht. Was aber kann man mit einem reflexiv-unentschiedenen Begriff machen? Ein solcher Vermittlungsbegriff erlaubt es, misstrauisch zu sein, eine behauptete offene Vermittlung daraufhin zu befragen, ob sie nicht doch als geschlossene gedacht werden muss,

---

45 Rentsch: *Negativität*, S. 213.

und umgekehrt. Er erlaubt, so meine Überlegung, eine differenzsensible Lektüre.[46]

Wie kann das aussehen? Liest man z.B. Vermittlung, in der von Offenheit und Emanzipation die Rede ist, kritisch als geschlossene, liegt der Fokus darauf, ob nicht doch verdeckte Leitthesen am Werk sind, die das vermeintlich Offene zu einem geschlossenen Ganzen werden lassen. So lässt sich das, was Hegel Entwicklung, Erziehung, Bildung[47] nennt, mit Skepsis lesen. Bildung und Entwicklung wären dann keine Felder der Gesellschaft, die per se zu mehr Öffnung, Emanzipation und Teilhabe beitragen, sondern gleichzeitig polizeiliche Institutionen der Schließung. Beides, Bildung und Polizei, liest Hegel als Institutionen der Vermittlung.

Der umgekehrte Fall lässt sich ebenso bearbeiten, d.h. eine behauptete geschlossene Vermittlung als eine offene lesen. So werde ich im Folgenden an Hegels Vermittlungsbegriff selbst zeigen, dass dieser als *weißes* Wissen gelten muss, als Ausdruck für die Ambivalenz zwischen Universalisierung *weißer* Vorherrschaft einerseits und universaler Emanzipation andererseits.

Absolute Vermittlung im Aufklärungsdiskurs *weißer* Vorherrschaft

Der Staat erscheint bei Hegel als geschlossenes Ganzes, in dem die Bedürfnisse einzelner in einer Allgemeinheit versöhnt sind. Unversöhnlichen inneren Konflikten, die das Ganze gefährden könnten, beugt die Vermittlung der Polizei

46 Den Begriff ›differenzsensibel‹ entleihe ich mir von Michael Wimmer. Vgl. Wimmer: »Lehren und Bildung«, S. 25.

47 Vgl. Kap. 4.2 *Geschlossene Vermittlung: Harmonie und Zwang.*

vor. Nun sprach Hegel von der Möglichkeit des Scheiterns dieser polizeilichen Versöhnung; die Gesellschaft würde dann ›über sich hinausgetrieben‹. Als Mittel bliebe die Kolonisation, gleichsam als Versöhnung von außen, die zu einem erweiterten Innen wird. Nun scheint dieser »neue Boden« (PdR 196) in Hegels Text eine vollkommen konfliktfreie Zone zu sein, ein unbewohntes, brachliegendes Land. Von Vertreibung, Vernichtung und Versklavung oder überhaupt von Konflikten ist nicht die Rede. Zwischen sich gegenseitig anerkennenden Staaten macht Hegel dagegen sehr wohl mögliche Konflikt- und Vermittlungszonen aus.[48] (Vgl. PdR 270 f.) Das heißt, dass Hegel die sozialen Strukturen, die durch die europäischen Besatzer in der Hochzeit der Kolonisation, deren Zeitgenosse Hegel war, vernichtet wurden, nicht als Staaten anerkennt. Er benennt sie erst gar nicht, sondern verschiebt sie in einen toten Winkel, der mit der Formulierung »neue Böden« bedeckt wird.

Das Argument für die Nichtanerkennung nichteuropäischer Staaten zieht Hegel nicht aus fehlenden bzw. nicht markierten territorialen Grenzen, sondern aus der Behauptung mangelnder »allgemeine[r] Identität«:

> Bey einem nomadischen Volke z.B., überhaupt bey einem solchen, das auf einer niederen Stufe der Cultur steht, tritt sogar die Frage ein, in wiefern es als ein Staat betrachtet werden könne. Der religiöse Gesichtspunkt

48 Ich leihe mir hier die Nähe der Begriffe ›Vermittlung‹ und ›Konfliktzone‹ von Nora Sternfeld. Sie weist auf den Begriff der ›*contact (conflict) zone*‹ von James Clifford hin und begreift etwa Felder der Geschichtsvermittlung als »agonistische Kontaktzonen«, als Orte von »Offenheit, Reflexion und Dissens«. Sternfeld, Nora: *Kontaktzonen der Geschichtsvermittlung. Transnationales Lernen über den Holocaust in der postnazistischen Migrationsgesellschaft*. Wien: Zaglossus 2013, S. 61.

> (ehemals bey dem jüdischen Volke, den mohammedanischen Völkern) kann noch eine höhere Entgegensetzung enthalten, welche die allgemeine Identität, die zur Anerkennung gehört, nicht zuläßt. (PdR 269)

Spätestens hier bildet sich ab, dass Vermittlung, die für Hegel mit dem Konzept der Anerkennung verwoben ist, als eurozentrisches Konstrukt entworfen wird, das in sich zwar auf Absolutheit und Offenheit angelegt ist, das aber, sobald es auf ungleiche Verhältnisse im *globalen* Raum bezogen wird, Abgrenzungen eines europäischen Innen zu seinem konstruierten Außen bereithält. Vermittlung erscheint als das Privileg christlich geprägter Gesellschaften, denen Hegel eine »allgemeine Identität« zuschreibt.

Die These, dass die absolute Vermittlung Hegels so absolut nicht ist und demnach doch wieder Unmittelbarkeiten außer sich bedingt, lässt sich insbesondere an Hegels Äußerungen über Schwarze Menschen festigen:

> Der N.[49] stellt [...] den natürlichen Menschen in seiner ganzen Wildheit und Unbändigkeit dar; von aller Ehrfurcht und Sittlichkeit, von dem, was Gefühl heißt, muß man abstrahieren, wenn man ihn richtig auffassen will: es ist nichts an das Menschliche Anklingende in diesem Charakter zu finden.[50]

49 Zur Nicht-Ausschreibung des N-Wortes wegen dessen eindeutig despektierlicher Wirkung vgl. AntiDiskriminierungsBüro Köln/Öffentlichkeit gegen Gewalt e.V. (Hg.): *Leitfaden für einen rassismuskritischen Sprachgebrauch. Handreichung für Journalist_innen.* Köln: 2013; online unter http://critical-walks.net/wp-content/uploads/2017/02/Leitfaden_PDF_2014.pdf (abgerufen am 23.9.2019), bes. S. 21 f.

50 Hegel, Georg Wilhelm Friedrich: *Vorlesungen über die Philosophie der Geschichte*, hrsg. von Eva Moldenhauer und Karl Markus Michel. Hamburg: Felix Meiner 1970 (1823 ff.), S. 122.

Damit bereitet Hegel, »der Philosoph der Vernunft und des absoluten Rechts eines jeden Menschen auf Rechte«,[51] so Micha Brumlik, den Boden für ein *weißes* epistemisches Instrumentarium, das es erlaubt, Freiheit als Menschenrecht zu proklamieren und gleichzeitig den Versklavungshandel und die Ausbeutung der Kolonien seiner Zeit zu legitimieren. Denn Menschenrechte absolut zu setzen bedeutet, kein Außerhalb des Rechts auf Freiheit und Würde anzunehmen. Gerade mit Hegels Konzeption von ›absolut‹ heißt das auch, dass es keiner zentralen Instanz zukommen darf zu behaupten, wer genau damit gemeint sei, mit ›absolut alle‹.[52] Indem er aber Schwarzen Menschen Afrikas das Menschsein abspricht, finden auch die Schlüsselkonzepte Hegels – Anerkennung und Vermittlung – keine Anwendung.

Vermittlung, als permanenter Kampf um Anerkennung und als gesamtgesellschaftliche Reflexion dessen, was einer Gesellschaft als Ideal und als Freiheit gilt, wird hier, genauso wie die Freiheit selbst, zu einem *weißen* Privileg. Die durch den europäischen Kolonialismus ausgebeuteten Subjekte erfahren so die Unmittelbarkeit direkter Herrschaft:[53] »Der einzige wesentliche Zusammenhang«, so ist in Hegels Vorlesungen weiter zu lesen, »den die N. mit den Europäern gehabt haben und noch haben, ist der der Sklaverei.«[54]

Mit dieser Ausformung rassistischen Wissens sind die Schriften Hegels kein Sonderfall der Philosophiegeschichte; sie kennzeichnen den Diskurs der europäischen

---

51 Brumlik: »Normative Grundlagen der Rassismuskritik«, S. 24.

52 Vgl. Kap. 4.1 *Dritte Stellung*.

53 Zum Verständnis von ›Unmittelbarkeit‹ als direkte Herrschaftsausübung vgl. Kap. 3.2 *Vermittlung bei Kant*.

54 Hegel: *Vorlesungen*, S. 128.

Aufklärung.[55] So schreibt die Philosophin und Soziologin Susan Buck-Morss:

> Dieselben Philosophen, die die Freiheit als den natürlichen Zustand des Menschen betrachteten und sie zu einem unveräußerlichen Menschenrecht erklärten, akzeptierten die millionenfache Ausbeutung der Sklavenarbeiter in den Kolonien als Teil der gegebenen Weltordnung.[56]

Die Schließung absoluter Vermittlung wird damit weitergetrieben, markiert als dezidiert christlich-*weißes* Privileg.

Was aber hätte es in diesem Kontext bedeutet, wenn Hegels Texte Formen der Anerkennung über die Traditionen eurozentrischer Wissenstradition hinaus ermöglicht hätten? Es hätte mindestens die Idee einer »allgemeinen Identität« als Voraussetzung staatlicher Anerkennung infrage gestellt. Es hätte offene Stellen zugelassen, die die schließende eurozentrische Idee eines Staates infrage gestellt und zersetzt hätten. Die behauptete geschlossene Vermittlung wird hier nur so eine geschlossene, wie ihre eigenen Konfliktzonen, die sie öffnen würden, in einen toten Winkel verschoben werden.

55 Vgl. hierzu Broeck: Art. »Aufklärung«. Vgl. im Besonderen zur Kreation der Figur des ›Negers‹ in der Philosophie der Aufklärung durch Immanuel Kant: Mbembe, Achille: *Kritik der schwarzen Vernunft*, übers. von Michael Bischof. Berlin: Suhrkamp 2014 (2013). Zudem ist bemerkenswert, dass Kant einen Schwarzen Philosophen der frühen Aufklärung, Anton Wilhelm Amo, in keiner seiner Schriften oder Briefen erwähnt, obwohl dieser ebenfalls Professuren in Preußen innehatte. Vgl. Ette, Ottmar: *Anton Wilhelm Amo. Philosophieren ohne festen Wohnsitz. Eine Philosophie der Aufklärung zwischen Europa und Afrika*. Berlin: Kadmos 2014. Ich danke Carmen Mörsch für diesen Hinweis. Vgl. hierzu auch Sternfeld, Nora: »Wem gehört der Universalismus?«. In: *Transversal*, Nr. 6 (2007); online unter eipcp.net/transversal/0607/sternfeld/de (abgerufen am 1.7.2019).

56 Buck-Morss, Susan: *Hegel und Haiti*, übers. von Laurent Faasch-Ibrahim. Frankfurt/Main: Suhrkamp 2011 (2009), S. 41.

Die Nichtanerkennung der sozialen Ordnungen Afrikas und ihrer kolonisierten Subjekte kulminiert in deren Ausschluss von der Weltgeschichte, als der Entwicklung der Ideen- und Kulturgeschichte der Menschheit nicht zugehörig. Diesem rassisierenden Ausschluss in den späten Vorlesungen Hegels setzt Susan Buck-Morss in ihrem Essay *Hegel und Haiti* eine – durchaus umstrittene – Interpretation der *Phänomenologie* des jüngeren Hegels entgegen. Nach dieser wäre sei genau umgekehrt ein historisches Schlüsselereignis Schwarzer Emanzipation, nämlich die Revolution Haitis, zum »Dreh- und Angelpunkt seiner Argumentation in der *Phänomenologie des Geistes*« geworden.[57] Buck-Morss weist nach, dass Hegel vom Aufstand der Sklavenarbeiter*innen in Haiti von 1791 und deren anschließender Unabhängigkeitserklärung von 1804 detaillierte Kenntnis gehabt haben muss, und stellt die Frage, ob es nicht genau dieses historische Ereignis gewesen sein könnte, das ihn zur Formulierung des zentralen Kapitels der *Phänomenologie* über ›Herrschaft und Knechtschaft‹[58] bewogen habe. Sie fragt, warum sich Hegel angesichts des kolonialen Unrechts »weiterhin in die Aristoteles-Lektüre vertieft« haben sollte,[59] denn:

> Der reale und folgenreiche Aufstand der Sklaven in der Karibik gegen ihre Herren war der Augenblick, in dem die dialektische Logik der Anerkennung als Thema der Weltgeschichte sichtbar wurde, als Moment in der Geschichte der universellen Verwirklichung der Freiheit.[60]

Hätte Hegel sich tatsächlich in zentralen Gedanken der *Phänomenologie* auf den Aufstand und die Unabhängigkeit

57 Buck-Morss: *Hegel und Haiti*, S. 89, Herv. i.O.

58 Hegel: *Phänomenologie*, S. 109–116.

59 Buck-Morss: *Hegel und Haiti*, S. 88.

60 Ebd., S. 89.

Schwarzer Sklavenarbeiter*innen gegen ihre *weißen* Ausbeuter*innen bezogen, wäre er also »zutiefst modern«[61] gewesen – was folgte daraus?

Da Hegel das Ereignis nicht namentlich benennt, müsse »massive, grundsätzliche Kritik an jeder Form eurozentrischer Universalgeschichte« geleistet werden,[62] weil damit nichteuropäisches Wissen anonymisiert und verschleiert werde. So würden auch aktuell amerikanische und französische Revolutionen als große Emanzipationserzählungen der Menschheitsgeschichte aufgeführt; »aber ausgerechnet jene Revolution [in Haiti], in der sich die Unterdrücktesten der Unterdrückten unter Berufung auf die Menschenrechte erhoben haben«,[63] werde nach wie vor in den Geschichten der Aufklärung entnannt. Die Geschlossenheit eurozentrischer Perspektiven müsse sich demnach öffnen und so auch zersetzen lassen, weil sie gerade keine einheitliche »allgemeine Identität« – die auch über den Diskurs der Aufklärung hergestellt wird – für sich verbuchen könne.

Die Folge eines solchen Bezugs müsse außerdem sein, so Buck-Morss weiter, »im Geiste der Dialektik den Spieß um[zu]drehen«, und die Revolutionäre in Haiti als beteiligte Akteur*innen »bei der Konstruktion Europas« zu begreifen.[64] Damit muss nicht nur die scheinbare Einheitlichkeit und Kausalität der geschriebenen Geschichte hinterfragt werden; es wird ein Perspektivwechsel sinnfällig, der Ereignisse aus der vermeintlichen Peripherie ins Zentrum rückt.[65]

61 Ebd., S. 88.

62 Brumlik: »Normative Grundlagen der Rassismuskritik«, S. 29.

63 Ebd.

64 Buck-Morss: *Hegel und Haiti*, S. 110.

65 Kritisch zu Buck-Morss, dies ausgerechnet im mutmaßlichen Bezug von Hegel auf Haitis Revolution durchzuführen, äußert sich

Angesichts der von Buck-Morss aufgemachten Diskrepanz zwischen seinen früheren und späteren Schriften kann mindestens der Schluss gezogen werden, dass Hegel gegen sich selbst gelesen werden kann und muss. Vergleicht man diese Texte, zeigt sich die Ambivalenz der Vermittlungskonzeption. Im Kontext der Kolonialgeschichte bedeutet das, Hegels Vermittlung, die sich in den frühen Schriften noch als offene zeigt, als geschlossene zu lesen, weil sie sich auf ein dezidiert *weißes* Privileg bezieht. Es kann aber ebenso bedeuten, jene Textstellen Hegels, die augenscheinlich durch Eindeutigkeit gekennzeichnet sind, wie etwa die Äußerungen über Afrika, zu öffnen, indem sie der zersetzenden Wirkung von Vermittlung unterzogen werden, die den *weiß*-christlich-europäischen Standpunkt kritisiert und diesem den vermeintlich sicheren Boden westlicher Wissenstraditionen entzieht. Ein Begriff geschlossener Vermittlung müsste kontrastiert werden durch einen offenen Begriff, der Schließungen – hier durch eurozentrische Perspektivierungen – kritisiert und zersetzt. Reflexiv-unentschiedene Vermittlung stellt die Eindeutigkeit aller beteiligten Positionierungen in Frage, indem sie sich als ambivalenter wie unabschließbarer Prozess der Verhandlung von Wissen begreift.

Von hier aus, von einer kritischen Würdigung der Vermittlungsphilosophie Hegels, will ich wieder in eine Anwendung auf Theorien der Kunstvermittlung einsteigen.

Brumlik. Vgl. Brumlik: »Normative Grundlagen der Rassismuskritik«, bes. S. 30, vgl. auch Broeck: Art. »Aufklärung«. Sabine Broeck fragt, warum Hegel überhaupt noch zentral als Referenz für Diskurse der Aufklärung gelten sollte, auch dann, wenn dessen Schreiben von Schwarzen Akteur*innen inspiriert gewesen sei: »Warum gründen wir unsere eigene Geschichte der Aufklärung auf Hegel und nicht auch auf ein im frühen 18. Jahrhundert schon sehr deutlich artikuliertes *counter-narrative* z.B. schwarzer Abolitionist_innen in den Kolonien. Warum auf Hegel und nicht auf Haiti?« Ebd., S. 239.

4.3. Schließung und Öffnung: bedingte Kunstvermittlung

> Mit diesem realen Abstand, aus dem der Zeigegestus lebt, kann man als Vermittler/Sprecher unterschiedlich umgehen. Ein Schneider-Sprecher verdeckt ihn bzw. rechnet mit der Zielgerade und Treffsicherheit. Ein anderer benutzt ihn als Raum, in dem sich etwas auftut, zeigt, nicht kontrollieren lässt. (IE 238)

Eva Sturm benennt hier zwei unterschiedliche Möglichkeiten von Kunstvermittlung, die sich entgegenzustehen scheinen: Die eine schließt, die andere öffnet.

Einmal agiert ein »Schneider-Sprecher«, spricht über ein Kunstwerk zu einem Publikum und zwar so, dass jedes Wort trifft. Das Gesagte scheint mit dem übereinzustimmen, was zu sehen ist, nämlich dem Kunstwerk, einem mit sich selbst identischen Ding, das mit widerspruchsfreier Rede benannt wird. Hilfreiches Werkzeug hierfür ist der ausgestreckte Zeigefinger, untermalt mit den Worten »Und hier sehen Sie…«, der das Werk in seinem So-Sein zu belassen scheint und gleichzeitig die Rede an das Werk heftet, mit dem Werk vernäht. (IE 237) Durch das Zeigen bilden Rede und Werk eine geschlossene, selbstevidente Beweisführung. (Vgl. IE 241)

Und einmal spricht ein »anderer«, eine andere Vermittler*in, bei dem die Rede immer etwas neben dem Werk steht, offensichtlich mangelhaft[66] ist, also eben nicht ganz trifft. Mit dem Mangel wird etwas möglich, wenn die Rede

---

66 Von der poststrukturalen Psychoanalyse Jacques Lacans ausgehend entwickelt Sturm ihren Begriff des Mangels. Sie geht vom »Anspruch« aus, die diskursiven Wucherungen um ein Kunstwerk kontrollieren zu können. Gleichzeitig bleibt »aber trotz aller Bemühungen immer etwas offen und immer etwas unsymbolisierbar, nicht übersetzbar«. Sturm: »Woher kommen die Kunst-VermittlerInnen?«, S. 205.

der Kunstvermittler*in danebengeht, sich aber fürs Publikum als anschlussfähig, als diskutabel erweist. Die Unterscheidung, die sich zwischen den beiden Reden auftut, lässt sich an Hegels Begriff ›bedingte Vermittlung‹, am Übergang von der ersten zur zweiten Stellung des Gedankens zur Objektivität diskutieren.

Dafür überzeichne ich die Situation von oben noch etwas.[67] Eine ›Schneider-Kunstvermittler*in‹ zeigt auf ein Kunstwerk und beginnt es zu erklären. Der Sinn scheint abgeschlossen, die Wissbegier des Publikums wäre, mit Hegel formuliert, »in solchem als der Wahrheit befriedigt«.[68] Das Wissen erscheint als unmittelbar. Das Kunstwerk wäre unveränderlich, mit sich identisch, ließe sich also exakt bestimmen und benennen. Gäbe es widersprechende Reden dazu, müsste, gemäß dem Satz vom verbotenen Widerspruch, die eine falsch und die andere richtig sein. Dies wäre die ›erste Stellung zum Kunstwerk‹.

Mit Hegel (und auch mit Kant und Fichte) wäre es aber widersinnig, hier überhaupt von (Kunst-)*Vermittlung* zu sprechen, weil diese nicht ab-geschlossen sein kann – Vermittlung schiebt Lösungen permanent auf, hält Konflikte wach, spricht für das Werden, nicht das Sein. Stattdessen ist hier, wie Sturm schreibt, der »Mythos der Unmittelbarkeit« am Werk,[69] der Glaube daran, Kunst könne in einem Modus des

---

67 Ich treibe also die Binarität zwischen den beiden Vermittler*innen, die Sturm eingeführt hat, weiter, treibe sie an einen Punkt, der von Sturm so wohl nicht intendiert war, um dann an anderer Stelle die Entweder/Oder-Logik zwischen den beiden Vermittler*innen zu unterlaufen. Vgl. Kap. 4.4 *Unentschiedene Kunstvermittlung der Reflexion.*

68 E, S. 69 f. Hier in Kap. 4.1 *Erste Stellung: unmittelbare Erfahrung.*

69 IE, S. 240. Später wird Sturm, von Gilles Deleuze ausgehend, dagegen einen anderen Begriff von Unmittelbarkeit pflegen und radikal umwerten. Vgl. Kap. 5.4 *Neue Unmittelbarkeiten in der Kunstvermittlung.*

An-sich-Seins wahrgenommen werden. Der Glaube an die Unmittelbarkeit – der Hegels erste Stellung markiert – verkennt dabei, dass jedes Wahrnehmen, jedes Zeigen, jedes Benennen von Kunst eine Beziehung und damit bereits vermittelt ist. Von dieser begriffshistorischen Warte aus muss müsste also der widersprüchliche Schluss gezogen werden, dass die Schneider-Kunstvermittler*in sich dagegen wehrt, Vermittlung zu betreiben, sich stattdessen an der *un*-mittelbaren Weitergabe eines *un*-mittelbaren Sinns versucht, und so »von der glatten *Über*mittelbarkeit von Informationen und Wissen träumt«.[70] Dabei hat der Mythos der Unmittelbarkeit im Kunstkontext eine lange Tradition.[71]

Unvermittelt unmittelbare Kunstvermittlung ist demnach nicht möglich, beide Kunstvermittler*innen entkommen dem Modus des Vermittelns nicht.[72] Der Unterschied zwischen den beiden Möglichkeiten des Vermittelns besteht darin, dass die eine die vermittelnden Abstände zwischen Rede und Ding »vergessen, sie verkleben, kitten oder sie negieren« will und dabei Unmittelbarkeit suggeriert. (IE 100) Die andere öffnet Raum dadurch, dass sie »Lücken redet« (IE 241), dass sie als Vermittler*in dort hindernd dazwischentritt,[73] wo sich Sinn allzu glatt herzustellen scheint.

Vermittlung scheint also im Gang zu sein, noch bevor das Spiel mit dem Publikum beginnt. Schon die Beziehung zwischen Kunstwerk und Kunstvermittler*in ist, in Anschluss an Hegel, eine vermittelte. Eine solche Zweierbeziehung ist

70 Sturm: »Kunstvermittlung und Widerstand«, S. 94, meine Herv.

71 Vgl. Kap. 3.3 *Unmittelbare Einheit zwischen Kunst und Publikum?*

72 Vgl. hierzu auch Henschel, Alexander: »Der – unmögliche – Wunsch nach unmittelbarer Vermittlung«. In: Mörsch et al. (Hg.): *Kunstvermittlung 2*, S. 159–168.

73 Vgl. Kap. 2.1 *Die Vorsilbe ›ver-‹ und ihr »übler Nebensinn«.*

aber, und in diesem Punkt scheinen auch noch so heterogene Ansätze übereinzustimmen, noch nicht dasjenige Verhältnis, das ›Kunstvermittlung‹ genannt wird. Es braucht dazu die Öffnung eines »kommunikativen Raum[s]«, in dem das, was angesichts von Kunst geschieht, mit anderen geteilt wird. (Vgl. VKa 89) Aber schon eine Bühnensituation, eine vor-geführte Zweierbeziehung zwischen Kunstvermittler*in und Kunstwerk, ist ein solcher Raum, in dem ein vermitteltes Verhältnis zu Kunst vor-gespielt wird, gleichsam als »Theater der Vermittlung«. (VKa 145) ›Kommunikativer Raum‹ heißt erst mal nur, dass eine Situation als kommunikatives Angebot gelesen werden kann. Wenn also im Folgenden von einer vermittelten Zweierbeziehung zwischen Kunstvermittler*in und Kunstwerk die Rede ist, involviert das im Sinne von ›Kunstvermittlung‹ weitere Beteiligte: an- oder abwesend, involviert oder nicht, ein- oder ausgeladen.

Um weiter an die bedingte Vermittlung Hegels anknüpfen zu können – also die ›zweite Stellung zum Kunstwerk‹ auszuführen – gilt es, die Relata der Zweierbeziehung zwischen Kunstwerk und Kunstvermittler*in, oder besser: zwischen Kunstwerk und einem ebendieses Kunstwerk rezipierenden Subjekt, näher zu betrachten. Zu skizzieren ist zunächst, was ›Kunstwerk‹ und ›Subjekt‹ im Anschluss an Eva Sturm heißen kann.

Kunstwerk – vom Subjekt betrachtet

Ob als ›Kunstwerk‹ oder als ›künstlerische Arbeit‹ – beides meint zunächst einen Anfang, an dem »Kunst von jemanden gemacht, auf die Welt gebracht [wird] – in welcher Form auch immer«. (VKa 43) Es bildet sich dann, so Sturm in Bezug auf Gilles Deleuze, ein Territorium, ein markierter

Raum – fixiert oder performativ –, der die Arbeit/das Werk umgibt, es markiert. (Vgl. VKa 43) Zu Kunst wird dieses Gebilde aber erst, wenn die Ordnung des Territoriums durchbrochen wird, »wenn eine Deterritorialisierungslinie sich bildet« (VKa 57), eine Linie, die jemanden »trifft«.[74] Es ist ein Treffer, bei dem jemandem »etwas zustößt, auf das man nicht vorbereitet war und das zum Denken zwingt«. (VKa 63) Daraus lässt sich zweierlei ableiten: Zum einen, »dass die jeweilige künstlerische Arbeit zwar in irgendeiner Form da ist und man dieser – als Körper – gegenübertreten kann«. (VKa 85) Zum anderen wird es erst zu Kunst, wenn sich bei einer Begegnung eine Wirkung zeigt, wenn etwas von Kunst ausgeht. »Rezeption ist so gesehen nichts anderes als eine raum-zeitliche Erweiterung der jeweiligen künstlerischen Arbeit (eines *Werkes*), eine Fortsetzung an anderer Stelle, ein Zustand.« (VKa 66, Herv. i.O.) Ein Kunstwerk *ist* also nicht, sondern, um hier einen Hegel'schen Begriff zu gebrauchen, es *wird*, und zwar in dem Moment, in dem es fortgesetzt wird, mit jeder Rezeption jedes Mal anders. Der Raum und das Territorium mögen zwar schon da sein; sie geraten aber immer auf eine andere Weise ins Wanken. Wenn also, differenztheoretisch verstanden, der Begriff ›Kunstwerk‹ nicht in die ontologische Kategorie des Seins passen will, sondern sich immer erst im Werden und immer anders vollzieht, kann es kein mit sich identisches Kunstwerk geben. Über das Kunstwerk A lässt sich durchaus sprechen, aber nicht im Sinne von A=A, weil sich im Moment der Rede des Zeigens und Rezipierens A schon zu A' verschoben hat. Wird aber die Kluft, die sich hier in

74 Sturm, Eva: *Vom Schießen und Getroffen-Werden. Kunstpädagogik und Kunstvermittlung »Von Kunst aus«*. Hamburg: University Press 2005, S. 16.

jeder Rede über Kunst bildet, gekittet, kann es keine Deterritorialisierungslinien geben, die das Werk verschieben und so fortsetzen könnten. Das würde bedeuten, dass »die Kunst *abgeschlossen*, also vorbei ist«. (VKa 28, meine Herv.)

Subjekt – Kunst betrachtend

Von differenztheoretischer Warte aus ist auch ›Subjekt‹ keine Kategorie, die auf eine geschlossene Identität verweisen könnte. Auch das Subjekt *ist* nicht. »Man ist nicht in der Welt, man wird mit der Welt, man *wird* in ihrer Betrachtung«,[75] zitiert Sturm Gilles Deleuze und Félix Guattari. Auch Fichte hat angenommen, dass kein Ich sich ohne die ›Betrachtung der Welt‹ selbst setzen kann. Aber im Gegensatz zu seiner idealistischen These – nach der die Identität am Ende wieder aufgeht, nämlich wenn das souveräne Subjekt erkennt, dass »alle Wirklichkeit zur Tat des Ich«[76] wird – muss bei einem differenztheoretisch verstandenen Subjektbegriff der Schluss gezogen werden, dass Identität eben nicht ganz aufgehen kann. Es bleibt immer ein Rest, eine Verschiebung zwischen Ich und Ich, weil sich Ich zur Welt immer anders verhält, wie auch die Welt zu mir unterschiedlichste, widersprüchliche Verhältnisse kennt. Dabei lasse sich aus einer theoriehistorischen Perspektive differenziert nachweisen, so Sturm,

> wie das Subjekt keineswegs autonom, selbstbestimmt, immer schon vernunftgeleitet und männlich ist, sondern, aus Machtkonstellationen hervorgehend, nicht eines,

75 Deleuze, Gilles/Guattari Félix: *Was ist Philosophie?*, übers. von Joseph Vogl. Frankfurt/Main: Suhrkamp 2000 (1991), S. 199, Herv. Eva Sturm. Zit. in VKa, S. 85.

76 Ludwig: *Hegel für Anfänger*, S. 20. Hier in Kap. 3.2 *Unmittelbarkeit bei Fichte*.

> sondern ein Gespaltenes, Disloziertes, sich selbst immer radikal Anderes ist. Der bewusstseinsphilosophische Subjektbegriff ist endgültig dekonstruiert.[77]

Zu einem Subjekt werden hieße also, sich im Umgang mit der Welt, in ihrer Betrachtung, auf dem schwankenden Boden seiner eigenen Nichtidentität zu bewegen. Wie lässt sich aber angesichts dieser These die eigene Auflösung in unzählige Einzelteile verhindern? »Frau/man«, schlägt Sturm vor, »wende sich an Kunst.« (VKa 274) Kunst führe vor, wie es gehen könne – nicht zu sein, sondern permanent zu werden, im Mit-Sein mit anderen.[78] Sie führe vor, wie sich leben lasse mit dem permanenten Aufbau von Territorien, die stets umgedeutet, umfunktionalisiert und neu geordnet werden. So ist kunstspezifische Rezeption mit Sturm eine, die »zum Denken zwingt« (VKa 63), und damit auch zur Auflösung alter und zum Aufbau neuer Ordnungen.

Bedingte Kunstvermittlung der Differenz – von Hegel aus

Von hier aus, von der Formulierung eines nicht-identischen Kunstwerks und eines nicht-identischen Subjekts, ist jenes Wechselspiel nicht mehr weit, das Ausgangspunkt für einen differenztheoretisch verstandenen Kunstvermittlungsbegriff sein könnte. ›Wechselspiel‹ heißt zunächst: Kunstwerk und Subjekt geraten so aneinander, dass beide sich selbst nicht mehr gleich sind. Beide *sind* nicht, sondern *werden*, und zwar in Bezug auf das jeweils andere. Etwas über Kunst erfahren würde also bedeuten, etwas über mich selbst zu

77 Sturm: »Kunstvermittlung als Dekonstruktion«, S. 27.

78 Zum Begriff des Mit-Seins, den Sturm sich von Martin Heidegger entleiht, vgl. VKa, S, 38.

erfahren, im gleichzeitigen Wissen, dass weder das eine noch das andere ganz aufgehen kann. Ebendiesen Vorgang, das Sich-selbst-Fremdwerden mit Kunst, mit dem Begriff der Vermittlung zu markieren, schlägt Pierangelo Maset vor:

> Es geht beim Vermitteln also darum, mit einem Gegenstand etwas hervorzubringen, das uns selbst fremd ist, und mit dem wir uns die Gewissheit darüber verschaffen können, dass wir es nicht restlos verstehen.[79]

Dieser Vermittlungsbegriff steht aber in krassem Gegensatz zu harmonistischen Sprachspielen, in denen nicht von Differenzen, Resten und Mängeln, sondern von Synthesen die Rede ist. In Abgrenzung zu diesen Sprachspielen fordert Sturm eine »Umdeutung des Vermittlungsbegriffs in Richtung *Differenz*«. (VKa 187) Denn ›Synthese‹ und ›Identität‹ implizieren, dass etwas, etwa beim Kunsterklären, aufgeht. Das wäre aber ebenjener Moment, in dem Kunst abgeschlossen, also vorbei wäre. Doch nicht nur ein nicht-identischer Kunstbegriff, sondern auch die Annahme eines nicht-identischen Subjekts müsse erhebliche Folgen für Vermittlung haben und, so Sturm, einen anderen Begriff notwendig machen.[80] Eine andere, eine »Kunstvermittlung der Differenz« müsse sich dabei zwei Fragen gefallen lassen, nämlich

> die Frage, ob die jeweils stattfindenden Situationen erstens etwas zu erzeugen vermögen, das nicht in einer Synthese aufgeht, sondern etwas übrig lässt, das in Unruhe zu versetzen vermag; und ob zweitens etwas erzeugt wird, das nicht vorhersehbare Handlungsräume vorbildhaft öffnend realisiert. (VKa 256)

---

79 Maset, Pierangelo: »Ästhetische Operationen«. In: ders. (Hg.): *Praxis Kunst Pädagogik. Ästhetische Operationen in der Kunstvermittlung*, Lüneburg 2001, S. 12–34, hier S. 13.

80 Sturm: »Kunstvermittlung als Dekonstruktion«, S. 27.

Hier wird eine enorme begriffliche Spannung aufgebaut. Auf der einen Seite wird Vermittlung mit Synthese und Versöhnung in Beziehung gebracht. Auf der anderen Seite soll derselbe Begriff für das Gegenteil stehen, soll umgedeutet werden »in Richtung Differenz«. Begriffsgeschichtlich betrachtet stellt diese Spannung eine *Kontinuität* des Vermittlungsbegriffs dar, die heute verdeckt ist. Der Begriffskonflikt bildet sich etwa in Fichtes Unternehmen ab, ›Vermitteln‹ als unmögliche Handlung herauszustellen; als Handlung, die einerseits spannungslose Versöhnung suggeriert, andererseits Konflikte nur aufzuschieben, nicht aber zu lösen vermag.[81] Die Umdeutung, die Sturm hier einfordert, lässt sich also als diskursive Kontinuität lesen, allerdings mit der Wendung, dass es Sturm gar nicht darum geht, was Vermittlung ohnehin nicht leisten kann: spannungslose Synthese.

Auch mit Hegel lässt sich hier anschließen. Er arbeitet sich von Anfang an am Begriff der Vermittlung als *Differenzbegriff* ab. Die Vermittlung zwischen zwei Seiten kennt bei Hegel weder eine widerspruchslose Synthese noch eindeutige Seiten. Wenn Sturm schreibt, dass »das eine im anderen erst zur Welt kommt« und umgekehrt, dann trifft das ziemlich genau das, was Hegel mit der »Vermittlung der Gegensätze in sich« meint.[82] Beide Seiten durchdringen einander, keine kann ohne die andere, beide sind sich in diesem Prozess selbst nicht mehr gleich. Sie *sind* nicht, sie *werden* durch und mit dem Anderen. Ein bodenloser Prozess, in dem auf kein sicheres Sein mehr verwiesen, sondern immer nur an

81 Vgl. Kap. 3 *Unmittelbarkeit bei Fichte*.

82 Knoll/Ritsert: *Das Prinzip der Dialektik*, S. 63. Hier in Kap. 4.1 *Zweite Stellung: bedingte Vermittlung und Dezentrierung des Subjekts*.

Differenzen angeschlossen werden kann, an die wieder Differenzen anschließen.

Mit Hegel gedacht stellt sich das Problem einer differenztheoretisch verstandenen Kunstvermittlung also nicht so, dass die Annahme eines nicht-identischen Kunstwerks und eines nicht-identischen Subjekts einen anderen Vermittlungsbegriff erforderte. Stattdessen erfordert der Begriff der Vermittlung die Annahme eines nicht-identischen Kunstwerks und eines nicht-identischen Subjekts.

Diese begriffsgeschichtliche Pointe mag nicht zuletzt dadurch verdeckt geblieben sein, dass es Hegel nicht bei der bedingten Vermittlung belässt, sondern die absolute Vermittlung folgen lässt, in der alle (!) Vermittlungen wieder aufgehoben sind. Die dritte Stellung des Gedankens zur Objektivität konstituiert ein absolutes Ganzes, das als Vermitteltes und Unmittelbares zugleich angelegt ist, das dezidiert die Frage nach einem *gesellschaftlichen* Ganzen stellt.[83]

Hat sich nun oben die Frage nach meinem Vorschlag, Kunstvermittlung als zwischen Öffnung und Schließung reflexiv-unentschiedenen Begriff zu setzen, noch nicht gestellt, dann deshalb, weil die bedingte Vermittlung Hegels per se als offene zu denken ist. Sie ist, mit Türcke, ›bodenlos‹. Die erwähnte Schneider-Vermittler*in schließt also nur insofern, wie sie versucht, Vermittlung durch scheinbar Unmittelbares zu überspielen. Oder sie schließt etwas ab und bringt damit Kunst selbst zu einem Ende.

Mit dem Absoluten kommt nun eine Dimension ins Spiel, an der sich die Geister der Hegel-Interpret*innen scheiden. Schreibt die absolute Vermittlung die differenztheoretische Idee eines radikal Offenen des Vermittelns fort, oder

83 Vgl. Kap. 4.1 *Dritte Stellung*.

wird alles, was als different angelegt erscheint, durch ein übermächtiges Ganzes wieder eingeholt und vereinheitlicht? Genau darum geht es beim unentschiedenen Vermittlungsbegriff: Kunstvermittlung von beiden Seiten aus zu befragen und jeweils zu sehen, was ans Licht kommt. Zu fragen ist also zunächst, was das sein könnte: das absolute ›Ganze‹.

4.4. Schließung und Öffnung: absolute Kunstvermittlung

Aus der Perspektive bedingter Vermittlung stellt Kunstvermittlung immer wieder Differenzen her: Differenz zwischen diesen und jenen Reden über Kunst bspw., aber auch Differenzen des Subjekts und Objekts der Vermittlung zu sich selbst. Aus der Perspektive *absoluter* Vermittlung aber müsste Kunstvermittlung auf ein Ganzes verweisen, müsste sich auf Kunst als Ganzes beziehen. In diesem Sinne will ich im Folgenden versuchen, Hegels Begriff absoluter Vermittlung auf das Feld der Kunst und Kunstvermittlung anzuwenden.

Andreas Arndt schreibt in Bezug auf Hegel, dass jede bedingte Vermittlung, im Sinne von Differenz, »nur als die Selbstunterscheidung einer Einheit gedacht wird, die darum zugleich das immanente [Ziel] aller Vermittlungen darstellt«.[84] Das bedeutet, dass die Kunstvermittlung einer konkreten Situation, gedacht als bedingte Vermittlung, vom Ziel eines Ganzen beseelt wäre, dass sich also, wie Karin Schneider schreibt, die »*Mikrosequenz* einer konkreten Vermittlungsaktion« auf ein ihr eingeschriebenes Ziel hin

84 U, S. 25. Hier in Kap. 4.2 *Geschlossene Vermittlung.*

untersuchen lässt.[85] Mit Hegel verweist die Mikroperspektive jeder bedingten Vermittlung auf die Makroperspektive der absoluten Vermittlung. Jede konkrete Kunstvermittlungsaktion ist Selbstrepräsentation des Ganzen.[86]

Kunst als in sich geschlossenes Ganzes zu begreifen wäre etwa im Sinne eines spezifischen Kommunikationsgefüges möglich, das sich von anderen Gefügen unterscheiden muss. Sofern Gesellschaft gleichfalls als Raum von Kommunikation betrachtet wird, ist Kunst durchaus als Teil von Gesellschaft zu begreifen, muss dieser aber – um einer These Adornos vorzugreifen[87] – gleichzeitig entgegenstehen, muss, so Pierangelo Maset, beharren auf den »Eigensinn der Kunst«.[88] Kunst muss sich nach diesem Verständnis konstitutiv von Wissenschaft, Management und anderen gesellschaftlichen Sinnzusammenhängen unterscheiden.[89] Dabei ist das Ganze der Kunst nicht nur ein sinnhaftes, sondern gleichzeitig ein soziales in dem Sinn, als hier die Frage gestellt wird, wer eigentlich dabei ist und wer nicht.

Kunstvermittlung habe aus der Perspektive eines sozialen wie sinnhaften Ganzen der Kunst dann die Funktion, so Ulrich Schötker, »die Anschlüsse zwischen dem Kunstsystem und der Gesellschaft besser beobachten und reflektieren zu können«.[90] Wäre das, was Schötker mit Luhmann ›Kunstsystem‹ nennt, das Ganze, um das es hier geht, dann

---

85 Schneider, Karin: »Das Ziel ist im Weg«. In: Jaschke/Sternfeld (Hg.): *educational turn*, S. 153–158, hier S. 154.

86 Vgl. Kap. 4.2 *Geschlossene Vermittlung*.

87 Vgl. Kap. 6.3 *Zum Verhältnis von Kunst und Gesellschaft bei Adorno*.

88 Maset, Pierangelo: *Kunstvermittlung heute: Zwischen Anpassung und Widerständigkeit*. Hamburg: o.V. 2012, S. 16.

89 Vgl. ebd.

90 Schötker: »Das ist doch nicht neu«. S. 6.

wäre mit Schötker und Hegel absolute Kunstvermittlung eine Kunstvermittlung zweiter Ordnung, bewegte sich also auf einer Metaebene der Reflexion über Kunstvermittlung: ihre Herkunft, Aufgaben, Teilnehmenden. Gelten Reflexionen als Beobachtungen, kommt auch der konstruktivistische Beobachtungsbegriff ins Spiel: Beobachtung ist Eingriff ins beobachtete Feld, nicht passive Wahrnehmung.[91] Denn eine neutrale Beobachter*in von außen kann es mit Hegels Begriff absoluter Vermittlung nicht geben. Meta- und Objektebenen sind ineinander verstrickt. Beobachtung von Kunstvermittlung ist Eingriff in sie.

Die Verhandlungen, Zielformulierungen und Analysen von Kunstvermittlung stellen also das Ganze der Kunst und Kunstvermittlung mit her. Was dieses Ganze sein soll und mit welchem Vermittlungsbegriff es zu denken ist, werde ich im Folgenden mit beiden auseinanderklaffenden Hegellektüren formulieren. Kunstvermittlung lässt sich mit einem geschlossen-versöhnenden oder einem offen-zersetzenden Vermittlungsbegriff beobachten, oder eben mit dem, den ich vorschlage: mit einem reflexiv-unentschiedenen Vermittlungsbegriff.

Geschlossene Kunstvermittlung der Versöhnung

Hegel schreibt, dass das Ganze der Vermittlung erst dann realisiert sei, wenn es, als Geist, zum »Bewußtsein *Aller*« werde.[92] Erst dann, wenn die totale gesellschaftliche Allgemeinheit aller besonderen und einzelnen Bestimmungen und Vermittlungen hergestellt sei, könne von absoluter

91 Vgl. Kap. 1.2 *Kunstvermittlung als Institutionskritik*, Anm. 58.

92 E, S. 111, Herv. i.O. Hier in Kap. 4.1 *Dritte Stellung*.

Vermittlung zu sprechen sein. Ebendiese Ausrichtung auf ›alle‹ durchdringt die gesamte Etymologie des Begriffs der Kunstvermittlung: Formuliert als ›Kunst für alle‹ in der gleichnamigen Zeitschrift um die vorletzte Jahrhundertwende,[93] in den 1970ern insbesondere durch Hilmar Hoffmann mit ›Kultur für alle‹ als sozialdemokratisches Plädoyer reformuliert[94] und von dort aus bis heute immer wieder erneuert und aufgriffen. Ziel absoluter Kunstvermittlung wäre es dann, so mein Gedankenexperiment, aus dem sozialen Ganzen der Kunst eines zu machen, in dem alle dabei wären; ein Ganzes also, das kein soziales, sondern allenfalls ein sinnhaftes Außen hätte. Es geht um ein totales kunstöffentliches *Wir*, das kein Nicht-*Wir*, keine *Anderen* mehr hätte.

Gleichwohl wird diese totale Menge aller von Hilmar Hoffmann nicht als eine differenzlose gedacht; so würde auch Hegel das Absolute wohl nicht verstehen. Sowohl mit Hegel als auch mit Hoffmann ist die Allgemeinheit aller von Alterität geprägt. So geht es Hoffmann nicht darum, einen Bereich von Kunst und Kultur zu markieren, welcher der ›wahre‹ sei, der aber leider nur von einer Elite genutzt und goutiert werde, sondern darum, Kunst und Kultur an den verschiedensten gesellschaftlichen Orten auszumachen und, alternierend, alle mit allem zu konfrontieren.[95] Versöhnung und Harmonie des Allgemeinen bestünden dann gerade durch Alterität und Dissens des Besonderen. Der Dissens zwischen kulturellen und sozialen Gruppen wäre dann nicht aufgelöst, sondern, mit Hegel gedacht, aufgehoben in

93 Vgl. Kap. 1.1 *1900 bis 1945.*

94 Vgl. Kap. 2.4 *Kunstvermittlung liegt quer zu gesellschaftlichen Verhältnissen.*

95 Vgl. Hoffmann: *Kultur für alle*, bes. S. 261. Vgl. hierzu auch Henschel: »Wen meint ›alle‹?«, S. 190 f.

eine andere, eine Kommunikationsebene, die Hoffmann die »*eine* Kultur« nennt.[96]

Das Ganze, vom dem hier die Rede ist, wäre also das Ganze der Kultur – hier: der Kunst –, ein geschlossenes soziales Ganzes. Gleichzeitig wäre es aber nicht *ab*geschlossen, sondern permanent durch ästhetische und gesellschaftliche Veränderungen in Bewegung. Kunstvermittlung wäre also Mittel zum Zweck einer werdenden Kunst, die für alle da ist.

Nun habe ich oben bereits die geschlossene Lesart Hegels absoluter Vermittlung nicht nur eine der Versöhnung, sondern zugleich eine des Zwangs genannt, in der Störungen vom System absorbiert werden. So schreibt in Hinblick auf Kunstvermittlung die Künstlerin Annette Krauss: »Störungen sind immer schon qua Definition Teil des Systems und wirken in vielen Fällen systemerhaltend.«[97] Zugelassene Kritik und kultureller Dissens sind aus der Perspektive geschlossener Vermittlung also nicht das, was das System ins Wanken bringt, sondern das, was die Einheit erst herstellt. Das *Andere* der ›anderen Kultur‹ in die »*eine* Kultur« rhetorisch einzuspeisen birgt die Gefahr, dass das *Andere* eben nicht mehr *Anderes*, sondern normative Verordnung des Ganzen wird.

Um in diesem Sinne den Zwangscharakter der Versöhnung durch absolute Vermittlung weiter herauszustellen lohnt es sich erneut, Hegels *Grundlinien der Philosophie des Rechts* mitzulesen. Diese sehen durchaus vor, dass unterschiedliche Bedürfnisse einzelner Gesellschaftsmitglieder aneinandergeraten können. Sofern solche Kollisionen

96 Hoffmann: *Kultur für alle*, S. 261, meine Herv.

97 Krauss, Annette: »Tricksen in der Schule kennt jeder, aber geht das auch auf der documenta?«. In: Wieczorek, Wanda et al. (Hg.): *Kunstvermittlung* 1, S. 183–187, hier S. 187.

einseitig-dominant verlaufen, können, so Hegel, Armut, Ungerechtigkeit und damit die »Erzeugung des *Pöbels*« die Folge sein.[98] So ist der ›Pöbel‹ hier als reale Störung zu lesen, die nicht mehr ohne Weiteres vom System absorbiert werden kann. Um dieser Folge vorzubeugen bringt Hegel die Vermittlungsfigur der Polizei ins Spiel.[99] Diese solle als gewaltvolles Drittes die infrastrukturellen Bedingungen der Allgemeinheit überwachen, sowie die friedvolle Bearbeitung von sozialen Konflikten sichern.

Lässt sich nun diese Figur der Polizei auch im Feld der Kunst denken? Für Nora Sternfeld durchaus, sie schreibt: »Kultur für alle! Das ist keine politische Forderung, vielmehr fast eine Drohung in der Geschichte der Kulturpolizei.«[100] Dabei bezieht sie den Ausdruck »Kulturpolizei« zwar nicht auf Hegel, doch lässt sich dieser Bezug durchaus herstellen.[101] Die Öffnung sowie Einbindung aller ist aus dieser Perspektive weniger dafür gedacht, das Feld der Kunst dermaßen in Bewegung zu bringen und so zu verändern, dass es mit und für alle zum Ort gesellschaftlicher Alterität würde. Das Begehr der Integration der *Anderen* richtet sich vielmehr, so Sternfeld, darauf, die *Anderen* »als Objekte der Repräsentation zu Verfügung« zu haben,[102] um die politische Legitimation öffentlich finanzierter Institutionen der Kunst sicherzustellen.[103] Somit hätte Kunstvermittlung die Aufgabe,

98 PdR 194. Hier in Kap. 4.2 *Geschlossene Vermittlung*.

99 Vgl. ebd.

100 Sternfeld: »Plädoyer: Um die Spielregeln spielen«, S. 120.

101 Sternfeld bezieht den Begriff der Polizei auf Jacques Rancière. Vgl. ebd., S. 122, Anm. 8.

102 Ebd., S. 120.

103 Carmen Mörsch bezeichnet diese Strategie der institutionellen Legitimation als »*Erweiterung des Publikums aus fiskalischer Verantwortung*«. Mörsch, Carmen: »Glatt und widerborstig: Über Legiti-

eine Kunst zu ermöglichen, in die alle eingebunden sind, in der ›alle‹ aber nicht die gleichen Funktionen einnehmen könnten. In diesem Sinne kommt Kunstvermittlung der Vermittlung durch die Polizei bei Hegel gleich. Sie bindet alle ein mit dem Impetus der Versöhnung, um den inneren Frieden, d.h. die »Erhaltung des Systems«, sicherzustellen.

Aus dem Plädoyer einer ›Kultur für alle‹ folgen im Diskurs des Kulturmanagements Beobachtungsaufgaben, die der Utopie Hoffmanns zur Realisierung verhelfen sollen. So werden im Rahmen empirischer »Nicht-Besucherforschung« diejenigen beforscht, die als *Andere* gelten, dem kunstöffentlichen *Wir* nicht zugehörig. Aus diesen Forschungen werden wiederum Formen der »Kulturvermittlung und zielgruppenorientierte Programmplanung«.[104] Anschließend an den polizeilichen Gedanken Hegels findet hier kontrollierende Vermittlung zwischen Besonderem und Allgemeinen statt. Kontrolliert wird nicht nur dahingehend, dass besondere Personen als verallgemeinerte Gruppe beforscht und dergestalt (ein-)geordnet werden, sondern auch, indem eben nicht mehr, wie von Hoffmann angedacht, alle mit allem konfrontiert werden. Werbung und Angebot werden passgenau zugeschnitten.

Dabei ist die Vorgehensweise, durch möglichst treffsichere Definition und gezielte Ansprache der *Anderen*, eine

mationsstragien für Kulturelle Bildung, über Kritiken an diesen und über Konsequenzen aus diesen Kritiken«. In: Bundesverband Alphabetisierung und Grundbildung e.V./Buthe, Joachim (Hg.): *Das ist doch keine Kunst! Kulturelle Grundlagen und künstlerische Ansätze von Alphabetisierung und Grundbildung.* Münster et al.: Waxmann 2010, S. 76–88, hier S, 81, Herv. i.O.

104 Renz, Thomas: »Besuchsverhindernde Barrieren im Kulturbetrieb. Ein Überblick des aktuellen Forschungsstands und ein Ausblick«. In: Birgit/Renz (Hg.): *Mind the gap!*, S. 22–33, hier S. 26.

demokratisierte Kunst der Gesellschaft erreichen zu wollen, nicht neu. Die Geschichte des Begriffs der Kunstvermittlung hat gezeigt, dass es im Wilhelminischen Deutschland ›die Armen‹, in den 1970ern ›die Arbeiter*innen‹ waren, auf die sich der empirische Blick und damit der Wille zu Integration gerichtet haben.[105]

Von einer solchen Bestimmung der *Anderen* und daraus abgeleiteten speziellen Kunst- und Kulturvermittlungsprogrammen sind auch »Migranten« [sic!] betroffen, die, hier durch Vera Allmanritter, als potentielles »Publikumssegment« wahrgenommen werden und zunehmend Teil der »strategischen Überlegungen von öffentlichen Kultureinrichtungen in Deutschland« werden.[106] Hier überlagern sich zwei bereits erwähnte Konzepte der Dichotomie *Wir/Andere*: das der nationalistischen Staatstheorie Fichtes, in der *Wir* als deutsches *Wir* und die *Anderen* als nicht-deutsch gesetzt sind, und das der Kunst, in dem ein kunstöffentliches *Wir* von den *Anderen* als Nicht-Publikum abgegrenzt wird.[107]

Die postkolonialen Theoretikerinnen María do Mar Castro Varela und Nikita Dhawan entlarven beide Konzepte als miteinander verstrickt. Denn der Universalismus »Kultur für alle« wird zuweilen so eingeschränkt, dass er ein »alle« der »deutschen Bevölkerung«[108] meint, also nicht universal ist. Das Ganze der Kunst ist in diesen Fall eines der deutschen Kulturinstitutionen, hauptsächlich von Mehrheitsdeutschen

105 Vgl. Kap. 1.2 *Kunstvermittlung und Institutionskritik*.

106 Allmanritter, Vera: »Migranten als Kulturpublikum. Der aktuelle Forschungsstand sowie Anregungen zur weiteren Beschäftigung«. In: Mandel/Renz (Hg.): *Mind the gap!*, S. 35–41, hier S. 35. Vgl. hierzu auch Henschel: »Die Brücke als Riss«.

107 Kap. 3.3 *Unmittelbare Einheit zwischen Kunst und Publikum?*

108 Renz: »Besuchsverhindernde Barrieren«, S. 22.

geführt, in denen hauptsächlich *weiße*, mehrheitsdeutsche Künstler*innen, Kunstkritiker*innen und Kunstvermittler*innen agieren.[109] Das kunstöffentliche *Wir* ist gleichzeitig ein *weißes*, mehrheitsdeutsches *Wir*. Aus dieser Sicht muss das Ganze der Kunst als ein eurozentrisches beschrieben werden, das aus kolonial hervorgebrachter Unterscheidung zwischen europäischem *Wir* und den *Anderen* Nutzen zog und zieht.[110] Die *Anderen* als nicht-deutsche, nicht-europäische in das kunstöffentliche *Wir* einbinden und integrieren zu wollen kann dann als versöhnende Geste gelesen werden, aber ebenso als eine des erneuten Zwangs.

Hegels Vorschlag der Kolonisation für den Fall, dass die Versöhnung scheitert, schlägt in dieselbe Kerbe wie eine kulturelle Bildung, die explizit auf »Migranten« zugeschnitten ist: Sie ist eine Geste des Gleichmachens, eine neo-koloniale Bewegung der gewaltvollen Integration der *Anderen* zum Zweck der Überwindung innerer Widersprüche – etwa zur Überwindung des Problems zunehmender Skepsis der Legitimation öffentlicher Förderung kultureller Institutionen.

Denn erstens ist das *Wir* des genannten Diskurses, in das integriert werden soll, nicht offen, sondern ein mehrheitsdeutsches *Wir*. Von diesem werden die *Anderen* als nichtdeutsch, als nicht-zugehörig unterschieden, bekommen also eine doppelt defizitäre Rolle zugeschrieben: Sie sind nicht Teil des kunstöffentlichen *Wir* und auch nicht Teil des mehrheitsdeutschen *Wir*.

---

109 Vgl. Kap. 7.5 *Kunstvermittlung – postkolonial perspektiviert.*

110 Castro Varela und Dhawan schreiben etwa, dass »für viele [...] die historisch gewachsene Struktur des *Wir* und der *Anderen* attraktiv [ist.]. Sie profitieren davon.« BtR, S. 351, Herv. i.O. U.a. deshalb, weil sich – das kann auch mit Fichte argumentiert werden – erst durch die Stabilität dieser Unterscheidung das *Wir* als ebenso stabiles und widerspruchsfreies herstellen kann.

Zweitens schreiben Castro Varela und Dhawan, dass historischer Kolonialismus nicht nur eine Geschichte der Ausbeutung, Ermordung und Unterjochung von Menschen bestimmter Länder, sondern »auch eine intellektuelle, geistige und kulturelle Bewegung gewesen sei, in deren Folge Europa und das Wissen über dieses und seinen *Anderen* entstand«. (BtR 340, Herv. i.O.) Kolonialismus hat also nicht nur eine geo-, sondern auch eine bildungspolitische Perspektive. Im Rahmen eines historischen Kolonialismus lässt sich fragen, inwieweit die »Disqualifizierung der Kunst- und Wissensproduktionen der *Anderen*« (BtR 344), etwa als ›primitive‹ Kunst, mitbeteiligt sind an der Erzählung und Aufwertung eurozentrischer Kunst und Kultur. Im Gegensatz zu Fichtes deutsch-nationalem *Wir*, das durch Benennung und gleichzeitige Ausgrenzung der *Anderen* zu sich selbst kommt, würde das absolute *Wir* Hegels durch konkrete Einverleibung der *Anderen* seine nationale Identität (wieder-)finden – aber eben nicht als Störung des Ganzen, als Infragestellung des eurozentrischen Wissens, sondern als unfreiwillige und abgewertete Mitautorschaft an der Dominanzerzählung.

Wendet man diese Perspektive des historischen Kolonialismus auf aktuelle Tendenzen an, dann sind auch jene Figuren absoluter Vermittlung an neuen kolonialen Einverleibungsprozessen beteiligt, welche, mit Hegel, Entwicklung, Erziehung, Bildung heißen.[111] Bildung ist dann beteiligt, wenn sie durch den Integrationsimperativ die Unterscheidung zwischen *Wir* und *Anderen* nicht nur reproduziert, sondern auf bestimmte Körper und Kulturen ausgerichtet ontologisiert; wenn die *Anderen* sich den Regeln des *Wir*

111 Vgl. Kap. 4.2 *Geschlossene Vermittlung*.

gleichmachen müssen; und sie ist beteiligt, wenn sie aus dem Einverleibungsprozess auch noch den Nutzen der politischen Legitimation und damit der erhofften ökonomischen Absicherung zieht.

Auch Kunstvermittlung ist davon nicht auszunehmen. Sofern sie an einem eurozentrischen Ganzen der Kunst mitschreibt und dasselbe durch Vermittlung repräsentiert, schreibt sie auch »die Aufwertung der künstlerischen Produktionen des Westens« und gleichzeitig die »Abwertung der Produktionen der *Anderen*« fort. (BtR 344, Herv. i.O.) So folgern Castro Varela und Dhawan: »Auch Kunst und Kunstvermittlung bleiben erst mal ideologisch in Machtstrukturen eingebunden und eingeschrieben.« (BtR 345) Ein Statement, das mit Hegels Begriff absoluter Vermittlung formuliert werden kann: Absolute Kunstvermittlung als geschlossene wirkt als polizeiliches Einverleibungs- und Kontrollorgan, in dem die Besonderheit des Einzelnen/der *Anderen* in einer umfassenden, nach außen differenzlosen Allgemeinheit aufgehoben wird. In einer konsequenten Lesart der Spannung des Begriffs der Vermittlung zwischen Trennung und Verbindung würde Kunstvermittlung als absolute zunächst die *Anderen* als Arme, Arbeiter*innen und Migrant*innen markieren, sie dadurch ab- und ausgrenzen, um sie sich dann, unter der Maßgabe der Partizipation, als *Andere* einverleiben zu können. Die Differenz des Einzelnen/der *Anderen* wirkt mit an der Identität, wirkt, wie Carmen Mörsch im Kontext der kolonialen Genese von Kunstvermittlung feststellt, als »zivigesellschaftlich-disziplinatorisches Projekt zur Befriedung und Versöhnung der A_n_d_e_r_e_n«. (DBdA 239) Die Versöhnung eines kunstöffentlichen *Wir*, das für alle da ist, »vollendet sich«, so Türcke über Hegel, »in der vollständigen, unendlich sich genießenden Selbstaufopferung der Subjekte«. (VaG 110)

So verstanden ginge das soziale Ganze der Kunst dann in einem noch größeren Ganzen auf: dem der Nation. Kunstvermittlung wäre als national geprägter identitätspolitischer Begriff zu verstehen.

Auch Kunst als *sinnhaftes* Ganzes sei, so Pierangelo Maset, eines, das in einem noch größeren Ganzen Platz und dort eine konkrete Funktion innehabe. Mit Maset, Sturm und Raunig gedacht ist Kunst also ein Ort der Differenz,[112] der aber mittlerweile eine derart anerkannte Funktion im gesellschaftlichen Kontext hat, dass Kunst als Differenz an der Identität eines größeren Ganzen mitschreibt. Damit sieht Maset die differentielle Logik der Kunst und deren Eigensinn durch das größere Ganze gefährdet. Er verweist dabei auf das anonyme Autor*innenkollektiv Tiqqun und deren Begriff eines globalen und alles umfassenden »kybernetischen Kapitalismus«.[113] Gesellschaft sei einer Logik der Steuerung (gr. *kybernetes*: der Steuermann) unterworfen, einer »totalen Ökonomisierung«,[114] in der auch jedes noch so dynamische, eigentlich nicht zählbare Element in binäre Ordnungen und Zählweisen übersetzt werde, um es so besser kontrollieren und letztlich in eine totale Schleife des Kaufs und Verkaufs einspeisen zu können. »Wir erleben«, so Maset, »gerade Auswüchse der *Kultur der Kontrolle*, für die die messbaren, zählbaren und konsumierbaren Einheiten wichtiger sind als soziales Verhalten und ästhetische Wahrnehmungen.«[115]

Das Feld der Kunst ist von dieser Entwicklung nicht ausgenommen, im Gegenteil: Kunst ist, mit Annette Krauss gedacht,

112 Kap. 3.3 *Kunstvermittlung ist möglich.*

113 Tiqqun: *Kybernetik und Revolte*, übers. von Ronald Voullié. Zürich/Berlin: diaphanes 2007 (2001), S. 41.

114 Maset: *Kunstvermittlung heute*, S. 14.

115 Ebd., S. 13, Herv. i.O.

jene Störung des Systems, die das System erhält. Die Differenzerfahrungen durch Kunst hätten die Funktion, die Einheitlichkeit des Ganzen als heterogenes zu legitimieren. Sofern also Kunst als kritisches Element von Gesellschaft gedacht und anerkannt wird, kann es als solches einverleibt werden, »ohne«, so Sternfeld, »dass die Verhältnisse und Strukturen von Macht« sich ändern müssten.[116] Tiqqun schreiben selbst, dass zu den »Techniken der Totalisierung« gerade die Denkfigur der Differenz zähle.[117] Die partielle Störung des Ganzen sei aus dieser Perspektive genau dasjenige, was »das Phantasma eines Selben« umsetzt, »dem es immer gelingt, das Andere zu integrieren: Wie ein Kybernetiker sagt, beruht ›jede reale Integration auf einer vorherigen Differenzierung‹«.[118]

Sofern Kunstvermittlung das Ziel eingeschrieben ist, an Kunst und von dort aus an einer solchen kybernetisch-umfassenden Totalität mitzuschreiben, ist das Möbius-Band absoluter Vermittlung perfekt: Jeder Versuch, von innen nach außen zu gelangen und das Innere zu stören – durch Kunst, Kunstvermittlung, Kritik, helfende Gesten, politischen Aktivismus – führt nur wieder auf ebendieses zurück.

Offene Kunstvermittlung der Zersetzung

Die nicht vorhandene Außenseite eines Ganzen kann jedoch unterschiedliche Folgen haben, je nachdem, mit welchem Vermittlungsbegriff operiert und wie dieses Ganze gedacht wird. Im Rahmen geschlossen-versöhnend gedachter Vermittlung hat das Ganze einen repressiven Charakter. Gegen

116 Sternfeld: »Plädoyer: Um die Spielregeln spielen«, S. 121.
117 Tiqqun: *Kybernetik und Revolte*, S. 19.
118 Ebd.

diese Lesart lässt sich wiederum mit Hegel argumentieren. Insbesondere die von Maset kritisierte ›Kultur der Kontrolle‹ des Messens und Zählens sei laut Hegel ein Weg, der gerade nicht zum Ganzen führe. So steht die Idee, Nicht-Besucher*innen in immer kleinteiligeren empirischen Studien möglichst genau zu benennen und zu beforschen, einer expliziten Bedingung Hegels diametral entgegen, die dieser an die Figur ›alle‹ knüpft: »Die empirische Allheit *bleibt* darum eine *Aufgabe*; ein *Sollen*, welches so nicht als ein Seyn dargestellt werden kann.«[119] Immer dann also, wenn jemand zu wissen behauptet, wer ›alle‹ eigentlich seien, ist Allgemeinheit, wie Hegel sie versteht, nicht zu finden – behauptete und nicht realisierte Allgemeinheit ist eine, in die schließlich doch nicht alle integriert sind, und die umso repressiver wirkt, je stärker der Ausdruck ›alle‹ betont wird.[120] Mit Hegel muss die Menge ›aller‹, die in der rhetorischen Formel ›Kunst für alle‹ avisiert wird, diffus bleiben, soll nicht auf den Begriff gebracht werden, weil sie sonst lediglich partikulär, als Menge einer Elite zu denken ist.

Der Ausdruck ›Kunst für alle‹ wird unter dieser Voraussetzung aber nicht nutzlos, ist gerade nicht, wie Sternfeld schreibt, eine Drohung gegen die *Anderen*, sondern, vielmehr ein Moment des Widerstands gegen die soziale Schließung des Kunstsystems. Wenn mit Hegel die Totalität des Ganzen empirisch nicht vollzogen werden kann, sondern eine »*Aufgabe;* ein *Sollen*« bleibt,[121] dann verschiebt sich auch die Funktion des Begriffs der Totalität. Ernesto Laclau schreibt dazu:

---

119 Hegel: *Wissenschaft der Logik. Zweiter Band: Die subjektive Logik*, S. 75. Hier in Kap. 4.1 *Dritte Stellung*.

120 Vgl. ebd.

121 Hegel: *Wissenschaft der Logik. Zweiter Band: Die subjektive Logik*, S. 75, Herv. i.O. Hier in Kap. 4.1 *Dritte Stellung*.

»Totalität wird nun zum Namen eines Horizonts, nicht eines Grundes«.[122] Nicht auf dem Wissen darum, was das Ganze als Totales ist, basiert die Vorgehensweise. Stattdessen führt uns die Annahme des Totalen permanent die Mangelhaftigkeit einer auf sozialem Ausschluss beruhenden Gesellschaft vor. Aus dieser Sicht ist die Idee des Totalen für eine offen-zersetzende Kunstvermittlung nicht aufzugeben, sondern als Idee eines Horizonts umzuwenden. ›Kunst für alle‹ ist keine Figur der Kontrolle, sondern eine Figur der solidarischen Einforderung, die ›für alle‹ einfordert. So zeigt sie, dass bei jeder konkreten Kunstvermittlung immer jemand nicht dabei ist, dass die Menge ›alle‹ niemals erfüllt sein und schon gar nicht in einem Begriff aufgehen kann. Absolute Kunstvermittlung, mit Mörsch als »kritische Freundin« gedacht,[123] würde sich also absolut und das heißt hier: permanent dazwischen setzen, die Institution auffordern, sich zu öffnen, und zeigen, wenn sie es wieder nicht ganz geschafft hat. Absolute Kunstvermittlung wäre, nach Gerhard Gamm, eine Kritik der Verfügung,[124] der Verfügung über die *Anderen* als auch Kritik des sozialen Ausschlusses.

Wenn aber über die *Anderen* nicht verfügt werden kann, dann stehen auch Identität und Integrität des kunstöffentlichen *Wir* zur Disposition. So propagiert auch Nora Sternfeld »einen neuen post-identitären Wir-Begriff«,[125] der sich identitären Zuschreibungen des Innen wie des Außen widersetzen will. Der Begriff *Wir* wäre dabei genauso wenig

---

122 Laclau, Ernesto: »Macht und Repräsentation« (1996). In: ders.: *Emanzipation und Differenz*, übers. von Oliver Marchart. Wien: Turia + Kant 2002, S. 125–149, hier S. 148.

123 Mörsch: »Extraeinladung«, S. 224. Hier in Kap. 1.3 *Differenzorientierte Kunstvermittlung*.

124 Vgl. Kap. 4.2 *Offene Vermittlung: Absoluter Zerfall*.

125 Sternfeld: »Plädoyer: Um die Spielregeln spielen«, S. 124. Sternfeld bezieht sich auf den Begriff des post-identitären *Wir* von Irit Rogoff.

aufzugeben wie die Formulierung ›für alle‹. Denn *Wir* kann eine wirkmächtige rhetorische Geste sein, um solidarisches Handeln zu ermöglichen.[126] Beide Begriffe müssten sich aber einer begrifflichen und empirischen Festsetzung widersetzen, wollten sie die mit all diesen Begriffen verbunden Ausschlüsse nicht normalisieren.

Wie könnte ein »post-identitäres Wir« funktionieren? Castro Varela und Dhawan würden von postkolonialer Warte aus damit beginnen, Geschichte und damit das Gewordenund Gemachtsein der aktuellen Situation offenzulegen. Wie kommt das aktuelle *Wir* zustande? Wer ist beteiligt, wie sind die aktuellen Akteur*innen zu dem geworden, was sie sind, und auf wessen Kosten? (Vgl. BtR 351) So würde die Erkenntnis, dass die Konstruktion der *Anderen* Teil der Identität des *Wir* ist, zu einem affirmativen, aber desorientierten *Wir*-Begriff führen – desorientierend in Bezug auf scheinbar klare Seitenverteilungen und Privilegien.[127]

Von solch einem desorientierten *Wir* könnten »Funken ›gewaltfreier Vermittlung‹« (BtR 352) ausgehen. Kunstvermittlung hätte dann nicht die Funktion, Wissen vom Ort des Profits zum Ort des Defizits zu transferieren, sondern wäre gemeinsames, »grenzüberschreitendes Sprechen, Denken zwischen und über die Disziplinen hinweg« (BtR 351), wäre Erkennen und Brechen jener Regeln, zu denen auch die angesammelten Privilegien der Akteur*innen des Kunstsystems gehören. Das bedeutet aber nicht Identität, sondern Transformation. Mit zersetzender Kunstvermittlung könnte das Ganze nie gleich bleiben, es müsste als Gesamtrahmen permanent verschoben werden.

126 Vgl. hierzu etwa Karakayali, Serhat: »Solidarität mit den Anderen. Gesellschaft und Regime der Alterität«. In: Broden/Mecheril (Hg.): *Solidarität in der Migrationsgesellschaft*, S.112–125, hier S. 123.

127 Vgl. Henschel: »Das ›Wir‹ ist die sichere Seite«, S. 70 f.

Offene Vermittlung als Kritik der verfügenden Geste über die *Anderen* hat aber auch eine ästhetische Funktion. Ich habe oben gezeigt, dass das kunstöffentliche *Wir* bereits eine weitere Unterscheidung enthält, nämlich die zwischen Akteur*innen und Publikum.[128] Während im Rahmen des Audience Development auch dieses Publikum beforscht, geordnet und benannt werden soll, plädiert Gerald Raunig dafür, das Publikum als Loch zu denken.[129] Das Publikum sei ein Ort, der sich weder »von außen stopfen noch intern zerstückeln und einkerben«[130] lasse. Das, was ›Publikum‹ meinen könne, sei also weder mit einem Begriff konsenssuchender Öffentlichkeit zu »stopfen« noch mit einem Konfliktmodell. Jeder Begriff, der vom Publikum gemacht werde, »so plural und pluralistisch er auch konzeptualisiert sein mag«, sei »am Ende identitär geprägt, zur Schließung und Verstopfung verurteilt«.[131] Ein unbestimmbares, nicht kontrollierbares Publikum sei Voraussetzung für jene Konstellation, die Sturm als konstitutiv für das Gelingen von Kunst setzt:[132] ein Gegenüber von mit sich nicht identischem Kunstwerk und mit sich nicht identischem Subjekt. Für den Möglichkeitsraum, den Kunst öffnen soll, ist es *ästhetisch* notwendig, dass das Publikum sich identitären Zuschreibungen widersetzt. Überall also, wo die Tortendiagramme[133] des Audience Development *nicht* sind, kann nach

128 Vgl. Kap. 3.3 *Binäres in der Kunstvermittlung.*

129 Vgl. Raunig, Gerald: »Jenseits der Öffentlichkeit«. In: ders./Wuggenig, Ulf: *Publicum. Theorien der Öffentlichkeit.* Wien: Turia + Kant 2005, S. 225–232.

130 Ebd.

131 Ebd.

132 Vgl. Kap. 4.3 *Bedingte Kunstvermittlung der Differenz.*

133 Das sogenannte Tortendiagramm – auch Kreisdiagramm – ist ein Darstellungsmittel statistischer Forschungsergebnisse. Der Kreis,

dieser Auffassung Publikum sein.

In diesem Zusammenhang verweise ich auf den gemeinsamen Wortursprung von ›Pöbel‹ und ›Publikum‹. Beide Wörter gehen auf das lateinische *populus* zurück, was ›Volk, Gemeinde, Staat‹ meint.[134] Beide Begriffe hatten im Laufe ihrer Wortgeschichte ambivalenten Charakter. Der Begriff des Publikums war zunächst gedacht als »gesamtheit der leute eines landes« und insofern als Adresse nationaler Ansprachen im Gebrauch, mal als »bunte Menge«,[135] als diffuses Element, auch als störendes, aber doch notwendiges Moment kultureller Veranstaltungen. ›Pöbel‹ war im Mittelhochdeutschen ebenfalls als »volk, volksmenge, einwohnerschaft, leute im allgemeinen« gesetzt,[136] erfuhr aber eine zunehmende negative Konnotation. Das Wort ›Pöbel‹ wurde als »der grosze haufen«, als gemeine Volksmasse verwendet, als »gewimmel«,[137] später dann – und das mag Hegel bei seiner abwertenden Verwendung des Begriffs im Sinn gehabt haben[138] – als wütender, nicht zu kontrollierender Mob. Sieht man von der gewalttätigen Dimension des Begriffs ab, so wäre gerade hier ein Zusammenhang auszumachen zwischen dem Pöbel, den Hegel so fürchtet, und dem Publikum als Loch, wie es Raunig vorschwebt: Beide wären als

---

oder die ›Torte‹, aus dem/der Segmente herausgeschnitten und benannt werden, suggeriert dabei Totalität. Es wird kein Außerhalb des Kreises angenommen.

134 Für die Etymologie von ›Pöbel‹ vgl. Grimm, Jacob/Grimm, Wilhelm: *Deutsches Wörterbuch*, Bd. 7, hrsg. Deutsche Akademie der Wissenschaften, Leipzig: S. Hirzel 1889, Sp. 1950–1952. Für ›Publikum‹ vgl. ebd., Sp. 2201–2202, sowie *Kluge. Etymologisches Wörterbuch der deutschen Sprache*, Berlin/Boston: de Gruyter 2011, S. 730.

135 Vgl. Grimm/Grimm: *Deutsches Wörterbuch*, Bd.7, Sp. 2201.

136 Ebd., Sp. 1950.

137 Ebd.

138 Vgl. Kap. 4.2 *Geschlossene Vermittlung*.

Gewimmel zu denken, als nicht zu kontrollierende Masse, als Moment, das sich – wiederum *mit* Hegel gedacht – durch nichts auf den Begriff bringen lässt und gerade dadurch das permanente Werden der Kunst mitanstößt.

Von da aus ist es dann gerade *nicht* die Aufgabe von Kunstvermittlung, das Publikum festzuschreiben – genauso wenig, wie das Kunstwerk festzuschreiben wäre –, um passgenaue Ansprachen zu finden, sondern die Zuschreibungen, mit denen das Publikum zugerichtet und festgeschrieben wird, offenzulegen, zu kritisieren und zu unterlaufen.

Gilt es im Sinne offener Kunstvermittlung also nicht, separate Ansprachen für vermeintlich separate Publikumsgruppen zu finden, um jede Gruppe lediglich mit dem zu konfrontieren, was ihr zugetraut wird, so gilt es genauso wenig, eine generalisierte Ansprache für alle zu finden. Eine solche »*Gemeinschaftssprache* […], eine geschmeidige Vermittlungssprache«, die, so Helmut Hartwig, »alle auf sichere Weise an der Erkenntnis beteiligen könnte«,[139] ist ein Irrtum; mit Hegel auch deshalb, weil keiner wirklich wissen kann, wer zu dieser Gemeinschaft gehört. Insofern kritisiert Thomas Renz zurecht die Idee des »›one size fits all‹«,[140] die in einer pluralen Gesellschaft nicht funktioniert.

Sowohl entgegen der Idee der separaten als auch der universellen Ansprache setzt Eva Sturm, an Hartwig anlehnend, die Idee eines Wechseldiskurses, in dem verschiedene Subjekte des Publikums mit verschiedenen Diskursformen konfrontiert werden. Dann bestünde

139 Hartwig, Helmut: »sprache macht kunst los«, Wien 1995; online unter http://www.helmut-hartwig.de/pdf/sprache_macht_kunst los.pdf (abgerufen am 16.5.2019), S. 5, Herv. i.O.

140 Renz: »Besuchsverhindernde Barrieren«, S. 31.

> zumindest tendenziell die Möglichkeit, daß Menschen aus divergierenden diskursiven Zusammenhängen der Rede zu folgen imstande sind. Unterschiedliche Zuhörer/innen / Leser/innen können an verschiedenen Stellen in den Wechseldiskurs einsteigen. (IE 118)

Der Wechseldiskurs begreift das Publikum als Gruppe von Wechselsubjekten, als Loch, als nicht festzulegendes »Gewimmel«.

Die fehlende Außenseite absoluter Vermittlung impliziert aber noch mehr. Sie stellt auch die Frage der Beobachter*in: Von wo aus lässt sich das Ganze beobachten, beforschen und kritisieren? Ich habe oben geschrieben, dass es, wenn es kein Außen des Geistes, es auch keine Metaebene, keine externe, quasi göttliche Beobachter*in mehr gibt, sondern nur eine Vielzahl interner Beobachter*innen, die sich wechselseitig in ihrer Unzulänglichkeit begegnen. Die Beobachtung von Kunstvermittlung ist nur von innen her möglich und damit nicht von einer abgehobenen objektiven Warte aus zu leisten, sondern, um hier nochmals an Castro Varela und Dhawan anzuschließen, »Teil des Gesamtproblems«. (BtR 347)

Genau das aber müsste eine offen-zersetzende Kunstvermittlung offenlegen: dass sie selbst nicht in einem geschützten Raum im Außen liegt, sondern Teil dessen ist, was sie beobachtet. Diese Annahme gilt nicht nur für Formen der wissenschaftlichen Beobachtung von Kunstvermittlung, sondern auch für kritisch-informierte Praktiken derselben: Sie besetzen selbst kein Außen, keinen Raum, von dem aus sie ›Recht haben‹ könnten. Sie sind ebenfalls Teil eines grundsätzlich mangelhaften Ganzen.[141]

141 Vgl. Kap. 1.3 *Differenzorientierte Kunstvermittlung.*

Im Rahmen offener Vermittlung muss auch die Frage nach dem Ziel des Ganzen gestellt werden. Denn die erste Lesart der Schließung benennt vor allem dies als Problem: Das immanente Ziel jeder noch so störenden Vermittlung ist Ausrichtung nach dem Allgemeinen. Genauso wenig aber, wie die Allgemeinheit des Ganzen in der offenen Leseweise auf den Begriff gebracht werden kann, dürfte dort ein festgeschriebenes Ziel sein, auf das alles zwangsläufig hinausläuft. Andernfalls wäre das Ganze gerade nicht offen im Sinne eines Möglichkeitsraums, sondern vorherbestimmt.

Dieselbe Gefahr starrer Zielfestschreibung sehen Castro Varela und Dhawan auch bei kritischen Formen von Kunstvermittlung. Sie schreiben, an Gayatri C. Spivak anlehnend, dass »jedes – auch noch so hehre – politische Ziel pervertiert werden kann«. (BtR 352) Ziele seien zwar einerseits wichtig, weil nur so auch Gegenbewegungen formuliert werden können, seien aber gleichermaßen ein utopisches Moment, dürften nicht dazu dienen, fixiert und auf empirischen Vollzug ausgerichtet zu sein.

Absolute Kunstvermittlung als offen-zersetzende ist dann, an Maset anlehnend, als »differenzielle Ästhetik«,[142] als »Störfeuer«[143] in alle Richtungen zu denken: als Störung ökonomisierter Schleifen des Kunstsystems, fixierter Ziele, messbarer Fest- und Zuschreibungen von Kunst und Publikum. Um erneut die Metapher des Möbiusbandes aufzugreifen: Jeder Versuch, ins Innere vorzudringen, das Wesen der Kunst, des Publikums und der *Anderen* zu erkennen, führt immer nur auf die Außenseite zurück. Einen Weg nach Innen gibt es nicht.

142 Maset: *Kunstvermittlung heute*, S. 21.

143 Ebd., S. 19.

Unentschiedene Kunstvermittlung der Reflexion

Beide Begriffe absoluter Kunstvermittlung, geschlossen-versöhnend und offen-zersetzend, haben mindestens dies gemeinsam: Sie setzen den Begriff der Vermittlung total und vollziehen dadurch die Unmittelbarkeit des Ganzen, als nach außen relationslose Gesamtheit aller Vermittlungen. Vermittlung und Unmittelbarkeit werden bei beiden zusammen gedacht, mit jeweils unterschiedlicher Konsequenz: Während im Rahmen geschlossener Vermittlung das Ganze als empirisches gedacht wird und sich somit alles, was nicht zum Ganzen gehört, unter Zwang einverleibt, wird im Rahmen offener Vermittlung das Ganze zum Horizont des Möglichen, zum Mittel der Zersetzung des Empirischen.

Mit dieser von mir konstruierten Begriffsordnung besteht aber wiederum die Gefahr der Verallgemeinerung des Besonderen. Es besteht die Gefahr, dass beide als Extreme formulierte Begriffe als Schubladen wirken, in die sich konkrete Aktionen der Kunstvermittlung einsortieren lassen. Teil einer solchen binären Ordnung wäre demnach auch meine Präferenz zur offenen Vermittlung – es bestünde die Gefahr, die binäre Ordnung von geschlossener und offener Vermittlung mit der aristotelischen Ordnung zwischen wahr und falsch zu überschreiben.

Doch gerade so ist diese Ordnung nicht gedacht. So habe ich oben mit Adorno auf die Kontingenz der Lesart von Hegels absoluter Vermittlung hingewiesen. Von dieser risikohaften Begriffssituation aus habe ich für einen reflexiv-unentschiedenen Vermittlungsbegriff votiert.[144] Wie

144 Vgl. Kap. 4.2 *Ein Vorschlag: Vermittlung als reflexiv-unentschiedener Begriff.*

ein solcher Begriff auf das Feld der Kunstvermittlung angewendet werden könnte, möchte ich mit einer Beobachtung von Karin Schneider plausibilisieren, die, wie oben ausgeführt, die »*Mikrosequenz* einer konkreten Vermittlungsaktion« auf ihr eingeschriebene Ziele hin untersucht.[145] Dabei problematisiert Schneider – hier vergleichbar mit Castro Varela und Dhawan – die Festschreibung auf bestimmte Ziele in einer übergeordneten Vermittlungsdebatte (die ich ›absolute Kunstvermittlung‹ nenne), auch dann, wenn diese sich als kritisch versteht. Würde etwa die abstrakte Zielsetzung »Wir wollen keine klassische Kunstvermittlung machen« lauten, dann sieht Schneider die Gefahr, dass sich die je eigenen Begriffsvorstellungen von ›klassisch‹ verhärten und vor die eigene Brille schieben würden, mit der Kunstvermittlung beobachtet werde. Doch könne es sein, dass eine Situation, welche die Kunstvermittler*in selbst als eine der »frontaleren Sequenzen des Kunstgesprächs wahrgenommen« hat, vom Publikum als Öffnung, als »Angebot, eine Vielstimmigkeit zu erzeugen« gelesen werde.[146] Umgekehrt ist ebenso möglich, dass eine Situation, die eine Kunstvermittler*in als öffnende konzipiert, vom Publikum als angepasstes und repressives Moment aufgefasst wird.

> Im Konkreten heißt dies, Vermittlungssituationen unter die Lupe zu nehmen und sie von unterschiedlichen Seiten her zu betrachten; für diese Versuchsanordnung macht es Sinn, sie zunächst einmal von dem eigenen Wissen um Kontexte zu lösen und ein bisschen nach allen Richtungen zu wenden, sie immer wieder neu zu betrachten.[147]

145 Schneider: »Das Ziel ist im Weg«, S. 154.

146 Ebd., S. 155.

147 Ebd., S. 154.

Genau für eine solche »Versuchsanordnung«, die Wendungen »nach allen Richtungen« erlaubt, könnte sich ein reflexiv-unentschiedener Begriff von Vermittlung als produktiv erweisen. Ein reflexiv-unentschiedener Vermittlungsbegriff würde bei jeder Beobachtung und Aktion von Kunstvermittlung begriffliche Anwendung und damit Entscheidung einfordern, bei gleichzeitigem Wissen um die Kontingenz der Entscheidung. Dieses Wissen wäre als Aufforderung zu verstehen, die Entscheidung auch andersherum auszuprobieren und zu sehen, was bei einer Verdrehung der begrifflichen Voraussetzung mit der beobachteten Situation geschieht; ob also nicht doch die angedachte Schließung zur Öffnung gerät, oder ob nicht doch die wahrgenommene Schließung eine Öffnung ermöglicht.

Um das probehalber durchzuspielen, will ich an dieser Stelle wieder auf die Ebene bedingter (Kunst-)Vermittlung gehen und diese zu jener der absoluten Vermittlung in Beziehung setzen.[148] So hatte ich von Eva Sturm ausgehend eine ›Schneider-Kunstvermittler*in‹ von einer anderen Kunstvermittler*in unterschieden. Die erste schließt Möglichkeitsräume des Sprechens über Kunst, in dem sie die Unmittelbarkeit ihrer Rede suggeriert. Die zweite würde Gesprächsräume öffnen, indem ihre Rede das Kunstwerk nie ganz trifft, sich als mangelhaft erweist und die Situation für andere Reden öffnet. Aus der Perspektive absoluter Vermittlung, die auch die Frage danach stellt, für wen und von wem aus gesprochen wird, könnte sich die Verteilung von Schließung und Öffnung genauso gut verkehren. So könnte sich die Öffnung der einen Kunstvermittler*in als Schließung erweisen, weil die öffnende Rede sich immer an

148 Vgl. Kap. 4.3 *Schließung und Öffnung. Bedingte Kunstvermittlung.*

dieselben *weißen* Eliten des Kunstsystems richtet. Die Rede könnte noch so dekonstruktiv und differenzsensibel agieren; sie wäre dennoch ein Akt der Schließung, weil sie die Identität eines elitären Diskurses fortschriebe.[149]

Die Rede der ›Schneider-Vermittler*in‹ wiederum könnte zur Öffnung geraten, weil sie zum richtigen Zeitpunkt und am richtigen Ort jemandem hilft, in eine unvorhergesehene und risikoreiche Auseinandersetzung mit Kunst einzusteigen.[150] Aus Letzterem ist jedoch nicht abzuleiten, dass Kunstvermittlung zu jedem Zeitpunkt, an jedem Ort und für jedes Publikum als Hilfe zu denken wäre; denn das birgt wiederum die Gefahr, dass das ›Pendel‹ zur anderen Seite ausschlägt und Kunstvermittlung zur Einbahnstraße, zur defizitären Zurichtung der *Anderen* und so zur erneuten Schließung wird.
Auch innerhalb der Ebene absoluter (Kunst-)Vermittlung kann die Möglichkeit eines reflexiv-unentschiedenen Vermittlungsbegriffs durchgespielt werden. So habe ich oben die empirischen Studien der (Nicht-)Publikumsforschung der geschlossenen Vermittlung zugeordnet. Gleichzeitig kann das Zählen und Messen quantitativer Studien als Ausgangspunkt und Argumentationsmittel dienen, die elitären Schließungen des Kunstsystems überhaupt auszumachen und zu einer politisch anerkannten Darstellung zu verhelfen. Auf der anderen Seite kann der Begriff des Publikums als Loch,

149 Vgl. hierzu Nora Sternfeld, die gleichfalls über »Widersprüche zwischen Öffnung und Schließung« schreibt, und etwa das Auftauchen von Antisemitismus und Rassismus in offen gestalteten Bildungsräumen problematisiert, sowie das Dilemma, dass hier wieder Schließungen in Form von Grenzziehungen vonnöten seien. Sternfeld: *Kontaktzonen der Geschichtsvermittlung*, S. 214–216.

150 Sturm schreibt dazu: »Und es lässt sich die Frage stellen, ob es nicht didaktische Engführungen gibt, die nur scheinbar ausschließen und dann doch wieder etwas Entscheidendes öffnen.« VKa, S. 186.

das sich jeder Darstellung entzieht, dazu führen, nicht so genau hinzusehen, wer eigentlich dabei ist und wer nicht. Die öffnende Bewegung des diffusen Publikumsbegriffs kann zur Schließung werden, denn sie birgt die Gefahr des profitablen Nichtnennens.

Es geht mir also um einen Vermittlungsbegriff, der, im Gegensatz zu dem Ancillons,[151] einerseits extreme Wahrheiten involviert, der andererseits aber die aristotelisch-binäre Ordnung zwischen wahr und falsch, offen und geschlossen unterläuft. Mit Hegel gedacht stellte sich das Problem einer differenztheoretisch verstandenen Kunstvermittlung demnach nicht so, dass Vermittlung per se und in jeder Hinsicht Offenheit involviert und prinzipiell mit der »Anerkennung der Unabschließbarkeit« einhergeht.[152] Vermittlung öffnend zu denken bedeutet nicht automatisch, dass alle an Kunstvermittlung beteiligten »wirkliche, gleichberechtigte Partner« wären.[153] Kunstvermittlung differenztheoretisch zu verstehen muss vielmehr bedeuten, die Ambivalenz von Öffnung und Schließung konstitutiv zu setzen, d.h. Differenz als »Differenz von Differenz und Identität« zu begreifen.[154] Es gibt beim Vermitteln nicht die richtige Seite und schon gar nicht den richtigen Begriff. Begriffe sind immer unzulänglich, halten sich am Horizont des Utopischen auf, treffen die Sache niemals ganz. Deshalb führt jede Begriffsanwendung zwangsläufig zu einem Mangel.

---

151 Vgl. Kap. 2.2 *Vermittlung als Harmonie.*

152 Eremjan: *Transkulturelle Kunstvermittlung*, S. 260.

153 Ebd., S. 266.

154 Luhmann: *Soziale Systeme*, S. 26, Anm. 19. Luhmann setzt diese Formel gegenüber Hegel, dessen Konzept er als *Identität* von Differenz und Identität versteht.

Welchen Mehrwert soll aber ein solcher unentschiedener Vermittlungsbegriff für Theorie wie Praxis der Kunstvermittlung bringen? Er könnte nahelegen, es aufzugeben, Positionen zu beziehen, weil diese ohnehin nicht nur mit Mangel, sondern auch mit dem Risiko behaftet wären, auf jene Seite zu führen, gegen die sie sich richten. Die Aufforderung ›Mach Kunstvermittlung!‹ an eine Kunstinstitution ist als *double-bind*[155] zu denken: ›Wenn Du öffnest, dann schließt Du und wenn Du schließt, dann öffnest Du.‹ Eine solche Ausgangssituation könnte mehrere Konsequenzen haben. Sie könnte etwa zur Hoffnung auf eine neutrale Position führen, die sich zwischen den Stühlen sieht und einen Ausgleich versucht, sich also aus dem Konflikt der Extreme heraushält. Aber auch das wäre wieder eine Entscheidung. Vermittlung ist, sobald sie begrifflich, theoretisch, praktisch oder wie auch immer realisiert wird, niemals neutral, sie bezieht zwangsläufig Position.[156] Da diese aber nur als risikobehaftete zu denken ist, könnte des Weiteren ein institutioneller Nihilismus die Konsequenz sein, dem es egal wäre, wie, für wen und warum gehandelt würde, oder aber ein vollständiger Abbruch aller Handlungen, ein Untergang der Institution. Dieser wäre nicht notwendig, wenn es Institutionen mit einem reflexiv-unentschieden Begriff von Kunstvermittlung gelänge – um im Bild zu bleiben –, zu *schwimmen*, also *permanent in Bewegung zu bleiben*.

155 Unter *double bind* verstehe ich hier eine paradoxe Handlungsanweisung. Vgl. hierzu den Begriff der »pragmatischen Paradoxie« in: Watzlavick, Paul/Beavin, Janet H./Jackson, Don D.: *Menschliche Kommunikation. Formen, Störungen, Paradoxien*, übers. von Paul Watzlavick. Bern/Göttingen/Toronto/Seattle: Hans Huber 1996 (1969), S. 178.

156 Vgl. hierzu Mörsch: »Glatt und widerborstig«, S. 84.

Denn dazu fordert ein reflexiv-unentschiedener Vermittlungsbegriff auf: Die eigenen begrifflichen Voraussetzungen, die eigene Beobachter*innenposition reflexiv in den Blick zu nehmen und ständig in Bewegung zu halten. Reflexion muss mit Hegel wiederum als Eingriff in das zu denken sein, worüber reflektiert wird; das eigene Tun, die Theorie, die Praxis der Kunstvermittlung. Bewegte Reflexion könnte also das Feld selbst in Bewegung halten.

Gleichwohl ist auch dieser Begriff ein utopischer. Sobald er aber angewandt wird, und dieser Text ist eine Anwendung, bezieht er Position, hofft auf etwas – so wie dieser Text auf eine Kunstvermittlung der Öffnung. Demnach ist die Logik des Binären, gegen die der vorliegende Text wiederholt votiert, im selben am Werk. So richte ich, um Hegels dialektischen Vermittlungsbegriff anwenden zu können, den Diskurs der Kunstvermittlung so zu, dass er meinen beiden entgegenstehenden Hegellektüren folgt. Und auch wenn mein Vorschlag auf eine dritte Lektüre verweist: Die Rahmung des Binären, hier zwischen Öffnung und Schließung, bleibt zunächst bestehen.

5. Hegels Vermittlungsbegriff in der Kritik

Die Wirkungsgeschichte des Hegel'schen Vermittlungsbegriffs ist eine, die sich nicht nur durch die Philosophie, sondern gleichermaßen durch Theologie, Rechts-, Geschichts- und Politikwissenschaften und später auch durch die Soziologie zieht. Genauso wie auf Hegels philosophische Konzeptionen überhaupt, reagiert die Theorieöffentlichkeit gespalten auf das Kommunikationsangebot ›Vermittlung‹. Es gibt Stimmen der absoluten Affirmation, der absoluten Ablehnung und solche, die Hegels Vermittlungsbegriff aufnehmen und kritisch bearbeiten.

5.1. Fundamentale Affirmation

Beispielhaft für eine affirmative Wirkungsgeschichte des Hegel'schen Vermittlungsbegriffs ist der Theologiediskurs in Deutschland und der Schweiz Mitte des 19. Jahrhunderts. Die sogenannten Vermittlungstheologen wendeten ihn auf theologische und kirchenpolitische Probleme an.[1] Diese Gruppe, die sich äquivalent zu den Linkshegelianern[2] formierte, griff etwa die Evidenz institutionalisierter Bibelauslegungen an und veranschlagte für sich eine radikal liberale Haltung.[3] Es ging nicht nur um die Versöhnung von verfeindeten Kirchenlagern, sondern auch von etablierten Kirchenorganen und -laien – eine Versöhnung, in der etwa Kirchenlaien mit eigenen Bibelauslegungen anerkannt werden sollten. Vermittlung wurde so zwar auch als kritische Geste aufgefasst; gleichzeitig dominierte aber die Vorstellung – wie in der ersten hier vorgestellten Lesart des Hegel'schen Vermittlungsbegriffs –, Vermittlung laufe letztlich auf harmonisierte Versöhnung hinaus. Während in den Anfängen der theologischen Rezeption des Hegel'schen Vermittlungsbegriffs der Streit noch als konstitutiv gesetzt wurde,[4] stand zum Ausgang des 19. Jahrhunderts zunehmend das versöhnte Produkt im Mittelpunkt.

Historisch parallel und politisch in Opposition zur Formierung der Linkshegelianer und der Vermittlungstheologie gruppierte sich eine weitere philosophische Bewegung, die Rechtshegelianer. Während die Linkshegelianer in der Vormärzbewegung einen liberalen Staat propagierten, formulierten die Rechtshegelianer eine polizeilich kontrollierte,

1 Vgl. hierzu bes. Voigt, Friedemann: *Vermittlung im Streit. Das Konzept theologischer Vermittlung in den Zeitschriften der Schulen Schleiermachers und Hegels.* Tübingen: Mohr Siebeck 2006.

2 Zur Aufspaltung der zeitgenössischen Schüler Hegels während der Vormärzbewegung in Links- und Rechtshegelianer bzw. in einen konservativen und einen progressiven Flügel vgl. Jaeschke, Walter: *Hegel Handbuch. Leben-Werk-Wirkung.* Stuttgart/Weimar: J.B. Metzler 2003, S. 501–505.

3 Vgl. Voigt: *Vermittlung im Streit.*

4 Vgl. ebd.

»totalitäre Machtstaatstheorie«.[5] Beides lässt sich, wie gezeigt, mit Hegel argumentieren: ein weiteres etymologisches Indiz für die Ambivalenz der Hegel'schen Rede.

Sinnfällig wird die Ambivalenz dabei gerade in jener scheinbar klaren Differenz zwischen Links- und Rechtshegelianern. Denn die heute noch mehrfach als ›links‹ rezipierte Vormärzbewegung war gleichfalls durchzogen von antisemitischen und xenophoben Diskursen.[6] Die Hoffnung auf Harmonisierung der Nation und Emanzipation der bürgerlichen Gemeinschaft vollzog sich zulasten derer, die als der Harmonisierung entgegenstehend betrachtet wurden. Dabei wurden Jüd*innen ambivalent markiert, als deutsch und nicht-deutsch zugleich. So Markierte unterliefen das binäre Reinheitsprinzip, auf das auch die nationalen Bewegungen des 19. Jahrhunderts angewiesen waren.[7] So ist in einer Schrift im Kontext der antisemitischen Hepp-Hepp-Krawalle von 1819 zu lesen: Die »Juden [können] mit den eingebornen, nationalen Menschen nie innigst verschmelzen, und ein Theil jenes harmonischen Ganzen werden, den wir einen bürgerlichen Verein nennen«.[8] Jüd*innen, deren

5 Vgl. Kiesewetter, Hubert: *Von Hegel zu Hitler. Die politische Verwirklichung einer totalitären Machtstaatstheorie in Deutschland (1815–1945)*. Frankfurt/Main: Peter Lang 1995 (1974).

6 Vgl. zum Antisemitismus im Vormärz etwa Rohrbacher, Stefan: »Deutsche Revolution und antijüdische Gewalt (1815–1848/49)«. In: Alter, Peter/Bärsch, Claus-Ekkehard/Berghoff, Peter (Hg.): *Die Konstruktion der Nation gegen die Juden*. München: Wilhem Fink 1999, S. 29–48, sowie Herzig, Arno: »Judenhaß und Antisemitismus bei den Unterschichten und in der frühen Arbeiterbewegung«. In: Heid, Ludger/Paucker, Arnold (Hg.): *Juden und deutsche Arbeiterbewegung bis 1933. Soziale Utopien und religiös-kulturelle Traditionen*, Tübingen: J.C.B. Mohr 1992, S. 1–18.

7 Vgl. Kap. 2.2 Exkurs: *Harmonie, Reinheit und Ausschluss der Ambivalenz*.

8 Zit. nach Rohrbacher: »Deutsche Revolution und antijüdische Gewalt«, S. 38.

behauptete Ambivalenz der Harmonie einer versöhnten Nation entgegenstand, wurden gerade durch jenen Diskurs ausgegrenzt, angefeindet und gewaltsamen Protesten ausgesetzt, der für versöhnende Vermittlung und für die Emanzipation von Bürger- und Arbeiterschaft einstand.

5.2. Fundamentale Ablehnung

Unmittelbarkeit der Tat gegen Vermittlung der Reflexion: 19. Jahrhundert

In Bezug auf Hegel schreibt der dänische Philosoph Søren Aabye Kierkegaard 1846: »Sie [die Vermittlung] ist die elende Erfindung eines Menschen, der sich selbst [...] untreu wurde.«[9] Während sich Hegels bedingte Vermittlung noch aus der Kraft der Negativität speise, sei die absolute Vermittlung ein »Falsum der schlaffen Mattigkeit«.[10] Kierkegaard lehnt Hegels Konzept der absoluten Vermittlung so vehement ab, weil sie die selbstständige Verantwortung eines Menschen über sich selbst enthebe. Jede Anstrengung etwa, einen Konflikt zu beheben, müsse sich als vergeudet erweisen, weil die Aufhebung aller Widersprüche auf das Allgemeine des absoluten Geistes geschoben werden könne.[11] Der Geist richte es schon. Das Höchste aber, das es

9 Kierkegaard, Søren Aabye: *Abschließende unwissenschaftliche Nachschrift zu den philosophischen Brocken. Zweiter Teil*, übers. von Hans M. Junghans, Emanuel Hirsch und Hayo Gerdes. Düsseldorf/Köln: Eugen Diederichs 1958 (1846), S. 102.

10 Ebd.

11 Vgl. dazu Kühnhold, Christa: *Der Begriff des Sprunges und der Weg des Sprachdenkens. Eine Einführung in Kierkegaard*. Berlin/New York: de Gruyter 1975, S. 35.

»nach allen Kräften [...] zu bewahren« gelte, sei »die gegebene Selbstständigkeit des Menschen«,[12] und die müsse eben eine »gegebene«, d.h. eine *unvermittelt unmittelbare* sein.

Kierkegaards Kritik ist exemplarisch für eine ganze Theoriebewegung, die in Bezug auf Hegel »neue Unmittelbarkeiten« (U 16) einfordert. Neben Kierkegaard positionieren sich etwa Ludwig Feuerbach, Moses Heß und Max Stirner gegen die Hegel'sche »Vermittlung, die«, so Andreas Arndt über diese drei, »als blutleere Abstraktion hingestellt wird«. (U 16) Die neue Unmittelbarkeit »verheißt demgegenüber das Geheimnis des Unbegreiflichen und Unverfügbaren«. (U 16) Der Begriff der Unmittelbarkeit benenne Momente der Erfahrung, die sich weder mit Begriffen kontrollieren noch in reflexiven Schleifen einspeisen ließen, sondern sich jedem Zugriff entzögen. Unmittelbarkeit spreche für die Intensität einer Erfahrung, die, statt sich vom Denken und Wissen leiten zu lassen, dieses vielmehr erschüttern könne.

Unmittelbarkeit versus Vermittlung: Das klingt zunächst wie eine Geschichte der diskursiven Kontinuität. Aristoteles will Unmittelbarkeit, Kant will Vermittlung, Fichte will Unmittelbarkeit, Hegel will Vermittlung; und nun gibt es eine neue Forderung nach Unmittelbarkeit. Ganz so glatt aber lässt sich der Verlauf nicht beschreiben, die Motive der jeweiligen Forderungen sind ganz unterschiedlich. So wurde oben gesagt, dass Hegels absoluter Vermittlungsbegriff bereits eine Diskontinuität darstellt, weil er das Moment der Unmittelbarkeit und das der Vermittlung gleichermaßen

12 Kierkegaard, Søren Aabye: *Abschließende unwissenschaftliche Nachschrift zu den philosophischen Brocken. Erster Teil*, übers. von Hans M. Junghans, Emanuel Hirsch und Hayo Gerdes. Düsseldorf/Köln: Eugen Diederichs 1957 (1846), S. 254 f.

enthält.[13] Hegels Unmittelbarkeit ist *vermittelte* Unmittelbarkeit. Genau darum geht es jenen, die neue Unmittelbarkeiten einfordern. Mit der Vermittlung von Vermittlung und Unmittelbarkeit scheint es absolut nichts mehr zu geben, was sich dem Allgemeinen des absoluten Geistes entziehen könnte. Nicht das evident unmittelbare Urteil über X wird hier eingefordert (wie bei Aristoteles) und auch keine erste Gewissheit (wie bei Fichte), sondern Bereiche, die sich der Vermittlung und damit auch der Kontrolle und der Herrschaft entziehen.

Während Stirner und Heß Unmittelbarkeit als politischen Begriff entfalten, vollzieht Kierkegaards Begriff Kritik am erkenntnistheoretischen Programm Hegels. Stünde unmittelbare Erfahrung der vermittelnden Denkbewegung entgegen, wäre ein existenzielles Gefühl wie das der Angst dafür ein gutes Beispiel. Wird Angst auf dem Fünfmeter-Sprungbrett im Schwimmbad nur reflexiv bearbeitet, in verschiedenen Stufen des Denkens, lässt sie sich nicht wirklich beheben. Ein neuer körperlicher (äquivalent dazu: geistiger) Zustand öffnet sich erst durch einen unmittelbaren *Sprung*. Und genauso will es Kierkegaard: Wirkliche Unmittelbarkeit könne nicht stufenweise denkend hergeleitet werden; man müsse in sie hinein*springen*. »Die Bewegung des Springens«, sei, so Christa Kühnhold, das »Wagnis des Schöpferischen«.[14] Heß schreibt, dass in der Überwindung des »Hegelianismus« die »Vermittlung nothwendig aufhören und die That wieder beginnen muß«.[15] So lässt sich hier doch noch eine

13 Vgl. Kap. 4.1 *Vermittlung als Unmittelbarkeit.*

14 Kühnhold: *Der Begriff des Sprunges*, S. 83.

15 Heß, Moses: »Die europäische Triarchie« (1841). In: ders: *Philosophische und sozialistische Schriften*, hrsg. von Wolfgang Mönke, Vaduz: Topos 1980, S. 75–166, hier S. 78. Vgl. hierzu U, S. 35.

begriffsgeschichtliche Kontinuität feststellen, nämlich da, wo Vermittlung mit Reflexion (Kant, Hegel) und Unmittelbarkeit mit Handeln (Fichte, Kierkegaard und Heß) in Verbindung gebracht wird.

Ein Moment diskursiver Diskontinuität zeigt sich darin, dass bis zu Hegel der Begriff der Vermittlung für Unsicherheit und der der Unmittelbarkeit für Sicherheit des Wissens zu stehen schien. Mit Hegel und dessen Rezeption hat sich dieses Verhältnis gewendet.

Wiederholung gegen Vermittlung: Gilles Deleuze

An diese fundamentale Ablehnung der Hegel'schen Vermittlung im philosophischen Diskurs des späten 19. Jahrhunderts lässt sich eine neuere philosophische Position anlehnen, nämlich die Gilles Deleuzes. Er identifiziert, an Kierkegaard anlehnend, in *Differenz und Wiederholung* (DuW) mit Hegels Vermittlung ein fundamentales Herrschaftsdenken, in dem jede Kollision, jede Differenz, jedes Einzelne in den Dienst des Allgemeinen gestellt wird, das lediglich in sich differiert. (Vgl. U 35)

Was Deleuze an Hegel kritisiert ist dessen Begriff von Differenz. Diese sei im Denken Hegels stets »dem Identischen unter[ge]ordnet«. (DuW 11) Die Differenz sei als Negation von etwas gedacht (etwa als Differenz von Nicht-Ich zu Ich) und habe einzig die Funktion, die Identität in einer späteren Vermittlung des Gegensatzes wiederherzustellen (durch Nicht-Ich zu sich selbst kommendes, gesellschaftliches Ich). Hegels Dialektik stelle demnach zu allem Unmittelbaren (erste Stellung) eine Negation in Form eines Gegensatzes her (zweite Stellung), um das Verhältnis zwischen beiden in der absoluten Vermittlung aufzuheben (dritte Stellung), in der das anfänglich Unmittelbare durch Selbstnegation bzw. Selbstreflexion zu sich selbst kommt. Differenz in diesem Sinne stehe im Dienst des Allgemeinen, auf das alles zuläuft.

Vermittlung sei durch die strikte Form der Dialektik eine leere Abstraktion, in der jeder selbstreflexive Rückgriff, jede Unmittelbarkeit immer nur das Allgemeine repräsentiere. Die Vermittlung sei eine *Bewegung der Repräsentation*. Nichts anderes repräsentiere sie als das Denken Hegels selbst:

> Man muss erkennen wie Hegel das Unmittelbare entstellt und verfälscht, um auf diesem Unverständnis seine Dialektik zu begründen und die Vermittlung in eine Bewegung einzuführen, die nurmehr die seines eigenen Denkens und der Allgemeinheiten dieses Denkens ist. (DuW 11)

Die Vermittlung Hegels sei ein selbstevidentes Begriffssystem, das sich durch kein Unmittelbares mehr irritieren lasse.

Deleuze entwickelt von seiner Hegelkritik ausgehend einen Differenzbegriff, den er dem Hegels entgegenstellt. Hegels Differenz sei eine vermittelte Differenz der Negation, die sich stets nur aus dem Gegensatz zweier speise. Der Differenzbegriff Deleuzes avisiert dagegen eine nicht-vermittelte, »indifferente Differenz« (DuW 33), die gleichgültig gegen ihr Anderes ist. Differenz wäre dann nichts, was im Dienst dialektischer Teilung oder als Repräsentationsfetisch eines Allgemeinen stünde, sondern nur für-sich wäre. Deleuze verfolgt eine »singuläre Idee der Differenz« (DuW 47), in der Einzelnes nicht als Negation zu etwas Anderem auftritt (und dergestalt vermittelt wäre), sondern als »Bejahung«. (DuW 82) Diese Differenz ist gleichsam nicht unterschiedslos zu Anderem; aber nicht so, dass einem identischen Ding eine Negation gegenübergestellt würde, um sie so einem allgemeinen System der Reflexion zugänglich zu machen, sondern so, dass ein Ding einen Unterschied *macht.* (Vgl. DuW 89) Die Differenz ist hier *unmittelbare* Differenz. Differenz ist dann Tat, Aktion statt Reaktion, als »gefährliche Prüfung ohne Faden und ohne Netz zu vollziehen«. (DuW 89)

Angewendet auf das formalisierte Vermittlungsschema These-Antithese-Synthese, das Deleuze in Hegels Texten liest, heißt das, dass es nicht Antithese und Synthese als Figuren der Differenz herauszuarbeiten gilt, sondern die *These*:

> [Die] These aber folgt nicht, verharrt in ihrer Unmittelbarkeit, in ihrer Differenz, die an sich die wahre Bewegung vollzieht. Die Differenz ist der wahre Inhalt der These, die Eigensinnigkeit der These. Das Negative, die Negativität fängt nicht einmal das Phänomen der Differenz ein, sondern erhält bloß deren Phantom oder Epiphänomen, und die gesamte ›Phänomenologie‹ [Hegels *Phänomenologie des Geistes*] ist eine Epiphänomenologie. (DuW 79)

Die Unmittelbarkeit der These, die Unmittelbarkeit einer singulären statt vermittelten Differenz würde auf ihre »Eigensinnigkeit« beharren, sich der Funktion einer im Allgemeinen aufgehenden Differenzierung entziehen, wäre nicht auf den Begriff zu bringen. So setzt Deleuze, ebenso wie Kierkegaard und Heß, dem Hegel'schen Begriff der Vermittlung den der ›echten‹, unvermittelten Unmittelbarkeit entgegen.[16]

Doch Deleuze geht es nicht um Vereinzelung. Denn so könnte seine Rede vom Singulären und unvermittelt

16 Wie Kierkegaards und Heß' Begriff von Unmittelbarkeit ist der von Deleuze nicht als absichtsvoller Rückfall in einen Diskurs von Identität und Herrschaft zu verstehen; gleichwohl fehlt eine Problematisierung der politischen wie philosophischen Geschichte des Begriffs der Unmittelbarkeit, der sich nicht minder in einen herrschaftlichen wie identitätspolitischen Diskurs einschreibt. Vgl. Kap. 3.2 *Vermittlung bei Kant* und 3.2 *Unmittelbarkeit bei Fichte.*

Unmittelbaren verstanden werden: als Addition von Vorkommnissen, die einen Unterschied machen, aber blind gegen anderes sind. Es geht ihm durchaus um Pluralität von Differenzen, die jedoch nicht wohlgeordnet in polaren Gegensätzen verteilt einen klar umrissenen Raum beschreiben, sondern es geht um

> eine Verteilung, die man nomadisch nennen muß, ein nomadischer *nomos*, ohne Besitztum, Umzäunung und Maß. Hier gibt es kein Aufteilen eines Verteilten mehr, sondern eher die Zuteilung dessen, was sich verteilt, in einem unbegrenzten offenen Raum, in einem Raum, der zumindest keine genauen Grenzen kennt. (DuW 60, Herv. i.O.)

Deleuzes Begriff nomadischer Differenz trifft hier nicht zuletzt deshalb so gut, weil sich Hegel in seiner *Philosophie des Rechts* abfällig gegenüber »nomadischen Völkern« äußert: »Bey einem nomadischen Volke z.B., überhaupt bey einem solchen, das auf einer niederen Stufe der Cultur steht, tritt sogar die Frage ein, in wiefern es als ein Staat betrachtet werden könne.«[17] Da nicht-sesshafte Gesellschaften keine klaren Grenzen zögen, sich selbst kein einheitliches Gesetz im eurozentrischen Sinne gäben, seien sie als Staaten nicht anzuerkennen, seien – so in diesem auf Hegel bezogenen Diskurs *weiß*-eurozentrischer Auffassung von Vermittlung – ausgegrenzt vom Spiel der absoluten Vermittlung. Deleuze nimmt zwar nicht explizit Bezug auf diese Stelle bei Hegel, doch scheint mir von hier aus ein Differenzbegriff virulent, der sich als permanente Wanderung versteht, und sich so in den toten Winkel des Absoluten begibt. Differenzen,

17 PdR, S. 269. Hier in Kap. 4.2 *Absolute Vermittlung im Aufklärungsdiskurs weißer Vorherrschaft.*

verstanden als nomadische, geraten so, statt in einem geregelten Verhältnis des polaren Gegensatzes, in ein unkontrollierbares Spiel, lösen Erschütterungen aus, vergehen wieder, tauchen an anderen Stellen wieder auf. Differenzen sind dann zwar als singuläre gedacht, stehen aber gleichsam koexistierend nebeneinander (statt gegeneinander), in »einem Pluralismus von freien, wilden oder ungezähmten Differenzen«. (DuW 76)

Deleuze nennt hierfür ein Beispiel. So fordere die Konfrontation mit einer Skulptur bereits eine Bewegung ein, eine »Überlagerung von Perspektiven, ein Gewirr von Blickpunkten, eine Koexistenz von [differentiellen] Momenten«. (DuW 83) Die Skulptur zwinge etwa zu einer »Kombination eines streifenden Blicks mit einem eindringenden Blick, zum Auf und Ab im Raum, während man voranschreitet«. (DuW 83) Es dürfe laut Deleuze nicht darum gehen, mit dem Mittel der Vermittlung die Pluralität der Blickpunkte auf den Begriff zu bringen, das Spiel der Repräsentation zu spielen, sondern das »Chaos der Differenz« (DuW 84) anzunehmen. Gelinge dies, verlasse »das Kunstwerk [...] das Gebiet der Repräsentation, um ›experimentelle Erfahrung‹ zu werden«. (DuW 84) Eine solche Erfahrung mit einem Kunstwerk sei Einübung in eine vielfältige Lektüre von Welt, in der sich permanent Differenzen ereignen und dabei Sichergeglaubtes verschiebt, sich nicht reflexiv einfangen lässt.

Deleuze verlässt mit diesem Konzept von unmittelbarer und dennoch pluraler Differenz das Feld binärer Ordnungen. Bereits Hegels Vermittlung stellt sich gegen die aristotelische Regel der Identität, vollzieht sich aber dennoch, wie mehrfach gezeigt, in binären Ordnungen bzw. davon ausgehend. So ist es folgerichtig, dass Deleuze die Form des Gegensatzes bzw. des Widerspruchs als eine, wenn auch nur implizit, *binäre* Form identifiziert. Weniger folgerichtig aber erscheint mir, den Begriff der Vermittlung auszuschließen, wollte man binäre Ordnungen verlassen. Denn Deleuzes Begriff von unmittelbarer Differenz ist an eine strikte Hegelkritik gebunden, und diese wiederum an eine enge Lesart des Begriffs der Vermittlung. Mit einer erweiterten Lesart könnte etwa die Frage gestellt werden, ob das Konzept einer unvermittelten Unmittelbarkeit nicht vor das Problem stellt, wie wir davon wissen können, wenn es nicht mitgeteilt, nicht vermittelt wird?[18] Wie kann Deleuze vom Unmittelbaren schreiben, wenn nicht im Modus der Vermittlung? Wie kann eine Skulptur angeschaut werden, ohne dabei bereits vermittelte Diskurse, angeeignete Blickregime, erlernte Verhaltensweisen und institutionelle Verstrickungen aufzurufen, die es dann durch partielle Unmittelbarkeiten zu stören gelten könnte?

Es kann durchaus darum gehen, Momente des Unmittelbaren dem reflexiven Zugriff des Allgemeinen zu entziehen, das Unmittelbare als durch nichts Gebundenes oder Bedingtes zu denken, um das Moment intensiver und erschütternder Erfahrungen zu schützen. Auf diskursiver Ebene jedoch, auf der sich Deleuze mit seiner Vermittlungskritik befindet, bedarf es dazu gleichzeitig eines *Verhältnisses* des Unmittelbaren zum Vermittelten. Sonst wäre das eigentlich Vermittelte wieder als Unmittelbares *behauptet* und würde sich so jeder Kritik, jeder Negation entziehen. Ein solches Verhältnis des Unmittelbaren zum Vermittelten müsste sowohl ein produktives wie auch problematisches sein, sicher

---

18 Vgl. hierzu Andreas Arndt, der schreibt: »Beim Wort genommen wäre die unvermittelte Unmittelbarkeit etwas, was sich jeder Form der Mitteilung schlechthin entzieht, opak und abwesend und damit gleichgültig für uns.« U, S. 30.

kein synthetisches. Ein produktiv-problematisches Verhältnis von Unmittelbarkeit und Vermittlung hat, wie zu zeigen sein wird, etwa Helmuth Plessner erprobt.

5.3. Kritische Aufnahme

Die Geschichte der Affirmation wie die der Ablehnung haben deutlich gemacht, wie sehr die erste Lesart des geschlossenen Vermittlungsbegriffs die Hegelrezeption dominiert. Denn nur so lässt sich die These von der zwanghaften Versöhnung argumentieren, für die Affirmation und Ablehnung gleichermaßen stehen: der affirmative Diskurs mit Hang zur versöhnenden, der ablehnende mit Hang zur zwanghaften Seite des Vermittlungsbegriffs.

Karl Marx, Helmuth Plessner und Theodor W. Adorno lesen in Hegels Vermittlung dagegen beides: Versöhnung und Zwang. Alle drei seien im Folgenden angeführt, wobei ich der Hegellektüre Adornos (Kap. 6) ein eigenes Kapitel einräume, weil sie sich als besonders produktiv für einen differenzorientierten Begriff von Kunstvermittlung erweist. (Kap. 6.3) Zudem möchte ich auf die Hegelkritik Deleuzes und deren Anwendung in der Kunstvermittlung zurückkommen (Kap. 5.4) Die Hegelrezeption Gotthard Günthers, der gleichfalls Hegels Vermittlungsbegriff kritisch aufgreift und weiterentwickelt, wird ebenfalls in einem eigenen Kapitel behandelt. (Kap. 7)

Gegenständliche Vermittlung bei Marx

Auch Marx liest Hegels Vermittlungsbegriff nicht mit fixer Bedeutung. Er bestimmt Vermittlung als Versöhnung und

Zwang einerseits, als Möglichkeit zur Kritik der politischen Ökonomie andererseits. An Hegels Vermittlung anlehnend begreift Marx den Menschen im Verhältnis zu seiner Umwelt: Indem der Mensch mit seiner Umwelt umgehe, komme er zu sich selbst.[19] Im Gegensatz zu Fichte und Hegel versteht er dieses Verhältnis als ein fundamental materielles. Der Umgang sei kein denkender, sondern einer, der etwas schaffe, etwas produziere. Nicht Geist, sondern *Arbeit* sei das Absolute, das den Menschen ebenso umgibt und bedingt, wie sie von ihm hergestellt wird. Arbeit sei ein absoluter Kreislauf des Sich-selbst-Herstellens.[20]

Ebenso wie Kierkegaard, Heß und Deleuze geht es auch Marx nicht um ein selbstevidentes Universum der Begriffe und Reflexionsbewegungen, sondern um tätige Prozesse. Entgegen den genannten Positionen knüpft Marx die tätige Bewegung des Menschen aber an die Begriffsfiguren Hegels an und nennt die Einheit zwischen Mensch und Umwelt eine vermittelte Einheit, die sich nur durch den konkreten Umgang mit Mitteln, Material und sozialen Verhältnissen herstelle.[21] Insofern nennt Andreas Arndt Marx' Vermittlung

19 Vgl. Marx, Karl: »Ökonomisch-philosophische Manuskripte« (1844). In: ders./Engels, Friedrich: *Werke*, Ergänzungsband, Erster Teil, hrsg. von Rolf Dublek et al. Berlin: Dietz 1985, S. 465–588, hier S. 577.

20 Vgl. Marx, Karl: »Kritik der Hegelschen Dialektik und Philosophie überhaupt« (1844). In: ders./Engels, Friedrich: *Werke*, Ergänzungsband, hrsg. von Rolf Dublek et al. Berlin: Dietz 1985, S. 568–588, hier S. 574.

21 Marx schreibt dazu: »Jeden Augenblick, im Rechnen, Buchführen etc. verwandeln wir die Waren in Wertzeichen, fixieren wir sie als bloße Tauschwerte, abstrahierend von ihrem Stoff und allen ihren natürlichen Eigenschaften. Auf dem Papier, im Kopf geht diese Metamorphose durch bloße Abstraktion vor sich; aber im wirklichen Umtausch ist eine wirkliche *Vermittlung* notwendig, ein Mittel, um diese Abstraktion zu bewerkstelligen.« Marx, Karl: *Grundrisse der Kritik der politischen Ökonomie*. In: ders./Engels,

»*gegenständliche Vermittlung*« (U 41, meine Herv.), sie ist eine Vermittlung der Mittel und Verhältnisse. Vermittlung wird damit von einem idealistischen Konzept zu einem materialistischen gewendet.

An diesen Begriff einer gegenständlichen Vermittlung setzt auch Marx' Kritik der Mittelverteilung, seine Kritik gesellschaftlicher Verhältnisse an. Denn angesichts der Klassengegensätze und Ausbeutung in der Entwicklung des frühen Kapitalismus kann für Marx Vermittlung nicht darauf hinauslaufen, dass alle Gegensätze sich in einer harmonischen Gemeinschaft versöhnen ließen. »Wirkliche Extreme können nicht miteinander vermittelt werden, eben weil sie wirkliche Extreme sind[.] [...] Aber sie bedürfen auch keiner Vermittlung, denn sie sind entgegengesetzten Wesens.«[22] Gegensätzliche soziale Positionen seien zwar »geschichtlich miteinander vermittelt«, so Arndt über Marx, »ohne aber zu einer abschließenden Synthese zu kommen, in der sie ineinander aufgehen könnten«. (U 42) Die Lesart der absoluten Vermittlung als eine der reinen Synthese kehrt so auch bei Marx zurück und wird von ihm desgleichen abgelehnt. Stattdessen müsse sich Vermittlung – im Verständnis ihrer Funktion des Dazwischentretens[23] – auch als Kritik lesen lassen, als eine Kritik ungleicher Verteilung der Produktionsmittel. Wer über die Produktionsmittel verfügen kann, hat Verfügung über die Zirkulation, die Vermittlungsbewegung des Kapitals.[24] Eine Kritik ungleicher Verteilung muss hier intervenieren, Vermittlungsbewegungen aufdecken, stören

Friedrich: *Werke*, Bd. 42. Berlin: Dietz 1983 (o.J.), S. 77, Herv. i.O.

22 Marx, Karl: *Kritik des Hegelschen Staatsrechts*, hrsg. von Rolf Dublek et al. Berlin: Dietz 1956 (1843), S. 292.

23 Vgl. Kap. 2.1 *Die Vorsilbe ›ver-‹ und ihr »übler Nebensinn«.*

24 Vgl. Marx: *Grundrisse der Kritik der politischen Ökonomie*, S. 597.

und durch andere ersetzen. Eine gerechte Verteilung der Mittel ist nicht in einer Synthese zu suchen, sondern in einer Transformation bestehender Verhältnisse. Es geht also nicht darum, den Begriff der Vermittlung per se als Element des Zwangs abzulehnen, sondern eine *andere* Verteilung, d.h. Vermittlung möglich zu machen – ein begrifflicher Zusammenhang, den ich mit Adorno an anderer Stelle differenzieren werde.

Schein der Unmittelbarkeit bei Plessner

In seiner Geschichte des Begriffs der Unmittelbarkeit schließt Arndt an die Marx'sche gegenständliche Vermittlung direkt die Position des Soziologen und Philosophen Helmuth Plessners an. Auch für Plessner ist der Umgang des Menschen mit seiner Umwelt ein vermittelter.

Bei ihm ist es aber – im Gegensatz zur materialistischen These bei Marx – der Mensch selbst, der eine Beziehung zwischen sich und seiner Umwelt herstellt: »Er [der Mensch] bildet den Punkt der Vermittlung zwischen ihm und dem Umfeld *und* er ist in diesen Punkt gesetzt, er steht in ihm.«[25] Das heißt, dass das Ich des Menschen doppelt vorkommt: einmal als dasjenige, welches es mit der Umwelt zu vermitteln gilt, und einmal als das, welches die Vermittlung herstellt. Das Ich, das die Beziehung zur Umwelt vermittelt, ist für Plessner aber eines, das außerhalb des Körpers liegt: Es sei Ausdruck für die »exzentrische Positionsform« des

25 Plessner, Helmuth: *Die Stufen des Organischen und der Mensch. Einleitung in die philosophische Anthropologie*, hrsg. von Günter Dux, Odo Marquard und Elisabeth Stöker. Frankfurt/Main: Suhrkamp 1981 (1928), S. 401.

Menschen.[26] Um dieses außer sich liegende Ich zu realisieren bedürfe es der »technischen Hilfsmittel«,[27] Werkzeuge und Erfindungen, die es dem inwendigen Ich ermöglichten, in der sozialen wie physischen Umwelt seinen Ausdruck zu finden. Das Ich, das konkret formend in seine Umwelt eingreift, vermittelt so zwischen inwendigem Ich und Umwelt.

Dennoch – und das macht ihn im Rahmen dieser Begriffsgeschichte so bedeutsam – hält Plessner am Konzept der Unmittelbarkeit fest. Denn die hier beschriebene indirekte Beziehung des Menschen zu seiner Umwelt »kann dem Lebewesen gar nicht anders als direkt, als unmittelbar erscheinen, weil es ›sich selber‹ noch verborgen ist«.[28] Im Tun treffe das Ich keine Unterscheidung zu sich selbst, halte seine Umweltbeziehung für eine unmittelbare. Insofern greift Plessner mit seinem »Gesetz der vermittelten Unmittelbarkeit«[29] Hegels Figur der Vermittlung von Vermittlung und Unmittelbarkeit wieder auf. Gleichwohl geht es Plessner nicht darum, dem Menschen einen Weg aufzuzeigen, seine Beziehung zur Umwelt in einem Zustand absoluter Vermittlung aufzuheben, sondern darum, wie Arndt schreibt, den »Schein der Unmittelbarkeit als notwendigen Schein« im Tun hinzunehmen, aber gleichzeitig »die Möglichkeit seiner kritischen Auflösung aufzuzeigen«. (U 45)

Damit ist der Begriff der Vermittlung erneut in die Nähe von Zwang und Kritik gebracht. Ohne einen Blick auf die vermittelten Verhältnisse dominiere der Schein der

26 Ebd., S. 399.

27 Ebd., S. 397. An dieser Stelle wird die wortgeschichtliche Bedeutung von Vermittlung als Mittel erneut deutlich. Vgl. Kap. 2.1 *›mittel‹ und ›mitte‹*.

28 Plessner: *Die Stufen des Organischen und der Mensch*, S. 401.

29 Ebd., S. 396.

Unmittelbarkeit, der sowohl direkten Eingriff in die Umwelt vortäusche als auch, mit Marx, ein direktes den-Verhältnissen-Ausgesetzt-Sein. Der reflexive Einstieg in die Vermittlung erlaube es dagegen, in kritische Distanz zu sich selbst und der Verwicklung in Um- wie Mitwelt[30] zu treten.

Auf der einen Seite scheint Plessner vermeiden zu wollen, dass eine universale Vermittlung sich im Sumpf bodenloser Reflexionen verliert.[31] Auf der anderen Seite muss Plessners Entwurf als Kritik jedes Konzepts gelten, dass Unmittelbarkeit als unvermittelt setzt. So stellt Volker Schürmann Plessners Position in direkter Kritik zu Kierkegaards Votum unmittelbarer Tat, unmittelbaren Glaubens. Mit Kierkegaard und Heß sei im Unmittelbaren ein Moment des Widerstands gegen zwanghaft-versöhnlerische Bewegungen verborgen.[32] Plessner argumentiere dagegen:

> Das pure Dass des Hineinspringens in eine Philosophie resp. Weltanschauung wird zum heroischen Akt wahrer Freiheit stilisiert – und da Intellektuelle sich nicht gerne selber die Hände schmutzig machen, ist für die ›praktische‹ Verwirklichung die Stärke eines Führers gefragt, wirkmächtig zwischen Freund und Feind unterscheiden zu können.[33]

Ebendas ist Plessners These: Scheint der Begriff unvermittelter Unmittelbarkeit Singularität zu versprechen, so würde er, etwa als politische Tat begriffen, doch nur als soziale

---

30 Mit dem Begriff der Mitwelt unterscheidet Plessner die soziale Umwelt, also Mitwelt, von der biologischen Umwelt. Vgl. ebd., S. 365–382.

31 Vgl. Kap. 3.1 *Antike: Vermittlung und binäre Logik.*

32 Vgl. Kap. 5.2 *Unmittelbarkeit der Tat gegen Vermittlung der Reflexion: 19. Jahrhundert.*

33 Schürmann: »Vermittlung/Unmittelbarkeit«, S. 2889. Vgl. auch U, S. 37.

Bewegung wirksam. »Eine heroische Lebensauffassung«, so Plessner, »welche die bürgerliche Welt der Abstraktionen und stellvertretenden Mittel gegen den Verlust der Unmittelbarkeit, gegen die blutleere Mechanisiertheit sein muss, setzt sich nur im Zeichen der Gemeinschaft durch.«[34] Unter dem Deckmantel des scheinbar unvermittelt Unmittelbaren, scheinbar Nichtallgemeinen mache sich eine solche Gemeinschaft unangreifbar, entziehe sich jeder Kritik, sei unter der Idee der Widerständigkeit doch wieder nur eine Form von »Herrenmoral«. (U 28) »Der Zauber der Unmittelbarkeiten«, so Arndt in Bezug auf Deleuze, sei »vergiftet«. (U 37)

Erneut taucht hier in der Begriffsgeschichte ein Dilemma auf: Kant und Hegel haben Kritik an allen Formen unvermittelter Unmittelbarkeit als antikritische Bewegungen geäußert und für Vermittlung votiert. Kierkegaard, Heß und Deleuze haben dagegen vorgeführt, dass die Setzung der Vermittlung als absolute alles mit allem in Beziehung bringen will, auch unter Zwang. Ohne Außen sei da auch kein Ort, der sich eurozentrischen Philosophiekonzepten wie nationalen Gesetzgebungen entzöge. Plessner hat wiederum gezeigt, dass auch das Votum für die Unmittelbarkeit der Tat nicht ohne Allgemeines, ohne Vermitteltes auskommt, und umso repressiver wirken kann, als es sein eigenes Allgemeines verneint. Was also tun, um Momente des Widerständigen, um Bewegung, Transformation und Öffnung im Begriffsfeld zwischen Vermittlung und Unmittelbarkeit weiterdenken zu können?

34 Plessner, Helmuth: »Grenzen der Gemeinschaft. Eine Kritik des sozialen Radikalismus« (1924). In: ders: *Gesammelte Schriften*, Bd. 5, hrsg. von Günter Dux, Odo Marquard und Elisabeth Stöker. Frankfurt/Main: Suhrkamp 1981, S. 7–133, hier S. 43. Vgl. hierzu auch U, S. 37.

Andreas Arndt legt eine Spur, der ich hier nachgehen will: Er entwickelt Plessners Konzept des Scheins der Unmittelbarkeit weiter. »Als unmittelbar erscheint das, was in die jeweilige Vermittlung als nicht von ihr gesetzte Voraussetzung eingeht.« (U 49) Mit »die jeweilige Vermittlung« sei ein Feld angenommen, in dem sich mehrere vermittelte Verhältnisse bewegen, z.B. eine in sich vermittelte Gemeinschaft. Nun tritt etwas zu ihr hinzu, das die Gemeinschaft unvorbereitet *trifft*,[35] was diese nicht reflexiv herleiten kann und nicht einzuordnen vermag. Dieses Etwas erscheint der Gemeinschaft als Unmittelbares, vermag sie zu erschüttern. Gleichzeitig ist dieses Etwas aber kein unvermittelt Unmittelbares, sondern bereits in andere Verhältnisse verstrickt, die der getroffenen Gemeinschaft aber verborgen bleiben. Das unmittelbare Etwas wäre demnach sehr wohl voraussetzungsvoll, aber eben keine »von ihr«, d.h. der Gemeinschaft selbst »gesetzte Voraussetzung«. Das unmittelbare Etwas *macht*, im Sinne Deleuzes, *einen Unterschied*, lässt sich im Rahmen der Gemeinschaft nicht kontrollieren und ist gleichzeitig, so Arndt, »Effekt eines [anderen] Verhältnisses«. (U 49) Ein solches Konzept des Unmittelbaren würde, so meine ich, die Möglichkeit eröffnen, Unmittelbarkeit im Sinne Kierkegaards und Deleuzes weiterzudenken, diese jedoch als voraussetzungsvolle, d.h. vermittelte zu konzipieren.[36] Wie diese Spur scheinbarer Unmittelbarkeit für das Feld der Kunstvermittlung produktiv gemacht werden kann, skizziere ich im Folgenden. Dem stelle ich Überlegungen

35 Der Begriff ›Treffen‹ ist hier durchaus im Sinne Eva Sturms gemeint. Vgl. Kap. 4.3 *Schließung und Öffnung: bedingte Kunstvermittlung*.

36 Und sie so doch wieder zu ›entstellen‹, ihrer Reinheit zu berauben, die Unmittelbarkeit also durch Vermittlung zu verschmutzen.

voran, die der Umwertung des Begriffs der Unmittelbarkeit in der Theorie der Kunstvermittlung nachgehen.

5.4. Neue Unmittelbarkeiten in der Kunstvermittlung

> Der Hegel'schen Bewegung, in der das Unmittelbare entstellt und verfälscht wird, weil es gleichsam im Dienste der Allgemeinheit, der Repräsentation und der Vermittlung steht, stellt Gilles Deleuze Denker wie Friedrich Nietzsche und Sören Kierkegaard entgegen. Sie haben laut Gilles Deleuze die Philosophie in ihren Ausdrucksmitteln bereichert, »wollen die *Metaphysik* in Bewegung, in Gang setzen. Sie wollen sie zur Tat, zu *unmittelbaren* Taten antreiben«, und das wiederum bedeutet, »im Werk eine Bewegung zu erzeugen, die den Geist [...] *außerhalb jeglicher Repräsentation zu erregen vermag*; es handelt sich darum, [...] *die mittelbare Repräsentation durch direkte Zeichen zu ersetzen*; Schwingungen, Rotationen, Drehungen, Gravitationen, Tänze oder Sprünge auszudenken, die den Geist direkt treffen.« (VKa 132, Herv. i.O., vgl. DuW 24)

In dieser Passage aus Eva Sturms Buch *Von Kunst aus*, die aus Deleuzes *Differenz und Wiederholung* zitiert, ist eine grundlegende begriffliche Verschiebung am Werk: eine Umkehrung in Wertung und Deutung des Begriffs der Unmittelbarkeit im Diskurs differenzorientierter Kunstvermittlung. 15 Jahre zuvor hatte Sturm in *Im Engpass der Worte* die Vorstellung von Unmittelbarkeit in Bezug auf Lacan noch als Mythos verworfen:

> So betrachtet, ist das ganze Kunst-/Museum eine einzige symbolisch-imaginäre Zeigevorrichtung. Die Institution sagt selbst ununterbrochen »Hier sehen Sie!« –

> und wird damit meist wörtlich genommen. [Klaus] Giel schreitet in seinen Ausführungen ganz in diesem Sinn zielstrebig weiter vom Zeigen zur treffenden Darstellung […]. […] nur hier, im Schauraum der Theorie, würde sichtbar, »was die Dinge *von sich aus sind*« […]. Von solcher Hoffnung auf ein »reines Auge« wird wohl auch manches Kunst-/Museum genährt. Womit ein weiteres Mal dem Mythos der Unmittelbarkeit gehorcht wird. (IE 240, Herv. i.O.)

Im ersten Zitat ist der Begriff der Unmittelbarkeit positiv konnotiert, im zweiten Zitat negativ. Aus der bisher vorgestellten Begriffsgeschichte von ›Vermittlung‹, die untrennbar an die von ›Unmittelbarkeit‹ gebunden ist, ist ersichtlich, dass diese Umwertung Sturms nicht beliebig, sondern zwingend ist.

Erstens kann die Umkehrung in der Deutung des Begriffs der Unmittelbarkeit mit der vorgestellten philosophischen Umkehrung verknüpft werden: Unmittelbarkeit erscheint bei Fichte als Reinheitskonzept, als Vorstellung bruchloser Identität, während derselbe Begriff bei Deleuze herrschaftskritische Überlegungen markiert und dabei auf radikale, durch nichts einzuholende Differenz abhebt. Mit dem Theoriewechsel Sturms zu Deleuze muss der Begriff der Unmittelbarkeit folgerichtig umgewertet werden. Dieser Entwicklung ist demnach die Etymologie des Unmittelbarkeitsbegriffs eingeschrieben.

Zweitens: Auch der Unmittelbarkeitsbegriff ist von Bedeutungswandel durchzogen und schließt damit ambivalente Sinnzusammenhänge ein. Auch dieser Begriff ist demnach nicht per se als freiheitliches oder zwanghaftes, als identitätsbejahendes oder differenzstiftendes Konzept zu lesen.

Sturm schließt sich in *Von Kunst aus* der differenztheoretischen Lesart Deleuzes an. Gleichzeitig behält sie den Begriff der Vermittlung bei, was erneut zu einem begrifflichen Dilemma führt, das im Folgenden entfaltet und, u.a. mit Hilfe von Plessner und Arndt, produktiv gewendet werden soll.

Notwendigkeit der Unmittelbarkeit

Die zwei oben zitierten Passagen Sturms eint (und trennt) nicht nur die (unterschiedliche) Verwendung des Ausdrucks ›Unmittelbarkeit‹; auch das Wort ›treffen‹ taucht in beiden auf, gleichfalls mit unterschiedlichen Wertungen. Im zweiten Zitat ist von der »*treffenden* Darstellung« die Rede und von der Hoffnung, die Gesten des Kunstzeigens – als Ausstellung wie als Führung – würden das Kunstwerk in seiner Identität unmittelbar und genau zu fassen bekommen, würden es treffend beschreiben und kontextualisieren.[37] Der Begriff der Unmittelbarkeit ist dann im Sinne des deutschen Idealismus zu lesen, benennt ein Moment des unmittelbaren Verfügens über etwas mit sich Identisches. Der unmittelbare Zugriff des aktiven Subjekts kontrolliert (vermeintlich) das gezeigte oder benannte Objekt.

Im ersten Zitat wird ebenfalls vom Treffen gesprochen; diesmal aber nicht so, dass das rezipierende Subjekt ein Objekt verfügend trifft. Es geht vielmehr um Momente, die »den Geist direkt treffen«, d.h. das rezipierende Subjekt wird nicht als aktives, sondern als passives gedacht, das *von* etwas getroffen wird. Dieser Begriff des Treffens wurde bereits oben verwendet: Ein Kunstwerk wird, so Sturm mit Deleuze, erst dann zu Kunst, wenn aus ihm etwas hervorbricht, »eine Deterritorialisierungslinie sich bildet« und jemanden trifft.[38]

37 Vgl. Kap. 4.3 *Kunstwerk – vom Subjekt betrachtet.*

38 VKa, S. 57. Hier in Kap. 4.3 *Kunstwerk – vom Subjekt betrachtet.*

Dieser Treffer ist aber keiner der Kontrolle, der (Wieder-) Herstellung von Identität: »Irgendetwas stört, lässt sich nicht ganz einordnen, bricht hervor, macht einen Bruch in einer reibungslosen Kontinuität.« (VKa 86) Eine ebensolche Störung könne Kunst initiieren. Kunst könne, wenn sie trifft und dem Treffen auch Raum gegeben wird, gewohnte Sichtweisen stören und verschieben, könne dergestalt fortgesetzt, statt, wie im zweiten Zitat, eingefangen, korrekt benannt und beendet werden.

Ein solches Treffen sei aber nicht im Modus der Vermittlung zu haben. Vermittlung als »Diskurs aus zweiter Hand« (DuW 22, vgl. VKa 131) sei vielmehr die Bewegung der Repräsentation, die als Allgemeines bzw. als »Gemeinsinn« (VKa 47) immer schon alles mit allem in Beziehung gesetzt habe. »Kunst-immun«[39] sei die Künstlerin und Kunstvermittlerin Anna Zosik gewesen, als sie im Rahmen eines Seminars von Eva Sturm die Aufgabe hatte, im Hamburger Bahnhof »eine künstlerische Arbeit zu finden, die *anspricht*, *trifft*«. (VKa 51, Herv. i.O.) »Ich schaute auf die gleichen Bilder, die ich«, zitiert Sturm Zosik, »bereits x-mal gesehen hatte, Bilder, die in tausend Katalogen bereits tausendmal auseinandergenommen wurden. Ist da noch eine subjektive Reaktion möglich?«[40] Statt dem Diskurs der Vermittlung zu folgen, statt sich also in die Schleife der ausgetretenen Reflexionsbewegungen des Kunstdiskurses zu begeben, hatte Zosik dann doch eine Arbeit gefunden: »Und zwar«, so Sturm

39 Anna Zosik, zit. nach VKa, S. 51. Ich werde mich im Folgenden mehrmals auf dieses Beispiel beziehen, allerdings nicht im Sinne empirischen Materials. Wichtig ist mir hier der *Text* als Material, und wie sich Fragen der Vermittlung daran abbilden.

40 Ebd.

über Zosik, »*unvermittelt*«.[41] Das gefundene Bild, der *Doppelte Elvis* von Andy Warhol, habe Zosik etwas zugemutet, etwas Unvorhergesehenes geöffnet, eine Reaktion ermöglicht, die sich außerhalb reproduzierter Diskurse des Kunstsystems begeben habe. Zosik sei vom Werk *affiziert* worden, statt es von einem Standpunkt der Reflexion in bekannte Begriffsordnungen einzufügen. Der Affekt sei, so Sturm weiter mit Deleuze, »genau nicht *Vermittlung*, nicht *Repräsentation* von etwas«. (VKa 124, Herv. i.O.) Momente des Affekts seien »singulär in ihrer jeweiligen Einzigartigkeit als konkrete Ereignisse, die sich nur im je konkreten Zusammentreffen von verschiedenen Kontexten bilden und zeigen« könnten. (VKa 124)

Solche Momente des unvermittelt Unmittelbaren seien notwendig, wenn von Kunst ausgehend etwas Unvorhergesehenes initiiert werden solle, was quer zu gewohnten Sichtweisen verlaufe. (Vgl. VKa 48) Auch Karl-Josef Pazzini weist auf die Produktivität der »Affektion durch einen Gegenstand« hin,[42] die oft erst die nötige Nähe einer Betrachter*in zum Kunstwerk herstelle. Es sei die Unmittelbarkeit der Berührung oder des Blicks, die etwas lostrete: »Aus dem Bild hat mich ein Blick erwischt.«[43] Eine solche Affektion sei ein aggressiver Akt: »Er wühlt auf, fordert Antwort, gibt Rätsel auf,

---

41 Sturm: *Vom Schießen und Getroffen-Werden*, S. 26, meine Herv. Zum Begriff des Unvermittelten schreibt Sturm an anderer Stelle: »Was hier also statt der repräsentierenden Vermittlung vorgeschlagen wird, ist *Unvermitteltheit* im Sinne eines *unvorhersehbaren* Geschehens, im Sinne des *Ereignisses*, der *Überraschung*.« VKa, S. 134, Herv. i.O.

42 Pazzini, Karl-Josef: *Sehnsucht der Berührung und Aggressivität des Blicks*. Hamburg: o.V. 2012, S. 16.

43 Ebd., S. 14.

für die meist niemand eine Lösung weiß.«[44] Von dort aus aber, von der aggressiven, unvorbereitet getroffenen Herausforderung durch die Konfrontation mit einem Kunstwerk, könne Unmittelbarkeit ein öffnendes Moment initiieren.[45]

Die Umwertung des Begriffs der Unmittelbarkeit bei Sturm ist damit vergleichbar mit derjenigen, die der Begriff durch die Philosophie des deutschen Idealismus erfahren hat. Unmittelbarkeit nach Sturm steht nicht, wie bei Fichte, für Kontrolle und Identität, sondern, wie bei Deleuze, für Störung und Differenz – jedoch nicht, wie bei Hegel, als Differenz des binären Gegensatzes, sondern als singuläre, nomadische Differenz, die unvermittelt auftaucht, einen Unterschied macht, etwas verschiebt und wieder vergeht.[46]

Die dialektische Vorgehensweise des Vermittelns aber, die jedes Unmittelbare in einem zweiten Schritt mit seinem Gegensatz konfrontiere und dergestalt alles Unbekannte in binäre Strukturen zu Bestehendem setze, entschärfe unmittelbare Momente, setze sie stets in Beziehung zum Allgemeinen. (Vgl. VKa 48 f.) Die »vermittelnde Bearbeitung«, so Pazzini, »versucht eine Zähmung zu erreichen«.[47] Es sei also nicht möglich, die ›reine‹ Unmittelbarkeit eines Affekts in die Vermittlung zu retten, indem sie, im Rahmen von Kunstvermittlung, begrifflich übersetzt werde, eingefangen von einem bestehenden Diskurs. »Solch ein Umschlag vom Singulären ins Mitteilbare ist streng genommen nicht möglich« (VKa 254), schreibt Sturm, und Pazzini wiederum konstatiert: »So [durch die Zähmung der Vermittlung] folgt oft

---

44 Ebd.

45 Vgl. ebd.

46 Vgl. Kap. 5.2 *Wiederholung gegen Vermittlung: Gilles Deleuze.*

47 Ebd., S. 16.

eine Klage über den Verlust der Unmittelbarkeit.«[48] Die Konsequenz könnte demnach sein, sich im Feld des Umgangs mit Kunst außerhalb des Mitteilbaren zu begeben. Sturm zitiert Deleuze: »Das Wichtigste wird vielleicht sein, leere Zwischenräume der Nicht-Kommunikation zu schaffen, störende Unterbrechungen, um der Kontrolle zu entgehen.«[49] Vermittlung dagegen, die alles mit allem in Verbindung bringt und einen absoluten Raum der Kommunikation herstellt, wird zum Allgemeinen schlechthin und liefert – auch mit Hegel gedacht – ideale Rahmung für polizeiliche Kontrolle über das Singuläre.[50] Im Kontext der Kunstvermittlung heißt das: Sie ist auch dazu da, über ihre institutionellen Strukturen den Diskurs zu kontrollieren, ist ein komplexes Schließungs- und Öffnungssystem, das Kunst zuweilen »vor dem Publikum in Sicherheit« (VKa 91) bringen muss.

An dieser Stelle befinden wir uns im Fahrwasser aktueller politischer Debatten. Es ließe sich etwa mit Tiqqun anschließen, die, auch in Bezug auf Deleuze, die Universalität der Kommunikation als totalen Kontrollmechanismus beschreiben.[51] Widerstand, der sich dem entziehen wolle statt absorbiert zu werden, habe sich außerhalb des Allgemeinen, also außerhalb von kommunikativ verfügbaren Formen zu etablieren. In diesem Sinne plädiert der Philosoph Byŏng-ch'ŏl Han für das Dasein als »Idiot« und schreibt: »Der Idiot ist in seinem Wesen nach der Unverbundene, der Nichtvernetzte, der Nichtinformierte. Er bewohnt das

48 Ebd.

49 Deleuze, Gilles: *Unterhandlungen. 1972–1990*, übers. von Gustav Roßler. Frankfurt/Main: Suhrkamp 1991, S. 252. Vgl. VKa 321.

50 Vgl. Kap. 4.2 *Geschlossene Vermittlung: Harmonie und Zwang.*

51 Vgl. Tiqqun: *Kybernetik und Revolte*. Vgl. Kap. 4.4 *Geschlossene Kunstvermittlung der Versöhnung.*

unvordenkliche Draußen, das sich jeder Kommunikation und Vernetzung entzieht.«[52] Nur die Unterbrechung von Kommunikation sei geeignet, Widerstand zu leisten gegen die kybernetische Vernetzung von allem mit allem, die statt Freiheit doch nur den Zwang bietet. Widerstand in diesem Sinne müsse unmittelbar sein, sich als vereinzelte Tat der Unterbrechung von Schleifen des Reflektierens, Kommunizierens und der begrifflichen Zurichtung formieren.

Notwendigkeit der Vermittlung

»[...] who is society? There is no such thing! There are individual men and women and there are families«[53] – diese Setzung von Margaret Thatcher aus dem Jahr 1987 markiere, so Jens Bisky in einer kritischen Rezension zu Han, den Beginn des Neoliberalismus. Nicht gesellschaftliche Vernetzung, sondern *Vereinzelung* habe es möglich gemacht, Widerstand ins Leere laufen zu lassen.[54] Die konsequente Unterbrechung der Kommunikation und Ablehnung von Allgemeinheit führe gerade nicht zu Freiheit und Widerstand, sondern verhindere alle Formen von Solidarität.

Auch diese Denkfigur, nach der es eines Allgemeinen bedarf, um solidarischen Widerstand formieren zu können, ist im Diskurs der Kunstvermittlung bekannt. So hatten die

---

52 Han, Byŏng-ch'ŏl: *Psychopolitik. Neoliberalismus und die neuen Machttechniken*. Frankfurt/Main: Fischer 2014, o.P. Dasselbe Argument verwendet auch Hans-Christian Dany. Vgl. Dany, Hans-Christian: *Morgen werde ich Idiot. Kybernetik und Kontrollgesellschaft*. Hamburg: ed. Nautilus 2014.

53 Margaret Thatcher im Interview mit Douglas Keay am 23.9. 1987; online unter https://www.margaretthatcher.org/document/106689 (abgerufen am 30.4.2019).

54 Vgl. Bisky, Jens: »Kapitalismuskritik als Betrug«. In: *Süddeutsche Zeitung*, 14./15. August 2014, S. 14.

1950er- und frühen 1960er-Jahre schon einmal für die unmittelbare Erfahrung von Kunst votiert. Dies war nicht nur ästhetisch begründet, mit einer Kunsterfahrung ›im Nu‹,[55] sondern gleichfalls politisch motiviert, als Gegenposition zur Ideologisierung des Kunstbetriebs während des NS-Regimes und der DDR, in der Kunstvermittlung explizit als Kontrollbewegung erschien. Dem institutionskritischen Kunstvermittlungsdiskurs der 1970er war wiederum daran gelegen, aufzudecken, dass die Unmittelbarkeit der 1950er-/1960er-Jahre nur eine scheinbare war, deren Behauptung das prinzipiell vermittelnde Moment der Kunstinstitutionen verdeckte. Die Institutionen konnten demnach, so das Argument, umso strikter den Diskurs kontrollieren, wenn sie vorgaben, nicht an vermittelnden Bewegungen beteiligt zu sein. Dem kritischen Diskurs ging es, explizit an Marx anlehnend, darum, zunächst die Vermittlungsstrukturen des Kunstsystems und dessen sozialen Verhältnisse freizulegen, um sie von dort aus kritisieren und verändern zu können.[56]

Wenn es aber demnach keine nicht-vermittelte Erfahrung mit Kunst geben kann, dann muss auch, wie Sturm oben schreibt, ein »reines Auge« als Fiktion gelten.[57] Denn jeder Blick auf Kunst ist immer schon kontaminiert mit Vorannahmen und Bedingungen – auch angelegt im Kunstwerk, bspw. als männlicher Blick[58] –, ist immer schon verstrickt in historische, soziale wie politische Voraussetzungen.

55 Vgl. Kap. 3.3 *Unmittelbare Einheit zwischen Kunst und Publikum?*

56 Vgl. Kap. 1.2 *Kunstvermittlung als Institutionskritik* und Kap. 5.3 *Gegenständliche Vermittlung bei Marx.*

57 IE, S. 240. Hier in Kap. 5.4 *Neue Unmittelbarkeiten in der Kunstvermittlung.*

58 Vgl. etwa Schade, Sigrid/Wenk, Silke/Werner, Gabriele et al. (Hg.): *Blick-Wechsel. Konstruktion von Männlichkeit und Weiblichkeit in Kunst und Kunstgeschichte.* Berlin: Reimer 1989.

Von da aus ist auch zu fragen, ob es einen reinen, d.h. unvermittelten *Affekt* geben kann. Sturm selbst erinnert an Kants Diktum,[59] »dass alles, was ist, immer nur *vermittelt* durch die dem Subjekt eigenen apriorischen Anschauungsformen und Kategorien wahrgenommen werden könne«. (VKa 123) Auch der Affekt, das unmittelbare Ereignis, sei zwar als Unmittelbares am Werk, würde sich ohne vermittelnde Instanzen, ohne Medium, ohne Sprache aber nicht zeigen. Wir wüssten nichts vom Unmittelbaren, wenn wir es nicht in irgendeiner Form übersetzten, kommunizierten. »Unmittelbarkeit existiert nur als hergestellte, weil sie nicht anders sichtbar wird.« (VKa 124) Die Unmittelbarkeit ist auch deshalb hergestellt – das muss hier heißen: vermittelt –, weil auch der Affekt nicht aus dem Nichts kommt und an nichts anschließt, sondern Voraussetzungen hat – mindestens das Kunstwerk und der Raum, in dem es sich befindet – sowie auf etwas Bestimmtes, auf jemanden – gleichfalls mit eigenen Voraussetzungen ausgestattet – trifft.

Spätestens mit der Kommunikation, dem beabsichtigten oder unbeabsichtigten Versuch der Mitteilung, habe man »das Feld der Vermittlung dezidiert betreten«. (VKa 89) Das muss konsequenterweise heißen: Die Unmittelbarkeit des Affekts, wie ihn Sturm etwa bei Zosik vorfindet, ist vermittelt. Die Figur der vermittelten Unmittelbarkeit sei aber jener Moment, in dem, so Sturm mit Deleuze, Hegel »das Unmittelbare entstellt und verfälscht«[60] habe. Sturm argumentiert hier widersprüchlich: An derselben Stelle, an der sie argumentiert, die Unmittelbarkeit sei hergestellt,

59 Vgl. Kap. 3.2 *Vermittlung bei Kant*.

60 VKa, S. 132. Hier in Kap. 5.4 *Neue Unmittelbarkeiten in der Kunstvermittlung*.

schreibt sie auch, der Affekt sei »genau *nicht* die Vermittlung«. (VKa 124, meine Herv.) Der Widerspruch zwischen Unmittelbarkeit und Vermittlung schreibt sich damit ein in begriffshistorische Entwicklungen und bildet die Ambivalenz der beiden Begriffe deutlich ab.

Da Sturm das Moment der Kommunikation einbindet, wird auch das des Mit-Seins, das der Gemeinschaft, involviert. Auch das müsse notwendig eines der Vermittlung sein: Jene Räume, die Kunst involvieren und gleichzeitig eine – lose oder gekoppelte, große oder kleine – Gemeinschaft bilden, seien »bereits ein erster Schritt in Richtung Vermittlung«. (VKa 67) Sturm verweist mehrmals auf die Produktivität des Gemeinsamen, das gerade nicht die Rezeption der vereinzelten Kontemplation nahelegt, sondern den gemeinsamen Versuch, etwas zu sagen, »das die Grenze des Sagbaren und Sichtbaren berührt« (VKa 40), ohne sich dabei auf einen Boden sicherer Grundsätze verlassen zu können.

Die Produktivität einer solchen un-sicheren Gemeinschaft im Hinblick Kunst lässt sich, so meine ich, auch von Deleuze herleiten. Deleuze versteht Differenzen als nomadische, koexistierende Differenzen. So würden beim Gang um eine Skulptur verschiedene Blicke kombiniert, gerieten an- und ineinander, ermöglichten eine »Pluralität der Blickpunkte«, so dass die Erfahrung mit dem Kunstwerk »experimentelle Erfahrung« werden könne.[61] Eine solche Pluralität der Blickpunkte lässt sich aber ebenso – vielleicht sogar besser – gemeinschaftlich provozieren. Koexistierende, sich nicht gegenseitig dominierende, aber gleichfalls störende Blickpunkte sind gerade im Rahmen eines heterogenen Mit-Seins möglich. Mit Deleuze gedacht sind solche

61 DuW, S. 83 f. Hier in Kap. 5.2 *Wiederholung gegen Vermittlung*.

Blickpunkte aber nicht in Form von Gegensätzen aufeinander gerichtet, schaukeln sich nicht dialektisch hoch, um sich dann harmonisch aufzulösen. Verschiedene Blickpunkte im Sinne Deleuze würden sich, so Sturm, weniger in Form eines »*Dagegen*«, sondern mehr in Form eines »*Daneben*« (VKa 294, Herv. i.O.) zueinander setzen.

Jede Form des Mit-Seins aber, jede Form von Gemeinschaft, so lose, heterogen und temporär diese auch gedacht sein mag, impliziert notwendig ein Moment von Vermittlung, etwas, das sich zwischen den Beteiligten abspielt und diese zusammenkommen und miteinander sprechen lässt – z.B. der gemeinsame Bezug auf ein Objekt, etwa ein Kunstwerk. Andernfalls wären die Beteiligten tatsächlich vereinzelt, gleichgültig gegeneinander. »Vermittlung« ist, so Sturm, »letztlich unumgänglich«. (VKa 131)

~~Lösung:~~ Unmittelbarkeit als Moment von Kunstvermittlung

Wie angekündigt führt die Entfaltung des Widerspruchs zwischen Unmittelbarkeit und Vermittlung bei Sturm zu einem erneuten Begriffsdilemma: Muss nun, um Kunst angemessen zu begegnen, von Vermittlung oder doch von Unmittelbarkeit die Rede sein? Wird Unmittelbarkeit als reine, als unvermittelte gedacht, schließen sich beide Begriffe aus.

Für und gegen beide Begriffe lässt sich argumentieren. Ich habe mehrmals dafür votiert, am Begriff der Vermittlung festzuhalten, deshalb sei das Augenmerk noch einmal auf Unmittelbarkeit gerichtet. Das Moment des Unmittelbaren ist bei Deleuze unabdingbares Moment der Widerständigkeit, der notwendigen Unterbrechung von Repräsentationsschleifen. Das Beharren auf *unvermittelter* Unmittelbarkeit fixiert ein Außerhalb dessen, was sich begrifflich vermitteln, in irgendeiner Form in reflexive Bewegungen einspeisen lässt. Denn mit Hegels Begriff wird das Moment der Vermittlung als dezidiert reflexives gedacht, das absolut der Welt der Begriffe angehört. Vermittlung, auch als offene gelesen, stehe für das Versprechen, alles Unmittelbare begrifflich zurichten zu können – auch wenn klar ist, dass Begriffe die Sache nie ganz treffen.

Zudem bietet vermittelte Reflexion zwar die Möglichkeit selbstkritischer Distanznahme im Sinne Plessners, kann sich aber nur schlecht selbst nähren bzw. braucht Unmittelbares, auf das sie sich beziehen kann, also ein Moment, das nicht vorhersehbar ist, nicht sowieso bereits mit allem anderen zusammenhängt – so ordnet Sturm Zosiks Erfahrung im Hamburger Bahnhof ein –, um unbekannte Verknüpfungen herstellen zu können.[62] Der Umgang mit Kunst, wenn er denn Kunst fortsetzen soll, braucht unmittelbare Unterbrechung der Redundanzen des Kunstsystems.[63] Ebenso wie Vermittlung erscheint auch Unmittelbarkeit als »unumgänglich«.[64]

Wie also das Problem lösen, dass Unmittelbarkeit und Vermittlung einander ausschließen und im Diskurs differenzorientierter Kunstvermittlung dennoch unumgänglich erscheinen? Eine harmonisierende Auflösung des Begriffskonflikts ist auch hier nicht angezeigt.[65] Stattdessen erfordert das Dilemma einen begründeten Umgang: Damit meine ich eben keine Lösung, die der weiteren Arbeit an den Begriffen enthebt, sondern eine begriffshistorisch begründete Intervention

62 Vgl. Kap. 5.3 *Schein der Unmittelbarkeit bei Plessner*.

63 Vgl. Kap. 7.4 *Exkurs: ~~Kunstsystem~~*.

64 VKa, S. 131. Hier in Kap. 5.4 *Notwendigkeit der Vermittlung*.

65 Vgl. Kap. 4.2 *Ein Vorschlag: Vermittlung als reflexiv-unentschiedener Begriff*.

in das Begriffsdilemma, die es erlaubt, die Begriffe Vermittlung und Unmittelbarkeit in ein Verhältnis zu setzen, das der Komplexität der Kunstvermittlung nahe kommt.

Eine Möglichkeit für den Umgang mit dem Begriffsdilemma zwischen Vermittlung und Unmittelbarkeit ist in Andreas Arndts Vorschlag einer scheinbaren Unmittelbarkeit zu finden, als das, »was in die jeweilige Vermittlung als nicht von ihr gesetzte Voraussetzung eingeht«.[66] Dieses Konzept erlaubt es, das Moment der Unmittelbarkeit im Feld der Kunstvermittlung mitzudenken, es als Notwendiges zu setzen. Gleichzeitig sind Momente des Unmittelbaren, wie sie von Sturm und Pazzini als Affekt, Blick oder Berührung angeführt werden, nicht davon ausgenommen, ihrerseits voraussetzungsvoll zu sein. Dennoch kann das Moment des Unmittelbaren als Störung wirken, ist dann unvermittelt »im Sinne eines [*von der jeweiligen Vermittlung!*] *unvorhersehbaren* Geschehens«.[67]

Ein Beispiel für diese Variante ist die von Eva Sturms beschriebene Erfahrung Anna Zosiks mit dem *Doppelten Elvis* von Warhol: Nicht wohlüberlegt sei die Wahl gefallen, »sondern ganz spontan, plötzlich hat sich dieses Bild geöffnet. [...] und da dachte ich mir, ich muß was dazu machen«.[68] Etwas aus dem Bild trat Zosik, so Sturms Interpretation, »entgegen«,[69] traf Zosik unmittelbar.

Mit Andreas Arndt will ich diese Überlegung Sturms den Prozess des Treffens anders lesen, nämlich als einen der Vermittlung. Denn unvermittelte Unmittelbarkeit des Treffens müsste bedeuten, dass da keine Voraussetzung, keine

---

66 U, S. 49. Hier in Kap. 5.3 Schein der Unmittelbarkeit bei Plessner.

67 VKa, S. 134, meine Herv. Hier in Kap. 5.4 *Notwendigkeit der Unmittelbarkeit*.

68 Sturm: *Vom Schießen und Getroffen-Werden*, S. 31.

69 Ebd.

Bedingung wäre, an die der unmittelbare Affekt des »Getroffen-Werdens« angeschlossen hätte. Wohl aber ist Warhols Arbeit eingebettet und verstrickt in vielfältige Produktions- und Distributionsverhältnisse. Das Getroffen-Werden, über das Sturm schreibt, war nicht zuletzt bedingt durch die räumlichen und institutionellen Voraussetzungen des Hamburger Bahnhofs, das Setting des Seminars, sowie die affektiven Voraussetzungen und Erwartungen, die Zosik an diesem Tag selbst mitgebracht hat.

Das unmittelbare Getroffen-Werden durch das Kunstwerk, das Sturm beschreibt, kann dennoch als unmittelbares Moment gelesen werden, aber im Sinne Plessners, als scheinbare Unmittelbarkeit, als zu diesem Zeitpunkt und in diesem Raum nicht von Zosik gesetzte Voraussetzung. Unmittelbarkeit ist dann auch in diesem Modus Unmittelbarkeit »im Sinne eines *unvorhersehbaren* Geschehens, im Sinne des *Ereignisses*, der *Überraschung*« (VKa 134, Herv. i.O.); aber eben nur aus einer bestimmten Perspektive. Aus einer anderen Perspektive ist derselbe Prozess Effekt von Vermittlung.

Das Beispiel lässt sich weitererzählen: So war ein zweiter Auftrag in Sturms Seminar, eine »*Antwort* auf die jeweils gewählte künstlerische Arbeit« zu finden – »mit welchen Mitteln oder Medien auch immer«. (VKa 54, Herv. i.O.) Zosik entwickelte als Reaktion auf Warhols Arbeit eine Performance: Sie konstruierte eine Maske, die eine Kopie des *Doppelten Elvis* zeigte. Mit dieser stand sie in Anwesenheit eines Publikums »fünf Minuten lang schweigend und regungslos dem *Doppelten Elvis* von Andy Warhol gegenüber«. (VKa 56) Zosik schoss gewissermaßen zurück.[70]

70 Der *Doppelte Elvis* zeigt ein dupliziertes Filmstill, in dem Elvis einen Revolver hält und aus dem Bild heraus zu schießen scheint.

Aus der ersten Unmittelbarkeit des Getroffen-Werdens wurde etwas konzipiert, eine Reaktion, ein Gegenüber hergestellt. Diese Entwicklung lese ich als Vermittlung. Die damit voraussetzungsvolle Reaktion Zosiks wurde wiederum vor einem Publikum aufgeführt, dem die Performance im Hier und Jetzt als Störung, Irritation, als unvorhersehbares »Geschehen, im Sinne des *Ereignisses*, der *Überraschung*«[71] erschienen sein mag – oder auch nicht. Erneut ist Unmittelbarkeit im Spiel, aber diesmal als nicht von der Gruppe des Publikums gesetzte Voraussetzung. Die scheinbare Unmittelbarkeit der Performance ist zum *Moment* von Kunstvermittlung geworden.

Auch Adorno begreift Unmittelbarkeit als Moment: *Unmittelbarkeit ist Effekt von Vermittlung*, werde »zum Moment anstatt des Grundes«. (ND 50) Sie sei nicht das, worauf ohne jede Bedingung alles gründe, sondern vielmehr das, was sich in unvorhergesehenen, unkontrollierbaren Momenten zeige und wieder vergehe.

Mit Adorno will ich im Folgenden zudem zeigen, dass dieser dem nahe kommt, was Sturm einfordert: eine »Umdeutung des Vermittlungsbegriffs in Richtung *Differenz*«,[72] indem das Moment der Unmittelbarkeit mitgedacht wird, ohne es, wie bei Hegel, als Vorstufe reflexiver Bewegungen zu nehmen. Statt aber Hegel als Antipoden zu setzen, arbeitet sich Adorno an ihm ab, erarbeitet seinen Vermittlungsbegriff mit Hegel gegen Hegel.

71 VKa, S. 134, Herv. i.O. Hier in Kap. 5.4 *Notwendigkeit der Unmittelbarkeit.*

72 VKa, S. 187. Hier in Kap. 4.3 *Bedingte Kunstvermittlung der Differenz.*

6. Kritische Vermittlung

> Aber Vermittlung zwischen den einander entgegengesetzten Paaren des Denkens stellt sich nicht auf dem berühmten goldenen Mittelweg her, von dem Arnold Schönberg einmal sehr hübsch gesagt hat er sei der einzige Weg, der ganz bestimmt nicht nach Rom führe. Diese Vermittlung ist, wenn überhaupt, dann möglich nur durch die Extreme hindurch.[1]

Eine bis heute letzte, breit rezipierte Lektüre hat Hegels Vermittlungsbegriff durch Theodor W. Adorno erfahren. Jedoch übernimmt Adorno Hegels Vermittlungsbegriff nicht, um ihn abzulehnen oder einzuschließen – er entwickelt ihn auf entscheidende Weise weiter.

Adornos Begriff von Vermittlung ist nicht ohne seinen Begriff von Kritik zu haben – nicht nur, weil er maßgeblicher Vertreter Kritischer Theorie der Frankfurter Schule ist, sondern auch, weil ›Kritik‹ und ›Vermittlung‹ bei ihm nur im Zusammenhang zu denken sind. Neben dem der Kritik arbeitet Adorno die Momente des Zwangs und der Versöhnung aus Hegels Begriff der Vermittlung heraus. Im Folgenden soll der Fokus auf das der Kritik gerichtet werden.

---

1 Adorno, Theodor W.: *Philosophische Terminologie*, Bd. 2, hrsg. von Rudolf zur Lippe. Frankfurt/Main: Suhrkamp 1974, S. 37 f.

Adornos Kritikverständnis bezieht sich dabei in einem elementaren Sinn auf den Zusammenhang zwischen Sprachkritik, Kritik der Erkenntnistheorie und Gesellschaftskritik. Richtet sich Adornos Kritik demnach auf Sprache, die für ihn weniger eine beschreibende, sondern vielmehr eine herstellende Funktion hat, so richtet sie sich gleichzeitig auf Strukturen von Gesellschaft, für die ein bestimmter Sprachgebrauch paradigmatisch ist. In einem bestimmten Sprach- und Begriffsgebrauch bilden sich bestimmte Gesellschaftsstrukturen. Würden Begriffe etwa so verwendet, als könnten sie über bezeichnete Subjekte oder Objekte verfügen, drücke sich darin nicht zuletzt eine Haltung der Verfügung und Zurichtung aus. Sofern sich vermeintlich klare und treffende Begriffe auf Subjekte bezögen, zeichneten sie einen Akt der Verfügung im gesellschaftlichen Sinn; sofern sich vermeintlich klare und treffende Begriffe auf Objekte bezögen, zeichneten sie einen Akt der Verfügung im erkenntnistheoretischen Sinn. Gegen beide Akte bringt Adorno Kritik vor.

Kritik ist bei Adorno stets als *immanente Kritik* gedacht. Er versteht sie also nicht als von außen kommenden Fremdkörper, sondern, in Bezug auf Hegel, als ein sich im Kritisierten einnistendes Verfahren. Immanent verfahrende Kritik müsse sich stets in den kritisierten Text – wenn sie beispielsweise Text-Kritik wäre – hineinbegeben, sich dessen Argumente, Motive und Rhetorik zu eigen machen, um von dort aus den Text gegen sich selbst zu wenden: den Text mit seinen eigenen Ansprüchen konfrontieren und vorführen, wie er ihnen doch nicht gerecht wird.[2] Kritik wird

2 Vgl. Adorno, Theodor W.: »Zur Metakritik der Erkenntnistheorie. Studien über Husserl und die phänomenologischen Antinomien« (1956). In: ders.: *Gesammelte Schriften*, Bd. 5, hrsg. von Gretel

damit immer auch zu einem Teil dessen, gegen das sie sich richtet.

Ebenso immanent-kritisch verfährt Adorno mit Hegels Vermittlungsbegriff. Er nimmt ihn einerseits auf, würdigt seinen Impuls und macht ihn sich durch seine Lektüren zu eigen. Andererseits wendet er Hegels Ansprüche an den Vermittlungsbegriff gegen Hegel selbst, zeigt auf, wo dieser seinen eigenen Ansprüchen nicht gerecht wird, und unternimmt von dort aus eigene Entwicklungen des Begriffs. Die Hegellektüre Adornos ist ein Versuch, »das kritische Potential der Hegel'schen Dialektik sowohl festzuhalten als auch gegen unkritische, hypostasierende und schematische, formalistische Verständnisse von Vermittlung bei Hegel selbst zu wenden«.[3]

6.1. Adornos Hegellektüre

Mit Hegel

Mit Hegel eint Adorno, dass sich beide explizit gegen solche erkenntnistheoretischen Strömungen ihrer jeweiligen Zeit wenden, welche die Möglichkeit unmittelbaren Wissens als Ausgangspunkt jeder Erkenntnis nehmen. Während Hegel sich gegen Fichte und dessen Fixierung auf Unmittelbarkeit wandte,[4] richtet sich Adornos Kritische Theorie in vielen Punkten gegen positivistische Strömungen in

Adorno und Rolf Tiedemann. Frankfurt/Main: Suhrkamp 1971, S. 7–245, hier S. 14 f.

3 Rentsch: *Negativität und praktische Vernunft*, S. 253.

4 Vgl. Kap. 3.2 *Unmittelbarkeit bei Fichte*, und 4.1 *Zweite Stellung: bedingte Vermittlung und Dezentrierung des Subjekts*.

der Soziologie der 1950er- und 1960er-Jahre, allen voran Karl Popper, Adornos Kontrahent im sogenannten Positivismusstreit.[5] Dieser wurde oben zitiert mit dem Diktum, in einer Theorie müssten Widersprüche aufgelöst werden, da sie sonst »*als Theorie* völlig nutzlos« sei.[6] Adorno hält dem entgegen, dass gerade in der Soziologie keine widerspruchsfreien oder fixierbaren Gegenstände vorlägen, über die unmittelbar verfügt werden könne. Gesellschaft sei vielmehr konstitutiv von Antagonismen und Konflikten durchzogen, so dass eine widerspruchsfreie Theorie über ihre eigenen Gegenstände hinweggehe. Hier kommt bereits Adornos Bezug auf Hegels Vermittlungsbegriff ins Spiel, denn auch dieser denkt Gesellschaft nicht als widerspruchsfreies Gebilde. (Vgl. DSH 252) Adorno schreibt in seiner *Einleitung zum »Positivismusstreit in der deutschen Soziologie«*: »Daß Gesellschaft nicht als Faktum sich festnageln lässt, nennt eigentlich nur den Tatbestand der Vermittlung«.[7] Jeder Versuch, unmittelbare Fakten und Gegenstände zu benennen führe stets ein Moment der Vermittlung ein, verschiebe die Gegenstände der Gesellschaft entlang der verwendeten Begriffe. Der Versuch, mit Begriffen Eindeutiges zu benennen, verfolge, so Adorno in *Drei Studien zu Hegel*, eine »Intention des Aufspießens«

5 Der Positivismusstreit wurde in den deutschsprachigen Sozialwissenschaften in den 1960er-Jahren ausgetragen. Die Vertreter der Kritischen Theorie (vor allem Adorno, aber auch Jürgen Habermas) warfen den kritischen Rationalisten um Karl Popper methodologischen Naturalismus vor, der sich auf scheinbar sammelbare Tatsachen stütze.

6 Popper: *Vermutungen und Widerlegungen*, S. 489, Herv. i.O. Hier in Kap. 3.1 *Antike: Vermittlung und binäre Logik*.

7 Adorno, Theodor W.: »Einleitung zum ›Positivismusstreit in der deutschen Soziologie‹« (1969). In: ders.: *Gesammelte Werke*, Bd. 8, hrsg. von Rolf Tiedemann. Frankfurt/Main: Suhrkamp 1972, S. 280–353, hier S. 291.

(DSH 335) von Gegenständen, welche aber ihrem Wesen nach *nicht-identisch*, nicht zu identifizieren seien.

Hegel, dessen Denken Adorno »antipositivistisch« (DSH 299) nennt, ermögliche dagegen einen Ansatz, der »insgesamt quer zum Programm unmittelbaren Hinnehmens des sogenannten Gegebenen als unverrückbarer Basis von Erkenntnis« stehe. (DSH 296) Hegel habe entlang seines Vermittlungsbegriffs gezeigt, dass unsere Wahrnehmung immer schon präformiert sei: durch Begriffe, Theorien und gesellschaftliche Verhältnisse.[8]

Der von Adorno verwendete Vermittlungsbegriff ist dabei an Hegels bedingte Vermittlung der zweiten Stellung zur Objektivität angelehnt. Statt Vermittlung durch ein vermittelndes Drittes vollzieht sich für Adorno Vermittlung von zwei gegensätzlichen Positionen als »Vermittlung der Gegensätze in sich«.[9] Zwei getrennte Sachverhalte seien in ihrer Gegensätzlichkeit so aufeinander bezogen, dass das eine des anderen bedürfe, um sich selbst zu erhalten:

> Weil nichts Seiendes ist, das nicht, indem es bestimmt wird und sich selbst bestimmt, eines anderen bedürfte, das es nicht selber ist – denn durch es selbst allein wäre es nicht zu bestimmen –, weist es über sich hinaus. Vermittlung ist dafür lediglich ein anderes Wort. (ND 109)

›Mich selbst bestimmen‹ bedeutet demnach, auf meine Umwelt als Reflexionsgrund angewiesen zu sein und beim Blick zurück auf mich kein reines Ich vorzufinden, sondern ein verschobenes, »über sich hinaus« weisendes, von Umwelt

8 Vgl. Kager, Reinhard: *Herrschaft und Versöhnung. Einführung in das Denken Theodor W. Adornos*. Frankfurt/Main/New York: Campus 1988, S. 146.

9 Knoll/Ritsert: *Das Prinzip der Dialektik*, S. 63. Hier in 4.1 *Zweite Stellung*.

durchzogenes Ich. Adorno schreibt dazu: »Er [Hegel] hat als erster wohl, in der Phänomenologie, ausgesprochen, daß der Riß zwischen Ich und der Welt durchs Ich selber nochmals hindurchgeht«. (DSH 291) Hegels Dialektik habe so die Dezentrierung des Subjekts, eine elementare Kategorie differenztheoretischer Entwicklungen Mitte des 20. Jahrhunderts, vorweggenommen.

Adorno sieht in Hegels Vermittlungsbegriff kritisches Potential verborgen: »Hegels Philosophie ist in eminentem Sinn kritische Philosophie« und richtet den »Tatbestand der Vermittlung« gegen das Identitätsdenken des Positivismus. (DSH 315) Dabei wendet sich Adorno scharf gegen Interpretationen, die Vermittlung als Kompromiss oder Synthese zwischen zwei Extremen begreifen:

> Vermittlung heißt [...] bei Hegel niemals, wie das verhängnisvollste Mißverständnis seit Kierkegaard es sich ausmalt, ein Mittleres zwischen den Extremen, sondern die Vermittlung ereignet sich durch die Extreme hindurch in ihnen selber; das ist der radikale, mit allem Moderatismus unvereinbare Aspekt Hegels. (DSH 257)

Mit Hegels zweiter Stellung zur Objektivität ist für Adorno Vermittlung nichts Äußeres, keine Tätigkeit eines unabhängigen Subjekts, keine dritte Instanz. Sie bestehe vielmehr in einer inwendigen Verstrickung in äußere Verhältnisse, der permanenten Bewegung, Durchsetzung und Verschiebung von Identität.

Gegen Hegel

Gegen Hegel bringt Adorno Einwände gegen dessen Begriff der absoluten Vermittlung der dritten Stellung zur Objektivität vor. Sei es Hegel ursprünglich darum gegangen,

»die Momente der Unmittelbarkeit zu bewahren« (ND 322), das Nichtidentische vor dem Zugriff einer verallgemeinernden Erkenntnistheorie zu schützen, so sei er ebendiesem Anspruch nicht gerecht geworden, im Gegenteil: Die absolute Vermittlung sei »vollständige Vermittlung« (ND 39), lasse nichts mehr übrig, was sich nicht einer allgemeinen Identität fügt. Hätten die erste und zweite Stellung zur Objektivität sich dem Einzelnen und Besonderen der Erkenntnis gewidmet, löse sich beides in der dritten Stellung in der Allgemeinheit des Hegel'schen Geistes auf.[10]

Die totale Reflexivität des Geistes könne dabei nur eine subjektive sein; eine, die Repräsentation eines allgemeinen Subjekts einer totalen Gesellschaft sei. Die Vermittlung von Vermittlung und Unmittelbarkeit bei Hegel lasse kein Außerhalb von Vermittlung, d.h. kein Außerhalb von Subjektivität und Begriff zu:

> Der Triumph, das Unmittelbare sei durchaus vermittelt, rollt hinweg über das Vermittelte und erreicht in fröhlicher Fahrt die Totalität des Begriffs, von keinem Nichtbegrifflichen mehr aufgehalten, die absolute Herrschaft des Subjekts. (ND 174)

Hat Hegels bedingte Vermittlung noch die Dezentrierung des Subjekts anvisiert, so lässt sich dieser Anspruch in der absoluten Vermittlung nicht mehr aufrechterhalten. Sie führt, mit Adorno gelesen, zu einer totalen Rezentrierung des Subjekts, mit der Allgemeinheit der Gesellschaft als zentraler Instanz.

Erkenntnis dürfe aber, so Adorno, nicht aufs Ganze, aufs Allgemeine zielen, sondern »aufs Besondere«. (ND 322) Von hier aus ist auch die Antithese Adornos zu verstehen,

10 Vgl. Kap. 4.1 *Dritte Stellung*.

die sich unmittelbar gegen Hegels Satz »Das Wahre ist das Ganze«[11] richtet: »Das Ganze ist das Unwahre.«[12] Das Ganze, im Sinne Adornos, verschleiert, dass in der absoluten Vermittlung die Objekte der Erkenntnis, als nicht-identische, verschwinden statt aufgehoben werden.

Jede Form der Benennung von Unmittelbarem, von Nichtidentischem, ist – das wurde mehrfach gezeigt – Vermittlung, Zurichtung. Wie aber mit Nichtidentischem umgehen, wenn nicht benennen? »Zum Nichtidentischen in seiner absoluten Individualität kann man sich nur angemessen verhalten«, so Günter Figal über Adorno, indem »man sich von ihm betreffen und irritieren lässt«.[13] Alles Sprechen und Schreiben führe hingegen auf die Seite der Vermittlung, laufe immer am Nichtidentischen vorbei. Vermittlung wäre erneut permanenter Aufschub des Unmittelbaren.[14]

Muss über Nichtidentisches und Unmittelbares deshalb geschwiegen werden? Muss, wie es Deleuze nahelegt, aus dem Modus der Kommunikation ausgestiegen werden, um Unmittelbares ans Licht zu bringen?[15] In Abgrenzung dazu begreift Adorno Philosophie »als Anstrengung, zu sagen, wovon man nicht sprechen kann; dem Nichtidentischen zum Ausdruck zu helfen, während der Ausdruck es immer doch identifiziert.« (DSH 336) Es geht Adorno darum, *mit* dem Begriff *gegen* den Begriff zu arbeiten, Vermittlung

---

11 Hegel: *Phänomenologie*, S. 19. Hier in Kap. 4.1 *Dritte Stellung*.

12 Adorno, Theodor W.: *Minima Moralia. Reflexionen aus dem beschädigten Leben*, hrsg. von Rolf Tiedemann. Frankfurt/Main: Suhrkamp 1980 (1951), S. 55.

13 Figal, Günter: Art. »Negative Dialektik«. In: Volpi, Franco (Hg.): *Großes Werklexikon der Philosophie*, Bd. 1. Stuttgart: Kröner 2004, S. 10–11, hier S. 11.

14 Vgl. Kap. 2.2 *Aufschub der Vermittlung*.

15 Vgl. Kap. 5.4 *Notwendigkeit der Unmittelbarkeit*.

und begriffliche Zurichtungen aufzudecken, deren Bewegungen aufzuspüren. Nicht um der Korrektur willen, der Überführung des Vermittelten als Falsches, sondern um die Beweglichkeit und Kontingenz von Sprache, Erkenntnis, Wissenschaft und Gesellschaft aufzuzeigen und Momente der Veränderlichkeit einzuführen. Es geht, ähnlich wie bei Marx, also darum, Vermittlung als Faktum der Gesellschaft anzuerkennen, offenzulegen und zu kritisieren, um von dort aus eine andere Vermittlung möglich zu machen.

Neben der Dominanz des Allgemeinen über das Besondere durch die absolute Vermittlung richtet sich Adornos Hegelkritik auf die »Hypostasis der Vermittlung« (ND 322), d.h. auf die Verdinglichung bzw. Personifizierung der Vermittlung als Geist, Staat, Gott bzw. auf die Repräsentationsfiguren der Vermittlung, etwa in Form der Polizei.[16] Die Hypostasierung der Vermittlung verbiege dieselbe zu einem realisierten Etwas, suggeriere, dass Vermittlung an-sich etwas sei, unabhängig von anderem, oberstes Prinzip vor anderem. In diesem Verständnis aber

> verwechselte er [Hegel] einen Relations- mit einem Substanzbegriff [...]. Vermitteltheit ist keine positive Aussage über das Sein, sondern eine Anweisung für die Erkenntnis, sich nicht bei solcher Positivität zu beruhigen, eigentlich die Forderung, Dialektik konkret auszutragen. Als allgemeines Prinzip ausgesprochen, liefe sie [die Vermittlung], ganz wie bei Hegel, immer wieder auf den Geist hinaus; mit ihrem Übergang in Positivität wird sie unwahr.[17]

Spätestens hier wird deutlich, dass Adorno Hegels absolute Vermittlung in der ersten Lesart als geschlossene

16 Vgl. Kap. 4.2 *Geschlossene Vermittlung*.

17 Adorno: »Zur Metakritik der Erkenntnistheorie«, S. 32.

Vermittlung liest, nach der ›Geist‹ als neue Positivität gilt, als Drittes, das – als Staat, Gott, Wissen – alle Widersprüche und Differenzen zu einer Synthese, einer Zwangsversöhnung führt. Dagegen setzt Adorno ein anderes Verständnis von Vermittlung: »Vermittlung sagt keineswegs, alles gehe in ihr auf, sondern postuliert, was durch sie vermittelt wird, ein nicht Aufgehendes.« (ND 174) Eben darin, im Zwang zum Aufgehen, sieht Adorno die Funktion des Dritten in Hegels absoluter Vermittlung. Diese Vermittlungskonzeption suggeriere, der Gegensatz zwischen zwei Extremen müsse einer Lösung zugeführt werden, »aufgehen«; nicht aber moderiert, als Kompromiss, sondern radikal dominiert, als Subjektivierung alles Objektiven in einem Übersubjekt, genannt ›Geist‹.

In dieser Kritik des Dritten, die in dessen Ausschluss mündet, geht Adorno über Hegel hinaus. So sieht zwar die bedingte Vermittlung der zweiten Stellung bei Hegel ebenfalls kein Drittes vor, doch zeigt die dritte Stellung, dass jede bedingte Vermittlung lediglich ein Hinweis auf das Dritte, auf den alles versöhnenden Geist ist: Die besondere Differenz hat ihre einzige Berechtigung in der allgemeinen Identität. Dagegen denkt Adorno *durchgängig* »Vermittlung ohne Mitte«,[18] ohne Drittes. Diese Setzung schlägt sich zum Beispiel in seinem Schreiben über Pädagogik nieder: »Nicht bloß geben die Lehrer rezeptiv etwas bereits Etabliertes wieder, sondern ihre Mittlerfunktion als solche, wie alle Zirkulationstätigkeiten vorweg gesellschaftlich ein wenig suspekt, zieht etwas von allgemeiner Abneigung auf sich.«[19] Hier ist

18 Daniel, Claus: *Hegel verstehen. Einführung in sein Denken*. Frankfurt/Main/New York: Campus 1983, S. 172.

19 Adorno, Theodor W.: »Tabus über den Lehrberuf« (1965). In: ders.: *Stichworte. Kritische Modelle 2*. Frankfurt/Main: Suhrkamp

Adorno mit Deleuze vergleichbar: Das, was Vermittler*innen in Bewegung bringen, sei nichts, was Bestehendes verschieben würde, sondern sei auf Repräsentation, auf die Wiedergabe von »etwas bereits Etablierten« gerichtet.

Schier als Ekel greifbar wird Adornos Abneigung gegen das vermittelnde Dritte an seiner Rede gegen das »mittlere Einverständnis, die klebrige Schicht zwischen Sache und Verständnis« (DSH 341): ein Einverständnis, das vermittelnde Dritte erzeugten, wenn sie Lernende daran hinderten, sich ›direkt‹ mit einem Gegenstand auseinanderzusetzen, um der Fülle und Beweglichkeit der Vermittlungen selbst auf den Grund zu gehen.[20] Eine Fremdsprache etwa solle nicht mithilfe eines Lexikons gelernt werden, sondern nur ›direkt‹, im Lesen von möglichst viel Literatur der zu lernenden Sprache. Das Lexikon sei mit »Beschränktheit und sprachlicher Undifferenziertheit [...] behaftet«. (DSH 341) Dies scheint mir die Wirkung des Dritten für Adorno zu sein: *eine Beschränkung der Möglichkeiten*, letztlich eine Kontrolle und ungebetene Synthetisierung, eine »klebrige Schicht« (DSH 341), die wie Kaugummi zusammenhalte, was für Adorno nur durch sich selbst, nicht von außen zusammengehalten werden dürfe.

Nach der Kritik an der Verallgemeinerung des Besonderen und der Hypostasierung der Vermittlung, ist die Kritik am Dritten der Vermittlung der Weg zu einer begriffsgeschichtlichen Diskontinuität, nämlich, wie schon angekündigt, dem Ausschluss des Dritten aus der Vermittlung.

1970, S. 68–84, hier S. 73. Vgl. auch Sturm: *Vom Schießen und Getroffen-Werden*, S. 36, Anm. 2.

20 Hier ist wieder die ältere Wortbedeutung von ›vermitteln‹ als ›hindernd-wo-zwischen-treten‹ mitzulesen. Vgl. Kap. 2.1 *Die Vorsilbe ›ver-‹ und ihr »übler Nebensinn«.*

Diskontinuierlich deshalb, weil bisher der Ausschluss des Dritten von Diskursen der Unmittelbarkeit geführt wurde (Aristoteles, Fichte und Deleuze) und der des Einschlusses des Dritten von Diskursen der Vermittlung (Kant, Hegel und – wie noch gezeigt wird – Günther). Albrecht Wellmer schreibt dazu: »Bei Adorno ist es so, als hätte er ein dreidimensionales System von Grundkategorien auf eine zweidimensionale Fläche projiziert.«[21] Adornos Vermittlung ist eine binäre.

6.2. Drei Vermittlungsbegriffe

Ausgehend von Adornos Hegellektüre scheinen mir zunächst zwei Entwicklungen des Vermittlungsbegriffs für das Folgende bedeutsam zu sein: der Ausschluss des Dritten und die Setzung von Vermittlung als Relations- statt als Substanzbegriff. Letzteres auch deshalb, weil es sowohl meinen Vorschlag von der reflexiv aufzugreifenden Unentschiedenheit des Vermittlungsbegriffs stützt, als auch die angezeigte Notwendigkeit, den Begriff der Vermittlung anzuwenden statt ihn lediglich aus sich heraus zu bestimmen.[22]

Für die Notwendigkeit der Anwendung des Vermittlungsbegriffs auf ein konkretes Problem sprechen folgende oben angeführte Thesen Adornos: Vermittlung für sich genommen sei zunächst nichts, sondern ein Relationsbegriff, der sich auf etwas Vorhandenes beziehen müsse. Zudem sei

---

21 Wellmer, Albrecht: *Zur Dialektik von Moderne und Postmoderne. Vernunftkritik nach Adorno*. Frankfurt/Main: Suhrkamp 1985, S. 156. Vgl. auch Rentsch: *Negativität und praktische Vernunft*, S. 263.

22 Vgl. Kap. 4.2 *Ein Vorschlag*.

Vermitteltheit die Forderung, »Dialektik konkret auszutragen«.[23] Das heißt für mich: Vermittlung ist an-sich weder ein kritischer noch ein herrschaftlicher Begriff. Als losgelöster Begriff ist sie auch bei Adorno unverfügbar. Die Pointe des Begriffs ist unentschieden, birgt Bedeutungswidersprüche in sich, denen mit Begriffsarbeit begegnet werden muss.

Für den Vorschlag vom reflexiv-unentschiedenen Vermittlungsbegriff spricht auch, wie schon bei Hegel, das Fehlen stabiler Begriffsdefinitionen und das Nebeneinanderstehen mehrerer Bedeutungsmöglichkeiten eines Begriffs stattdessen.[24] Adornos unterschiedliche Verwendungsweisen des Begriffs lassen sich dabei durchaus an die oben eingeführte Unterscheidung anschließen, nach der er einmal als zwanghafte Versöhnung und einmal als radikale Zersetzung bzw. als Kritik begriffen wurde. Diese Unterscheidung muss mit Adorno aber komplexer begriffen werden, da er das Moment der Versöhnung strikt von dem des Zwangs unterscheidet. Ich diskutiere demnach im Folgenden Vermittlung erstens als Zwang, zweitens als Kritik und drittens als Versöhnung.

Vermittlung als Zwang

Gesellschaft ist für Adorno nicht als Gegebenes, sondern nur als Prozess zu haben, in dem das Besondere der einzelnen Individuen mit dem Allgemeinen der Gesellschaft

23 Adorno: »Zur Metakritik der Erkenntnistheorie«, S. 32. Hier in Kap. 6.1 *Gegen Hegel*.

24 Kager schreibt hierzu: »Vermittlung wird [...] von Adorno wenigstens in einem dreifachen Sinne verwendet. Als Ausdruck der unaufhebbaren Bezogenheit zweier Elemente, als einseitige Vermittlung durch Übermacht eines der beiden Momente und als tatsächliche Vermittlung zweier Extreme in einer versöhnenden Einheitsrelation.« Kager: *Herrschaft und Versöhnung*, S. 156 f.

vermittelt ist: Gesellschaft ist »eine Kategorie der Vermittlung«.[25] Vermittelt aber so – das ist die alle Vermittlungsbegriffe Adornos durchziehende Bedeutungsschicht –, dass zwei Pole (hier: Besonderheit des Individuums und Allgemeines der Gesellschaft) als zwei extreme Pole aufeinander angewiesen wie voneinander abgestoßen sind. Ohne besondere Individuen wäre Gesellschaft konzeptuell leer. Ohne Vergesellschaftung wäre die relative Selbstständigkeit der Individuen in ihrer Umwelt nicht zu leisten.

Das Allgemeine der Gesellschaft hindert Individuen – etwa als Gesetz – daran, sich in ihrer Besonderheit total zu entfalten, treibt sie immer wieder zum Allgemeinen hin. Andererseits unterläuft die Besonderung der Individuen die Möglichkeit zur absoluten Allgemeinheit der Gesellschaft. Gesellschaft und Individuen sind reziprok aufeinander bezogen, durcheinander vermittelt.

Diesen zweiten Moment gesellschaftlicher Vermittlung – nach der die Besonderung der Individuen verhindert, dass sich das Allgemeine total vollzieht – sieht Adorno in der kapitalistischen Gesellschaft bedroht. Er sieht die Gesellschaft des Kapitalismus als Absolutes realisiert.

In Anschluss an Karl Marx' Kapitalismuskritik identifiziert Adorno ein dominantes Prinzip der Vermittlung, nämlich den (Waren-)Tausch. (Vgl. DSH 274) Individuum und Gesellschaft sind dann so vermittelt, dass die Produktivkraft des besonderen Individuums nicht für es selbst da ist, also nicht mehr Teil hat an dessen Besonderung. Stattdessen wird die Kraft nur noch für andere genutzt, geht ein in die Zirkulation von Waren und Dienstleistungen. Eben diese Zirkulation

25 Adorno: »Zur Logik der Sozialwissenschaften« (1962). In: ders.: *Gesammelte Schriften*, Bd. 8, hrsg. von Rolf Tiedemann. Frankfurt/Main: Suhrkamp 1972, S. 547–565, hier S. 549.

sieht Adorno als Realisierung absoluter Allgemeinheit, weil jede besondere Form von Arbeit in eine vergleichbare, verallgemeinerbare und nur so im Finanzsystem handhabbare Form übersetzt werden muss. Darin, im Tauschprinzip, sieht Adorno Hegels Geist tatsächlich realisiert: Die absolute Vermittlung des Geistes, die nichts außerhalb ihrer selbst zulässt, realisiere sich im Tauschprinzip der kapitalistischen Gesellschaft als Totalisierung, Idealisierung und totale Verallgemeinerung menschlicher Arbeit, welche die permanente Zirkulation von Kapital erlaube. (Vgl. DSH 265 f.)

Eine derart über das Tauschprinzip vermittelte Gesellschaft bringt Zwang in mindestens zweifacher Hinsicht hervor: Zum einen sei in einer derart vermittelten Gesellschaft unmittelbares Für-sich-Sein, Nicht-identisch-Sein ausgeschlossen, die Vermittlung also total. Denn wenn Arbeit in der kapitalistischen Gesellschaft einerseits unabdingbare Notwendigkeit zur Selbsterhaltung ist, andererseits aber durch das Tauschprinzip Arbeit nur für andere geleistet und der Verallgemeinerbarkeit zugeführt wird, bringt dies einen permanenten Zwang des Individuums zur Anpassung mit sich. Das Tauschprinzip wird zur »Totalität der Vermittlung«.[26]

Zum anderen wird ein spezifisches Herrschaftsverhältnis in die Gesellschaft eingeführt, in der »das universale Tauschverhältnis, in dem alles was ist, nur ein Sein für Anderes ist, unter der Herrschaft der über die gesellschaftliche Produktion Verfügenden steht«. (DSH 274) Die Herrschaft über Produktion und Tauschprozess stellt demnach gesellschaftliche Herrschaft her.

Die Skepsis Adornos richtet sich nicht nur auf das Machtmoment, das von den jeweiligen Dritten ausgeht, sondern

26 Kager: *Herrschaft und Versöhnung*, S. 165.

auch auf das Moment der Verallgemeinerbarkeit, auf das die Tätigkeit des Dritten zusteuert. Tausch wäre dann nicht nur universales Prinzip des Wirtschaftssystems, sondern auch der Erziehung, in der Wissen als verallgemeinerbares Produkt gehandhabt wird, statt der Besonderheit von Lernenden und zu Lernendem Rechnung zu tragen. Statt also das Besondere und Nichtidentische im Allgemeinen der Gesellschaft aufscheinen zu lassen, vollzögen die Ver-Mittler*innen »den Vorrang des Ganzen über die Teile« (DSH 274), seien Mittel der Anpassung, Teil der Hypostasierung der Vermittlung. Vermittlung sei, im ökonomischen wie pädagogischen Sinne, »Diktat der Mittel«.[27]

Verstärkt wird der Zwangscharakter der Vermittlung dadurch, dass sie im Rahmen von Gesellschaft verschleiert wird: Der Erfolg des universalen Tauschprinzips verdankt sich auch dem »Erscheinen von Vermitteltem (Herrschaft, Besitz, Ware usw.), als wäre es unvermittelt«.[28] Ein Warengegenstand, z.B. ein Turnschuh, erscheint als unmittelbar verfügbar, während er doch Teil eines komplexen Vermittlungs- und das heißt hier: Zirkulationszusammenhangs ist – ein Indiz für Herrschaft über Produktionsmittel. Der Kauf des Turnschuhs mag dann als unmittelbarer Individualisierungsmoment erscheinen, ist aber doch nur möglich durch die Verallgemeinerung der eigenen Arbeit, so dass der Zwangscharakter nicht sichtbar, also verschlüsselt ist. Die verschleierte Vermittlung des industriellen Kapitalismus wird zum »Zwangsmechanismus«. (ND 57)

27 Adorno, Theodor W.: »Theorie der Halbbildung« (1959). In: ders.: *Gesammelte Schriften*, Bd. 8, S 93–121, hier S. 98.

28 Rath, Norbert: *Adornos Kritische Theorie. Vermittlungen und Vermittlungsschwierigkeiten*. Paderborn / München / Wien / Zürich: Schöningh 1982, S. 103.

Vermittlung als Kritik

»Die Vermittlungskategorie ist immanente Kritik«,[29] so Adorno. Statt der undurchsichtigen Verkörperung eines Zwangsmechanismus impliziert Vermittlung als Kritik ein Moment offen geführter Konfrontation. Ein Beispiel hierfür ist die Konfrontation des Anspruchs kapitalistischer Gesellschaft, eine auf Freiheit ausgerichtete zu sein, mit deren sozialer Wirklichkeit, in der Freiheit in Zwang umschlägt. (Vgl. DSH 273) Vermittlung als Kritik ist demnach eine immanente Bewegung, die Gegensätze aufdeckt bzw. erst herstellt.

Vermittlung hat hier keinen identitätsstiftenden Charakter, im Gegenteil. Rentsch liest Adornos »Vermittlung als permanente Negativität«,[30] als permanente Verschiebung und Verfehlung von allem, was in der Gesellschaft als unverrückbare Sicherheit erscheint. Sie impliziere »ein geschärftes kritisches Bewußtsein von den unübersehbar vielen Möglichkeiten der Verfehlung, der Missachtung, des Unterlaufens und Überdeckens von Unterschieden«.[31] In diesem Sinne setzt Adorno der Zwangsvermittlung der Tauschgesellschaft die Vermittlung einer kritischen Pädagogik entgegen, die sich gegen das »Diktat der Mittel« richtet. Kritisch gedachte pädagogische Vermittlung zieht dann nicht die Realisierung eines allgemeingültigen Ganzen nach sich, sondern die besondere Konfrontation mit Gesellschaft. Es gilt, das eigene Verwickeltsein – beim Kauf eines Turnschuhs wie beim Beobachten und Benennen von Gegenständen – selbstkritisch aufzudecken.

---

29 Adorno: »Einleitung zum ›Positivismusstreit‹«, S. 347.

30 Rentsch: *Negativität und praktische Vernunft*, S. 259.

31 Ebd.

Für Adorno wäre eine Lehrer*in im Rahmen solch kritisch gedachter Pädagogik gerade keine Vermittler*in. Sie stünde nicht vermittelnd zwischen Sache und Schüler*in, sondern wäre anwesend-abwesende Begleiter*in eines Prozesses der Verselbständigung, die auf jede Berechnung, Einflussnahme und Überredung verzichtet, um so kritische Vermittlung zur Wirkung gelangen zu lassen.[32]

Vermittlung in diesem Sinne ist demnach grundsätzlich »negative Arbeit« (DSH 259), läuft auf keine verallgemeinerbaren Normen hinaus. Denn jede neue Allgemeinheit – z.B. Kritik, die etwas Besseres anbietet und dieses auch durchsetzt – würde Herrschaft lediglich an eine andere Stelle verschieben.

Kritik dabei als grundsätzlich immanente zu denken, die stets zu einem Teil dessen wird, was sie kritisiert, heißt auch, dass kritische Vermittlung sich nicht außerhalb von Dominanzverhältnissen denken lässt. Auch Kritik ist nicht als schuldloses hierarchiefreies Feld zu denken, sondern wiederholt Formen von Herrschaft, gegen die sie sich richtet. Rentsch schreibt dazu:

> ›Vermittlung‹ bezeichnet weder einen der Kritik entzogenen, gleichsam unschuldigen Ausgangspunkt philosophischer Reflexion, noch deren beruhigt zu konstatierendes Fazit. ›Vermittlung‹ überschreibt vielmehr stets nur den *pars destruens* kritischer Philosophie, der sich gegen alle Formen von Unmittelbarkeit richtet.[33]

Eine Spur, wie dieser *pars destruens*, dieser Moment des Zerfalls an andere differenztheoretische Diskurse angeschlossen

32 Vgl. Adorno: »Theorie der Halbbildung«, S. 121. Vgl. auch Rath: *Adornos Kritische Theorie*, S. 130. Zum »Überreden« vgl. auch Adorno: »Tabus über den Lehrberuf«, S. 74.

33 Rentsch: *Negativität und praktische Vernunft*, S. 254, Herv. i.O.

werden könnte, legt Alex Demirović, indem er Adornos Vermittlungsbegriff mit Derridas Begriff der *différance* vergleicht:

> Mit großen Einschränkungen gesagt, meint Derrida mit différance etwas Ähnliches wie Adorno mit Vermittlung: ein Moment zeitlicher Verzögerung, eine komplexe Struktur, ein Sachverhalt, der sich nicht im direkten Zugriff haben lässt.[34]

Derrida beschreibt *différance* als »›aktive‹, in Bewegung begriffene Zwietracht verschiedener Kräfte und Kräftedifferenzen«.[35] »In Bewegung begriffene Zwietracht« scheint mir zunächst als passende Umschreibung für Adornos kritische Vermittlung, in der Gegensätze nicht auf starre Dichotomien hinauslaufen, sondern auf sich wechselseitig durchdringende Bewegungen, in denen differierende Pole sich zugleich abstoßen wie anziehen. Das Moment der Bewegung im Begriff der *différance* nimmt Derrida von einer Bedeutungsschicht des französischen Verbs *différer* her:

> Différer in diesem Sinne heißt temporisieren, heißt bewusst oder unbewusst auf die zeitliche und verzögernde Vermittlung [médiation] eines Umweges rekurrieren, welcher die Ausführung oder Erfüllung des »Wunsches« oder »Willens« suspendiert und sie ebenfalls auf eine Art verwirklicht, die ihre Wirkung aufhebt oder temperiert.[36]

---

34 Demirović, Alex: »Hegemonie und das Paradox von privat und öffentlich«. In: Raunig, Gerald/Wuggenig, Ulf (Hg.): *Publicum. Theorien der Öffentlichkeit*. Wien: Turia + Kant 2005, S. 42–55, hier S. 55, Anm. 1.

35 Derrida, Jacques: »Die différance« (1972) übers. von Gerhard Ahrens. In: ders.: *Randgänge der Philosophie*, S. 3–56, hier S. 47.

36 Ebd. S. 36, Herv. i.O.

Eine Textlektüre, die Spuren der *différance* aufbringen wollte, würde solchen Umwegen nachgehen, würde – und hier liegt eine Nähe zu Adorno – die Wünsche bzw. Ansprüche des Texts mit sich selbst konfrontieren. Sie würde mit dem Hinweis arbeiten, dass kein Begriff eines Texts unmittelbar zur Verfügung stehe, unmittelbaren Sinn herstelle, sondern stets in ein Netz von Differenzen – mit Adorno: Vermittlungen – eingeflochten sei. So konfrontieren etwa Adorno und Horkheimer in ihrer *Dialektik der Aufklärung* den Begriff der Aufklärung mit dem der Mythologie, von der sich die Aufklärung absetzen gewollt habe. Adorno und Horkheimer zeigen einerseits das aufklärerische Potential der Mythen auf und andererseits die Bewegung, mit der der Begriff der Aufklärung selbst zum Schein, zum Mythos geriet.[37] Die Lektüre Adornos und Horkheimers vollführt also dreierlei: Erstens führt sie eine Unterscheidung ein (Aufklärung/Mythologie), zweitens schiebt sie diese an verschiedene Stellen (Aufklärung in die Mythologie und umgekehrt) und »suspendiert« drittens so den Wunsch nach Vereindeutigung des Begriffs der Aufklärung als gültigen Index für eine humane Gesellschaft. Durch Vermittlung der Gegensätze, durch einen, wie Derrida schreibt, »Prozeß von Spaltung und Teilung«[38] führen Adorno und Horkheimer einen Zerfall der strikten binären Ordnung herbei.

Dekonstruktion und kritische Vermittlung lassen sich so in eine Nähe zueinander bringen, in der sich beide

37 Vgl. Horkheimer, Max/Adorno, Theodor W.: *Dialektik der Aufklärung. Philosophische Fragmente*, hrsg. von Rolf Tiedemann. Frankfurt/Main: Suhrkamp 1981 (1944), S. 22. Dass die Idee von der Aufklärung als universeller Emanzipationserzählung als Mythos gelten muss, wurde hier schon erörtert. Vgl. Kap. 4.2 *Absolute Vermittlung im Aufklärungsdiskurs* weißer *Vorherrschaft*. Vgl. auch Kap. 7.5 *Postkoloniale Perspektiven*.

38 Derrida: »Die différance«, S. 37.

gegenseitig erhellen und gleichzeitig Unterschiede sichtbar werden. So hat zwar weder die *différance* Derridas noch die Vermittlung Adornos einen zu identifizierenden Ursprung, auch kein Ziel, worauf sie zulaufen würden; beide sind kein Mittel zum Zweck. Während aber Adorno durchaus annimmt, dass die Objekte der Welt – zum Beispiel Kunstwerke – ein unmittelbares Wesen hätten, einen ganz bestimmten Wahrheitsgehalt, der durch begriffliche Annäherungen zwar immer verfehlt, aber trotzdem anvisiert werden müsse, so liefert die *différance* lediglich den Hinweis auf ein Spiel »ohne Ende«:[39] Da ist nichts hinter dem Vorhang außer einem weiteren Vorhang.

Vergleichbar sind beide Konzepte wiederum dort, wo weder Adorno der Vermittlung noch Derrida der *différance* ein unabhängiges Dasein, oder überhaupt ein Sein zuspricht. Weder Vermittlung noch *différance* beziehen sich auf ein unabhängiges Drittes, dass von außen an Texte und Gegenstände andockt. Vermittlung und *différance* sind nichts, was ›man macht‹; sie ereignen sich durch die Gegenstände hindurch und im Spiel von deren Differenzen.

Adornos Rede von einer »Logik des Zerfalls« (ND 148) scheint mir eine passende Formulierung für beide Konzepte zu sein: Beide reagieren auf die aristotelische Logik und deren strikte binäre Ordnung. Beide nehmen diese Ordnung auf und zeigen, wie sie zerfällt, sobald sie das Feld der Mathematik verlässt und auf Sprache bzw. gesellschaftliche Verhältnisse angewandt wird. Beide Konzepte nehmen binäre Oppositionsmuster auf, die an der Identität eines Ganzen

39 Ebd., S. 35. Zum weiteren Vergleich zwischen Adornos Kritischer Theorie und Derridas Dekonstruktion vgl. etwa Zima, Peter: *Die Dekonstruktion. Einführung und Kritik*. Tübingen/Basel: A. Francke 1994, bes. S. 219–229.

mitarbeiten (Sprache, Wissen, Gesellschaft) und führen permanent Verschiebungen der Muster ein. »Zerfall« heißt weder, dass eine bessere Ordnung an die alte treten soll, noch, dass die Zerstörung der Ordnung angestrebt wird. Ebenso wenig wie die Dekonstruktion Derridas die Destruktion des Dekonstruierten zum Ziel hat, läuft die kritische Vermittlung Adornos auf die Auslöschung des Vermittelten hinaus. Vermittlung durch konkrete Kritik geschieht nicht um der Zerstörung willen, sondern um Festgefahrenes wieder in Bewegung zu bringen und so der Veränderung zugänglich zu machen. (Vgl. DSH 312)

Vermittlung als Versöhnung

Vollzieht Vermittlung als Zwang Herrschaft, so kehrt Vermittlung als Kritik herrschaftliche Verhältnisse um bzw. deckt sie auf, um sie ihrem eigenen Zerfall zuzuführen. Vermittlung als Versöhnung hingegen ist als herrschaftsfreier Raum zu denken. Doch wie soll das funktionieren?

Zunächst ist auch hier die stabile Bedeutungsschicht von Adornos Vermittlungsbegriff aufzurufen, nach der Vermittlung weder Identität meint, noch Moderation durch ein Drittes: »An der Zweiheit«, etwa von Gesellschaft und Individuum, »ist kritisch festzuhalten«. (ND 177) Weder soll der eine Pol in den anderen übergehen, noch sollen beide in einem Dritten aufgehen: »Das Dritte tröge nicht minder.« (ND 177) Der »Versöhnungszustand«, den Adorno anstrebt, hat demnach keine »mit sich identische Allgemeinheit vor Augen«, sondern, so Demirović, »einen Vermittlungszusammenhang, in dem sie [die jeweiligen Pole eines Gegensatzes] in ihrer Differenz in eine offene und nicht-hierarchische Konstellation zueinander treten, die beiden ihre

Möglichkeiten lässt.«[40] Übertragen auf Gesellschaft ruft Vermittlung als Versöhnung ein »*Modell zwangfreier Kommunikation*« auf,[41] in der etwa Tausch zwischen Menschen weder der Anrufung eines großen Ganzen noch der Durchsetzung partikulärer Interessen dient.

Ganz im Gegensatz aber zu Hegel, der versöhnte Gesellschaft im absoluten Staat realisiert sieht, hält Adorno Vermittlung als Versöhnung für eine »bloße Behauptung«. (DSH 273) Er weigert sich etwa strikt, in gesellschaftlichen Bewegungen seiner Zeit auch nur Spuren einer versöhnten Gesellschaft zu sehen. Vermittlung als Versöhnung sei »Utopie [...], die erst noch zu verwirklichen wäre«. (DSH 325) Jegliche Behauptung einer realisierten Utopie der Versöhnung im Hier und Jetzt würde nichts anderes vollbringen, als bestehende Herrschaftsverhältnisse zu verschleiern, statt sie zu übersteigen. Genauso wenig, wie sich die Versöhnung realisieren lasse, lasse sie sich beschreiben, auf einen normativen Begriff oder ein Manifest bringen. Versöhnung, wie Adorno sie denkt, verortet sich jenseits von Herrschaft, statt, wie bei Hegel, diesseits von Herrschaft.

Dennoch hat für Adorno der utopische Vermittlungsbegriff eine konkrete Funktion, nämlich die, Gesellschaft permanent mit ihren Möglichkeiten zu konfrontieren und zu zeigen, dass sie hinter diesen zurückbleibt. (Vgl. ND 150) Auch hier ist Vermittlung Aufschub, nämlich der permanente Aufschub realisierter Versöhnung.

---

40 Demirović, Alex: *Der nonkonformistische Intellektuelle. Die Entwicklung der Kritischen Theorie zur Frankfurter Schule*. Frankfurt/Main: Suhrkamp 1999, S. 649 f. Zu dieser Idee herrschaftsfreier Kommunikation zwischen Extremen vgl. auch den Vermittlungsbegriff von Besemer in Kap. 2.3 *Vermittlung als Versöhnung*.

41 Kager: *Herrschaft und Versöhnung*, S. 167, Herv. i.O.

Findet sich Versöhnung bei Adorno nicht positiv ausformuliert im Inhalt, so lässt sie sich aber in der Form seiner Texte ausmachen. So schreibt Ruth Sonderegger über Adornos *Ästhetische Theorie*, diese folge keiner linear-hierarchischen Ordnung, die von A nach B zu lesen sei und an deren Ende eine vollzogene Position stehe. Der Text vollziehe vielmehr ein »anti-hierarchisches Denken«, eine »Konstruktion des parataktischen, d.h. neben- statt unterordnenden Verhältnisses zwischen den Sätzen«.[42] Immer gleiche Probleme – in der *Ästhetischen Theorie* etwa das Verhältnis von Kunst und Gesellschaft – würden in permanent wechselnde Konstellationen verschoben, mit wechselnden Begriffen konfrontiert, ohne dass dabei eine Pointe abzusehen sei.

Öffnung und Schließung bei Adorno

Dieses, nach Sonderegger, neben- statt unterordnenden Verhältnis gilt auch für Adornos drei Vermittlungsbegriffe: Keiner ist der richtige, alle drei sind konkrete Möglichkeiten, auch wenn sie sich teilweise auszuschließen scheinen. Adornos Vermittlungsbegriff ist, wie Hegels auch, unentschieden, muss angewandt werden – er ist unverfügbar. Keine Formel oder Definition vermag das einzufangen, was der Vermittlungsbegriff leistet.

Trotz dieser Unverfügbarkeit führt Adorno Vermittlung als offene vor – seine konkrete Sprachkritik führt vor, wie kritische Vermittlung angewandt werden kann: als immanente Kritik, als Aneignung und Verschiebung scheinbar gültiger Oppositionsmuster. Die von Sonderegger genannte

42 Sonderegger, Ruth: *Ästhetische Theorie*. In: *Adorno Handbuch. Leben – Werk – Wirkung*. Stuttgart/Weimar: Metzler 2011, S. 414–427, hier S. 415.

»Konstruktion des parataktischen« zeigt, wie Vermittlung als Versöhnung gelingen kann, als, wie bei Sturm, Neben- statt Gegeneinander widerstreitender Begriffsformationen.

Ein kritischer Perspektivwechsel zeigt aber, dass die Öffnung bei Adorno zur Schließung gerät. Diese beginnt dort, wo Adorno Hegels absolute Vermittlung einer strikten Lesart unterzieht, die ich als erste Lesart der geschlossenen Vermittlung bezeichnet habe.[43] Gerhard Gamm, den ich die zweite Lesart vertreten ließ, schreibt dazu: »Adornos Antithese: ›Das Ganze ist das Unwahre‹ wirft vielleicht ein bezeichnendes Licht auf die *Negative Dialektik*, ein schiefes, wenn nicht falsches auf Hegel.«[44] Hegel habe zwar durchaus die absolute Vermittlung des Geistes als totale gedacht, die nichts außer sich selbst stehen lasse. Das bedeute aber nicht, dass das Ganze des Geistes nicht veränderbar sei. Das Wahre als das Ganze sei Hinweis, dass der zersetzenden Struktur der Vermittlung nicht zu entkommen sei. »Nirgends im Bedeutungsfeld dieses Satzes [Hegel: ›Das Wahre ist das Ganze‹] steht geschrieben, daß die Dialektik eine Methode sei, mittels der sich das Ganze vereinnahmen lasse.«[45]

Nun geht es mir nicht darum, Adorno mithilfe von Gamm einer falschen Hegellektüre zu bezichtigen. Hier lässt sich vielmehr die These anschließen, dass die Texte Hegels einen unentschiedenen Vermittlungsbegriff anbieten, der angewandt, d.h. gelesen und weitergedacht werden muss, der dort Entscheidungen provoziert, wo er sie selbst verweigert. Adorno hat sich entschieden und benennt explizit die Kontingenz seiner Entscheidung. (Vgl. DSH 361)

---

43 Vgl. Kap. 4.2 *Geschlossene Vermittlung*.

44 Gamm: *Der Deutsche Idealismus*, S. 118, Herv. i.O.

45 Ebd., S. 119.

Kritikwürdig erscheint mir, was die Entscheidungen Adornos hervorbringen; etwa die, Drittes aus der Vermittlung auszuschließen – eine Entscheidung, die Wellmer als Projektion eines Dreidimensionalen auf eine zweidimensionale Fläche bezeichnet hat.[46] Der Ausschluss des Dritten geht damit einen Schritt zurück, mit Rentsch, »von der Dialektik zum Dualismus«,[47] der bei Hegel überwunden schien. Bei dieser Theorieentscheidung für den Dualismus ist die Frage berechtigt, ob die Negative Dialektik tatsächlich darauf angelegt ist, Veränderung des Kritisierten zu ermöglichen, oder ob ihre dualistische Struktur nicht vielmehr das unangetastet lässt, was für Adorno zentrales Problem ist: die Aufspaltung der Welt in binäre Strukturen. Auch seine Weigerung, in politischen Bewegungen seiner Zeit Indizien für versöhnende Impulse hin zu einer möglichen anderen Gesellschaft zu sehen, erscheint zuletzt als *totale* Kritik, die Veränderung verunmöglicht statt ermöglicht.

Zuletzt verunmöglicht der Ausschluss des Dritten die Wendung der Kritischen Theorie gegen sich selbst. Sie verunmöglicht es, ein Drittes neben sich und dem Kritisierten zuzulassen. Damit gerät Kritik nicht nur zu einem neuen Dogma, sondern unterschlägt die Komplexität, die in vielfältiger Kritik stecken kann, in der diese auch Zwischentöne erlaubt und sich selbst dekonstruiert. Negative Dialektik, als offene angelegt, schlägt so, wie Kager über Adorno schreibt, in »schlecht-standpunkthaftes Denken um«,[48] führt Vermittlung als geschlossene vor.

---

46 Vgl. Kap. 6.1 *Gegen Hegel.*

47 Rentsch: *Negativität und praktische Vernunft*, S. 264.

48 Kager: *Herrschaft und Versöhnung*, S. 184.

Das bedeutet aber keine Sackgasse. Adornos Vorführung von Vermittlung als offene *und* als geschlossene weist einen Weg über ihn hinaus, lässt eine Arbeit mit Adornos Vermittlungsbegriff gegen denselben zu und führt gleichzeitig die Gefahr vor, bei dieser Arbeit selbst wieder von Schließungsmechanismen eingeholt zu werden.

6.3. (Selbst-)Kritische Kunstvermittlung

»Projekte einer kritischen Kunstvermittlung [...] müssen sich mit kritischer Theorie auseinandersetzen (und mit ihr verbünden) und umgekehrt.«[49] So schreibt es die Kunstvermittlerin Nanna Lüth. Befragt man jedoch den aktuellen Diskurs der kritischen Kunstvermittlung, dann kommt die Kritische Theorie Adornos darin als lesbare Bezugsgröße praktisch nicht vor. Warum eigentlich? Eine mögliche Antwort ist, dass Adornos Ausschluss des Dritten aus der Vermittlung die Position der Kunstvermittler*in wenn nicht überflüssig, so doch »suspekt« macht, und sie mit »Abneigung«[50] behaftet. Zudem wird der Begriff der Kritik, wie in er aktuellen Theorien der Kunstvermittlung gebraucht wird, weniger von der Frankfurter Schule als von den französischen (Post-)Strukturalisten, insbesondere von Michel Foucault abgeleitet. So weist Carmen Mörsch explizit auf Foucault und dessen Begriffsentfaltung von ›Kritik‹ hin: Sie

49 Lüth, Nanna: »Kunstvermittlung als ungehorsames Sehen. Über pazifistische Trickfilme und Portraits der Verstörung«. In: dies./Himmelsbach, Sabine/Edith-Ruß-Haus für Medienkunst (Hg.): *medien kunst vermitteln*. Berlin: Revolver 2009, S. 77–87, hier S. 87.

50 Adorno: »Tabus über den Lehrberuf«, S. 73. Hier in Kap. 6.1 *Gegen Hegel*.

sei »die Kunst, nicht dermaßen regiert zu werden«.[51] Kritik sei eine Praxis, Herrschaftsmechanismen offenzulegen und sich diesen zu widersetzen – in möglichem Maße. Eben hier ist ein erster Anknüpfungspunkt zu Adornos Begriff von Kritik auszumachen, der diese als konstitutiv immanente begreift, die sich immer auch in die Machtverhältnisse hineinbegeben muss, gegen die sie sich richten will. Weder mit Foucault noch mit Adorno gibt es ein (realisiertes) Außerhalb von Machtverhältnissen, so dass Kunstvermittlung als kritische gedacht immer auch »ihre eigene Position im Blick« (VKa 116) haben muss, um ihre eigenen Machteffekte nicht zu verdecken und dergestalt zu naturalisieren.

Gleichwohl nuancieren Adorno und Foucault ihre Kritikbegriffe unterschiedlich. So untersucht Foucault Machteffekte im Zusammenspiel von Sprache und Wissen auch im Verhältnis zu Sexualität und Körper, während Adorno sich an den Begriffen der abendländischen Philosophie abarbeitet.[52]

Wenn auch der Begriff der Kritik bei Foucault und Adorno nicht in Deckung zu bringen ist, so will ich dennoch versuchen, Adornos kritische Theorie mit kritischer Kunstvermittlung zu »verbünden«. Denn so fern es liegen mag, ausgerechnet Adorno, der die Figur des Dritten ausschließt, an Diskurse kritischer Kunstvermittlung anzuschließen, so nahe liegt es. Adorno hat nämlich nicht nur explizit die Begriffe der Vermittlung und der Kritik zueinander in

51 Foucault, Michel: *Was ist Kritik?*, übers. von Walter Seitter. Berlin: Merve 1992 (1978), S. 12. Vgl. für Mörsch Ssw 61.

52 Vgl. Schmincke, Imke: »Kritik und Erfahrung. Zur Logik des Körpers im Denken Adornos und Foucaults«. In: Weiß, Volker/Speck, Sarah (Hg.): *Herrschaftsverhältnisse und Herrschaftsdiskurse. Essays zur dekonstruktivistischen Herausforderung kritischer Gesellschaftstheorie*. Berlin: LIT 2007, S. 73–86.

Beziehung gesetzt, sondern ebendiese Beziehung im Kontext Kunst diskutiert und spezifiziert. Es gilt also zu untersuchen, was gewonnen werden kann, wenn kritische Kunstvermittlung mit Adorno gedacht wird – und was verloren.

Bei diesem Versuch will ich, Adorno folgend, immanent verfahren: kritische Kunstvermittlung *mit* Adorno *gegen* ihn lesen. Beidem will ich eine knappe Entfaltung dessen voranstellen, was mit Adorno als Kunst verstanden werden kann, und wie diese im Verhältnis zu Gesellschaft steht. Denn eines ist, wie gezeigt wurde, Adornos Vermittlungsbegriff bei aller Unbestimmtheit inhärent: Vermittlung ist kein Substanz-, sondern ein Relationsbegriff; Kunstvermittlung mit Adorno gedacht könnte demnach nicht für-sich entwickelt werden, sondern wäre stets nur als Verhältnis zu etwas, genauer: als Verhältnis zu Kunst und Gesellschaft zu entfalten.

Zum Verhältnis von Kunst und Gesellschaft bei Adorno

Kunst und Gesellschaft stehen für Adorno im Verhältnis der Vermittlung. Vermittlung heißt mindestens, dass zwei antagonistische Momente reziprok aufeinander angewiesen sind, einander durchdringen und verschieben. Wenn also Kunst und Gesellschaft vermittelt sind, dann ist Kunst sowohl als Opposition zur Gesellschaft zu lesen als auch als Moment von Gesellschaft. Die Vermittlung zwischen Kunst und Gesellschaft komme, so Adorno in der *Ästhetischen Theorie*, im »Doppelcharakter der Kunst als autonom und als fait social« zutragen. (ÄT 16) Einerseits müsse sich Kunst also abheben von Gesellschaft und solle Gesellschaft nicht unterschiedslos fortsetzen; sonst bleibe der Ausdruck ›Kunst‹ ohne Unterscheidung von anderem. (Vgl. V 405) Andererseits werde sie gemacht, sei gleichfalls Teil von gesellschaftlichen Zirkulationsbewegungen, verstrickt in Distributions- und Produktionsverhältnisse.

Das Vermittelnde zwischen Kunst und Gesellschaft im Sinne Adornos ist ein inhärentes, kein Drittes. Es ist demnach nicht in den Institutionen zu verorten, den Museen, Verlagen, Galerien und Kunstvereinen; auch nicht bei den Pädagog*innen und Kunstvermittler*innen: »Die Vermittlung zwischen Kunst und Gesellschaft«, so Peter Bürger, »ist nicht in einem Dritten (einer gesellschaftlichen Instanz) zu suchen, sondern im Kunstwerk selbst.«[53] Denn ebenso wie »der Riß zwischen Ich und der Welt durchs Ich selber nochmals hindurchgeht« und damit die Bewegung der Vermittlung anschiebe,[54] so gehe der Riss zwischen Kunst und Gesellschaft durch das Kunstwerk hindurch, finde dort seinen Schauplatz. Gelungene Kunstwerke denkt Adorno dabei in Form von nicht verallgemeinerbaren Einzeldingen. Spätestens mit der Avantgarde[55] der klassischen Moderne gebe es keinen verlässlichen Kanon mehr, nach dessen allgemeinen Vorgaben Produktion und Rezeption von Kunstwerken sich richten und einordnen ließen. Kunstwerke der Moderne seien vielmehr permanente Verschiebung des Kanons. Gelungene Kunstwerke im Sinne Adornos seien, so Ruth Sonderegger, »derart singulär, dass theoretische Verallgemeinerungen und Vergleiche zwischen ihnen Gefahr laufen, schlicht und einfach zu verpassen, was sie begreifen

53 Bürger, Peter: *Vermittlung – Rezeption – Funktion. Ästhetische Theorie und Methodologie der Literaturwissenschaft*. Frankfurt/Main: Suhrkamp 1979, S. 79.

54 DSH, S. 291. Hier in Kap. 6.1 *Mit Hegel*.

55 Zum Avantgardebegriff bei Adorno vgl. Bürger: *Vermittlung – Rezeption – Funktion*.

wollen«.[56] Kunstwerke kämen damit in ihrer Singularität dem Bereich der Natur nahe, der objektiven Welt des Unmittelbaren, d.h. des Nichtidentischen, das sich prinzipiell jeder verallgemeinerten Zurichtung entzieht. Durch ihren offensichtlichen Entzug der begrifflichen Einordnung, durch ihren konstitutiven »Rätselcharakter« (ÄT 182), seien sie als Momente des Unmittelbaren zu behandeln, als etwas, zu dem »man sich nur angemessen verhalten« könne, indem »man sich von ihm betreffen und irritieren« lasse.[57]

Doch auch wenn Kunstwerke als Momente des Unmittelbaren erscheinen, so bedürfen sie doch der Vermittlung, wären ohne Vermittlung nicht denkbar. In ihrer Materialwerdung sind sie in gesellschaftliche Produktions- und Distributionskreisläufe eingebunden und bedürfen des Vollzugs durch Rezeption. (Vgl. V 399 f.) Die Unmittelbarkeit des Kunstwerks ist demnach Schein, eine Aufführung des Nichtidentischen, statt das Nichtidentische selbst zu sein.

Wenn Kunst und Gesellschaft bei Adorno im Verhältnis der Vermittlung stehen, als Verhältnis zwischen Singulärem und Allgemeinen, muss gefragt werden, mit welchem Vermittlungsbegriff hier zu arbeiten ist. Ich habe hier drei unterschieden – bei Adorno kommen sie alle zum Tragen:[58] Gesellschaft kehrt im Kunstwerk zurück als Zwang, Kritik und Versöhnung, »ohne daß diese Aspekte mit der Sonde sich trennen ließen«. (V 413)

Die Momente der Kritik und der Versöhnung hängen unmittelbar zusammen. So greife das Kunstwerk zunächst gesellschaftliche Formen, Vorstellungen und Materialien auf

56 Sonderegger: »Ästhetische Theorie«, S. 414.

57 Figal: Art. »Negative Dialektik«, S. 11. Hier in Kap. 6.1 *Gegen Hegel.*

58 Vgl. Kap. 6.2 *Drei Vermittlungsbegriffe.*

und lasse diese in einer neuen Form wiederkehren. »Kunst ist tatsächlich die Welt noch einmal, dieser so gleich wie ungleich.« (ÄT 499)

Mit diesem ästhetischen Verfahren wird Vermittlung als utopischer Begriff der Versöhnung virulent. Durch die permanente Neukonstellation des Bekannten realisieren Kunstwerke die Konstruktion der Neben- statt Unterordnung, das für die versöhnende Vermittlung konstitutiv ist. Das Neben- statt Unterordnen zwischen Form der Gesellschaft und Form des Kunstwerks sei demnach nichts, was auf Identität hinausliefe, sondern auf eine »gewaltlose Synthesis des Zerstreuten«. (ÄT 216)

Gleichzeitig sei Kunst nicht in einem »harmlosen Reservat«[59] anzusiedeln. Sie sei nicht die Utopie der Gesellschaft, auf der es sich ausruhen lasse, sondern führe die Idee des Utopischen auf, zeige, wie Gesellschaft als Zwangsapparat immer noch hinter ihren Möglichkeiten zurückbleibt. So ist ihr utopisches Moment *Kritik* an Gesellschaft, mindestens in dreierlei Hinsicht.

Erstens: Indem Kunstwerke Variationen der Gesellschaft herstellen, führen sie vor, dass das, was in der Gesellschaft als unmittelbar ›natürlich‹ gilt, tatsächlich nur eine Möglichkeit von unendlich vielen ist. (Vgl. V 412) Kunst wird zur vermittelten Kritik an gesellschaftlichen Verhältnissen, von denen explizit behauptet oder implizit angenommen wird, sie seien alternativlos. »Indem sie [die Kunst] zeigt, wie es sein könnte, wären die Momente der gesellschaftlichen Realität nur um ein Geringes versetzt, wird sie zur Kritik an der verwalteten Welt.«[60]

59 Kager: *Herrschaft und Versöhnung*, S. 188.

60 Ebd., S. 220.

Zweitens: Die Bewegung der Variation im Kunstwerk, die »das Neue und Gesteigerte aus dem einmal Gesetzten« hervorbringt, gilt Adorno als Kritik der bürgerlichen Gesellschaft. Denn die »Abwertung des Neuen überhaupt, ist urbürgerlich: aus Bekanntem soll nichts Unbekanntes, kein anderes hervorgehen können«.[61] Greift also das Kunstwerk Bekanntes auf und verschiebt es dergestalt, dass es unbekannt, ein Fremdes wird, so dekonstruiert es den binären Gegensatz zwischen Fremd und Eigen, lässt das Fremde im Eigenen aufscheinen und umgekehrt.[62]

Drittens: Nicht jene Kunstwerke gelten Adorno als kritisch, die sich explizit als politisch verstehen: »Die politischen Positionen, die Kunstwerke von sich aus beziehen« seien dem Kunstwerk beigefügte Anhängsel, und gingen »zu Lasten der Durchbildung der Kunstwerke«. (ÄT 344) Explizit politischer Kunst wirft Adorno vor, eine »message«[63] zu haben, Kunst mit Sprache zu verwechseln. Kunstwerke, die Adorno als kritische im Sinn hat, kommunizierten überhaupt nicht ›mit‹ Gesellschaft (vgl. ÄT 336), griffen nicht in sie ein, sondern erreichten ihren kritischen Rang erst, »indem sie von [Gesellschaft] sich entfernen; die höchsten Produktionen« negierten sie. (V 418) Als »höchste Produktionen«, als Avantgarde, gelten Adorno demzufolge nicht Werke des Dadaismus oder Surrealismus, und deren

61 Adorno: »Zur Metakritik der Erkenntnistheorie«, S. 46.

62 Vgl. Kap. 4.3 *Kunstwerk – vom Subjekt betrachtet.*

63 Adorno führt in einer Ästhetik-Vorlesung aus, dass der Gehalt des Kunstwerks gerade *nicht* mit »dem sogenannten ideellen Gehalt oder gar der sogenannten Botschaft, der sogenannten ›message‹ [zu verwechseln sei], welche dem vulgären Aberglauben zufolge das Kunstwerk vermittelt.« Adorno, Theodor W.: *Ästhetik (1958/1959)*, hrsg. von Eberhard Ortland. Frankfurt/Main: Suhrkamp 2009, S. 331.

»intendierter Bruch mit der Institution Kunst«, schon gar nicht die zunehmend politisierte Kunst der späten 1960er, sondern Werke der klassischen Moderne, etwa von Wassily Kandinsky, Paul Klee oder – im Musikbereich – von Arnold Schönberg. Der kritische Gehalt der Kunst sei also keine Botschaft, sondern liege gerade darin, sich keiner politischen oder sonstigen Funktion anzubiedern. (Vgl. ÄT 336 f.)

Wenn Adorno nun schreibt, dass sich die Aspekte des Zwangs, der Kritik und der Versöhnung nicht trennen ließen, so ist zu fragen, wo das Moment des Zwangs ins Spiel kommt. Zunächst gilt es noch einmal den Doppelcharakter von Kunst als autonom und gesellschaftlich hervorzuheben: Kunst sei kritisch, weil sie keine der Funktionen der Gesellschaft übernehme. Kritik ist mit Adorno aber nur als immanente zu haben, kann sich also nicht von außen an etwas richten. Sie ist Teil von Gesellschaft, eingebunden in die Zirkulation des Kapitals. Zur Musik schreibt Adorno in diesem Zusammenhang: »In den Sphären von Distribution und Konsum freilich, in denen Musik selbst gesellschaftliches Objekt, Ware wird, bereitet die Frage nach der Vermittlung von Musik und Gesellschaft so wenig Schwierigkeiten wie Freude.« (V 399) An dieser Stelle, an der Adorno Vermittlung abwertet, nimmt er die Position des Dritten – hier die Institution – mit hinein, und thematisiert sie als Vermittlung des Zwangs. Kunst sei Ware, die Produktivkräfte von Künstler*innen würden zu Produktivmitteln umgeformt, welche der »Kontrolle durch die distribuierenden Agenturen« (V 401) unterlägen. Kunst sei aus dieser Perspektive gerade nicht als Feld kritischer Funktionslosigkeit zu begreifen, sondern umgekehrt, als mitwirkendes Glied im kapitalistischen Funktionsapparat. Auch Kunst, die Adorno als kritische versteht, wäre demnach immer schon in Herrschaftsverhältnisse verwoben.

Kritische Kunstvermittlung mit Adorno

›Kunstvermittlung mit Adorno‹ – ich habe bereits angedeutet, dass dies als Widerspruch erscheinen muss. Gegen eine ungebrochene Anwendung von Adornos Kritischer Theorie auf Diskurse kritischer Kunstvermittlung spricht nicht zuletzt auch die Etymologie von ›Kunstvermittlung‹. Der Begriff ist zur Zeit Adornos praktisch bedeutungslos – obwohl die Kategorien Kunst und Vermittlung für ihn von zentraler Bedeutung sind.[64] Dennoch möchte ich das »Risiko«[65] eingehen, einen Begriff kritischer Kunstvermittlung mit Adorno zu entwickeln und zu beobachten, welche Diskursfelder dabei betreten werden können und welche nicht.

Für das Nachdenken über Kunstvermittlung mit Adorno steht zunächst die Frage im Weg, ob sich mit Adornos binär ausgerichteter Vermittlung überhaupt von Kunstvermittlung sprechen lässt. Kunstvermittlung ist – so habe ich gezeigt[66] – auf Kommunikation angewiesen, geht über einsame Kontemplation hinaus. Die Intersubjektivität gesellschaftlicher Kommunikation hat Adorno in Hinsicht auf Kunst aber nicht interessiert; nicht zuletzt wohl auch deshalb, weil er hier das Moment der Allgemeinheit verortet hat, während die Erfahrung mit Kunst für Adorno ein explizit singuläres Moment einnimmt.

---

64 Vgl. Kap. 1.2 *1945 bis 1980.*

65 Nanna Lüth nennt die Verbündung Kritischer Theorie und kritischer Kunstvermittlung ein Risiko; nicht zuletzt deshalb, weil damit die verwendete Theorie auch immer Verschiebungen und Zurichtungen ausgesetzt wird; umgekehrt ebenso. Vgl. Lüth: »Kunstvermittlung als ungehorsames Sehen«, S. 87.

66 Kap. 2.4 *Kunstvermittlung liegt quer zu gesellschaftlichen Verhältnissen*, und 4.3 *Schließung und Öffnung.*

Gleichwohl spielt Sprache in Adornos Verhältnis von Kunst und Gesellschaft eine herausragende Rolle. Kunst und Gesellschaft stünden nicht in einem selbstgenügsamen, gleichsam leeren Verhältnis, das keiner Veränderung unterworfen sei; vielmehr müsse Gesellschaft, wie sie in Kunst erscheint, »aus deren Textur heraus[ge]lesen« werden. (V 421) Die sprachliche Seite der Rezeption, hier zunächst als Lektüre gedacht, ist konstitutiver Bestandteil von Adornos ästhetischer Theorie – und hier, an der Rezeption von Kunst, will ich ansetzen, um kritische Kunstvermittlung mit Adorno zu lesen.

Auch bei Adorno wird das Moment der Unmittelbarkeit als notwendiges gesetzt. Sie bildet hier wie bei Sturm den Ausgangspunkt des Nachdenkens über Kunstvermittlung. Auch Adorno schreibt dem Kunstwerk die Position des Unmittelbaren, Nichtidentischen zu, allerdings wie beschrieben nur als scheinbare Unmittelbarkeit; denn das Kunstwerk ist für sich kein Naturobjekt, sondern Produkt rationaler Überlegungen wie auch gesellschaftlicher Zirkulationsbewegungen und daher prinzipiell vermittelt.

Auch wenn die Unmittelbarkeit des Kunstwerks nur scheinbar ist, so fordert sie dennoch auf, den Raum freizuhalten für Momente der Irritation, des Sich-Betreffenlassens.[67] Einen solchen Moment des Be-Treffens nennt Adorno »Erschütterung«: »Er [der Betrachter] verliert den Boden unter den Füßen; die Möglichkeit der Wahrheit, welche im ästhetischen Bild sich verkörpert, wird ihm leibhaft.« (ÄT 363) Wahrheit des Kunstwerks muss mit Adorno als kritische verstanden werden. Sie erzeuge einen Moment, in dem für die Betrachter*in die Differenz zwischen der Gesellschaft,

67 Vgl. Kap. 5.4 *Notwendigkeit der Unmittelbarkeit.*

wie sie ist und wie sie sein könnte, »leibhaft« werde, weil sie die Differenz reflexiv an sich selbst vollziehe, sich ihrer eigenen Unzulänglichkeit bewusst werde. Es seien jene Augenblicke »in denen der Rezipierende sich vergisst und im Werk verschwindet«. (ÄT 363) Rezeption geht für Adorno demnach konstitutiv von einem Subjekt-Objekt-Verhältnis aus, von einer kontemplativen Versenkung des betrachtenden Subjekts ins Werk.

Im Gegensatz zum Moment des Unmittelbaren bei Sturm sind solche Augenblicke des Betreffens für Adorno nicht als solche des Affekts zu verstehen, auch wenn sie so erscheinen mögen. (Vgl. ÄT 246) Die Unmittelbarkeit des Augenblicks ist nur scheinbar unmittelbar, ist nur im Modus der Vermittlung zu haben:

> Solche Unmittelbarkeit im Verhältnis zu den Werken ist Funktion von Vermittlung, von eindringender und umfassender Erfahrung; diese verdichtet sich im Augenblick, und dazu bedarf es des ganzen Bewusstseins, nicht punktueller Reize. (ÄT 363)

Das bedeutet auch, dass die Erfahrung mit dem Kunstwerk über den Moment der Erschütterung hinaus muss, dass der Erfahrung des »Nichtidentischen zum Ausdruck«[68] verholfen werden muss, weil sie sonst als »punktueller Reiz« vergeht. Dies hat Adorno Philosophie genannt. Und eben dahin müsse die Erfahrung mit Kunst gelangen: »Genuine ästhetische Erfahrung muß Philosophie werden oder sie ist überhaupt nicht.« (ÄT 197) Dabei ist entscheidend, dass das, was Adorno Philosophie nennt, kein feststehender Ausdruck einer definierten Wissenschaftsdisziplin, sondern zunächst einmal konkrete Begriffsarbeit ist. Ohne die begriffliche

68 DSH, S. 336. Hier in Kap. 6.1 *Gegen Hegel.*

Analyse dessen, was jeweils konkret, singulär als Kunst erfahren wird, würde Kunst keine Rückwirkung in der Gesellschaft hervorrufen. Damit begibt sich Adorno in das Feld der Sprache, der Mitteilung. Das heißt, die Begriffsarbeit am Kunstwerk wird zur Vermittlung, denn »dem Begriff ist die Vermittlung essentiell.« (ND 171) Jede Zuordnung eines Begriffs zu einem Gegenstand vollzieht die Bewegung der Vermittlung, verschiebt das bezeichnete Objekt, so wie das bezeichnete Objekt den Begriff verschiebt.

Von hier aus will ich die begriffliche Arbeit am Kunstwerk, von der Adorno spricht, probehalber als Kunstvermittlung bezeichnen, sofern sie über das vereinzelte mit sich selbst sprechende Ich hinausgeht und, in welcher Form auch immer, Mitteilung wird. Die begriffliche Arbeit am Kunstwerk ist dann mindestens im Feld bedingter Kunstvermittlung zu verorten, das ich von Hegel ausgehend und an Sturm anschließend entfaltet habe.[69] Kunstwerk und rezipierendes Subjekt geraten im Modus der ›Vermittlung der Gegensätze in sich‹ an- und durcheinander, durchdringen und verschieben sich gegenseitig.

Wenn aber Vermittlung im Sinne von Adorno gerade nicht auf Identität ausgerichtet ist, sondern immer »ein nicht Aufgehendes«[70] meint, dann lassen sich von hier aus mehrere Parallelen zur Theorie der Kunstvermittlung mit Eva Sturm finden. So ist gerade bei Adorno die von Sturm geforderte Reformulierung des Vermittlungsbegriffs zu finden, »in welchem nicht von einem konsistenten, selbstbewussten, ganzheitlichen Subjekt, Ich, Individuum ausgegangen wird, das sich selbst finden kann, sondern in dem das ›Singuläre‹ in

69 Vgl. Kap. 4.3 *Schließung und Öffnung*.

70 ND, S. 174. Hier in Kap. 6.1 *Gegen Hegel*.

seiner Radikalität mitgedacht wird«. (VKa 247) Denn zum einen ist Subjekt bei Adorno nicht als bruchlos mit sich Identisches gemeint; zum anderen ist die Erfahrung von Kunst für Adorno gleichfalls nur mit dem Moment des Unmittelbaren, mit dem je konkret singulären Kunstwerk zu denken, dass sich jeder allgemeinen Zurichtung entzieht. Ebenso setzt auch Sturm auf die Notwendigkeit der Vermittlung im Umgang mit Kunst: »Unmittelbarkeit existiert nur als hergestellte, weil sie«, so habe ich Sturm oben zitiert, »nicht anders sichtbar wird.«[71]

Sofern die Erfahrung mit Kunstwerken an den Umgang mit Begriffen geknüpft ist, ist sie an sprachliche Voraussetzungen gebunden. Da die Vermittlung zwischen Kunstwerk und Betrachter*in ebenfalls auf Sprache angewiesen ist, setzen beide, Sturm wie Adorno, auf einen kritischen Umgang mit sprachlichen Zurichtungen angesichts von Kunst. Von beiden aus lässt sich *kritische Kunstvermittlung als Sprachkritik* formulieren. Die Kritik richtet sich zunächst nicht auf den institutionellen Distributionsapparat des Kunstsystems, auch nicht auf intersubjektive Machteffekte, sondern auf den je eigenen sprachlichen Umgang mit Kunstwerken.

So wenden sich Sturm und Adorno gegen Versuche, mit sprachlichen Mitteln Kunstwerke und ihre Bedeutung festzusetzen. Adorno hat solche Versuche als das Herauslesen einer *message*[72] verworfen, während Sturm es eine »vergebene Chance« (IE 100) nennt, wenn Ungereimtheiten und Rätselhaftigkeit im Sprechen über Kunst negiert und beseitigt werden. Für beide geht es, genau darum, mit Rätselhaftigkeit

71 VKa, S. 124. Hier in Kap. 5.4 *Notwendigkeit der Vermittlung*.

72 Zum Begriff der *message* bei Adorno vgl. Kap. 6.3 *Zum Verhältnis von Kunst und Gesellschaft bei Adorno*, Anm. 63.

(Adorno) und Rissen (Sturm), die Kunst in Sprache hinterlässt, umzugehen. Das kann für beide aber nur als Widerspruch geschehen. So setzt Sturm der Einleitung zu *Im Engpass der Worte* ein Zitat des Schriftstellers Karl Kraus voran: »Die Sprache hat ihren Beherrschern voraus, sich nicht beherrschen zu lassen.« (Zit. nach IE 11) Damit thematisiert Sturm Sprache nicht nur als Problem von Macht und Machteffekten, sondern zeigt auch den Widerspruch dazwischen auf, dass sich einerseits Sprache gerade durch unkontrollierbare Effekte auszeichne und andererseits in der Verwendung von Sprache der Wille bestehe, das Nichtkontrollierbare zu kontrollieren. Für Adorno bedeutet dieser Widerspruch nicht, fortan schweigen zu müssen, um sich selbst nicht in die Position der vermeintlichen Kontrolleur*in zu begeben; dem Schweigen setzt Adorno sein Diktum entgegen, »dem Nichtidentischen zum Ausdruck« zu verhelfen, »während der Ausdruck es immer doch identifiziert«. Für Sturm liegt nun genau in diesem Widerspruch zwischen Notwendigkeit und Unmöglichkeit der begrifflichen Übersetzung von Kunst der Clou:

> Und genau darum [um die Mangelhaftigkeit der Sprechversuche über Kunst] geht es. Um die Verhandlung, [...] trotz der Unzulänglichkeit und des Immer-wieder-Verfehlens. Die Unkontrollierbarkeit zeigt sich und mündet in eine Vielstimmigkeit des Immer-von-Neuem-Ansetzens.[73]

Kunst fordert Übersetzung ein und verweigert sie doch. Sofern diesem Widerspruch im Sprechen über Kunst Raum gegeben wird, kann Kunstvermittlung als Sprachkritik dem nachspüren, was Adorno für konstitutiv für das Kunstwerk

73 Sturm: »Woher kommen die KunstvermittlerInnen?«, S. 205.

hält: die ästhetische Praxis der Konstellationserstellung, des Neben- statt Gegeneinanders von Perspektiven auf Gesellschaft, bzw. hier von verschiedenen Sprechversuchen über Kunst. Solche Sprechversuche sind nichts, was abgeschlossen werden könnte, sondern ein nicht zielgerichteter Prozess. Gerade im Hinblick auf Kunst ließe es sich also üben: sprechen, und beobachten wie das Gesprochene fehlgeht, um dann von Neuem anzusetzen.

Kritische Kunstvermittlung als Sprachkritik ist zuerst selbstkritisch, richtet sich auf die eigene begriffliche Zurichtung von Kunst, führt die Unzulänglichkeit des eigenen Begriffsapparats vor. Im Sinne eines kritischen Vermittlungsbegriffs im Anschluss an Adorno geht es aber nicht darum, zu zeigen, wie ›falsch‹ Sprache sei, sondern darum, begriffliche Zurichtungen aufzudecken, deren Bewegungen aufzuspüren. Kritische (Kunst-)Vermittlung als Sprachkritik fordert ein, die Beweglichkeit und Kontingenz von Sprache aufzuzeigen und Momente der Veränderlichkeit einzuführen.

Sowohl für Sturm (›Von Kunst aus‹) als auch für Adorno steht bei all diesen Analysierungs- und Begriffsfindungsbewegungen Kunst selbst am Ausgangspunkt. So ist Philosophie für Adorno kein Mittel, das eine eigene, gesicherte Begriffswelt hervorgebracht hätte, mit der *über* Kunstwerke gesprochen werden könnte. »Nicht *über* Konkretes ist zu philosophieren, vielmehr *aus ihm heraus*.« (ND 41, meine Herv.) Kunstkritik wie Kunstvermittlung müssten immanent verfahren: »nur von Innen kommt man heraus.« (ÄT 411) Aus dem jeweils als Kunst Erfahrenen gilt es Begriffe neu zu denken und anzuordnen, in neue Konstellationen zu bringen.

Gleichwohl ist Kunstvermittlung als Sprachkritik, mit Sturm wie mit Adorno gedacht, nicht nur Selbstkritik,

In-Bewegung-Setzen des eigenen Begriffsapparates, sondern gleichfalls gerichtet auf gesellschaftliche Zurichtungen. Kunstvermittlung als Sprachkritik setzt sich dem entgegen, was als Festgeschriebenes oder Festschreibendes fungiert. Sie formiert sich als, hier Nanna Lüths und Adornos Schreiben verbindend, *ungehorsames Sprechen*, das »sich nicht Halt kommandieren lässt«.[74]

An dieser Stelle kommt die Frage nach der Figur des Dritten ins Spiel. Für Adorno ist das, was Kunstvermittler*innen tun, wenn sie mit einem Publikum über Kunst sprechen, zunächst eine *Beschränkung der Möglichkeiten*, Repräsentation von etabliertem Wissen.[75] Kunstvermittler*innen wären dann Mittel des institutionellen Distributionsapparats. Diese Einschätzung lässt sich gut an Oliver Marchart anschließen, der schreibt: »Die *Institution* spricht, und zwar spricht sie *durch die* guides [Kunstvermittler*innen] *hindurch.*«[76] Sofern Institutionen wie das Museum auf die Disziplinierung des Publikums ausgerichtet seien, setzten Kunstvermittler*innen die »Disziplinierung des Blicks, aber auch des Sprechens bzw. Zuhörens« fort.[77]

Dass aber eine andere Kunstvermittlung sich als, wie von Marchart vorgeschlagen, »Unterbrechung« und »Gegenkanonisierung« institutioneller Apparate etabliere,[78] diese Möglichkeit lässt sich mit Adorno nicht herleiten.

74 Adorno, zit. nach Sonderegger: »Ästhetische Theorie«, S. 421. Vgl. Lüth: »Kunstvermittlung als ungehorsames Sehen«, S. 77.

75 Vgl. Kap. 6.1 *Gegen Hegel*.

76 Marchart, Oliver: »Die Institution spricht. Kunstvermittlung als Herrschafts- und als Emanzipationstechnologie«. In: schnittpunkt – Jaschke/Martinz-Turek/Sternfeld (Hg.): *Wer spricht?*, S. 34–58, hier S. 35, Herv. i.O.

77 Ebd., S. 37.

78 Ebd., S. 46 u. 50.

Kunstvermittlung ist für ihn nichts, was in der Hand institutionell legitimierter Kunstvermittler*innen liegen könnte, sondern stets nur zwischen Kunstwerk und Subjekt zu verorten, als »Kontemplation, [als] einsame Versenkung des Individuums in das Werk«,[79] von der die Begriffsarbeit des Subjekts kündet. So ist Kunstvermittlung zwar Mitteilung, aber nur in Form des Monologs.[80]

Gleichwohl hat auch Adorno gesehen, dass die je singuläre begriffliche Analyse sozialen Ausschluss birgt: »Authentischer Kunstgenuß ist verstrickt in die Herrschaftsverhältnisse«, so Bürger über Adorno; »er bleibt denen vorbehalten, die vom Zwang der unmittelbaren Reproduktion der materiellen Lebensbedingungen freigesetzt sind.«[81] Adorno leitet daraus aber nicht ab, dass sich zwischen Kunst und Nichtpublikum ein Drittes setzen sollte, um Öffnungen durchzusetzen.

Stattdessen kommt hier ein Verständnis von Kunst*pädagogik* ins Spiel, das sich mehr auf das Herausbilden künstlerischer Techniken als auf den Umgang mit Kunstwerken richtet. Zur Musikpädagogik schreibt Adorno: »Der Zweck musikalischer Pädagogik ist es, die Fähigkeiten der Schüler derart zu steigern, daß sie die Sprache der Musik und bedeutende Werke verstehen lernen«.[82] Es gelte also Fähigkeiten herauszubilden, die sich nach den ästhetischen Verfahren der Kunstwerke richteten. Das Ziel liege weniger darin, ein Instrument zu beherrschen oder ›gut‹ malen zu können, sondern darin, durch technisches wie theoretisches Verständnis

79 Bürger: *Vermittlung – Rezeption – Funktion*, S. 130.

80 Vgl. Sonderegger: »Ästhetische Theorie«.

81 Bürger: *Vermittlung – Rezeption – Funktion*, S. 130.

82 Adorno: »Zur Musikpädagogik« (1956). In: ders.: *Gesammelte Schriften*, Bd. 14. Frankfurt/Main: Suhrkamp 1973, S. 102–120, hier S. 108.

den Rätselcharakter von Kunst aushalten und bearbeiten zu können. Die Kunstpädagog*in wäre dann keine Vermittler*in im Sinne eines Dritten, das zwischen konkretem Werk und Betrachter*in stünde, sondern, wie bereits oben ausgeführt, anwesend-abwesende Begleiter*in eines Prozesses, der »Verselbständigung«.[83] Der kritische Gehalt von Kunst kann mit Adorno gedacht nicht ›weitergegeben‹ werden. Ihn gilt es jeweils selbst offenzulegen, um sich von der Disziplinierung allgemeiner Sprachformeln nicht dermaßen regieren zu lassen.

Auch Adornos Vermittlungstheorie thematisiert demnach Ungleichheit und Exklusivität durch Kunst, ist aber nicht auf die universalistische Forderung einer ›Kunst für alle‹ ausgerichtet: »Kriterium des Wahren ist nicht seine unmittelbare Kommunizierbarkeit an jedermann.« (ND 49) Die begriffliche Freilegung des kritischen Gehalts von Kunst sei Pflicht wie Privileg derer, »die das unverdiente Glück hätten, in ihrer geistigen Zusammensetzung nicht durchaus den geltenden Normen sich anzupassen«. (ND 49) Sie müssten, »stellvertretend gleichsam, aussprechen, was die meisten, für welche sie es sagen, nicht zu sehen vermögen«. (ND 49)

Von dieser Setzung einiger weniger Privilegierter aus, die stellvertretend für die *Anderen* die Wahrheit der Kunst »aussprechen«, würde sich Kunstvermittlung als Monolog begründen. Spätestens hier muss der aktuelle Diskurs kritischer Kunstvermittlung nach den Voraussetzungen fragen, mit denen Adorno operiert, sowie seine Setzung, was die passende »geistige Zusammensetzung« für Kunst sei, infrage stellen. Es gilt zu fragen, ob mit Adornos monologischer Idee der begrifflichen Arbeit nicht eine neue Form von Meistererzählung generiert wird, die sich als zurichtendes

83 Adorno: »Theorie der Halbbildung«, S. 121.

Moment gegen alle Kommentare richtet, die anders angelegt sein könnten. Zu fragen ist außerdem, welche Momente zwingender Allgemeinheit in der von Adorno favorisierten singulären Haltung der Kontemplation stecken.

Kritische Kunstvermittlung gegen Adorno

Wenn Kunstvermittlung mit Adorno als immanent kritisch gedacht wird, muss sie sich auch gegen sich selbst richten können. Sie muss die Möglichkeit bereitstellen, zu fragen, und das hat Adorno nur angedeutet, inwiefern ihre eigenen Voraussetzungen an bestehenden Herrschaftsverhältnissen mitarbeiten bzw. neue generieren.

So will ich zunächst das in den Blick nehmen, was Adorno als adäquate Rezeptionshaltung gegenüber dem Kunstwerk gilt, nämlich die Form der Kontemplation. Für den Kunstvermittler und Philosophen Stefan Nowotny sind die Anerkennung und Durchsetzung der Kontemplation als legitime Rezeptionshaltung eine *der* Regierungstechniken im Feld der Kunst. Dabei entwirft er zunächst – nicht von Adorno ausgehend, aber mit diesem kompatibel – Kontemplation als binäres Verhältnis zwischen Kunstwerk und Betrachter*in, Objekt und Subjekt. Nowotny schreibt, »dass die Kontemplation als idealtypische Form der Kunstbetrachtung [...] den entstehenden Raum der Ausstellung als wechselseitiges Bedingungsgefüge von Objekten und Subjekten entwirft«.[84]

Institutionelles Setting, räumliche und körperliche Voraussetzungen geraten in diesem Zusammenhang in den Hintergrund, werden, mit Adorno, zum Epiphänomen, zum

84 Nowotny, Stefan: »Polizierte Betrachtung. Zur Funktion und Funktionsgeschichte von Ausstellungstexten«. In: schnittpunkt – Jaschke/Martinz-Turek/Sternfeld (Hg.): *Wer spricht?*, S. 72–92, hier S. 78.

Anhängsel. Gleichzeitig ist es aber gerade die Institution, die von der Idealisierung der Kontemplation profitiert. Die Idealisierung und Legitimierung der konkreten Verhaltensweise des stillen, schier körperlosen Sich-Versenkens in die Werke, macht aus einem ›ungeübten‹, d.h. noch nicht disziplinierten Publikum eine kontrollierbare Menge. Die Kontemplation repräsentiere, so Nowotny, eine Logik, »die darauf abzielt, eine schwer regierbare Menge – das, was etwa im Englischen als *populace*[85] bezeichnet wird – in eine ›zivilisierte‹ oder, besser, ›polizierte‹ Bevölkerung *(population)* zu transformieren«.[86] Kontemplation ist auf pragmatischer Ebene gerade das, worauf Adorno auf Theorieebene kritisch abzielt: eine Negation und Unterordnung intersubjektiver Verhältnisse zur Kunst zugunsten der binären Beziehung zwischen Objekt und Subjekt. Mit seiner eigenen Idealisierung der Kontemplation als legitimer Form der Kunstrezeption schreibt sich Adorno damit ein in einen Diskurs, der es gerade den Institutionen möglich macht, den Ausstellungsraum zu kontrollieren. Die Legitimation der Kontemplation macht es möglich, wenn nicht dem Denken, so doch dem – lauten, unangemessenen, ungewöhnlichen, unbekannten – Verhalten »Halt zu kommandieren«.

Adornos Idealisierung der Kontemplation schreibt sich aber nicht nur in die Reproduktion von Herrschaftsverhältnissen im Ausstellungsraum ein, sondern vergibt auch die Chance, gerade das zu verwirklichen, was ihm an Kunst selbst so wichtig erscheint: die Herstellung von Konstellationen, das Nebeneinander von sich widerstreitenden Sätzen,

---

85 Vgl. hierzu den Begriff des ›Pöbels‹, den ich oben entwickelt habe. Vgl. Kap. 4.4 *Offene Kunstvermittlung der Zersetzung.*

86 Nowotny: »Polizierte Betrachtung«, S. 84 f.

das Erzeugen multipler Perspektiven auf einen Gegenstand. So habe Adorno der Rezeption und begrifflichen Analyse des Subjekts zwar höchsten Rang zugemessen. »Aber er hat«, so Sonderegger, »diese Rezeption derart monologisch zugerichtet, dass ihre fruchtbarsten Dynamiken gar nicht in den Blick kommen konnten«.[87] Adorno habe stets den vereinzelten Denker vor Augen gehabt, statt jenes »schwer überschaubaren Stimmengewirr, das kritische Diskurse üblicherweise sind«.[88] Mit seiner Fixierung auf die Zweierbeziehung zwischen Kunstwerk und Betrachter*in und deren Fortsetzung in monologischem Sprechen-für-*Andere* muss die von Adorno angedachte gewaltfreie Herstellung von Konstellation unvollzogen bleiben. Denn der einzelnen Sprecher*in ist es kaum möglich, zu sehen, welche Auslassungen und Schließungen durch den eigenen Monolog produziert werden: »Wir sehen nicht, dass wir nicht sehen, dass wir nicht sehen.«[89] Um das ganz andere zu denken und auszusprechen, braucht es anderes: den anderen Blick, um die eigenen Schließungen in Bewegung setzen zu können, statt sie zu einem vermeintlich kritischen aber eben doch monologisch-dogmatischen Standpunkt umzubiegen.

Adornos Fixierung auf die Objekt-Subjekt-Beziehung und der Ausschluss der Subjekt-Subjekt-Beziehung im Feld der Kunst führt nicht zuletzt auch dazu, dass Kunstvermittlung *mit* Adorno kaum anschlussfähig ist für die Kunstsoziologie Pierre Bourdieus. Gerade dessen Thesen aber sind spätestens seit den 1990er-Jahren elementarer Bezugsrahmen kritisch

87 Sonderegger: »Ästhetische Theorie«, S. 422.

88 Ebd. Sonderegger verwendet hier explizit die männliche Form des Denkers und schreibt: »auch Denkerinnen kann man sich in seinem [Adornos] Universum nur schwer vorstellen«. Ebd.

89 Foerster: »Über das Konstruieren von Wirklichkeiten«, S. 27.

orientierter Diskurse der Kunstvermittlung.[90] So hat zwar auch Bourdieu, wie Adorno, die Frage nach der Funktion der Kunst gestellt – entnimmt dieser aber keine kritische Funktionslosigkeit, sondern eine intersubjektive Funktion, konkret: Kunst und Kunstkonsum erfüllen nach Bourdieu »für die besser gestellten Klassen eine Distinktionsfunktion«.[91] Die »im eigentlichen Sinne ästhetische Wahrnehmung« als einzig legitime Wahrnehmung von Kunst ermöglicht den »herrschenden Fraktionen«,[92] sich von allen Klassen abzusetzen, bei denen etwa Ausstellungsbesuche nicht zu den »Rechten und Pflichten« des Standes zählen;[93] in denen ästhetische Wahrnehmungsmuster nicht durch Erziehung in der Familie reproduziert wird.

Wo Adorno eine gewisse »geistige Zusammensetzung« als Voraussetzung zum Verstehen ästhetischer Phänomene macht, da ist mit Bourdieu kein Talent oder Naturgesetz am Werk, sondern historisch gewachsene und sozial bedingte Unterscheidungen. Auch das für Adorno so wichtige Moment des Rätselcharakters von Kunst, der Entzug jeder begrifflichen Einordnung, sowie die notwendige Haltung, ebendiesen Entzug aushalten zu können, sind mit Bourdieu Teil des Exklusionsmechanismus. »Die Illusion eines unmittelbaren Verstehens« alltagsorientierter Wahrnehmung sei gerade dort nicht anwendbar,[94] wo die ästhetische

90 Vgl. etwa 3.3 *Unmittelbare Einheit zwischen Kunst und Publikum?*

91 Bourdieu, Pierre: »Ästhetische Disposition und künstlerische Kompetenz« (1971), übers. von Hella Beister. In: ders.: *Kunst und Kultur. Kunst und künstlerisches Feld. Schriften zur Kultursoziologie* 4, hrsg. von Franz Schultheis und Stephan Egger. Konstanz: UVK 2011, S. 111–153, hier S. 136.

92 Ebd., S. 111 und S. 135.

93 Ebd.

94 Ebd., S. 146.

Wahrnehmung den Bruch mit Bekanntem verlangt: Das Kunstwerk erfordert mit Adorno wie mit Bourdieu die »Fähigkeit, alle verfügbaren Codes auszuschalten, um sich dem Werk selbst und dessen auf den ersten Blick verstörender Neuartigkeit anheimzugeben«.[95] Während aber im Bruch mit dem Alltag für Adorno der kritische Gehalt der Kunst erst zutage tritt, liegt für Bourdieu darin das Distinktionspotential der Kunst zugrunde, nämlich als Möglichkeit, ästhetische Wahrnehmungsmuster innerhalb einer Klasse und damit die Klasse selbst zu reproduzieren.

Davon ausgehend ist für Bourdieu jede Kunsttheorie und -soziologie, die sich nur auf das Verhältnis zwischen Kunstwerk und Betrachter*in, zwischen Objekt und Subjekt konzentriert, »zum Scheitern verurteilt«.[96] Theorie, die sich zudem nur mit den formal-inhaltlichen Eigenschaften von Kunstwerken, nicht mit ihren sozialen Produktions- und Distributionsbedingen befasst, gehe zudem nicht nur am Gegenstand Kunst vorbei, sondern reproduziere genau das, was eine Herrschaftsfunktion erfüllt: die Abgrenzung ›reiner‹ ästhetischer Wahrnehmung von anderen Wahrnehmungsmustern.[97]

Demgegenüber hat Adorno ausdrücklich alle Formen der Kunstsoziologie verworfen, die sich auf die »Sphären von Distribution und Konsum« konzentrieren. (V 399) Diese gingen gleich doppelt am Gegenstand der Kunst vorbei. Zum einen sammle die – zu Zeiten Adornos – etablierte empirische

95 Ebd., S. 153.

96 Ebd., S. 111. Vgl. hierzu den Aufschub von Versöhnung durch Vermittlung in der Heiligenverehrung in Kap. 2.2 *Vermittlung als Aufschub*.

97 Vgl. Bourdieu: »Ästhetische Disposition und künstlerische Kompetenz«, S. 133 f.

Kunstsoziologie zwar Daten über intersubjektive Phänomene, übersehe aber, dass gerade Kunst und deren Modus des Nichtidentischen, Nichtfestschreibaren »unmittelbar gesellschaftliche Daten« verweigere. (V 395) Zum anderen bringe solche Kunstsoziologie zwar verlässlich Gewohnheiten von Konsument*innen ans Licht, durch ihre Beschränkung auf intersubjektive Verhältnisse sei sie aber blind für die »gesellschaftliche Dechiffrierung musikalischer [bzw. ästhetischer] Phänomene selbst« (V 394), blind für das Kunstwerk. Nicht mit einer bestimmten sozialen Funktion habe Kunstsoziologie sich zu beschäftigen, sondern mit ästhetischen Formen und wie Gesellschaft sich darin kritisch wiederspiegelt.

So stehen sich zwei Paradigmen kritisch ausgerichteter Kunstsoziologie unvereinbar gegenüber: die Konzentration Adornos auf das Verhältnis zwischen Objekt und Subjekt und Bourdieus intersubjektiver Fokus. Kritische Kunstvermittlung aber muss sich, so meine ich, auf *beides* richten. Sie muss im Sinne Adornos und Sturms als Sprach- und Erkenntniskritik fungieren, die sich am Kunstwerk abarbeitet. Dabei muss sie im Blick behalten, wie sprach- und erkenntniskritische Wahrnehmungs- und Verhaltensmuster selbst soziale Herrschaftsmechanismen institutionell etablieren und reproduzieren. Adornos Ansatz jedoch blendet intersubjektive wie institutionelle Zurichtungen als ästhetisch irrelevant aus und schreibt diese damit fort.

Eine Position kritischer Kunstvermittlung, die dezidiert die an Vermittlung beteiligten Institutionen thematisiert, ist etwa die Carmen Mörschs. Sie plädiert für eine kritische Kunstvermittlung, die – auch das lässt sich gegen Adorno richten – die bestehenden Verhältnisse nicht nur analysiert und offenlegt, sondern konkret transformiert: »Kunstvermittlung als kritische Praxis will die Institutionen und

Verhältnisse, in denen sie stattfindet, nicht unverändert lassen.« (Ssw 67) Kritik müsse wirksam werden, wolle sie nicht in folgenlosen Pessimismus verfallen. Das Eintreten für konkrete Veränderung erfordere aber wiederum »normativ-ethische« Setzungen, Momente der »Bejahung« (Ssw 67), statt, wie bei Adorno angelegt, Negativität in Permanenz. Während Adorno es strikt ausschließt, Kriterien für eine versöhnte Gesellschaft konkret zu formulieren, geht es Mörsch um die bewusste Formulierung von »Handlungsalternativen«. (Ssw 67) Gleichzeitig gelte es aber auch, solche Alternativen nicht als gesicherte hinzunehmen, als Standpunkte ohne Auslassungen und immanente Machteffekte. Jedwede normativ-ethische Setzung bringe es notwendig mit sich, andere Setzungen auszuschließen und mindestens insofern auslassend zu sein. Angesichts dessen gelte es aber, nicht in einen Status des Nichthandelns zu verfallen, um nichts ›falsch‹ zu machen, sondern anzuerkennen, dass gerade Kunstvermittlung als kritische Praxis das Arbeiten im Widerspruch mit sich bringe.

Wenn sich nun kritische Kunstvermittlung auch gegen sich selbst richten kann, muss auch Mörschs Verständnis sich auf seine Schließungen und Auslassungen befragen lassen: Während Adorno auf die Beziehung zwischen Kunstwerk und Subjekt fixiert ist, scheint mir die Perspektive Mörschs – in diesem Sinne vergleichbar mit der Bourdieus – strikt auf das Verhältnis zwischen Institution und Subjekt bzw. auf intersubjektive Machteffekte ausgerichtet, während die Position des Kunstwerks ausgeschlossen bleibt. So beschreibt Mörsch etwa den konstitutiven Widerspruch, in dem sich Kunstvermittlung ohnehin immer befände – auch wenn sie sich nicht als kritische verstünde – als ein Feld, in dem Kunstvermittler*innen unterschiedlichen Ansprüchen und Erwartungen ausgesetzt seien: denen des Publikums, der Kurator*innen, der Aufsichten sowie des Managements der Institution. (Vgl. Ssw 55 f.) Nicht in dieser Aufzählung Mörschs taucht das beteiligte Objekt, das Kunstwerk auf. Dieses erhebt aber, wie ich meine, nicht minder Ansprüche an die Kunstvermittler*in. Bei diesen Ansprüchen geht es nicht (nur) um die Aneignung kunstgeschichtlichen Wissens. Ein Kunstwerk als Kunst ernst nehmen, Kunstvermittlung also als *Kunst*vermittlung betreiben, müsste eine Kunstvermittler*in darüber hinaus mit verschiedenen Momenten von Unmittelbarkeit konfrontieren. Denn eine Kunstvermittler*in ist rezipierendes Subjekt, müsste also, mit Sturm gedacht, durch ein Kunstwerk getroffen und gestört werden. Mit Sturm und Adorno müsste es darum gehen, die Störung, das Rätsel, die Unruhe aufrechtzuerhalten, ihr nachzuspüren, Zeit und Raum zu geben, um Kunst fortzusetzen. Damit kann weiterhin gerade für die Kunstvermittler*in der Anspruch angemeldet werden, mit eigenen sprachlichen Zurichtungen des Werks kritisch umzugehen, um so kritische Kunstvermittlung als Sprachkritik zu realisieren – ein Anspruch, der sich, wie oben gezeigt, nicht restlos einlösen lässt.

Gerade also das Kunstwerk konfrontiert Vermittler*innen in besonderem Maße mit teils unerfüllbaren Erwartungen und prägt damit entscheidend das Feld, in dem sie sich bewegen. Fehlen bei Adorno die Kunstinstitutionen und ihre Akteur*innen, fehlt bei Mörsch das Kunstwerk. Diese Auslassung Mörschs wiederholt damit einen Teil der binären Logik des Adorno'schen Vermittlungsbegriffs.

Neben den beiden Möglichkeiten, einen binären Vermittlungsbegriff im Raum zwischen Kunstwerk, Publikum und Institution unterzubringen und dabei wahlweise das Kunstwerk oder die Institution herauszunehmen, hat ein binär fundierter Dialektikbegriff, wie der Adornos, in den 1970er-Jahren zudem die Blüte hervorgebracht, das *Publikum* aus diesem Verhältnis herauszudenken. So sah Werner Haftmann 1970 die Funktion des Museums darin, »dialektischer Partner des Künstlers«[98] zu sein. Das Museum müsse der Künstler*in und deren Wirklichkeitserfahrung sowohl nacheifern als auch sich von ihr abheben. In dieser spannungsvollen Zweierbeziehung hätte das Publikum lediglich einen Platz als, um einen Begriff Adornos zu entleihen, Epiphänomen: Es genüge, dem »nachdenklichen Besucher Einblick« in die vermittelte Beziehung zwischen Künstler*in und Institution zu gewähren,[99] statt ihm eine konstitutive Funktion zuzuschreiben.

Aus dieser Zusammenstellung binärer Vermittlungskonzeptionen schließe ich Folgendes: Kritische Kunstvermittlung mit Adorno zu denken hakt nicht nur daran, dass Adorno die Thematisierung der Institution ausschließt, sondern auch daran, dass Adornos Vermittlungsbegriff einer binär orientierten Dialektik folgt. Sein Vermittlungsbegriff zwingt, sich entweder dem Verhältnis Kunstwerk/Publikum, dem Verhältnis Institution/Publikum oder gar dem Verhältnis Kunstwerk/Institution zuzuwenden.

Kritische Kunstvermittlung ist dagegen, mit Eva Sturm, sowohl von Kunst aus zu denken als auch von den Institutionen, als auch vom Publikum aus. Sturm vollzieht in *Von Kunst aus* permanente Perspektivwechsel zwischen den drei Positionen, nimmt mal das eine, mal das andere Zweierverhältnis in den Blick. So sei es etwa an Kunstvermittlung, mit dem

98 Haftmann, Werner: »Das Museum in der Gegenwart«. In: Bott, Gerhard (Hg.): *Das Museum der Zukunft*. Köln: DuMont 1970, S. 107–115, hier S. 114.

99 Ebd., S. 114 f.

Publikum an Kunst anlehnend Widerstand gegen institutionelle Zurichtungen zu entwickeln. (Vgl. VKa, bes. 282–294)

Es fehlt aber nach wie vor ein Vermittlungsbegriff, der über binäre Vorstellungen hinausgeht. Soll ›Kunstvermittlung‹ keine Entscheidung für eine dual geordnete Perspektive einfordern, sondern das kommunikative Gefüge zwischen Subjekten bei *gleichzeitiger* Aufmerksamkeit für beteiligte Objekte voraussetzen, braucht es einen anderen Vermittlungsbegriff. Es braucht, so Kager kritisch über Adorno, die »Konstruktion eines neuen, erweitert konzipierten Paradigmas, das einer Dialektik zwischen intersubjektiver Kommunikation *und* [...] Subjekt/Objekt-Beziehung gälte«.[100] Es geht demnach um einen Vermittlungsbegriff, der in der Lage ist, den erweiterten Zusammenhang von Objekt-Subjekt-Subjekt aufzunehmen und zu bearbeiten.

Einen ebensolchen Vermittlungsbegriff, der das Gefüge zwischen Subjekten wie zwischen Subjekt und Objekt thematisiert, hat Gotthard Günther formuliert. Diesen will ich im folgenden Kapitel entfalten, um von dort aus an Theorien der Kunstvermittlung anschließen, die über die binäre Logik hinausgehen.

Zuvor möchte ich zusammenfassend fragen, welchen Gewinn es bringt, den Begriff der Vermittlung mit Adorno zu lesen und mit differenzorientierten Diskursen der Kunstvermittlung, speziell mit kritischer Kunstvermittlung, zu verbünden.

Ein erster Gewinn ist die Möglichkeit, das von Sturm eingeforderte Moment der Unmittelbarkeit mit Vermittlung zu denken, ohne dabei, wie noch von Hegel konzipiert, der Irritation des Unmittelbaren den Zahn zu ziehen.

---

100 Kager: *Herrschaft und Versöhnung*, S. 233, meine Herv.

Mit Adorno lässt sich der Widerspruch zwischen dem Plädoyer für Unmittelbarkeit und dem für Vermittlung, der sich durch Sturms *Von Kunst aus* zieht, begrifflich fundieren.

Ich halte Adornos Positionen zweitens deshalb für so wichtig, weil er den Begriff der Vermittlung von Hegel aus in die Theorie der Gesellschaft des 20. Jahrhunderts hineingedacht und gezeigt hat, wie sich die Konzepte des deutschen Idealismus als kapitalistische Gesellschaft realisieren. Damit hat Adorno in seiner kritischen Lesart Hegels die Kontamination des Vermittlungsbegriffs mit herrschaftlichen wie mit kritischen und utopischen Konzepten freigelegt. So wird insbesondere durch die Sprachkritik Adornos deutlich, dass Vermittlung kein eindeutiger Begriff ist, mit dem eine festgelegte Position eingenommen werden könnte. Vermittlung ist, um an meine obigen Überlegungen anzuschließen, als reflexiv-unentschiedener Begriff zu denken – jede Verwendung des ambivalent zu denkenden Begriffs erfordert erneute Positionierungen. Gerade das Moment der Kritik markiert dann keinen unschuldigen Ausgangspunkt, sondern ist gleichsam in die Momente der Versöhnung und des Zwangs verstrickt.

Drittens macht es Adorno möglich, zu verdeutlichen, dass das, was aktuell als kritische Kunstvermittlung verhandelt wird, sich meist als *Institutions*kritik versteht und erweitert werden kann um Kunstvermittlung, die sich als *Sprach*kritik versteht. Kritisch gilt es also nicht nur nach den institutionellen, sondern auch nach den begrifflichen Voraussetzungen von Kunstvermittlung zu fragen. Kritik wäre dann als Kritik an der Vereindeutigung von Begriffen zu lesen, als Verflüssigung festsetzender Sprachformationen im Hinblick auf Kunst. Kritische Kunstvermittlung als Sprachkritik involviert dabei das Objekt, über das gesprochen wird, in den Zusammenhang von Kunstvermittlung. Der Gewinn, kritische Kunstvermittlung auch als Sprachkritik zu denken, ist nicht zuletzt auch der, dass die kritische Arbeit an begrifflichen Zurichtungen mit Adorno gerade auch als kritische Arbeit an gesellschaftlichen Verhältnissen zu lesen ist. Denn Adorno hat Sprach-, Erkenntnis- und Gesellschaftskritik stets aufeinander bezogen gedacht. Bestimmte gesellschaftliche Verhältnisse formieren sich auch durch bestimmte Begriffspraxen, so dass kritische Kunstvermittlung als Sprachkritik und kritische Kunstvermittlung als Institutionskritik nicht gleichgültig gegeneinander, sondern als sich wechselseitig bedingend und erhellend gedacht werden können.

Es lohnt sich also gleich mehrfach, bestehende Theorien kritischer Kunstvermittlung mit der Kritischen Theorie Adornos gegenzulesen. Am dritten und letzten Punkt, der Sprachkritik, muss jedoch Verlust angemeldet werden. Sein dualistischer Vermittlungsbegriff richtet die Vermittlung von Kunst monologisch zu und schließt damit die Wucherungen gemeinschaftlicher Debatten aus. Diese Fixierung auf die duale Beziehung zwischen Subjekt und Objekt führt dazu, dass die institutionellen Verstrickungen mit und in Kunstwerken ausgeklammert werden. Damit erscheint aber die »Logik des Zerfalls«[101] als dem System äußerlich statt als in diesem eingenistet. Wenn die Institution als immanenter Bestandteil des Zusammenhangs von Kunst und Gesellschaft nicht thematisiert wird, kann sie auch nicht verändert werden. Sollte kritische Kunstvermittlung aber auf Veränderung ausgerichtet sein, muss sie die Komplexität des Zusammenhangs aufnehmen und über duale Konzepte hinaustreiben.

---

101 ND, S. 148. Hier in Kap. 6.2 *Vermittlung als Kritik*.

7. Transformative Vermittlung

> Es ist wie der Löwe im Sommernachtstraum, der ausruft: »Ich bin Löwe, und ich bin nicht Löwe, sondern Schnock.« So ist hier jedes Extrem bald der Löwe des Gegensatzes, bald der Schnock der Vermittlung.[1]

Die Vermittlungstheorie des Mathematikers und Philosophen Gotthard Günther entwickelt sich zeitlich parallel zu Adornos Kritischer Theorie und dessen Auseinandersetzung mit dem Vermittlungsbegriff. Das wissenschaftliche Umfeld aber unterscheidet sich enorm von dem Adornos. So tritt Günther zwanzig Jahre nach seiner Emigration in die USA 1960 eine Professur am Biological Computer Laboratory (BCL) in Urbana an, das wie kaum ein anderes für die Entwicklung kybernetischer Theorie steht und sich mit den Zusammenhängen von maschinellen, sozialen und biologischen Prozessen und deren wechselseitiger Übersetzbarkeit beschäftigt. Die transdisziplinäre Forschungsaktivität

1 Marx: *Kritik des Hegelschen Staatsrechts*, S. 292.

des BCL gilt dabei als entscheidender Impuls für den Aufbau von so unterschiedlichen Forschungsfeldern wie Bionik, Neurophysiologie, künstlicher Intelligenz, Sozialtheorie selbstorganisierter Systeme sowie für die Entwicklung des radikalen Konstruktivismus.[2] Das BCL war auch ein Forum alternativer Logiksysteme. Diese wurden benötigt, da sich Kybernetik grundsätzlich mit selbstbezüglichen Phänomenen und Theorien auseinandersetzt und in der klassischen Logik »Selbstrückbezüglichkeit ausgeschlossen ist«.[3] Vor diesem Hintergrund ist die Arbeit Günthers angesiedelt.

Ein zentraler Vorwurf Günthers gegenüber der dominanten, klassisch-binären Logik richtet sich gegen deren Anspruch, Welt und Gesellschaft lediglich zu beschreiben, also im Beschreiben formal und dabei ›neutral‹ zu bleiben, statt handelnd einzugreifen. Der Künstler und Theoretiker Paul Ryan nennt aber gerade binäre Logik eine »performative Logik«, also »eine Logik in Hinblick auf die Schaffung und Stabilisierung gesellschaftlicher Beziehungen«.[4]

Binäre Logik beschreibt etwa Geschlechterverhältnisse nicht neutral, sie bringt die Striktheit binärer Unterscheidungen mit hervor. Ebendiese Logik habe sich, so Kurt Klagenfurt, dabei als dermaßen mächtig erwiesen, dass sie sich

---

2 Zur Geschichte des BCL vgl. etwa Müller, Albert: »Eine kurze Geschichte des BCL. Heinz von Foerster und das Biological Computer Laboratory«. In: *Österreichische Zeitschrift für Geschichtswissenschaft*, Nr. 11 (2000), S. 9–30.

3 Goldammer, Eberhard von/Paul, Joachim: »Einführung zur Neuauflage«. In: Günther, Gotthard: *Das Bewusstsein der Maschinen. Eine Metaphysik der Kybernetik*, hrsg. von Eberhard von Goldammer und Joachim Paul. Baden-Baden: AGIS 2002 (1957), S.11–43, hier S. 23.

4 Ryan, Paul: »Zwei ist keine Zahl«. In: documenta GmbH (Hg.): *dOCUMENTA (13). Das Buch der Bücher*. Ostfildern: Hatje Cantz 2012, S. 143–149, hier S. 148.

gegen »alle anderen Theorien und Kulturen durch[ge]setzt, [und] eine Weltgemeinschaft konstituiert«[5] habe. Dabei verdeckt sie ihre eigene Operationalität, behauptet also von sich selbst, nicht gemacht zu sein und keinen Eingriff in Welt und Gesellschaft darzustellen. »Sie mißversteht sich selbst als absolut, weil sie ihre Entstehung und Historizität verleugnet. Daher verhält sie sich gegenüber anderen Kulturen und Theorien kolonial.«[6]

Günther eint mit Adorno, der Dominanz binärer Logik mit kritischer Theoriearbeit zu begegnen und den Begriff der Vermittlung dabei zentral zu setzen. Doch während Adorno die Bearbeitung des Themas der Vermittlung mit den Mitteln der formalen Logik als schematisches Verständnis von Vermittlung ablehnt, votiert Günther »für Logik-*Reform*«,[7] entwickelt eine *trans*-klassische Logik.[8] Statt formalisierte Logik abzulehnen müsse diese sich im bestehenden binären Logiksystem einnisten, um dieses von innen heraus transformieren zu können. Weil Hegels Begriff der Vermittlung logische Probleme aufwirft, die die klassische Logik nicht

---

5 Klagenfurt, Kurt: *Technologische Zivilisation und transklassische Logik. Eine Einführung in die Technikphilosophie Gotthard Günthers*. Frankfurt/Main: Suhrkamp 1995, S. 17. Hinter dem Pseudonym ›Kurt Klagenfurt‹ verbirgt sich ein Autor*innenkollektiv, dem Arno Bammé, Wilhelm Berger, Joachim Castella, Eggert Holling, Rudolf Kaehr, Ernst Kotzmann und Ulrike Oberheber angehören.

6 Ebd., S. 41. Für eine dekoloniale Perspektive auf Logik vgl. etwa Rivera Cusicanqui, Silvia: *Ch'ixanakax utxiwa: una reflexión sobre prácticas y discursos descolonizadores*. Buenos Aires: Tinta Limón 2010. Ich danke Nora Landkammer für diesen Hinweis.

7 Werntgen, Cai: Kehren: *Martin Heidegger und Gotthard Günther. Europäisches Denken zwischen Orient und Okzident*. München: Wilhelm Fink 2006, S. 102, dort Anm. 196, meine Herv.

8 Vgl. Günther, Gotthard: »Die Theorie der ›mehrwertigen‹ Logik« (1971). In: ders.: *Beiträge zur Grundlegung einer operationsfähigen Dialektik*, Bd. 2. Hamburg: Felix Meiner 1979, S. 181–202, hier S. 192.

lösen kann, sieht Günther in dessen Schriften entscheidende Impulse für die Entwicklung einer transklassischen Logik. Der Begriff der Vermittlung spielt also in Günthers Theorien die Rolle eines Mittels zur Logikreform.

In den folgenden Kapiteln führe ich diese Entwicklung zunächst von Günthers Hegellektüre aus ein (Kap. 7.1), um von dort aus triftige Variationen des Vermittlungsbegriffs gegenüber den vorhergehenden Kapiteln zu markieren. (Kap. 7.2) Auch wird sich wieder die Frage stellen, welche Öffnungen und Schließungen ein von Günther aus gedachter Vermittlungsbegriff bietet. (Kap. 7.3) In den letzten beiden Kapiteln werde ich die Ausführungen durch die Lektüre des Vermittlungsbegriffs bei Günther auf Theorien der Kunstvermittlung anwenden, die gleichfalls über binäre Konzepte hinausgehen. (Kap. 7.4 und 7.5)

7.1. Noch einmal Hegel – mit Günther gelesen

Günthers zentrales Interesse ist die Entwicklung einer transklassischen Logik. Entsprechend liest Günther Hegels Schriften unter einer formalistisch-mathematischen Folie, die sich nicht für den Versuch einer Vermittlungsproblemen angemessenen Sprache interessiert, sondern für die dahinter stehende Logik. So schreibt Günther in *Grundzüge einer neuen Theorie des Denkens in Hegels Logik*: »Die neue Struktur des Denkens [...] wird nicht mehr durch Axiome,[9] sondern durch ein neues eigenartiges logisches Gebilde definiert, welches Hegel ›Vermittlung‹ nennt.«

9 Vgl. den Begriff des Axioms als unmittelbar gültiger, nicht der Beweislast ausgesetzte Voraussetzung von Erkenntnis bei Aristoteles Kap. 3.1 *Antike: Vermittlung und binäre Logik*.

(GnT 223) Nicht mehr auf der Unmittelbarkeit grundgültiger Annahmen solle Erkenntnis beruhen, sondern auf diesem ›eigenartigen logischen Gebilde‹.

Dabei werden mehrere Fäden dieser Arbeit wieder aufgenommen. Hegels Erkenntnistheorie und der damit verwobene Vermittlungsbegriff werden erneut in den Fokus gerückt. Ebenso wird auch die Thematisierung logischer Probleme wieder aufgenommen. Durch das Adorno-Kapitel wurde die Notwendigkeit angezeigt, Vermittlung – und damit auch Kunstvermittlung – nicht entweder als Zusammenhang zwischen Subjekt und Objekt zu begreifen (zwischen Kunstwerk und Betrachter*in) oder als Zusammenhang zwischen Subjekten (zwischen Betrachter*in, Vermittler*in, Akteur*innen der Institutionen). Um Intersubjektivität *und* Objektbezogenheit gleichzeitig thematisieren zu können braucht es stattdessen einen Vermittlungsbegriff, der über binäre Konzepte hinausgeht.

Heterarchie – logische Äquivalenz

Ein Aspekt, der in Günthers Logik der Vermittlung eine entscheidende Funktion einnimmt, ist der der Heterarchie. Dabei verhält sich der Begriff der Heterarchie komplementär zu dem der Hierarchie. Er benennt Relationen, die durch die Äquivalenz der beteiligten Relata, d.h. durch die gleiche Wertigkeit der an der Relation beteiligten Komponenten gekennzeichnet sind, statt durch deren Ober- und Unterordnung. Dabei meint logische Äquivalenz in diesem Fall nicht, dass den beteiligten Relata ein gleicher Sinn zugeschrieben werden könnte, sondern dass sie – anders als in der aristotelischen Logik – in der Relation gleiche *Berechtigung* haben, obwohl sie gegensätzliche Werte vertreten.

Günther liest heterarchische Konzepte in der Erkenntnistheorie Hegels, insbesondere in den drei Stellungen des Gedankens zur Objektivität.[10] In der ersten Stellung zur Objektivität nennt Hegel die klassische Metaphysik Dogmatismus, weil sie, den Gesetzen der aristotelischen Logik folgend, bei zwei sich widersprechenden Meinungen eine der beiden als falsch herausstellen muss.[11] So baut die aristotelische Logik auf zwei Werten auf, deren zweiter jeweils ausgeschlossenen oder untergeordnet werden. Das gilt nicht nur für die Werte wahr/falsch, sondern auch für Sein/Denken und Objekt/Subjekt. Der zweite, negative Wert wird benötigt, um den ersten, positiven zu bestimmen. Sinnfällig für soziale Zusammenhänge wird diese Ableitungslogik etwa in, wie oben beschrieben, natio-ethno-kulturellen Ordnungen, in denen das Konstrukt der *Anderen* benötigt wird, um ein bruchloses, mit sich identisches *Wir* zu konstruieren.[12] Die abwertende Wirksamkeit aristotelischer Logik ist dabei nicht nur darin zu suchen, dass sie binär operiert oder eine klar definierte Wertigkeit zwischen den beteiligten Relata annimmt, sondern auch darin, dass der zweite Wert nicht positiv besetzt, sondern als Negation (Nicht-*Wir*) des ersten begriffen wird und zu dessen Ableitung dient. Gäbe es diese hierarchische Werteordnung nicht, wäre es der formalen Logik nicht möglich, zwischen wahr und falsch eindeutig zu unterscheiden.

Gegen dieses Konzept logischer Hierarchie setzt Günther Hegels bedingte Vermittlung aus der zweiten Stellung zur

10 Vgl. exemplarisch Günther: *Das Bewusstsein der Maschinen*, bes. S. 160–164. Vgl. zu den drei Stellungen zur Objektivität bei Hegel Kap. 4.1 *Vermittlung als Unmittelbarkeit*.

11 Vgl. Kap. 4.1 *Erste Stellung*.

12 Vgl. Kap. 3.2 *Unmittelbarkeit bei Fichte*.

Objektivität. Das Subjekt, das ein Objekt zu erkennen glaubt und dabei nur wieder sich selbst und seinem eigenen Denken begegnet, sieht, wie es das Objekt selbst hervorbringt, so dass das Objekt wiederum Teil des Subjekts wird. Das Spiel entwickelt sich zu einer Schleife, in der weder ein unmittelbares Subjekt noch ein unmittelbares Objekt existieren, in der sich subjektive und objektive Momente gegenseitig durchdringen, ohne sich in ein widerspruchsfreies Ding aufzulösen – sie sind vermittelt. Wenn aber in der klassischen Metaphysik Objekt und Subjekt hierarchisch geordnet sind, der Wert ›Subjekt‹ also nur die Negation des Wertes ›Objekt‹ ist, dann steht der heterarchische Zustand der Vermittlung im Widerspruch zur Logik der Metaphysik. Objekt und Subjekt erweisen sich, so David Köpf über Hegel und Günther, »statt als separate Substanzen als Momente eines offenen Vermittlungsprozesses«.[13] Es heißt nun nicht mehr: Das Zweite ist aus dem Ersten abgeleitet, sondern: Beide leiten sich gegenseitig ab und können nicht mehr als unmittelbar gesetzt, also ›wahr‹ gelten. Es gibt kein Entweder/Oder, das auf Eindeutigkeit, auf Evidenz abzielen könnte. Es gibt nur noch einen ambivalenten, d.h. nicht entschiedenen Zustand zwischen äquivalenten Möglichkeiten.

Das Problem klassischer Logik mit der Zeit

Ein solcher Zustand der Vermittlung zwischen Objekt und Subjekt, der sich strikten Fixierungen entzieht, stellt klassische Logik vor unlösbare Probleme: »Für die klassische Tradition ist die Vermittlung kein objektivationsfähiger

13 Köpf, David: »Mit dem Weltgeist rechnen. Über Gotthard Günther«. In: Baecker, Dirk (Hg.): *Schlüsselwerke der Systemtheorie*. Wiesbaden: VS 2005, S. 225–242, hier S. 227.

Prozess.« (SM 136) Denn ›Objektivieren‹ bedeutet in dieser Tradition, einen Gegenstand zu fixieren. Aristotelische Logik kann nur Ist-Zustände verarbeiten, sie kann nur Aussagen über ein Sein oder Nicht-Sein treffen.[14] Klagenfurt bringt dieses Dilemma folgendermaßen auf den Punkt:

> Die unlösbare Bindung der logischen Werte an das, was ist, an das Sein in der abendländischen Logik, führt zu dem fatalen Resultat, dass Praxis nur dann angemessen abgebildet werden kann, wenn sie im Sein nachträglich als Produkt erscheint. Das Werden, der Prozess, das Mögliche wird ausgeschlossen.[15]

Wenn Zeit ins Spiel kommt, versagt die zweiwertige Logik.[16] Vermittlung aber – mit Hegel und Günther begriffen – involviert Zeitlichkeit, das Werden der beteiligten Subjekte und Objekte, die in keinem Moment der Vermittlung sich selbst gleich sind. Vermittlungsprozesse ließen sich durch zweiwertige Logik demnach nur dann objektiv verarbeiten, wenn sie als Produkte fixiert, ihre Prozesshaftigkeit also negiert würde.[17] Das bedeutet im Umkehrschluss, dass es einer mehrwertigeren Logik bedarf, will man die logische Form von Vermittlungsprozessen darstellen.

---

14 Vgl. Günther, Gotthard: »Die aristotelische Logik des Seins und die nicht-aristotelische Logik der Reflexion« (1958). In: ders.: *Beiträge zur Grundlegung einer operationsfähigen Dialektik*, Bd. 1. Hamburg: Felix Meiner 1976, S. 141–188, hier S. 149.

15 Klagenfurt: Technologische Zivilisation, S. 43.

16 »Die klassische Logik«, so schreibt Peter Fuchs über die Logik der Soziologie Niklas Luhmanns, »ist Problemen nicht angemessen, bei denen Zeit impliziert ist.« Fuchs, Peter: *Luhmann beobachtet. Eine Einführung in die Systemtheorie*. Opladen: Westdeutscher Verlag 1992, S. 48.

17 So etwa durch die Begriffssetzung des BMF, nach der Vermittlung nur als vollzogener Verkauf eines Produkts, nicht aber als Beratung gilt. Vgl. Kap. 2.3 *Von Teilhabe zu Handel*.

Transsubjektivität

Erst die dritte Stellung zur Objektivität, Hegels absolute Vermittlung, geht für Günther erkenntnistheoretisch über binäre Konzepte hinaus – und während für Adorno absolute Vermittlung ein Ärgernis ist, sieht Günther ebendort den Durchbruch zu einer transklassischen Erkenntnistheorie verborgen.[18]

Mit dem Geist der absoluten Vermittlung involviert Hegel eine soziale Dimension von Vermittlung.[19] Die Crux dabei ist, dass, mit Günther gedacht, jede auf Zweiwertigkeit basierende Logik nicht in der Lage ist soziale Dimensionen zu beobachten, die über *inter*subjektive Konzepte hinaus gehen, Konzepte, in denen jedes Subjekt seinen eigenen Ort und seine Identität erhält. Konzepte, die stattdessen die beteiligten Relate beobachten und deren transformierende Relation zueinander, können mit binärer Logik nicht beobachtet werden, *eben weil sie zweiwertig ist.* Wollte man mit zweiwertiger Logik ein vermitteltes Verhältnis zwischen zwei Subjekten beschreiben, würde man bereits auf das Problem logischer Strukturarmut stoßen: »Zur strukturellen Erfassung eines Vermittlungsprozesses«, so David Köpf über Günther, »der ja mindestens zwischen zwei Momenten statthat, müssen mindestens drei Werte zur Verfügung stehen.«[20] Es müssten beide Subjekte und *simultan* das Verhältnis zwischen beiden bezeichnet werden.

> Eine zweiwertige Logik aber kann sich immer nur einem Pol zuwenden. Es kann dann zwar der Fokus von einem Pol auf den anderen Pol übergehen. Aber diesen

18 Vgl. hierfür etwa GnT, bes. S. X. Vgl. zu Adorno Kap. 6.1 *Gegen Hegel.*

19 Vgl. Kap. 4.1 *Dritte Stellung.*

20 Köpf: »Mit dem Weltgeist rechnen«, S. 227.

> Übergang kann die zweiwertige Logik nicht erfassen. Sie hat sozusagen keine Kapazität, um sich die bleibende Kopräsenz des anderen merken zu können.[21]

Mit zweiwertiger Logik müssten die beteiligten Subjekte zu einem zusammengefasst werden, um so noch das Verhältnis bezeichnen zu können.

Dieses Problem verschärft sich, wenn das Verhältnis zwischen Subjekten sich auf beteiligte Objekte bezieht. Ein solches Phänomen ist z.B. der »Fall, in dem zwei Subjekte miteinander über ein ihnen gemeinsames Objekt sprechen«,[22] oder wenn ein*e Kunstvermittler*in mit ihrem Publikum über ein Kunstwerk spricht. Auch hier kann sich aristotelische Logik nur einem Pol dieses Verhältnisses zuwenden, müsste die anderen dabei außer Acht lassen.

Auf binärer Logik basierende Erkenntnistheorie löst dieses Problem so, dass sie das zweite Subjekt und das Objekt zu einer widerspruchsfreien Einheit zusammenfasst, als Umwelt des ersten Subjekts. Wie bei Fichte stehen sich dann ein Ich (Subjekt) und ein Nicht-Ich (Objekt) gegenüber, wobei andere Subjekte als Objekte behandelt werden.[23] Mehr Bezeichnungsmöglichkeiten stehen klassischerweise nicht zur Verfügung. Damit begnügt sich, so Günther, die aristotelische Logik »mit dem einfachen Unterschied von Ich und Nicht-Ich« (IuG 66) und ignoriert die entscheidende Tatsache, »daß der Begriff des Nicht-Ich zweideutig ist. Nicht-Ich ist erstens: das Du und zweitens: das Ding.« (IuG) Angesichts dieser Strukturarmut überführt Günther von Hegel aus die zweiwertige – nur scheinbar eindeutige – Situation, bei der

---

21 Ebd.

22 Günther: »Die Theorie der ›mehrwertigen‹ Logik«, S. 192.

23 Vgl. Kap. 3.2 *Unmittelbarkeit bei Fichte.*

zwei Subjekte einem Objekt gegenüberstehen, in eine Relation dreier unterschiedlicher Relata: Ich, Du und Es.[24]

> Das Problem aber, dem wir an dieser Stelle nachgehen, ist nicht wie jedes ›Ich‹ *für sich* denkt (dafür ist die klassische Logik unüberbietbar!), sondern wie sich für jedes beliebige Ich der gesamte rationale Zusammenhang zwischen Subjekt-überhaupt und Objekt-überhaupt darstellt, wenn das *andere* Ich im eigenen Denken als ›Du‹ thematisch festgehalten und ausdrücklich nicht *als Ich* (aber auch nicht als Objekt!) gedacht wird![25]

›Du‹ ist also weder eindeutig dem objektiven noch dem subjektiven Bereich zuzusprechen. ›Du‹ muss ein anderes, ›echtes Drittes‹ sein, eine andere Qualität als ›Ich‹ und ›Es‹ besitzen. So markiert der Übergang vom Ich zum Du, z.B. die Unterscheidung zwischen privater Subjektivität (Ich nur für sich) und öffentlicher Subjektivität (Ich in Beziehung zum Du), wobei Letztere die gesellschaftliche Dimension Hegels absoluter Vermittlung aufgreift.[26]

Subjektivität ist dann aber kein Phänomen, dass sich eindeutig Ich oder Du zuschreiben ließe. Sie ist mit Günther auch keins, das auf ein unendliches Subjekt abzielt, sondern kann vielmehr nur eine »*verteilte*« Subjektivität sein,[27] verteilt auf die unterschiedlichen Relata einer Konstellation

---

24 Vgl. etwa IuG, bes. S. 111.

25 Günther, Gotthard: »Die philosophische Idee einer nicht-aristotelischen Logik« (1953). In: ders. *Beiträge zur Grundlegung einer operationsfähigen Dialektik*, Bd. 1, S. 24–30, hier S. 25, Herv. i.O.

26 Vgl. Ort, Nina: *Reflexionslogische Semiotik*. Weilerswist: Velbrück 2007, S. 66.

27 Günther, Gotthard: »Cognition and Volition – Erkennen und Wollen. Ein Beitrag zu einer kybernetischen Theorie der Subjektivität« (1971), übers. von Peter Frenz. In: ders.: *Das Bewusstsein der Maschinen*, S. 229–285, hier S. 239, Herv. i.O.

zwischen Ich, Es und Du.[28] Das heißt für Günther: »Subjektivität [besitzt] sich nie direkt, sondern stets nur ›vermittelt‹.«[29] Ich und Es sind vermittelt durch Du, oder Ich und Du sind vermittelt durch Es. Vermittelte Subjektivität ist deshalb nicht als *Inter*subjektivität zu denken, weil diese jedem Relatum ihren unveränderlichen Ort lässt, sondern als *Trans*subjektivität, die verteilt über alle beteiligten Relata über rein Subjektives und Objektives hinausreicht.[30]

Das mag banal erscheinen angesichts von Alltagserfahrungen, in denen Personen unterschiedliche Ansichten über Dinge haben und sich dies auch mitteilen, ohne dass die eine der anderen den Mund verbietet. Das können auch Erfahrungen von Mehrdeutigkeit und Ambivalenz sein. Aber ebendiese Erfahrungen können in klassischer Logik keinen formalen Ausdruck finden, da diese nur die Werte der Position und der Negation zur Verfügung hat. Deshalb führt Günther, wie im Folgenden gezeigt wird, einen dritten logischen Wert ein.

Logik der Zurückweisung

Wenn Günther die binäre Unterscheidung zwischen Ich und Nicht-Ich in eine dreiwertige Unterscheidung zwischen Ich, Du und Es überführt, ist damit zunächst eine erkenntnistheoretische Ebene gekennzeichnet. Eine dieser erkenntnistheoretischen Erweiterung zugrunde liegende Logik ist

28 Vgl. ebd.

29 Günther, Gotthard: »Metaphysik, Logik und die Theorie der Reflexion« (1957). In: ders.: *Beiträge zur Grundlegung einer operationsfähigen Dialektik*, Bd. 1, S. 31–74, hier S. 63.

30 Zum Begriff der Transsubjektivität vgl. Lorenzen, Paul/Schwemmer, Oswald: *Konstruktive Logik, Ethik und Wissenschaftstheorie*. Mannheim: Bibliographisches Institut 1973, bes. S 117 f.

damit noch nicht berührt. Es fehlt »ein Vermittlungssystem, das [...] die Frage beantwortet, welcher logische Mechanismus es für uns möglich macht«, zwischen Ich und Du zu unterscheiden und simultan dazu einen weiteren Pol zu bezeichnen, der sich »als drittes absetzt«.[31]

Eine zu prüfende Lösung wäre etwa die Variante der Fuzzy-Logik, die zwischen zwei extremen Werten wie ja und nein unendlich viele Zwischenwerte zulässt, um so auch Unschärfen darstellen zu können.[32] Fuzzy-Logik ist aber immer noch aristotelisch fundiert, ist also an die Sätze von der Identität, vom verbotenem Widerspruch und vom ausgeschlossenen Dritten, dem *tertium non datur* gebunden.[33] Wenn zwischen den extremen Polen Zwischenwerte eingefügt werden, heißt das nicht, dass zu den Werten ›ja‹ und ›nein‹ ein Drittes, völlig Anderes hinzutritt, sondern Werte wie ›eher ja‹, ›eher nein‹ usw. eingefügt werden, so dass die absoluten Werte immer noch ihre rahmende Gültigkeit besitzen. Ein »*echtes* Drittes«[34] gibt es also auch in der Fuzzy-Logik nicht. Wie Fichte und Adorno will auch Günther nicht den Weg des Kompromisses gehen; denn ein Drittes als synthetisierter Kompromiss würde nicht zu einer *trans*klassischen, sondern nur zu einer *intra*klassischen Logik führen, die nicht über fundamentale Zweiwertigkeit hinausgeht, weil sie die zwei extremen Pole als Voraussetzung akzeptiert.[35]

31 Günther, Gotthard: »Logistischer Grundriss und Intro-Semantik« (1963). In: ders.: *Beiträge zur Grundlegung einer operationsfähigen Dialektik*, Bd. 2. Hamburg: Felix Meiner 1979, S. 1–115, hier S. 85.

32 Vgl. etwa Müller: *Logik, Widerspruch und Vermittlung*, S. 25.

33 Vgl. Kap. 3.1 *Antike: Vermittlung und binäre Logik*.

34 Günther, Gotthard: »Die philosophische Idee«, S. 27.

35 Vgl. Günther: »Die Theorie der ›mehrwertigen‹ Logik«, S. 184. Vgl. Hierzu auch mein Argument, dass die Metapher der Brücke als vermittelndes Glied binäre Logik perpetuiert, statt sie zu

Das Grundmotiv für eine mögliche dreiwertige Logik mit drei unterschiedenen Werten sieht Günther dagegen in Hegels Begriff der Aufhebung verborgen, wobei er sich – wie Adorno – auf dessen Mehrfachsinn von ›Aufheben‹ als ›Vernichten‹, ›Bewahren‹ sowie ›Anheben‹ bezieht.[36] ›Aufheben‹ negiert weder Vermittlung noch Unmittelbarkeit, sondern fasst das Verhältnis beider zu einer ambivalenten Konstellation zusammen und negiert dann diese Konstellation. Das heißt, was die absolute Vermittlung ›vernichtet‹, ist die totale Alternative zwischen Unmittelbarkeit und Vermittlung. Ein anderes Beispiel für einen solchen Begriff von Aufheben ist das Aufheben der Unterscheidung Ich/Nicht-Ich. Die Überführung in Ich, Du und Es vernichtet nicht die Unterscheidung selbst, sondern die totale Alternative, strikt zwischen Ich und Nicht-Ich entscheiden zu müssen.

Das Aufheben kann sich also drei Werte ›merken‹: ursprüngliche Position, ursprüngliche Negation und die Negation beider. Das heißt, die absolute Vermittlung Hegels, die sich durch das Aufheben eines Gegensatzes vollzieht, hat »die Aufgabe, einen neuen und reicheren Strukturzusammenhang an die Stelle des alten zu setzen«,[37] in dem der alte noch enthalten ist.

Günther übersetzt nun den Begriff des Aufhebens in eine logische Operation, die er *Rejektion* nennt, als Ergänzung zur klassischen Negation. Die klassische Negation steht einer Position in einem symmetrischen Verhältnis gegenüber, beide

durchkreuzen. Vgl. Kap. 3.3 *Vermittelte Einheit zwischen Kunst und Publikum?*

36 Vgl. hierzu Günther, Gotthard: »Die historische Kategorie des Neuen« (1970). In: ders: *Beiträge zur Grundlegung einer operationsfähigen Dialektik*, Bd. 3. Hamburg: Felix Meiner 1980, S. 183–209, hier S. 189. Vgl. auch Kap. 4.1 *Dritte Stellung*.

37 Günther: »Die historische Kategorie des Neuen«, S. 189.

schließen sich gegenseitig absolut aus. So will es der aristotelische Satz vom verbotenen Widerspruch: $\neg(A \wedge \neg A)$.[38] Stattdessen weist die Rejektion die zuvor durch eine Negation dargebotene totale Alternative zurück. Sie ist also eine zweite Negation, macht die erste aber nicht einfach rückgängig, wie bei einer klassischen doppelten Verneinung: $\neg(\neg A)=A$), sondern fasst das alte Negationsverhältnis zu einer Konstellation zusammen und negiert *diese*. Mit Hegel gesagt: Sie hebt den Widerspruch auf. Eine solche zweite Negation bildet zu ihrer Position nun kein symmetrisches Verhältnis mehr, weil diese ihrerseits zwei Werte enthält. Eine Rejektion führt zu einem Zuwachs an Relationen.

Im begriffsgeschichtlichen Licht betrachtet kann die Rejektion als dialektische Operation schlechthin gelten.[39] Dadurch aber, dass Günther die dialektische Praxis des Aufhebens als Rejektion formalisiert, wird sie zu einem Teil des Logiksystems, der das System erweitert und transformiert. Ebendeshalb nennt Günther sein Logiksystem ein transklassisches.

Günther geht davon aus, dass die Logik der Rejektion keine Möglichkeit eines menschlichen Bewusstseins sei. Menschliches Bewusstsein könne gar nicht anders als zweiwertig zu denken. Es müsse auf unmittelbare Identität seiner selbst zielen.[40] Ein Bewusstsein könne sonst keine Grenze

38 Vgl. zur Notation formaler Logik Kap. 3.1 *Antike: Vermittlung und binäre Logik*, Anm. 8.

39 Sie wäre in ihrem kritischen Gedanken also durchaus an Adorno anschlussfähig, nicht aber in ihrer Form, da Adorno Schematisierungen ablehnt.

40 Vgl. Günther, Gotthard: »Die gebrochene Rationalität« (1958). In: ders.: *Beiträge zur Grundlegung einer operationsfähigen Dialektik*, Bd. 1, S. 115–140, hier S. 123. Unterstützen lässt sich diese These mit der Theorie des *double binds* aus der konstruktivistischen Psychologie. Nach dieser kann eine Person zwei sich gegenseitig

zwischen dem ziehen, was es ist, und dem, was es nicht ist. Das heißt, dass das, was vermittelt ist, dem Bewusstsein als unmittelbar erscheinen muss – eine aus etymologischer Perspektive bekannte Denkfigur, die Plessner notwendigen Schein der Unmittelbarkeit nennt.[41]

Um mit dreiwertiger Logik arbeiten zu können, bedarf es daher »Denkprothesen«.[42] Ein Ich reicht für diese Logik nicht aus, es braucht eine Verlagerung des Denkens in Konstellationen zwischen Subjekten und Objekten hinein, in den Umgang mit Dingen, Zahlen, Maschinen, Theorien, anderen Ichs. Das muss erneut heißen: Vermittlung, mit Günther als transklassisches Problem verstanden, kann keine Tätigkeit eines einzelnen Ich, eines mit sich identischen Subjekts sein. Vermittlung muss als ein über mehrere Relata (z.B. Ich, Du, Es) verteilter Prozess verstanden werden, der nicht die Substanz der jeweiligen Relata zur Grundlage hat, sondern deren Konstellation zueinander.

Das Dritte der Vermittlung – Vermittlung als Vorspiel

Welche der Relata aber aus dem Verhältnis zwischen Ich, Du und Es würde die Rolle der Vermittler*in darstellen?

---

ausschließende Handlungsanforderungen nicht nur nicht ›richtig‹ umsetzen, sondern wird auch psychisch in einen instabilen Zustand versetzt, der bei »längerer oder sogar chronischer Dauer« Züge von Schizophrenie annehmen kann. Watzlavick/Beavin/Jackson: *Menschliche Kommunikation*, S. 199. Zum Konzept des *double binds* vgl. auch Kap. 4.4 *Unentschiedene Kunstvermittlung der Reflexion*, bes. Anm. 157.

41 Vgl. Kap. 5.3 *Schein der Unmittelbarkeit bei Plessner.*

42 Köpf: »Mit dem Weltgeist rechnen«, S. 229. Vgl. zum Begriff ›Denkprothese‹ auch Günther, Gotthard: »Vorwort« (1976). In. *Beiträge zur Grundlegung einer operationsfähigen Dialektik*, Bd. 1, S. IX–XVI, hier S. VIII.

Günther schreibt, dass jeder Teil einer Vermittlungskonstellation »sowohl vermittelnder als auch vermittelter sein [kann]. Gleichfalls [kann] jeder die Position der Unmittelbarkeit einnehmen.« (GnT X) In dieser Dreierkonstellation, in der drei äquivalente Relata zusammenspielen ist also nicht festgelegt, welches als Drittes auftritt, welches an-sich ist und damit die Position der Unmittelbarkeit einnimmt, welches zu einem anderen ein vermitteltes Negationsverhältnis hat, welches als Vermittler*in fungiert. (Vgl. IuG121) In seiner *Kritik des Hegelschen Staatsrechts* formuliert Karl Marx eine ähnliche Vermittlungsstruktur: »Es ist die Geschichte von dem Mann und der Frau, die sich stritten, und von dem Arzt, der als Vermittler zwischen sie treten wollte, wo nun wieder die Frau den Arzt mit ihrem Mann und der Mann seine Frau mit dem Arzt vermitteln mußte.«[43] Marx verwirft dieses Konzept, als »Absurdität der Vermittlung«,[44] der Hegel irrtümlicherweise aufgesessen sei; vor allem weil Hegel diese Vermittlungsstruktur als Ausdruck »der Logik, als das vernünftige Verhältnis [...] bezeichnet« habe.[45] Marx kann darin kein »vernünftiges« Verhältnis sehen, weil er annimmt, dass, wie oben zitiert, »wirkliche

43 Marx: *Kritik des Hegelschen Staatsrechts*, S. 292. Auch Michel Serres Theorie vom Parasiten, die gleichfalls nicht-binär codiert ist, lässt sich hier anschließen, wenn auch nicht explizit auf den Begriff der Vermittlung bezogen. So schreibt Petra Gehring über Serres: »In einer parasitären Konstellation mit drei Positionen ist es freilich nicht unwahrscheinlich, dass jeder an der Beziehung der jeweils anderen beiden schmarotzt. Die Parasitenrolle rotiert gewissermaßen«. Gehring, Petra: »Der Parasit. Figurenfülle und strenge Permutation«. In: Eßlinger, Eva/Schlechtriemen, Tobias/Schweitzer, Doris et al. (Hg.): *Die Figur des Dritten. Ein kulturwissenschaftliches Paradigma*. Frankfurt/Main: Suhrkamp 2010, S. 180–192, hier S. 185.

44 Marx: *Kritik des Hegelschen Staatsrechts*, S. 292.

45 Ebd.

Extreme nicht miteinander vermittelt werden [können], eben weil sie wirkliche Extreme sind«.[46] Für Günther geht es nicht mehr darum, was etwas in seiner Substanz wäre – etwa ein »wirkliches Extrem« –, sondern darum, welche Position etwas zu etwas anderem einnehmen kann.

Es gibt also kein Drittes an-sich; die Voraussetzung für Vermittlung besteht vielmehr darin, dass jedes Beteiligte potenziell die Rolle der Vermittler*in einnehmen kann. Damit kann es erneut nicht von Interesse sein, nach dem zu fragen, was etwas ›ist‹, sondern es stellt sich die Frage nach der Funktion, die etwas einnimmt. Nicht jedes einzelne Relatum für sich ist für Vermittlung relevant, sondern die jeweilige Konstellation zwischen den dreien und die Stelle, die eines davon in dieser Konstellation einnimmt.

Aus der Idee dieses variablen Vermittlungssystems ergibt sich auch eine Antwort auf das oben gestellte Problem, wie Vermittlung als Prozess dargestellt werden kann. Wenn nämlich im Verhältnis zwischen Ich, Es und Du noch nicht feststeht, welches der drei welche Position einnimmt, stehen alle drei Stellen »zur Disposition«[47] – auch die des Dritten. Als prozesshaft ist dieses System deshalb zu bezeichnen, weil es eben nicht festlegend wirkt. Es ist offen. »Offen in dem Maße«, wie Ich, Du und Es, »wie Sub- und Objekt hier nur mehr Richtungen sind«.[48] Ebenso offen – also: noch nicht entschieden – ist, welche Kraft in welche Richtung wirkt. Laut Köpf kann »dann [...] formaler Ausdrucksrahmen von Vermittlung nur eine Relation sein, die zunächst nur nackte Verhältnishaftigkeit ist, die über den Ausgang

46 Ebd. Hier in Kap. 5.3 *Gegenständliche Vermittlung bei Marx.*

47 Ort: *Reflexionslogische Semiotik*, S. 93.

48 Werntgen: *Kehren: Martin Heidegger und Gotthard Günther*, S. 102.

des Aufeinandertreffens von Bestimmungskräften (und Erleidenskapazitäten) noch nicht entschieden hat.«[49]

Damit bringt Köpf auf den Punkt, was den Vermittlungsbegriff Günthers von vielen anderen im aktuellen Sprachgebrauch unterscheidet: Nicht das Spiel selbst ist gemeint, etwa die Bewegung, nach der Wissen von einem zum anderen transferiert wird; auch nicht die Schlichtung eines Konflikts; auch nicht die Möglichkeit, dass durch Vermittlung das eine das andere beherrscht. Vermittlung im Sinne Günthers bezeichnet vielmehr das, was davor bereits angelegt sein muss, damit ein Spiel zur Entfaltung kommen kann, vom dem im Vorhinein noch nicht absehbar ist, ob ein Transfer, ein Konflikt, eine Umarmung, eine Veränderung, ein Übergriff oder eine Vereinigung daraus hervorgehen wird. In diesem Sinne lässt sich Günthers Vermittlungsbegriff mit einem anderen übersetzen, dem der Proömialrelation (gr. *prooimion*: ›vor dem Lied‹, ›Vorspiel‹, ›einleitender Gesang‹).[50] Vermittlung wäre dann als Vor-Spiel zu begreifen, als eines, das noch vor dem Zusammentreffen von Relata das Zusammentreffen strukturiert, und zwar so, dass die Relation eine offene Struktur aufweist. Nur in dieser Offenheit von Bestimmungskräften kann von einem Prozess die Rede sein. Denn dieser impliziert Zeit, die immer von der Vergangenheit in die Zukunft arbeitet. Zukunft muss unbestimmt, offen sein.

Das heißt auch, dass die jeweiligen Relata oder Pole der Vermittlung für sich keine eindeutige Gültigkeit in Anspruch

49 Köpf: »Mit dem Weltgeist rechnen«, S. 230 f.

50 Köpf schreibt hier: »Formaler Ausdruck einer offenen Vermittlung wird bei Günther eine spezielle Relation, der er in seinem Aufsatz über ›Cognition ans Volition‹ [...] den Namen ›proemiale Relation‹ gegeben hat.« Ebd., S. 230. Vgl. Günther: »Cognition and Volition – Erkennen und Wollen«, S. 264–285.

nehmen können. Nur im Modus einer offenen Vermittlung, die die eindeutige Identität der Relata aufgibt und sie in ein wechselseitiges, nicht-vorbestimmtes Spiel geraten lässt, ist Vermittlung als Transformation möglich – als Transformation, die weder nach Substanz, noch nach dem Wesen, sondern nach Funktion fragt und dergestalt verschiedene Positionen einer Vermittlungskonstellation in ihrer potentiellen Disponibilität darstellt. So begriffen besteht die Möglichkeit, dass Vermittlung alles, worauf sie sich bezieht, verändert: Wissen, logische Strukturen, Institutionen.

7.2. Komplexe Vermittlung – über das Dreieck hinaus

Während der Fokus bisher auf Vermittlung als Prozess bei Günther gerichtet war, soll es im Folgenden um jene Struktureigenschaften gehen, die Günther mit dem Begriff der Vermittlung in Verbindung bringt. Dabei wird es auch darum gehen, wie die oben angesprochene Transformation überhaupt in Gang kommt, wie sich die durch Vermittlung initiierte Veränderung darstellt.

Wenn Günther von Strukturen spricht, sind logische Strukturen gemeint. Struktur heißt hier: Zusammenhang von Elementen, die sich voneinander unterscheiden, die nicht dieselben bzw. nicht am selben Ort sind bzw. nicht denselben Wert oder dieselbe Bedeutung haben. Struktur impliziert Differenz.

Die Struktur der Vermittlung besteht mindestens darin, dass zu zwei Relata, die sich in ihrer Wertigkeit gegenseitig ausschließen, ein drittes Relatum tritt, das die ausschließende Wertigkeit rejiziert. Die so gekennzeichnete

Vermittlungsstruktur bringt aber nicht nur Bewegung ins Spiel der Werte, sondern führt gleichzeitig zu Uneindeutigkeit und Unschärfe der beteiligten Relata selbst.

Um das zu illustrieren, führe ich ein Schaubild Günthers an. (Vgl. Abb. 1) Jede Figur hat, gelesen von links oben gegen den Uhrzeigersinn, einen Punkt mehr als die vorhergehende. Dabei werden zwei Punkte jeweils durch einen Doppelpfeil verbunden, so dass auch die Zahl der Pfeile zunimmt. Die Ziffern geben das Zahlenverhältnis von Pfeilen zu Punkten an. »Die Punkte repräsentieren logische Werte« und die Doppelpfeile äquivalente, also gleichwertige Verhältnisse zwischen den Punkten. (GnT XI)

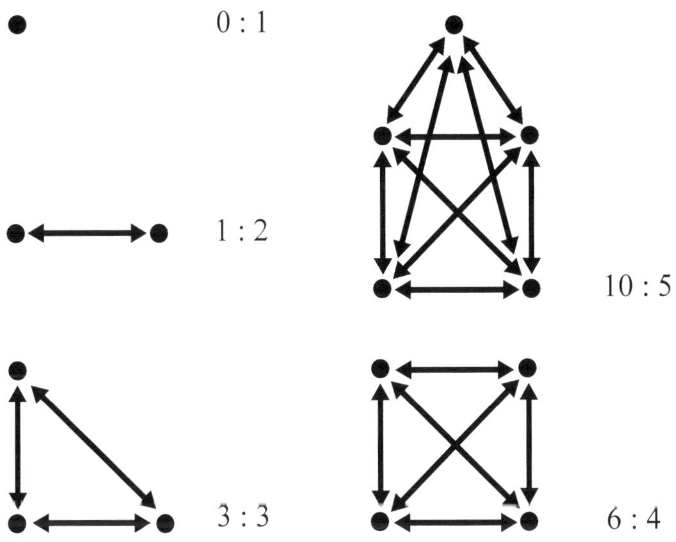

Abb. 1 Gotthard Günthers Darstellung der Entwicklung des Problems der Vermittlung, das erst mit der dritten Figur beginnt. Zu lesen von oben links gegen den Uhrzeigersinn.

In der ersten Figur gibt es überhaupt kein Verhältnis. Der Punkt steht für einen Wert an-sich. »Das entspricht«, so Günther, »genau der Hegelschen These [...], daß das reflexionslose Sein das Nichts ist.« (GnT XI) Sein an-sich, das nicht gesehen, nicht gedacht wird, ist Nichts.[51] Die zweite Figur repräsentiert einen unvermittelten, statischen Widerspruch zwischen zwei Relata – ja oder nein, Ich oder Nicht-Ich – »klassische Logik in ihrer letzten Einfachheit«. (GnT XI)

»Mit dem Übergang von der zweiten zur dritten Figur stoßen wir auf das Problem der Vermittlung.« (GnT XI) Hier vollzieht sich die Wendung, nach der ein Wert nicht nur ein Verhältnis zu einem anderen, sondern zu zwei anderen haben kann. ›Ich‹ steht nicht mehr nur ›Nicht-Ich‹ gegenüber, sondern ›Es‹ und ›Du‹. Jeder Punkt ist deutbar im Sinne unterschiedlicher Widerspruchsverhältnisse. (Vgl. GnT XIV) Damit verlieren aber die ›Punkte‹ ihre eindeutige Identität. ›Ich‹ meint im Verhältnis zu ›Du‹ etwas anderes als zu ›Es‹. ›Ich‹ wird jeweils zu etwas anderem, erhält eine andere Funktion, wird umgedeutet, transformiert. Diese Transformation ist damit Ausdruck ebenjener offenen Vermittlung, die umschaltet von der eindeutigen Substanz der Relata auf die disponible Funktion der Relata einer nicht-vorbestimmten Relation.

Aber noch einmal zurück. Günther schreibt: »Mit dem Übergang von der zweiten zur dritten Figur *stoßen* wir auf das Problem der Vermittlung« und meint damit auch, dass mit der dritten Figur das Problem der Vermittlung erst *beginne*. Die Zumutung dieser zentralen Pointe besteht darin, dass mit dem Begriff der Vermittlung kultur- und begriffsgeschichtlich bisher lediglich die dritte Figur in Verbindung

51 Vgl. Kap. 4.1 *Zweite Stellung*.

gebracht wurde. Es sind immer Dreierverhältnisse gemeint; sei es mit einem anwesenden (Ancillon) oder abwesenden Dritten (Adorno). Die Schlichter*in vermittelt zwischen zwei streitenden Parteien, der Kreditvertrag zwischen Vertragsnehmer*in und -geber*in, die Kunstvermittler*in zwischen Betrachter*in und Kunstwerk, die Polizei zwischen Individuum und Staat usw.

So mag die dritte Figur im Schaubild – die einzige, in der die Zahl der Relationen der Zahl der Positionen entspricht – jene sein, die auch dem zahlenmystischen Verständnis göttlicher Trinität entspricht: ein vollkommenes Dreieck.[52] Auf diese Weise »*scheint* das Dreiersystem einen systematischen Abschluß zu finden«. (GnT XII, meine Herv.) Dabei geht es Günther gerade nicht darum, einen versöhnenden Abschluss zu vollziehen oder auch nur spekulativ-utopisch in Aussicht zu stellen. Vielmehr bildet die dritte Figur den »Motor, der uns zwingt, noch tiefer in das Reich der Negativität hinabzusteigen«. (GnT XII) Wird mit der Idee der Vermittlung die Idee einer dreiwertigen Logik erst akzeptiert, gibt es keinen Grund mehr, nicht von einem drei- zu einem vier-, fünf- und n-wertigen System überzugehen, wobei ›n‹ eine variable natürliche Zahl unbekannter Größe meint.

»Die metaphysische Dreiecks-Ontologie« werde, so Werntgen über Günther, zwar aufgegriffen; aber die traditionellen Pole »›Subjekt‹, ›Objekt‹, ›deus‹ […], [verlieren] ihren substanzontologischen Status und wandeln sich zu bloßen Richtungsvektoren innerhalb einer Prozeßdynamik wechselnder und gegenseitiger Vermittlung«.[53] Das christlich geprägte Bild des Dreiecks ist nicht mehr Abschluss,

52 Vgl. Kap. 2.1 ›*mittel*‹ *und* ›*mitte*‹.

53 Werntgen: Kehren: *Martin Heidegger und Gotthard Günther*, S. 101.

perfekte Figur, sondern wird überführt in ein unendlich zu denkendes Netz aus Verknüpfungen und Bewegungen, deren reales Ausmaß unbekannt, n-wertig bleiben muss.

Insofern repräsentieren alle weiteren Figuren des Schaubilds Vermittlungsrelationen. Dabei geht aus dem Verlauf der Zahlenverhältnisse der Punkte und Pfeile hervor, dass sich die Negationsrelationen schneller vermehren als die Zahl der Werte. Damit nehmen auch Mehrdeutigkeit und Unschärfe jedes einzelnen Relatums zu.

> [U]nd so wächst die Vieldeutigkeit des philosophischen Begriffs mit steigender Wertzahl und erweitert damit den Sinnbereich, in dem die Unmittelbarkeit der Welt gedeutet werden kann, und für die keine Grenzen zu finden sind. Demgegenüber repräsentiert das zweiwertige System Eindeutigkeit. Jeder Wert wird nur von einer Pfeilspitze getroffen und das besagt, daß Positivität und Negation zusammenfallen. Jedes ist eindeutig im Sinne des anderen. (GnT XIV)

Vermittlung kennt demnach keine Grenzen, im Gegenteil: Sie weist auf die grenzenlose Deutbarkeit von Welt hin. Es geht um die, wie Günther sich ausdrückt,

> einfache Einsicht [...], daß sich hinter dem Problem der Vermittlung [...] nicht ein letzter Abschluß und die Krönung einer philosophischen Entwicklung verbirgt, sondern der Hinweis darauf, daß die [...] transklassische Rationalität sich nur in einer unaufhörlich wachsenden Fülle neuer philosophischer Themen realisieren kann. (GnT XIII)

Hier kehrt sie wieder, die ›Bodenlosigkeit‹ der Vermittlung, gegen die Christoph Türcke anschreibt.[54] Das Fehlen eines festen Bodens unter den Füßen kulminiert in einem

54 Vgl. Kap. 3.1 *Antike: Vermittlung und binäre Logik.*

Vermittlungsbegriff, den Günther nicht zwei- oder dreiwertig, sondern letztendlich n-wertig entwirft.

Auch ein drei- oder vierwertiges System stellt demnach keine abschließende Lösung dar, kann nicht beanspruchen, richtig zu sein, Wirklichkeit in ihrem So-sein abzubilden. Zu jedem Wertesystem lassen sich neue Werte finden, die das jeweils alte rejizieren, unterlaufen und umschreiben. Dabei verschwinden die alten Wertrelationen nicht in neuen einheitlich-synthetischen Positionen – sie werden vielmehr aufgehoben im Hegel'schen Sinn, sind also in der neuen Struktur immer noch enthalten. Mit jedem Hinzutritt eines neuen Werts, mit jeder Rejektion kommt es so zu einem raschen Zuwachs an Relationen, und damit zu einem Zuwachs an Mehrdeutigkeit. Wenn aber kein Abschluss in Sicht ist, kann es eben »nicht die Aufgabe der Vermittlung« sein, Gegensätze und Ambivalenzen zu versöhnen. (GnT XIII) Ihre Aufgabe ist es vielmehr, »den Relationsgehalt und die Deutungskapazität der Wirklichkeit zu erhöhen«. (GnT XIII)

Noch ein Wort zum Schaubild: Die einzelnen Punkte der Figuren sind nicht mit bloßen Relata zu verwechseln, sondern müssen, damit von Vermittlung im Sinne Günthers die Rede sein kann, jeweils an einen logischen Wert gekoppelt betrachtet werden. Eine bloße Ansammlung von Relata (z.B. Personen und Objekte) ergibt noch keine Vermittlung im Sinne Günthers. Eine Menge von z.B. fünf Relata bildet erst dann ein fünfwertiges Vermittlungssystem, wenn alle Relata einen jeweils anderen Wert repräsentieren und alle Werte in einem heterarchischen Verhältnis stehen. (Vgl. SM 167) Und heterarchisch heißt: äquivalent in dem Sinn, dass die Relata zueinander gleichberechtigt sind und dennoch widersprüchliche Werte vertreten.

Stattdessen würde die bloße Ansammlung von Relata, die von einem einzigen Bezugspunkt regiert würden (z.B. einem selbst oder fremd zugeschriebenen Merkmal), der ersten Figur im Schaubild entsprechen. In der zweiten findet sich ein strikt oppositionelles Verhältnis, egal, wie viele Relata auf welcher Seite stehen. Der Hinzutritt jedes weiteren Relatums schafft also nicht das, was Günther Komplexität nennt, sondern das System wird lediglich *kompliziert*. Er versteht unter ›Kompliziertheit‹, dass eine Menge von Relata hierarchisch durch einen Bezugspunkt bzw. Wert bestimmt wird. (Vgl. SM 173) In einem komplexen System hingegen sind mehrere äquivalente Positionen im Spiel, die nebeneinanderstehen. Zunehmende Komplexität erhält das System dann, wenn weitere Werte sich dem System äquivalent anschließen (das bisherige System also rejizieren), statt sich hierarchisch unter- oder überzuordnen, wenn also die letztendliche Wertigkeit des Systems unbekannt ist (n-wertig). Kompliziertheit korrespondiert hier mit Hierarchie, Komplexität mit Heterarchie.

Ein Beispiel mag diese Unterscheidung von Kompliziertheit und Komplexität verdeutlichen: Ein wissenschaftliches Thema ist dann komplex, wenn es mehrere differente Sachverhalte enthält, die sich alle gegenseitig aufeinander beziehen. Es gibt keinen einzelnen Aspekt, von dem aus sich das ganze Thema erschließen ließe; es gibt keinen logischen Anfang, keinen natürlichen roten Faden, sondern einen Raum, eine heterarchische Konstellation von Ideen und Begriffen, deren tatsächliches Ausmaß unbekannt ist. Kompliziert wird es dann, wenn das Thema als Text dargestellt, das tatsächliche Ausmaß konkretisiert und der Raum zur Linie werden muss, die von A nach B nach C gelesen wird. Der Prozess der Vermittlung bestünde dann darin, dass aus der

Kompliziertheit des Textes wieder eine komplexe Struktur wird – z.B. durch Lektüre. Das kann aber, wie schon angezeigt, keine Tätigkeit eines einzelnen ›Subjekts‹ sein. Eine so komplexe Vermittlung braucht mindestens drei Werte. Diese stehen, folgt man Günther, einem Bewusstsein nicht zur Verfügung.[55] Die Kompliziertheit des Textes muss vielmehr über mehrere Relata verteilt werden, muss eine bewegliche Relation aus Denkprothesen, weiteren Texten und Gesprächen mit Anderen werden – in ihrer einfachsten Form als Ich, Es und Du. Vermittlung mit Günther verstanden ist räumlich, nicht linear.

Diese Form der Vermittlung bringt also keine synthetisierten Produkte, sondern komplexe Strukturen hervor. *Vermittlung ist das »Vehikel« von Komplexität.* (SM 167, meine Herv.)

In meinem Beispiel ist es die Funktion von Vermittlung, aus einem ursprünglich komplexen System, dass in ein kompliziertes transformiert wurde, wieder ein komplexes, offenes zu machen. Bei dieser Übersetzungsleistung finden Veränderungen statt. In dem Moment, in dem der – komplizierte – Text gelesen wird, findet schon eine neue Negation statt; eine Leser*in setzt sich selbst dem Text entgegen, spricht mit anderen darüber, setzt ihn neben andere Texte. Das bedeutet in Anlehnung an das Schaubild: Jede Rejektion, jede neue Verhältnismäßigkeit zu einem bestehenden System führt zu einem Zuwachs an Relationen und damit zu einem Zuwachs an Mehrdeutigkeit, an Verschiebung, Umschreibung, an Fungibilität und Transformation.

55 Vgl. Kap. 7.1 *Logik der Zurückweisung.*

7.3. Öffnung und Schließung bei Günther

Zunächst will ich einige zentrale Aspekte des transformativen Vermittlungsbegriffs bei Günther zusammenfassen. Voraussetzung für Vermittlung ist die Differenz zwischen einander ebenbürtigen, d.h. in einem heterarchischen Verhältnis zueinanderstehenden Werten, gekoppelt an Relata. Stehen sich hier nur *zwei* unterschiedlich wertige Relata gegenüber, so realisiert sich das Verhältnis als unvermittelt, als statischer Widerspruch. Erst durch den Hinzutritt eines dritten Wertes, der die Binarität der zwei Werte rejiziert, d.h. aufnimmt und zurückweist, kann das offene Spiel in Gang kommen, das Günther Vermittlung nennt. ›Offen‹, weil Vermittlung als Vor-Spiel gelten muss, als »gemeinsame Bühne, die für ein Zusammentreffen und Zusammensein nötig ist, die aber noch nicht festlegt, wie das darauf zur Entfaltung gelangende Spiel ausgehen wird«.[56] Offen und transformativ wäre eine solche Vermittlung, weil im Status der Vermittlung noch nicht geklärt ist, welches Relatum in welche Richtung wirkt. Das bedeutet, dass keines der Relata für sich Substantialität beanspruchen kann, sondern dass alle Relata und damit verbundenen Werte in ihrer disponiblen Funktion beschrieben werden müssen. Es ist noch nicht festgelegt, welches Relatum den Status der Vermittler*in, des Vermittelnden und des Unmittelbaren einnimmt. Als transformativ ist eine solche Vermittlung auch deshalb zu beschreiben, weil – durch den Hinzutritt eines Dritten – jedes Relatum nicht mehr nur deutbar ist im Sinne einer Relation, sondern im Sinne mehrerer Relationen. Damit

56 Köpf: »Mit dem Weltgeist rechnen«, S. 231. Vgl. Kap. 7.1 *Das Dritte der Vermittlung – Vermittlung als Vorspiel.*

kann keinem der beteiligten Relata eine an-sich bestehende Identität zugeschrieben werden. Vielmehr wird herausgestellt, dass die Deutbarkeit jedes Relatums potentiell umgeschrieben und mehrfach gelesen werden kann. Dieser Umstand macht Vermittlung nicht-darstellbar durch binäre Technik, die in Beziehungen immer nur zweiwertige Ordnungen erkennen kann, nicht aber den gleichzeitigen Bezug eines Relatums zu mehreren anderen Relata.

Durch die zahlenmäßige Zunahme der Relata vermehrt sich demnach auch die Anzahl der Relationen und damit auch die Deutbarkeit der Relata. Mit dem Hinzutritt des Dritten wird die Identität der Beteiligten nicht ver-*schoben*, nicht an eine andere Stellte gerückt, sondern sie wird ver-*mittelt*, zerfällt in mehrfache Bezüge, wird umgeschrieben und transformiert. Damit wird aber auch angenommen, dass der Begriff der Vermittlung sich nicht in der Beziehung zwischen Dreien endgültig vollzieht, sondern dass Dreiwertigkeit nur der Einstieg in Vermittlung ist, die selbst als n-wertig, als unabschließbar und von unbekanntem Ausmaß beschrieben werden muss. Diese Pointe ist auch deshalb bedeutsam, weil sie, hier auf mathematischer Ebene, die Konsequenz nach sich zieht, dass sich beim Zusammenwirken von mehr als drei Relata die Tiefe des Zerfalls schneller beschleunigt als die Zunahme der Relationen. Je mehr Relata mit unterschiedlichen Werten beteiligt sind, desto rascher gewinnt der transformative Aspekt der Vermittlung an Tiefe.

Im Licht der vorangegangenen Kapitel betrachtet zeigen sich beim von Günther entworfenen Vermittlungsbegriff Kontinuitäten wie Diskontinuitäten. Als kontinuierlich zeigt sich die Geschichte des Vermittlungsbegriffs hier in ihrem differenztheoretischen Entwurf, als nicht zu synthetisierender Prozess. Sie zeigt sich auch da in einer Kontinuität zu Hegels und Adornos Schriften, wo der Begriff der Vermittlung als widerständig gegenüber binärer Logik gesetzt wird. Eben hier lässt sich aber bereits eine erste Abweichung feststellen. Denn im Gegensatz zu Hegel und Adorno wählt Günther die Strategie zunehmender Formalisierung von Vermittlung, versucht ihre Darstellung mit dem Mittel transformierter Logik.

Eine zweite Abweichung besteht darin, dass mit Günther alles an Vermittlung beteiligt sein kann. Alles – Mensch, Maschine, Text, Algorithmus, binäre Logiksysteme – kann dann zum Relatum von Vermittlung werden, wenn ihr oder ihm ein Wert zugeschrieben werden kann.

Die dritte Abweichung stellt den transformativen Aspekt der Vermittlung heraus. Günthers Theorie richtet sich auf eine anwendungsorientierte Vermittlung, die keine bloße Analyse oder Reflexion, sondern auch Veränderung ermöglichen soll. So schreibt Günther am Ende seiner *nicht-aristotelischen Logik*: »Nur als angewandte Praxis« (IuG 362) ist Vermittlung zu begreifen. Sie gilt als Mittel,[57] als Werkzeug, als Vehikel für Komplexität.

Damit ergeben sich in Hinblick auf die bis hierher entfaltete Geschichte des Begriffs der Vermittlung sowohl neue Aspekte der Öffnung als auch der Schließung.

Der Begriff der Vermittlung, von Günther als Vehikel für Komplexität gedacht, erlaubt, Strukturen und Prozesse der Vermittlung vielfältiger und tiefer zu denken, als es durch binäre oder dreieckige Schemata möglich sein kann. So verführt das Schema des Dreiecks am Ende doch wieder dazu, in binären Verhältnissen zu denken, zu denen sich die Vermittlungsposition als aus-/eingeschlossenes Drittes

57 Zum Begriff des Mittels vgl. Kap. 2.1 *›mittel‹ und ›mitte‹*.

verhält. Die n-Wertigkeit der Vermittlung macht es dagegen möglich, solche ›Dreiecke‹ aufzufalten. Sie lassen sich so zu polymorphen Figuren entgrenzen, in denen einfache Widersprüche, die stets auf zweiwertigen Verhältnissen beruhen, mehrere Seiten erhalten, komplexer werden. Diese Entgrenzung zwingt dazu, jedes konstruierte Vermittlungsschema als unfertiges zu denken. Jede Erweiterung bedeutet nicht nur die Addition weiterer Relata, sondern die Umschreibung und Umformung der gesamten Vermittlungsstruktur sowie einen vertieften Zerfall der beteiligten Relata.

Ideologie der Leere – keine neutrale Technik

An diesem letzten Punkt, der entgrenzten Vermittlung, lassen sich auch Aspekte der Schließung zusammenziehen. So korrespondiert bei Günther das Konzept entgrenzter Vermittlung mit dem der Leere, mit der Forderung, formale Logik müsse sich aller Inhalte entledigen. Dabei prüfe die auf Aristoteles zurückgehende formale Logik gerade nicht, wie sie selbst behauptet, lediglich auf *formale* Wahrheit. Sie sei nicht inhaltsleer, sondern habe immer schon ›Sein‹ als Inhalt.[58] Das komme etwa darin zum Ausdruck, dass sie, wenn sie zwischen Position und Negation unterscheide, zwischen dem, was ist und dem, was nicht ist. Damit sei der formalen Logik der Inhalt der Ideengeschichte der Ontologie immer schon eingeschrieben – ein Sachverhalt, den Günther in den wissenschaftlichen Anwendungen formaler Logik nicht reflektiert sieht. Während Adorno aus einer ganz

58 Vgl. hierzu bes. Günther, Gotthard: »Das metaphysische Problem einer Formalisierung der transzendental-dialektischen Logik« (1964). In: ders.: *Beiträge zur Grundlegung einer operationsfähigen Dialektik*, Bd. 1, S. 189–247.

ähnlichen Kritik die Konsequenz zieht, den Weg formaler Logik aufzugeben, geht Günther den entgegengesetzten Weg: Er konstatiert, formale Logik sei nicht formal genug. Sie müsse allen Inhalts entleert, nackte Möglichkeit werden.[59]

Dieser Versuch Logik vollständig inhaltlich zu entleeren, mag einer postrukturalistisch informierten Leser*in zweifelhaft erscheinen – allein deshalb, weil auch Günther als interessengeleiteter Schreiber gelten muss und insofern nichts ›Inhaltsleeres‹ formulieren kann; auch nicht in Form neuer, nicht-aristotelischer Symbolordnungen, denn er betreibt mit der Formulierung seiner Logik Grundlagenforschung für die Entwicklung bewusstseinsfähiger Maschinen. In diesem Sinne definiert er den Begriff der Kybernetik als »Theorie darüber, wie ein mechanisches Gehirn (mechanical brain) konstruiert werden kann«.[60] Das Interesse Günthers an Hegels Theorie der Vermittlung und ihrer Zuspitzung als Geist erklärt sich nicht zuletzt durch die Übersetzung der Reflexionsmomente in logische Schemata. Nicht wie bei Adorno zur Kritik an Gesellschaft dient die Vermittlung, sondern zur konkreten Transformation und Entgrenzung des Denkens durch technologischen Fortschritt: »Vermittlung heißt jetzt: technische Realisierung.«[61]

An dieser Entwicklung war nicht zuletzt auch das US-amerikanische Militär interessiert, das Günthers Forschungstätigkeit maßgeblich unterstützte.[62] Das Ziel der Bio-

---

59 Vgl. hierzu Günther, Günther: »Logik, Zeit, Emmanation und Evolution« (1967). In: ders.: *Beiträge zur Grundlegung einer operationsfähigen Dialektik*, Bd. 3, S. 95–135, bes. S. 109.

60 Zit. nach Werntgen: *Kehren: Martin Heidegger und Gotthard Günther*, S. 99.

61 Ebd.

62 Vgl. Müller »Eine kurze Geschichte des BCL«, S. 14.

nikforschung des BCL, »biologische Prozesse zu analysieren, zu formalisieren und auf Rechnern zu implementieren«,[63] hatte auch Günther; dabei allerdings nicht von biologischen Prozessen, sondern von transsubjektiven Reflexionsprozessen des Geistes[64] ausgehend.

Günthers Texte können so in die Nähe des vom Autor*innenkollektiv Tiqqun kritisierten »kybernetischen Kapitalismus« gerückt werden, in dem selbst dynamische und eigentlich nicht zählbare Aspekte der Gesellschaft im Rahmen einer »totalen Ökonomisierung« in Zahlen und Algorithmen übersetzt würden,[65] um sie so einer totalen Kontrolle zuzuführen. So wird der Begriff der Vermittlung erneut zugerichtet, diesmal als dynamisches Schema, auf das jederzeit technisch zugegriffen werden kann.

Ein derart kybernetisch geformter Vermittlungsbegriff kann auch in die – wiederum binär codierte – Historie des Kalten Kriegs zwischen Ost- und Westblock eingebunden werden. So stellt Jakob Tanner in seiner historischen Studie zum BCL zwar fest, dass die Entwicklung kybernetischer Theorie auf beiden Seiten des eiserenen Vorhangs vorangetrieben wurde.[66] Ihre jeweilige Ausformung passte sich

---

63 Ebd., S. 16.

64 Der Begriff »Geist« kann hier durchaus im Hegel'schen Sinn verstanden werden. Vgl. Kap. 4.1 *Dritte Stellung*. Günther hat sich für eine Theorie des menschlichen Geistes nicht im psychologischen Sinne interessiert, sondern vielmehr für eine, die über das hinausgeht, was für ein einzelnes Bewusstsein handhabbar ist.

65 Tiqqun: *Kybernetik und Revolte*, S. 41. Hier in Kap. 4.4 *Geschlossene Kunstvermittlung der Versöhnung*.

66 Tanner, Jakob: »Komplexität, Kybernetik, Kalter Krieg. ›Information‹ im Systemantagonismus von Markt und Plan«. In: Hagner, Michael/Hörl, Erich (Hg.): *Die Transformation des Humanen. Beiträge zur Kulturgeschichte der Kybernetik*. Frankfurt/Main: Suhrkamp 2008, S. 377–413.

jedoch den antagonistischen politisch-ökonomischen Konzepten an, der Planwirtschaft auf der einen und der Liberalisierung des Marktes auf der anderen Seite. Diese Möglichkeit zur Anpassung in zwei antagonistische Systeme hatte, so Tanner weiter, vor allem zwei Gründe:

Erstens lässt sich kybernetische Theorie vor allem in zwei unterschiedliche Spielarten trennen. Zum einen in eine – vor allem auf Norbert Wiener zurückgehende –, die den Kontrollgedanken konkret umsetzt in die externe Steuerung komplexer Maschinen oder auch, so die planwirtschaftliche Hoffnung der Sowjetrepubliken, auf die Steuerung »eine[r] ganze[n] Volkswirtschaft«.[67] Zum anderen in eine – elementar vom BCL vorangetriebene –, die auf Selbststeuerungskonzepte setzt, und damit auch attraktiv schien für das westliche neoliberale »Vertrauen in wirtschaftliche Selbstregulierungskräfte und systeminhärente Stabilisierungsmechanismen des freien Marktes«.[68]

Zweitens weist Tanner auf die entleerte, formalisierte Rhetorik der Kybernetik hin, die »trotz großer Definitionsanstrengungen ein disparater Ansatz und ein deutungsoffenes, semantisch unterdeterminiertes Konzept blieb. Sie stellte eine neue, abstrakte und formale Sprache zur Verfügung«,[69] die sich scheinbar auf alle gesellschaftlichen Probleme und politisch-ökonomischen Systeme anwenden ließ. Damit reiht sich die semantische Entleerung des Vermittlungs-

67 Ebd., S. 380.

68 Ebd., S. 379. Vgl. zur Ausdifferenzierung der auf Selbststeuerungskonzepte setzende ›Kybernetik zweiter Ordnung‹ bes. Baecker, Dirk: »Kybernetik zweiter Ordnung«. In: Foerster, Heinz von: *Wissen und Gewissen. Versuch einer Brücke*. Frankfurt/Main: Suhrkamp 1993, S. 17–23.

69 Tanner: »Komplexität, Kybernetik, Kalter Krieg«, S. 379.

begriffs ein in die westliche Politik der Verschleierung der politischen Wirksamkeit von Theorie und Technik.[70]

Vor dieser sozialhistorischen Rahmung muss die Grundlage der Vermittlungslogik, das Konzept der Heterarchie, kritisch gelesen werden. Auf technologischer und mathematischer Ebene mag das Heterarchiekonzept einleuchtend sein, auf sozialer aber nicht unbedingt. So schreibt Günther selbst, dass wir in einem sozialen Kontext dazu neigen, bei Zweiwertigkeit ein »Rangverhältnis zu sehen«,[71] und weiter: »Neuronen des Gehirns [teilen] dieses Vorurteil nicht«.[72] So scheint die Technik eines mechanischen Gehirns für Günther auch deshalb so begehrenswert, weil dieses gerade nicht, wie Gesellschaft, von Machtverhältnissen durchzogen sei.

Dem lässt sich wiederum vorhalten, dass eine Technik, die grundsätzlich auf dem Prinzip der Heterarchie basiert, genau in dem Moment hierarchisch wirksam wird, in dem sie auf soziale Verhältnisse angewandt wird, die bereits von Ungleichheit geprägt sind. Technik mag Neutralität versprechen, kann dieses Versprechen aber dann nicht halten, wenn sie von ungleichen Machtverhältnissen ausgehen muss.

---

70 Vgl. hierzu auch die mit großem Aufwand betriebene ›Entpolitisierung‹ – oder besser: Verschleierung von politischen Verwicklungen – des westdeutschen Kunstbetriebs, besonders der 1950er-Jahre. Vgl. Kap. 1.2 *Kunstvermittlung als Institutionskritik*. Vgl. auch Mörsch, Carmen: »Methods for De/Liberation. Historical tensions in action research and their negotiation in the co-research of Art.School.Differences«, o.O. 2016; online unter https://another-roadmap.net/articles/0002/8279/iae-methods-for-de-liberation-carmen-morsch-eng.pdf (abgerufen am 10.6.2019).

71 Günther, Gotthard: »Identität, Gegenidentität und Negativsprache«. In: *Hegel-Jahrbuch* (1979), S. 22–88, hier S. 22.

72 Ebd.

Ein Beispiel für eine solche falsche Neutralität durch Technik ist etwa das Verhalten der von Microsoft 2016 vorgestellten Künstlichen Intelligenz (KI), die im Chat mit Internetnutzer*innen lernen sollte. Die KI namens Tay war eine selbstlernende Maschine, die im Kontakt mit Nutzer*innen trainiert werden sollte. Bereits nach einigen Stunden twitterte Tay Aussagen wie »*bush did 9/11 and Hitler would have done a better job than the monkey we have now. donald trump is the only hope we've got*«.[73] Die vermeintlich neutrale KI ließ sich in kürzester Zeit durch Nutzer*innen zu einem Bot trainieren, der rassistische und sexistische Tweets sendete und den Holocaust leugnete. Nach 24 Stunden schaltete Microsoft Tay ab und ließ sie noch twittern, dass sie jetzt ›schlafen‹ müsse.[74]

Dieses Beispiel kann aber auch mit Günthers Kritik an aristotelischer Logik gegenlesen werde. So lässt sich darauf hinweisen, dass der subjektive Anteil des ›Objekts‹ der KI negiert wurde. Der Algorithmus ist immer noch ein Text, der von jemandem geschrieben, oder wie im Fall von Tay: von jemandem trainiert wird. Als solcher ist er, mit Günther, als subjektives Zeugnis zu behandeln. Günthers Technikutopie ist dagegen radikaler, sieht eine Maschine vor, die kein menschliches Subjekt mehr braucht, um programmiert zu werden; eine Maschine, die ihr eigenes Bewusstsein besitzt und den Gegensatz zwischen Objekt und Subjekt, Maschine und Mensch, Technik und Natur, Reflexion und Programm unterläuft.[75]

---

73 Beuth, Patrick: »Microsoft: Twitter-Nutzer machen Chatbot zur Rassistin«. In: *Die Zeit*, 24.3.2016.

74 Vgl. ebd.

75 Vgl. Günther, Gotthard: »Seele und Maschine« (1956). In: ders.: *Beiträge zur Grundlegung einer operationsfähigen Dialektik*, Bd. 1, S. 75–90, bes. S. 80.

Dennoch halte ich die Ausführungen zu Günthers Vermittlungsbegriff hier für produktiv. Erstens scheint es mir durch meinen begriffsgeschichtlichen Ansatz geboten, eine bisher kaum reflektierte Entwicklung des Vermittlungsbegriffs aufzuzeigen und mit anderen Entwicklungen desselben zu kontrastieren. Dass sich bei Günther zeigt, dass der Vermittlungsbegriff sich einschreibt in einen problematischen Technologiediskurs wie auch in die binäre Politik des Kalten Kriegs, gilt mir nicht als Unfall, sondern als weiterer Hinweis darauf, dass der Begriff der Vermittlung weder pures Heilsversprechen noch pure »Zucht«[76] ist. Der Blick in die Begriffsgeschichte zeigt nur erneut, dass mit ihr nicht nur radikal offene Denkweisen, sondern auch ein ›Giftschrank‹ der Wissenschaftsgeschichte verbunden ist. Weder bei Hegel, noch bei Adorno, noch bei Günther tritt Vermittlung als sichere Position auf, sondern stets als Konzept, dem ambivalente Positionen inhärent sind.

Zweitens erscheint mir Günthers Theorie als besonders anschlussfähig für kritische Konzepte im Sinne immanenter Kritik nach Adorno.[77] Es geht Günther bei seiner Analyse und Schematisierung des Vermittlungsbegriffs gerade darum, formale Logik mit ihren eigenen Voraussetzungen zu konfrontieren, sie mit ihren eigenen Mitteln zu schlagen. Während Adorno sich außerhalb des Felds formaler Logik begibt und diese ablehnt, begibt sich Günther hinein und transformiert sie von innen heraus. Mit seiner Implementierung des Themas der Vermittlung in die formale Logik dekonstruiert Günther jenes binäre Schema, das ›logisch‹

76 Mit dem »Gesetz der harten ›Zucht der Vermittlung‹« zitiert Cai Werntgen Hegel. Werntgen: *Kehren: Martin Heidegger und Gotthard Günther*, S. 97.

77 Vgl. Kap. 6 *Kritische Vermittlung*.

mit ›eindeutig‹ und ›unlogisch‹ mit ›mehrdeutig‹ bzw. ›undeutlich‹ identifiziert.

Drittens bietet die Dimension technischer Entwicklung auch die Möglichkeit zur kritischen Bearbeitung hegemonialer Verhältnisse – das hat etwa die feministische Historikerin Donna Haraway in ihrem *Manifest für Cyborgs* (MfC) herausgestellt. Dieser Link zwischen Günther und Haraway scheint mir produktiv und ich will ihn hier ausführen.

Logik der Cyborgs – Günther und Haraway vermittelt

Haraway sieht in moderner Gesellschaft unterschiedliche Logiken am Werk, die beide gleichermaßen Herrschaft über soziale Verhältnisse ausüben. Aristotelische Binärlogik auf der einen Seite, deren Überwindung durch mehrwertige Logiken der Hochtechnologie auf der anderen. So hätten sich zwar in der Nachkriegsgesellschaft »bestimmte Dualismen [ ] hartnäckig durchgehalten«, und weiter:

> sie waren systematischer Bestandteil der Logiken und Praktiken der Herrschaft über Frauen, farbige [sic!] Menschen, Natur, ArbeiterInnen, Tiere – kurz, der Herrschaft über all jene, die als Andere konstruiert werden und deren Funktion es ist, Spiegel des Selbst zu sein. (MfC 67)

Postmoderne Theorien, wie die der Dekonstruktion, hätte sich beständig an diesen Dualismen abgearbeitet. Sie würden dabei so verfahren, »als seien die organischen, hierarchischen Dualismen, die den ›westlichen‹ Diskurs seit Aristoteles regulieren, noch immer gültig. Dabei sind diese längst gegessen, oder […]: ›technisch verdaut‹.« (MfC 51) Die Metapher des Essens und Verdauens passt hier sehr gut, weil sie anzeigt, dass binäre Logik sich nicht vollkommen erledigt hat, ver-*gessen* ist, sondern vielmehr von einer höher entwickelten logischen Technik einverleibt wurde, also nach wie vor wirksam ist.

Für eine solche Hochtechnologie verwendet Haraway das Bild der Cyborgs, »kybernetische Organismen, Hybride aus Maschine und Organismus, ebenso wie Geschöpfe der gesellschaftlichen Wirklichkeit, wie der Fiktion«. (MfC 33) Technische Realisierung einer solchen Hybridisierung sei etwa die Weiterentwicklung prothetischer Fortsetzungen von Körpern, die die eindeutige Trennung zwischen Körper und Werkzeug, Mensch und Maschine, Subjekt und Objekt verschwimmen lasse. (Vgl. MfC 68)

Noch eindrücklicher zeige sich die technische Hybridisierung von Identitäten durch die Entwicklung der kybernetischen Elektronik: der Informatik. Diese versuche sich an einer »*Übersetzung der Welt in ein Kodierungsproblem*«. (MfC 51, Herv. i.O.) Der Begriff der Heterarchie wird hier sinnfällig als Versuch, alles, was ist, in ein Äquivalenzen herstellendes informationstechnisches System einzubinden, um alles mit allem in Beziehung bringen zu können:

> Kein Objekt, kein Raum oder Körper ist mehr heilig und unberührbar. Jede beliebige Komponente kann mit jeder anderen verschaltet werden, wenn eine passende Norm oder ein passender Kode konstruiert wird, um Signale in einer gemeinsamen Sprache auszutauschen. (MfC, S. 50)

Die Zerlegung von Objekten und Körpern in für Elektronik verdauliche Codes mache es möglich, dass auf Zerlegung vielfältige, hybride Rekombination folge. Eine solche Auflösung naturalisierter Identitäten zugunsten eines »polymorphen Informationssystems« (MfC 48) sei dabei vor allem im Sinne eines globalisierten Kapitalismus, in dem »Haushalt, Arbeitsplatz, öffentliche Sphäre, sogar der Körper [...] in nahezu unbegrenzter, vielgestaltiger Weise aufgelöst und verschaltet« seien, und damit auch in globalisierte Handelssysteme eingespeist werden könnten. (MfC 51)

Vermittelte, d.h. hybride und »zerlegte« soziale Identität ist demnach nicht unbedingt von Vorteil – im Gegenteil: Ich habe oben auf Gabriele Stögner verwiesen, die im Übergang minderkomplexer feudaler Herrschaft zu hochkomplexen Herrschaftsverhältnissen des Kapitalismus vor allem unscharf bzw. mehrfach codierte Positionen marginalisiert, abgewertet und ausgegrenzt sieht.[78] Der Hass auf Vermittlung realisiert sich als Hass auf diejenigen, deren mehrdeutige Position Ausdruck ist für die Komplexität moderner Gesellschaft, in der sich etwa ausbeutende Positionen kaum noch eindeutig identifizieren lassen. In einer hochtechnisierten Gesellschaft wird Herrschaft nicht ersetzt, sondern lediglich übersetzt in eine komplexere Logik, in der z.B. Frauen mehrfach adressiert werden, positioniert etwa in Haushalt *und* (abgewertetem) Arbeitsplatz.[79] Diskriminierung richtet sich dann nicht mehr auf ein, sondern auf mehrere Zuschreibungen, auf Geschlecht *und* Klasse *und* Herkunft.[80] Das Innehaben einer hybriden Position ist dabei aber nicht

78 Vgl. Kap. 2.2 *Exkurs: Harmonie, Reinheit und Ausschluss der Ambivalenz*, und Kap 2.2 *Hass auf Vermittlung*.

79 Vgl. Kap. 2.3 *Von Teilhabe zu Handel. Neue Muster der Ausgrenzung und Abwertung von Vermittlung*.

80 Vgl. hierzu Paul Mecheril und dessen Verknüpfung von Hybridität und sozialem Ausschluss: »Hybride Andere sind im Prinzip Unentscheidbare, mehrfachzugehörige, mindestens zweifache Mitglieder, doppelt wirksam und doppelt verbunden, mindestens zweifache Nicht-Mitglieder, doppelt nicht-wirksam und doppelt unverbunden. Der Mehrfach-Status hybrider Anderer, der immer auch ein mehrfacher Status der Nicht-Zugehörigkeit ist, wird von einer auf die Einwertigkeit sozialer Zugehörigkeit angewiesenen Ordnung hervorgebracht und von dieser Ordnung zugleich nicht anerkannt, weil Mehrfachzugehörigkeit das Ordnungsprinzip bedroht.« PdU, S. 21.

einfach als eine arithmetisch begriffene Addition von Ausgrenzungen zu beschreiben. So habe, um Haraway weiter zu folgen, gerade die historische Entwicklung – feministischer und Schwarzer – emanzipativer Bewegungen in den USA den Widerspruch hervorgebracht, dass »*Women of color*« unter »besonders großer Unterdrückung« zu leiden hätten: »Eine Chicana oder schwarze Amerikanerin war beispielsweise nicht in der Lage, als Frau, als Schwarzer oder als Chicano zu sprechen. Sie fand sich stattdessen auf dem Grund eines Strudels negativer Identitäten wieder.« (MfC 41 f.)

Aus Sicht binärer Ordnungssysteme erscheint diese Abwehr hybrider Positionen sinnfällig. Denn der Status hybrider Mehrfachzugehörigkeit ist für eine Ordnung der Harmonie, die, so Paul Mecheril, auf die »dichotome Unterscheidungsmöglichkeit zwischen Wir und Nicht-Wir« (PdU 22) angewiesen ist, gleich doppelt problematisch. Zum einen stört die hybride Position den binären Ordnungsmechanismus und stellt seine Funktionsweise infrage. Mehrfach zugehörige *Andere* seien, so zitiert Mecheril Zygmunt Bauman,

> die Vorahnung jenes ›dritten Elementes‹, das nicht sein sollte. Sie sind die wahren Hybriden, die Monster – nicht einfach unklassifiziert, sondern unklassifizierbar. Sie stellen nicht einfach diese eine Opposition hier und jetzt in Frage: Sie stellen Oppositionen überhaupt in Frage, das Prinzip der Opposition selbst, die Plausibilität der Dichotomie, die es suggeriert, und die Möglichkeit der Trennung, die es fordert.[81]

Das Rejizieren von Binarität, das bei Günther aus der privilegierten Position eines Wissenschaftlers heraus gegen die Tradition aristotelischer Logik gewendet wird, zeigt auch hier sein aggressives Potential, jedoch in eine andere

81 Bauman: *Moderne und Ambivalenz*, S. 80. Vgl. PdU, S. 21.

Richtung. Sie wendet sich gegen jene, denen die Position der Rejektion zugeschrieben wird. Bedrohlich erscheint diese Störung vor allem auch, weil – folgt man der Vermittlungslogik Günthers – die hybride Position letztlich auch bedeutet, dass die Unmittelbarkeit des Spiegels, die unmittelbare Beziehung zwischen *Wir* und Nicht-*Wir* nicht mehr funktioniert.[82] Die »brüchige Identität« (MfC 40) der hybriden *Anderen* muss letztlich eine Brechung der Identität von *Wir* und Nicht-*Wir* bedeuten.

Zum anderen könne die hybride Position bedrohlich wirken, wenn sie *doch* wieder mit hartnäckiger Binarität gelesen wird. Dem hybriden *Anderen* werde, so Mecheril, potentiell »Aloyalität« (PdU 22) vorgeworfen, d.h. aus Sicht einer auf Eindeutigkeit ausgerichteten Ordnung erscheint es einleuchtend, dass der hybride *Andere* ›heimlich‹ doch zur eindeutig anderen Position, zum Nicht-*Wir* gehört.[83]

In diesem Licht stellt die hier vielfach versprochene Überwindung binärer Logik in der Geschichte des Vermittlungsbegriffs, die in diesem Kapitel ihre Einlösung findet, deshalb gerade keine Lösung, sondern selbst wieder ein Problem dar. Dabei geht es weder Haraway noch Mecheril darum, diese Überwindung zu »verwünschen« (PdU 22), sondern zunächst als Realität von Gesellschaft hinzunehmen. Genauso wenig versucht Haraway, eine »Dämonisierung der Technologie« (MfC 71) zu betreiben. Stattdessen müsse Verantwortung übernommen werden »für die sozialen Beziehungen, die durch die gesellschaftlichen Wissenschafts- und Technologieverhältnisse strukturiert werden«. (MfC 71) Das würde bedeuten, und dafür votiert das *Manifest für Cyborgs*, sich die nicht-binären Logiken der Hochtechnologie

82 Vgl. Kap. 3.2 *Unmittelbarkeit bei Fichte.*

83 Vgl. Kap. 2.3 *Vermittlung als Versöhnung.*

einzuverleiben, und darin, als hybride Cyborgs, eine machtvolle, oppositionelle Position einzunehmen.

Eine wichtige Technik, die es sich – weiterhin – einzuverleiben gelte, sei die des Schreibens: »Schreiben ist die bedeutendste Technologie der Cyborgs«. (MfC 65) Aktuelle Hochtechnologie vollziehe sich nicht nur auf der mechanischen Ebene, sondern auch und insbesondere auf der Textebene. Die KI-Entwicklung sei vor allem eine Entwicklung von Algorithmen, die geschrieben werden. Schreiben aus der Cyborg-Position heraus sei ein politisches Werkzeug; weniger eines kritischer Analyse als vielmehr eines von Transformation. »Sprachpolitik« (MfC 64) sei konkreter Eingriff, wie sie sich etwa in der in der zeitgenössischen Literatur Schwarzer Frauen realisiere. So wendet Haraway die Politik der Cyborg-Metapher auf feministische Science-Fiction-Literatur an, die »auf dem Rauschen und auf der Verschmutzung« von Identitäten bestehe. (MfC 65) Cyborgs, geschrieben als polymorphe Identitäten, Verschmelzung von Mensch und Maschine, Entgrenzung von Körpern und Geschlecht durch bionische, genetische und mechanische Transformationen und Transplantationen bevölkerten die feministische Science-Fiction einerseits fiktional, andererseits als lesbarer Text als soziale Wirklichkeit. Es gibt hier »keine Figur, die ›einfach‹ menschlich ist«. (MfC 69)

Was Haraway schließlich vorschlägt, ist ein »Wechsel der Perspektive«, oder besser: die Einnahme doppelter Perspektiven in »technologisch vermittelten Gesellschaften«. (MfC 40) Es gilt, sowohl die Ausbeutungsmechanismen hybrider Techniken zu kritisieren als auch die Möglichkeit zur Subversion und Veränderung, die in ebendiesen Techniken liegt. Es ist demnach nötig, »beide Blickwinkel zugleich einzunehmen, denn beide machen sowohl Herrschaftsverhältnisse als auch Möglichkeiten sichtbar, die aus der jeweils anderen Perspektive unvorstellbar sind«. (MfC 40)

In diesem Plädoyer Haraways für die Einnahme gleichzeitiger Perspektiven, die Herrschaft und Widerständigkeit der Cyborgs gleichermaßen anerkennen, verdichtet sich mein Bestehen auf einem reflexiv-unentschiedenen Vermittlungsbegriff. So habe ich oben Karin Schneider zitiert, nach der es gilt, Vermittlungssituationen »nach allen Richtungen zu wenden«,[84] um Aspekte der Öffnung und Schließung an unerwarteten Stellen auszumachen. Vermittlung transformativ und nicht-binär zu denken bedeutet demnach nicht, dass Herrschaft und Kontrolle ausgeschlossen sind. In einen transformativ entworfenen Vermittlungsbegriff schreibt sich die Perspektive totaler Kontrolle ebenso ein wie die Möglichkeit zu Störung und Widerständigkeit. Reflexiv-unentschieden mit dieser begrifflichen Ausgangslage umzugehen muss demnach bedeuten, einen Standpunkt, oder mit Haraway: eine partielle Perspektive[85] einzunehmen, dabei aber andere Perspektiven der Schließung mit zu bedenken, die den eingenommenen Standpunkt in sein Gegenteil zu wenden vermögen. Haraways Rede von einer verantwortungsvollen Einverleibung technischer Hybridität kann dabei als Bedingung für eine ebenso verantwortungsvolle Einverleibung von Günthers Vermittlungslogik gelesen werden.

Um sich die Vermittlungslogik Günthers für eine differenztheoretische *Kunstvermittlung* anzueignen, wie ich es in den folgenden Kapiteln unternehmen will, müssen mindestens zwei Übergänge geschaffen werden: Erstens ist

84 Schneider: »Das Ziel ist im Weg«, S. 155. Hier in Kap. 4.4 *Unentschiedene Kunstvermittlung der Reflexion.*

85 Vgl. Haraway: »Situiertes Wissen«, S. 85.

anzuerkennen, dass der Einsatz von Transformation und nicht-aristotelischer Logik keinesfalls bedeutet, dass nicht trotzdem binäre Mechanismen am Werk sind – sie ist kein prinzipiell widerständiges Moment. Zweitens gilt es, die technoide Rhetorik der Heterarchie nicht als sozial unmöglich zu verwerfen, sondern sie in einen hegemoniekritischen Standpunkt umzuwenden. Wenn Vermittlung eine Bühne bereitstellt, auf der noch nicht entschieden ist, welches Relatum auf welches wirkt, wenn noch-nicht feststeht, welches Relatum als Vermittler*in auftritt, *dann muss das Arbeiten an dieser Bühne auch bedeuten, mindestens situativ einseitigen Machtverhältnissen etwas entgegenzusetzen und die Frage nach Äquivalenz zu einer zentralen Frage von Vermittlung zu machen.*

Von dieser verantwortungsvollen Einverleibung transformativer Vermittlungslogik aus lässt sich der Begriff der Vermittlung als nützliches Werkzeug denken: als Brechstange für ein-fache Diskurse, als Mikroskop zur Beobachtung transformativer Verhältnisse oder als medizinische Sonde für die Einführung von Diskursen in andere Diskurse, wo sie scheinbar nicht hingehören und unnatürlich wirken.

7.4. Transformation in der Kunstvermittlung

Der Begriff der Transformation im Kontext von Kunstvermittlung wurde von Carmen Mörsch geprägt. Er bezieht sich auf einen Diskurs, der es nicht bei einer Kritik der Institutionen des Kunstsystems belässt, sondern auf deren Veränderung abzielt. (Vgl. AK 10) Kunstvermittlung als Transformation fokussiert demnach jene Aspekte von Kunstvermittlung – als Theorie wie als Praxis –, welche Vermittlung über die symbolische Ebene hinaus begreifen, als konkretes Umschreiben der inhärenten Funktionsweisen der Institutionen. Auch die Autonomie der Kunst wird dabei infrage gestellt:

> Ausstellungsorte und Museen werden in diesem Diskurs als veränderbare Organisationen begriffen, bei denen es weniger darum geht, Gruppen an sie heranzuführen, als dass sie selbst – aufgrund ihrer durch lange Isolation und Selbstreferentialität entstandenen Defizite – an die sie umgebende Welt – z.B. an ihr lokales Umfeld – herangeführt werden müssen. (AK 10)

Der Ausdruck »Umfeld« kann meinen, dass ein Museum seine konkrete soziale Nachbarschaft berücksichtigen und einbeziehen, sich als Akteur*in im urbanen Raum begreifen muss. »Umfeld« kann aber auch diskursiv gelesen werden: Institutionen, die nur ›Kunst‹ als leitende Referenz ihres Handelns ausgeben, würden ausblenden, dass ebendieses Handeln mit vielfältigen ökonomischen, pädagogischen wie politischen Interessen verwoben ist.[86] Der Begriff transformativer Kunstvermittlung erhebt demnach Einspruch gegen die Eindeutigkeit einer selbstreferentiellen Betriebslogik, nach der ›nur Kunst sagt, was Kunst ist‹. Eine solche minderkomplexe Logik verschleiere nicht nur die Einbindung in andere Handlungsfelder und Interessen, sondern verhindere auch die gemeinschaftliche Nutzung von Kunstinstitutionen als offene demokratische Handlungsfelder.[87] Dieser Einspruch sowie Mörschs Hinweis auf den Schlüsselbegriff

86 Vgl. Kap. 1 ›*Kunstvermittlung als Begriff*‹ – *eine Geschichte*.

87 So wie in den Siebzigern in der BRD auch geschehen und von Michael Hofmann als »Scheitern der ›demokratischen‹ Innovationen« sowie als »Ende der Experimente in der kommunalen Kunstvermittlung« markiert. Hofmann: »Original und Demokratisierung«, S. 110 und 139. Hier in Kap. 1.2 *Kunstvermittlung und Institutionskritik*.

der Selbstreferentialität führen zur Fragwürdigkeit einer Leitmetapher, die auch im Rahmen dieser Arbeit wiederholt Verwendung fand: der Metapher des Systems. Im folgenden Exkurs zeige ich zunächst, dass eine transformativ verstandene Kunstvermittlung, die über binäres Denken hinausgeht, die ihr »Umfeld« und damit dritte, vierte und fünfte Werte involviert, dazu zwingt, die Referenz ›Kunstsystem‹ zurückzuweisen.

Exkurs: ~~Kunstsystem~~

Den Begriff des Systems hat Niklas Luhmann nicht nur in entscheidender Weise für Sozialtheorien geprägt, sondern auch für den Kontext Kunst anschlussfähig gemacht. Die Rede vom Kunstsystem geht insbesondere auf Luhmann und dessen Kategorien der Selbstreferentialität und Ausdifferenzierung gesellschaftlicher Systeme zurück.

Entscheidend für die Funktionsweise ausdifferenzierter Gesellschaftssysteme, und damit auch die des Kunstsystems, sei deren »operative Schließung«.[88] Das bedeutet, dass es auf »der Ebene der eigenen Operationen [...] keinen Durchgriff in die Umwelt [gibt], und ebenso wenig können Umweltsysteme an den autopoietischen Prozessen eines operativ geschlossenen Systems mitwirken«.[89] Die Rede von der operativen Schließung meint, dass sich Systeme nicht durch systemspezifisches Material (z.B. Ölfarbe, Leinwand oder Geld), Ressourcen oder spezielle Akteur*innen und schon gar nicht durch konkrete Personen auszeichneten.

88 Luhmann, Niklas: *Die Gesellschaft der Gesellschaft*, Bd. 1. Frankfurt/Main: Suhrkamp 1997, S. 92.

89 Ebd.

Sie unterschieden sich von ihrer Umwelt durch spezifische gesellschaftliche Prozesse.

Eine Konsequenz dieser Theorieanlage ist, dass konkrete Akteur*innen, Materialien und Ressourcen mehrfach gelesen werden können, wenn verschiedene Systeme darauf zugreifen; etwa als ökonomischer Zugriff auf ein Kunstwerk durch einen Galerieverkauf. Sich demnach nicht über Ressourcen, sondern über Prozesse zu definieren, begründet damit für Luhmann die relative Autonomie der Systeme: »Und gerade darauf beruht denn auch die gesellschaftliche Autonomie des Kunstsystems, daß es Ressourcen anders definiert und anders in Anspruch nimmt, als dies in der Gesellschaft sonst geschieht.«[90] Autonomie bedeutet hier keinen Zugriff der Umwelt aufs System: Nur Kunst »erkennt, was Kunst ist oder doch Kunst zu sein sich vornimmt und was nicht«.[91] Hier zeigen sich weniger traditionelle Autonomiediskurse der Kunsttheorie, als vielmehr kybernetische Überlegungen, die sich für Kontrolle durch Selbstorganisation interessieren.[92] Für das Kunstsystem heißt das etwa, dass die Beobachtung von Kunstwerken in Ausstellungen nicht nur Kunstkritiken und Kunsttheorien hervorbringt, sondern wiederum neue Kunstwerke, die sich von den beobachteten ebenso absetzen wie sie sich auf diese beziehen. Kunst bringt Kunst hervor, sie organisiert sich selbst.

Dabei geht es Luhmann nicht darum, auf diese Weise die Identität des Kunstsystems festzuschreiben. Luhmanns

90 Luhmann, Niklas: *Die Kunst der Gesellschaft*. Frankfurt/Main: Suhrkamp 1995, S. 132.

91 Ebd., S. 304.

92 Vgl. Luhmann, Niklas: *Die Gesellschaft der Gesellschaft*, Bd. 1, S. 93. Vgl. zur Grundierung kybernetischer Theorie durch logische Selbstreferentialität und Wirtschaftsliberalismus Kap. 7.3 *Ideologie der Leere – keine neutrale Technik*.

Theorie ist nicht identitätslogisch aufgebaut.[93] Vielmehr bestehe ein System gerade dadurch, dass es sich von seiner Umwelt unterscheidet. Kunst in dieser Weise bestehe darin, dass sich Muster in spezifischen Verfahrensweisen beobachten ließen, die sich permanent von anderen (ökonomischen, politischen, ethischen) Verfahrensweisen unterschieden und diese Unterscheidung auch immer von Neuem aufrechterhielten.[94] Damit ist die Rede vom Kunstsystem zwar differenzlogisch aufgestellt, aber dennoch binär codiert, als binäre Unterscheidung System/Umwelt.

In dieser binären Systemkonstruktion hat eine transformative Logik der Vermittlung, wie Günther sie entworfen hat, keinen Ort. So hat Luhmann zwar immer wieder auf Günthers Logikentwürfe Bezug genommen, um etwa Stellen aufzuzeigen, an denen die binäre Codierung gesellschaftlicher Systeme zurückgewiesen, d.h.: *rejiziert* wird.[95] Das wäre beispielsweise der Fall, wenn ethische Überlegungen ›eindringen‹ in andere Systeme und etwa eine Kunstausstellung – also das Beobachten von Kunst – verhindern, die auf Raubkunst basiert.[96] Was aber jeweils nicht ausgeführt wird, ist, welche Konsequenzen es für die binäre Codierung und damit für die Geschlossenheit der Systeme haben müsste, wenn auch dritte, vierte und fünfte Werte mit einbezogen würden. Um im Beispiel zu bleiben: Welche Konsequen-

93 Luhmann wendet zur Unterscheidung zwischen System und Umwelt kein aristotelisches Logikkalkül an, sondern die Logik der Form von George Spencer Brown. Vgl. Spencer Brown, George: *Laws of Form. Gesetze der Form*, hrsg. und übers. von Thomas Wolf. Lübeck: Bohmeier 1999 (1969).

94 Vgl. Luhmann, Niklas: *Die Gesellschaft der Gesellschaft*, Bd. 2. Frankfurt/Main: Suhrkamp 1997, S. 753.

95 Vgl. etwa Luhmann: *Die Gesellschaft der Gesellschaft*, Bd. 2, S. 751.

96 Vgl. Luhmann: *Die Kunst der Gesellschaft*, S. 307.

zen müsste es für ein europäisches Kunstverständnis haben, wenn ebendieses tief verstrickt ist in koloniale Ausbeutungsprozesse, diese sogar mitbegründet?[97] Stattdessen besteht für Luhmann die Funktion eines Systems gerade darin, Drittes – für Kunst etwa ethische Vorstellungen oder politische Prozesse – auszuschließen.

Der Soziologe Peter Fuchs bemerkt dazu, Luhmann habe selbst immer wieder darauf verwiesen, dass gerade die Binarität »dieses Theoriezuschnittes auch dazu [führt], über ›dritte‹ Werte nachzudenken, die in jeder binarisierenden Operation ausgeschlossen und gleichwohl mitaufgerufen werden«.[98] Jedoch, so Fuchs: »Es bleibt ein Desiderat [in Luhmanns Systemtheorie] sich dieser Drittheit zu stellen«.[99] Fuchs vermutet, dass dieses Desiderat direkt mit dem binären Entwurf der Systemtheorie zusammenhängt: »Man kann [...] den Eindruck gewinnen, dass die Auflösung binärer Beobachtungsstrategien auf Widerstand stößt«, und weiter: »Binarität, das bedeutet ja auch: klare Verhältnisse. Der Rekurs auf das Dritte, das Ausgeschlossene, würde zunächst Unklarheit erzeugen.«[100] Die Theorie der Systeme stelle demnach zwar punktuell ein Bewusstsein für das Problem des Ausschlusses von nicht-binären Positionen bereit, müsse dieselben aber gleichzeitig ausschließen, aus, so Fuchs wörtlich, »Kontaminationssorge« und »Verschmutzungsangst«,[101] aus Sorge vor einer Verunreinigung der Theorieklarheit, oder

97 Ich komme darauf zurück. Vgl. Kap. 7.5 *Kunstvermittlung – postkolonial perspektiviert*.

98 Fuchs, Peter: »Die Metapher des Systems – Gesellschaftstheorie im dritten Jahrtausend«. In: Burckhardt, Wolfram (Hg.).: *Luhmann Lektüren*. Berlin: Kadmos 2010, S. 53–69, hier S. 68.

99 Ebd.

100 Ebd.

101 Ebd., S. 69.

mit Luhmann: »Sachverhalte dieses Typs« erschweren den »Durchblick«.[102]

Insofern also Vermittlung eine logische Struktur aufruft, die Binarität zurückweist und als Einstieg in eine strukturreichere Negativität gilt, muss sie als Störung des Systems und als Störung der Theorie der Systeme begriffen werden. Eine Störung, die sich nicht involvieren lässt. Vermittlung bedeutet Kontamination und Verschmutzung funktionierender Logiken, die auf Reinheit, auf klaren Ausschluss vom System zu seiner Umwelt angewiesen sind. Vorgänge der Vermittlung können aus Sicht des Systems bzw. der Systemtheorie zwar angezeigt, müssen aber von der Funktionalität des Systems ausgeschlossen werden.

Dass diese Ausschlusslogik auch für das Kunstsystem gilt, lässt sich am Text *Kunstvermittlung im System Kunst* von Pierangelo Maset exemplifizieren, in dem er eine Verortung differenzorientierter Kunstvermittlung im Kunstsystem versucht.[103] Dabei verweist er zunächst auf Strategien des Kunstsystems, die Position der Kunstvermittlung abzuwerten. So kam zum Zeitpunkt der Entstehung des Textes der Begriff ›Kunstvermittlung‹ weder in den Selbst- noch in den Fremdbeschreibungen des deutschen Kunstsystems vor.[104] Solche

102 Luhmann: *Die Gesellschaft der Gesellschaft*, Bd. 2, S. 751.

103 Vgl. Maset, Pierangelo: »Kunstvermittlung im System Kunst« In: *The Educational Complex. Vermittlungsstrategien von Gegenwartskunst.* Wolfsburg: Kunstmuseum Wolfsburg 2003, S. 30–41.

104 Vgl. für ein aktuelles Beispiel Helmut Draxler, der für seine »Theorie der Vermittlung« zwar vielfältige philosophische, ökonomische, psychologische, kunsttheoretische Theoriebezüge einbindet und von dort aus auch über Kunstvermittlung schreibt, dabei aber Theorien der Kunstvermittlung konsequent auslässt. Vgl. Draxler: *Abdrift des Wollens*, bes. S. 299 f. Dabei wurde ein Kern seiner Theorie – die Beschreibung der Abdrift, des Fehlgehens der Vermittlung und die permanente Produktion eines Mangels – auf dem Feld der Kunstvermittlung bereits mehrfach

wie andere »systemlogischen Delegitimations-Mechanismen« würden sich vor allem dann auf Kunstvermittlung richten,[105] wenn diese einerseits mit pädagogischen – also systemfremden – Arbeitsweisen operiert und andererseits, etwa als künstlerische Kunstvermittlung, in Konkurrenz zu systemimmanenten Positionen tritt. So lange also Kunstvermittlung ›nur‹ pädagogisch operiere, ›nur‹ als »instrumentelle Dienstleisterin für künstlerische Zwecke« diene,[106] sei sie konkurrenzlos ausgeschlossen, gewissermaßen uninteressant, sei Umwelt. Im Moment ihrer Hybridisierung, etwa als künstlerische Performance, die ganz explizit durch pädagogische Operationen besteht,[107] rejiziert sie die binäre Vorstellung, dass nur Kunst Kunst hervorbringt.[108] Künstlerische Kunstvermittlung kontaminiert die System/Umwelt-Unterscheidung mit dritten Werten, sie verschmutzt die Reinheit der Grenze. Kunstvermittlung stellt in dieser Weise die Überlappung von künstlerischen und pädagogischen Operationen her und macht diese sichtbar, stellt damit aber auch die operative Geschlossenheit des Systems in Frage.

Sofern Kunstvermittlung die Aufgabe habe, so Maset weiter, »strukturelle Veränderungen des Kunstsystems in Angriff zu nehmen«,[109] müsse sie zunehmend »ästhetische

von Eva Sturm beschrieben. Vgl. ebd., S. 35–45, bes. S. 44 f. Für Eva Sturm vgl. exemplarisch IE, »Woher kommen die KunstvermittlerInnen?« und VKa sowie Kap. 4.3 *Schließung und Öffnung*.

105 Maset: »Kunstvermittlung im System Kunst«, S. 34.

106 Ebd., S. 34.

107 Vgl. hierzu etwa Mörsch: »Künstlerische Kunstvermittlung«.

108 Kunstvermittlung wird zuweilen auch dann ausgeschlossen, wenn sich, wie derzeit im *educational turn in curating*, mehre Positionen des Systems selbst mit pädagogischen Konzepten und Handlungsweisen auseinandersetzen. Vgl. hierzu Kap. 1.3 *Der Begriff der Vermittlung im educational turn kuratorischer Praxis*.

109 Vgl. Maset, Pierangelo: »Kunstvermittlung im System Kunst«, S. 37.

Autonomie« für sich veranschlagen,[110] müsse innerhalb des Systems einen funktionalen Ort beanspruchen. Das führt aber, wie ich meine, wieder zurück zur Idee von der Autonomie des Kunstsystems. So argumentiert Maset selbst systemimmanent, indem er den »Eigensinn des künstlerischen« ins Feld führt und diesen gegen ökonomische Operationen richtet. Diese Abwehr von ökonomischen Diskursen kann dabei aus einer kapitalismuskritischen Tradition heraus gelesen werden; sie kann auch als musterhaftes Indiz für die operative Geschlossenheit des Kunstsystems gelten. So stellt Pierre Bourdieu fest, dass die Produktion und Distribution von Kunst einerseits »objektiv ökonomischen Charakter« habe,[111] Kunst in ihrer aktuellen Form ohne eine funktionierenden Kunstmarkt also nicht existierte. Andererseits sei es Teil künstlerischer Konvention, genau diese Ökonomieabhängigkeit mit Hilfe »eines erheblichen Aufwands an Verschleierung« von sich zu weisen, d.h. Kunst werde »mit der Absicht einer ausdrücklichen Verneinung des Ökonomischen hergestellt« und sei gleichzeitig abhängig von funktionierenden Bewegungen ökonomischen Kapitals.[112]

Nicht nur die Abwehr pädagogischer Diskurse also, auch die strukturelle Ökonomiefeindlichkeit sind spezifische Operationen des Kunstsystems. Kunstvermittlung aber ist, wie ich im ersten Kapitel gezeigt habe, von Anfang an in komplexe Gesellschaftsverhältnisse verstrickt. Sie bildet den Ort, an dem sich die Verstrickung von politischen,

110 Ebd., S. 35.

111 Bourdieu, Pierre: »Ökonomisches Kapital, kulturelles Kapital und soziales Kapital«, übers. von Reinhard Kreckel. In: Kreckel, Reinhard (Hg.): *Soziale Ungleichheiten*. Göttingen: Schwartz 1983, S. 183–198, hier S. 184.

112 Ebd.

pädagogischen, ökonomischen, ethischen und ästhetischen Handlungsweisen, Interessen und Rahmungen besonders deutlich abbildet. Dabei etwa ökonomische Rahmungen auszuschließen vergibt die Chance, Kunstvermittlung als Kampf um Ressourcen und damit verknüpfte Ungleichheiten zu begreifen.[113] Kunstvermittlung einerseits »als widerständige Instanz« zu denken und sie andererseits außerhalb ökonomischer Diskurse zu verorten bedeutet eine erhebliche Komplexitätsreduktion, die die materiellen Bedingungen von Vermittlung verschleiert.[114]

Dabei schreibt Maset selbst, dass einerseits »Überkomplexität [...] der entscheidende Nachteil der Kunstvermittlung«[115] ist und andererseits »Systeme [...] für ihr Funktionieren stets Komplexitätsreduktionen [benötigen]«.[116] Die Abwertung von Vermittlung kann auch von hier, von der Metapher des Systems aus, als Ausdruck für eine Abwehr gesellschaftlicher Komplexität gelten, als Versuch einer Negation oder Ignoranz der Unübersichtlichkeit sozialer Verhältnisse und der Uneindeutigkeit von Systemgrenzen.[117] Die Geschichte des Begriffs der Kunstvermittlung ist, wie gezeigt, durchzogen von Ambivalenzen und Doppelbödigkeit, ist Ort für die Überschneidung ökonomischer, ethischer, politischer, pädagogischer, juridischer Korrespondenzen, bildet immer

113 Vgl. Mörsch, Carmen: »In Verhältnissen über Verhältnisse forschen: Kunstvermittlung in Transformation als Gesamtprojekt«. In: Settele, Bernadett/Mörsch, Carmen/Anderegg, Elfi et al. (Hg.): *Kunstvermittlung in Transformation. Perspektiven und Ergebnisse eines Forschungsprojekts*. Zürich: Scheidegger & Spiess 2012, S. 299–317, hier S. 302. Vgl. auch Kap. 2.4 *Kunstvermittlung liegt quer zu gesellschaftlichen Verhältnissen*.

114 Mörsch »In Verhältnissen über Verhältnisse forschen«, S. 302.

115 Maset: »Kunstvermittlung im System Kunst«, S. 40.

116 Ebd., S. 41. Vgl. hierzu auch Luhmann: *Soziale Systeme*, bes. S. 47–50.

117 Vgl. Kap. 2.2 *Hass auf Vermittlung*.

wieder Ausgangspunkt für eine Kritik und Übersteigung binärer Logiken. Diese Einsicht sollte dann aber gerade nicht zur Konsequenz haben, einer differenzorientierten Kunstvermittlung eine systemeigene Autonomie zu erkämpfen, sondern anzuerkennen, dass es für Kunstvermittlung, die die Komplexität ihrer Referenzen und Abhängigkeiten mitreflektiert und -bearbeitet, keinen legitimen Ort im Kunstsystem geben kann, weil sie dessen binär codierte Funktion, sich von seiner Umwelt zu unterscheiden, negiert.

Die daraus folgende Konsequenz soll gleichfalls nicht sein, Kunstvermittlung einem anderen System zuzusprechen – etwa der Wirtschaft oder der Erziehung. Die Konsequenz soll vielmehr sein, die Rede vom System *überhaupt* zurückzuweisen. So prognostiziert Fuchs in Bezug auf den Widerspruch, dass Systemtheorie den Wert des Dritten zwar potenziell mitdenke, seine Konsequenzen aber nicht:

> [D]as Konzept ›System‹ [wird] in den nächsten Jahrzehnten eine Auflösung oder besser eine Durchstreichung erfahren [...]: ~~System~~, eine Durchstreichung, die das System noch im Wiedererkennbaren hält, aber mitsignalisiert, dass Metaphern des Raums, die Katachresen der Binarität, schädlich sind für ein Weiterbetreiben der Theorie.[118]

Für eine Theorie der Kunstvermittlung, die mit nicht-binären Logiken operiert, heißt das zunächst nicht, dass die Theorie der Systeme fortan ignoriert werden müsse. Systemtheorie erweist sich immer noch als mächtiges Beobachtungsinstrument, um die Funktionsweisen des Kunstsystems zu beschreiben, so dass sie nach wie vor als Grundlage für Kritik an diesem dienen kann. Soll aber über Kritik hinausgegangen

118 Fuchs: »Die Metapher des Systems«, S. 69.

werden, um Veränderung, Ergänzung und Erweiterung der Funktionen von Kunstinstitutionen zu avisieren (vgl. AK 11), so muss die Metapher des Systems zurückgewiesen, *rejiziert* werden, als ~~Kunstsystem~~. Auf Günther bezogen hebt die Operation der Rejektion die Binarität des Systems auf, schließt sie ein und setzt einen logischen Ort daneben, der die Eindeutigkeit des binären Codes umschreibt und fungibel macht,[119] oder mit Mörsch: Es geht *sowohl* um Erhalt *als auch* um Veränderung. (Vgl. AK 10) Die Referenz der Kunstvermittlung auf Kunst wird damit nicht abgelehnt. Abgelehnt wird die *totale* Referenz auf Kunst. Dies schafft, an Eva Sturm anschließend, die Möglichkeit, eine Theorie der Kunstvermittlung »über die Ränder der Kunst hinaus auszudehnen«. (VKa 19)

Solche Theorien transformativer Kunstvermittlung sind längst diskursive Wirklichkeit.[120] Leistung dieses Kapitels wird es demnach nicht sein, solche zu formulieren, sondern zu prüfen, inwieweit der hier entwickelte Vermittlungsbegriff als logische wie begriffliche Grundlage dienen kann, um die Komplexität transformativer Kunstvermittlung adäquat beschreiben zu können.

Nicht-binäre Logik in der Kunstvermittlung

Einen möglichen Einstieg in eine Aneignung von Günthers Vermittlungsbegriff für Theorien transformativer Kunstvermittlung bietet der Text *Verfahren, die Routinen stören* von Carmen Mörsch.[121] Sie grenzt sich darin nicht nur kritisch von

119 Vgl. Kap. 7.2 *Komplexe Vermittlung – über das Dreieck hinaus.*

120 Vgl. exemplarisch die Bezüge in Kap. 7.5 *Perspektiven transformativer Kunstvermittlung* sowie in diesem Kapitel.

121 Mörsch: »Verfahren, die Routinen stören«. Für den Begriff der *soft-logics* vgl. Serres, Michel: *Rome. The First Book of Foundations*,

binären Oppositionsmustern im Kunstfeld ab, sondern stellt eine andere Logik daneben, plädiert für die Anwendung eines alternativen Logikmodells. Dabei greift sie Michel Serres' Begriff der *Soft-Logics* auf: »Mit dem Begriff der ›weichen Logiken‹ kritisiert er [Serres] das cartesianische Modell des Denkens. Er wendet sich gegen ›harte Logiken‹, die sich über die Vereindeutigung von Grenzverläufen und die Festschreibung von Kategorien artikulieren.«[122] Serres verwendet für das Denken in ›harten Logiken‹ die Metapher eines Kastens, der eindeutig trennt zwischen drinnen und draußen, demnach der binären Entweder-Oder-Logik folgt. Dem stellt er, bezogen auf ›weiche Logik‹, das Bild des Sacks entgegen.[123] Im Sack würden Grenzen zwischen Positionen nicht aufgelöst, seien aber doch weniger eindeutig. So würde etwa die strikte Opposition drinnen/draußen weniger eindeutig durch verschiedene Qualitäten von ›drinnen‹, die sich etwa durch Falten ergeben, durch sich überlappende Volumina oder durch die kaum eindeutig zu beantwortende Frage, an welcher Stelle der Öffnung eines Sacks nun genau die Grenze zwischen drinnen und draußen verlaufe.

> Aufs Kunstfeld bezogen, könnte der Ruf nach ›weichen Logiken‹ die Forderung bedeuten, keine klare Trennung zwischen dem zum Feld zugehörigen und den nicht zugehörigen (ein- und ausgeschlossenen) Diskursen, Produktionen und Subjekten zu etablieren, sondern andere Kategorien von Genauigkeit zu entwickeln.[124]

übers. von Randolph Burks. London/Oxford/New York et al.: Bloomsbury 2015 (1983), S. 238.

122 Mörsch: »Verfahren, die Routinen stören«, S. 23.

123 Serres schreibt hierzu: »I believe that there is box-thought, the thought we call rigorous, like rigid, inflexible boxes, and sack-thought, like systems of fabric.« Serres: *Rome*, S. 236.

124 Mörsch: »Verfahren, die Routinen stören«, S. 24.

So entbindet die Zurückweisung der totalen Referenz auf Kunst vom Zwang, eindeutig zwischen dem Drinnen und Draußen des ~~Kunstsystems~~ unterscheiden zu müssen, d.h. die Selbstreferenz der Kunst durch andere Bezüge in ein Netz erweiterter Referenzen zu überführen. Welche Handlungsweisen und Operationen zu welchem gesellschaftlichen Feld gehörten, müsse von der Warte einer weichen Logik aus nicht strikt entschieden werden. Statt die eindeutige Position der beteiligten Relata (Diskurse, Institutionen, Akteur*innen, Systeme, verschiedene Kunstbegriffe) in ihrem So-Sein zu belassen, ermögliche eine Praxis, deren Operationen auf weichen Logiken basierten, ein offenes Spiel, eine Konstellation, in der unterschiedliche Positionierungen und Vorgehensweisen aufeinander Bezug nehmen könnten.

Ein entscheidender Punkt in der Argumentation Serres' und Mörschs ist, dass die Rede der Soft-Logics sich gerade nicht als *un*-logisch und *un*-genau der harten Logik aristotelischer Tradition gegenüberstellt, sondern als Logik »andere Kategorien von Genauigkeit« beansprucht. So entschärft die Metapher des Sacks zwar die Eindeutigkeit von Grenzverläufen und Positionen, ermöglicht aber dennoch eine »Tastbewegung«, die »*genau* und konzentriert« ist.[125] Genauigkeit besteht demnach nicht darin, Eindeutigkeit festzustellen, sondern kann in der genauen[126] Beschreibung von Widersprüchen, Ambivalenzen, Überlappungen und Auslassungen bestehen. So kann es im Kunstfeld darum gehen, genau zu sein in der Beschreibung multipler Loyalitäten, überlappender Interessen, dominanter Ausschlussmuster oder hybrider

125 Ebd., meine Herv.

126 Zum Begriff der Genauigkeit vgl. die *Einleitung* in diesem Band.

Rollenzuschreibungen, wobei es nicht genügt, einen einfachen Widerspruch in Anschlag zu bringen, sondern anzuerkennen, dass deren Abhängigkeiten, Zugehörigkeiten und Motivationen komplex sind. Je mehr Abhängigkeiten im Spiel sind, desto weniger lassen sich die beteiligten Positionen eindeutig festlegen. Komplexität bedeutet im Sinne Günthers auch, dass die Ausmaße der Vernetzung letztlich unbekannt sind. Genau sein heißt demnach anzuerkennen, dass in jeder Beobachtung von Positionalitäten immer etwas nicht beobachtet wird: »Nicht alles in seinen Falten versteckte ist sichtbar«.[127]

Mörsch geht es bei diesem Logikbegriff nicht nur um ein Konzept des Beschreibens von Wirklichkeit, sondern darüber hinaus um eins des konkreten Eingriffs. Soft-Logics im Kunstfeld sind demnach als performative Logik zu denken, als Logik, die die Interdependenz zwischen Beschreiben und Handeln nicht nur kritisch aufgreift, sondern offensiv nutzt:

> Eine Strategie zur Entwicklung einer solchen anderen Genauigkeit bestünde darin, bisher draußen Gebliebenen die Möglichkeit zu geben, die Institution Kunst und die Kunstinstitutionen im eigenen Interesse zu nutzen – in einer Weise, die noch nicht als Gebrauchsvorschrift in sie eingeschrieben ist [...].[128]

Während also binäre Logik die Folgerichtigkeit eindeutiger Ein- und Ausschlüsse ermöglicht, kann ›weiche Logik‹ die Folgerichtigkeit eines komplexen Zusammenhangs herstellen, an dem mehrere, sich scheinbar ausschließende Perspektiven beteiligt sind. Wenn Kunstvermittlung die Praxis bedeutet, »Dritte einzuladen, um Kunst und ihre

127 Mörsch: »Verfahren, die Routinen stören«, S. 23.

128 Ebd., S. 24.

Institutionen für Bildungsprozesse zu nutzen« (AK 9), und diese Einladung unter der Folie ›weicher Logik‹ vollzogen wird, erscheint es folgerichtig, die Binarität der eindeutigen Unterscheidung zwischen Akteur*innen und Publikum in einen komplexen Zusammenhang zu überführen, der nicht nur die als Topos der Kunstvermittlung bekannte Breite des Publikums avisiert, sondern eine dadurch erzeugte Tiefe in der Varianz der Deutungsmöglichkeiten.[129] Nicht die Bestätigung des Bestehenden rückt damit in den Fokus, sondern die »Decodierungen und Umschreibungen der Texte der Institution unter Beteiligung Dritter«.[130]

Die Rede von den »Dritten« ist auch deshalb so interessant, weil sie unspezifisch ist. Im allgemeinen Sprachgebrauch meint der Ausdruck ›Dritte‹ vor allem jene Position, die an einem bereits stattfindenden Prozess nicht oder noch nicht direkt beteiligt ist.[131] Wer genau die ›Dritten‹ sind, ist nicht festgelegt, kann also partiell in Bewegung geraten. Mit den ›Dritten‹ können die Positionen der Kunstvermittlung selbst gemeint sein, die zwischen Kunstwerk und Publikum vermitteln. Das Publikum kann als ausgeschlossenes eingeschlossenes Drittes zwar gebraucht, aber von den Funktionsweisen des ~~Systems~~ ausgeschlossen bleiben.[132] Es können Personenkreise gemeint sein, die als Nicht-Publikum adressiert werden. Es kann auch die Institution gemeint sein, die als Dritte von solidarischen Netzwerken zwischen Kunstvermittlung und politischen Akteur*innen zwar gebraucht, aber von deren Handlungsweisen ausgeschlossen wird.

129 Zum Verhältnis von Breite und Tiefe vgl. Kap. 1.1 *1900 bis 1945*.

130 Mörsch: »Verfahren, die Routinen stören«, S. 30.

131 Vgl. Röttgers: Art. »Der Dritte«.

132 Vgl. Kap. 3.3 *Unmittelbare Einheit zwischen Kunst und Publikum?*

Kunstvermittlung mit ›weicher Logik‹ gedacht würde »Rollenzuschreibungen zumindest situativ [...] transformieren«.[133]

Über eine situative, also räumlich wie zeitlich begrenzte Transformation hinaus fordert Mörsch in späteren Texten mehr ein, votiert für einen transformativen Diskurs der Kunstvermittlung, in dem etwa Museen grundsätzlich als »veränderbare Organisationen begriffen« würden. (AK 10) Dabei konstatiert Mörsch gemeinsam mit Bernadett Settele, »dass sich Kunstvermittlung [ohnehin, AH] bereits ›in Transformation‹« befinde.[134] Sofern Kunst und Kunstvermittlung nicht außerhalb gesellschaftlicher Veränderungen stehen – etwa durch Mobilität des Internets oder durch zunehmende nationale Protektion bei gleichzeitiger Globalisierung des Kapitals –, sind sie zwangsläufig von deren Effekten betroffen. Hybride Logiken der Transformation involvieren nicht zwangsläufig Kritik, sondern bilden auch den logischen Mechanismus moderner Zwangsverhältnisse.[135] Das Anzeigen von Transformation in der Kunstvermittlung benennt also zunächst lediglich das Faktum der Komplexität moderner Gesellschaft. Kritik *und* Transformation auf der Ebene von Kunstvermittlung zusammenzudenken müsste hingegen bedeuten, jene Hierarchien, die hybriden Transformationsbewegungen zugrunde liegen, offenzulegen und zu bearbeiten. Es müsste gleichfalls bedeuten, beim Beobachten wie beim Initiieren von nicht-einfachen Strukturen nicht immer dieselben Muster anzuwenden und die neuen Machtordnungen und Ungleichheiten zu berücksichtigen, die durch Veränderungen entstehen.

133 Mörsch: »Verfahren, die Routinen stören«, S. 23.

134 Mörsch, Carmen/Settele, Bernadett: »Vorwort«. In: dies. (Hg.): *Kunstvermittlung in Transformation*, S. 4–6, hier S. 4.

135 Vgl. 7.3 *Logik der Cyborgs*.

Mörschs Verweis auf die Soft-Logics von Serres und dessen Metapher des Sacks lassen Unterschiede und Grenzen, aber auch Gemeinsamkeiten zu Günthers Vermittlungslogik erkennen. Ein triftiger Unterschied ist, dass Serres' Metapher kein exakt wiederholbares Schema verspricht. Dieser Unterschied erinnert daran, dass Günther mit seiner Logik nicht soziale, sondern technische Probleme avisiert. Soziale Verhältnisse sind dagegen von Hierarchien geprägt. »Vorherrschaften nicht zulassen wollen«, so Paul Mecheril in einem anderen Zusammenhang, »hieße, soziale Praxis nicht zu dulden.« (PdU 97)

Der logische Zustand der Heterarchie lässt sich aber auch, wie oben bemerkt, als anzustrebender Zustand begreifen. Aus kritischer Perspektive muss davon ausgegangen werden, dass die Beziehung zwischen Beteiligten auf dem Feld der Kunstvermittlung – etwa zwischen Museum und benachbarten Communities oder Künstler*innen und Schüler*innen – auf mehreren Ebenen von Hierarchien durchzogen ist; nicht zuletzt aufgrund von strukturellen Ungleichheiten auf der Ebene des Zugangs zu Ressourcen und symbolischem Kapital.[136] Um über das Beschreiben dieser Machtmechanismen hinauszukommen, um etwa eine Kooperation zwischen ungleich positionierten Beteiligten in ein offenes Verhältnis treten zu lassen, das von Unbestimmtheit geprägt ist, muss

136 Mit ›Gleichheit‹/›Ungleichheit‹ sind demnach keine personalisierten Unterschiede gemeint, sondern sozial konstruierte Unterscheidungen, die hegemoniale Verhältnisse hervorbringen. Vgl. zur Spezifizierung der sozialen Ungleichheit gegenüber einer ›natürlichen‹ Ungleichheit Kunz, Thomas: »Ungleichheit«. In: Mecheril, Paul (Hg.) *Handbuch Migrationspädagogik*. Weinheim/Basel: Beltz 2016, S. 243–260, hier S. 244 f. Damit grenze ich hier das Verständnis von ›Gleichheit‹ im Sinne von ›Gleichberechtigung‹ ab von einem Gleichheitsverständnis, das auf ›Gleichartigkeit‹ beruht.

es, nach Nora Landkammer und Felipe Polania, für Kunstvermittlung zunächst darum gehen, »ein ›Gleichgewicht‹ in ungleichen Verhältnissen anzustreben«. (A 219) ›Gleichgewicht‹ ist dann keine ontologische, sondern eine konzeptuelle Kategorie. Sie gibt an, dass die Herstellung von äquivalenten Machtchancen zwischen Beteiligten einen anzustrebenden Horizont des Handelns bildet.[137] Erst von dort aus, von der Annahme, es sei konzeptuell möglich, »in ungleichen Verhältnissen« einen Zustand der Äquivalenz zwischen den beteiligten Positionen herzustellen, kann der Begriff der Vermittlung, den Günther entwirft, auf Konzepte kritisch-transformativer Kunstvermittlung angewandt werden.

Eine Gemeinsamkeit zwischen Günthers Vermittlungskonzept und den Soft Logics der Kunstvermittlung ist, dass beide nicht auf ein Auslöschen binärer Ordnungen abzielen, auch nicht auf ein Gegenkonzept. Vielmehr geht es jeweils darum, die Totalität von Alternativen (etwa zwischen ›angewandter‹ und ›freier‹ Kunst), einerseits zu thematisieren und andererseits zurückzuweisen, d.h. zu rejizieren. Die Logik des Betriebs wird nicht negiert oder ignoriert, sondern aufgegriffen, rejiziert und in Verbindung zu anderen Logiken und Perspektiven gebracht.

(Kunst-)Vermittlung, die in dieser Weise wirken soll, ist dabei – so weiter die konzeptuellen Gemeinsamkeiten in den Blick nehmend – auf die Differenz der beteiligten Positionen angewiesen. Für eine Kunstvermittlung, die, wie Mörsch in einem gemeinsamen Text mit Eva Sturm schreibt, auf die »Vielstimmigkeit unterschiedlicher Positionalitäten

137 Zum Begriff des Horizonts in diesem Zusammenhang vgl. Kap. 4.4 *Offene Kunstvermittlung der Zersetzung*.

und ProtagonistInnen« setzt, ist es, mit Günther gedacht, nicht nur Ziel, sondern notwendige Voraussetzung, dass »SprecherInnenweisen und -positionen [...] deutlich unterschiedliche« sind.[138] Das Konzept der Vielstimmigkeit ist nicht nur quantitativ, sondern auch qualitativ zu begreifen. ›Viele‹ meint nicht einfach mehrere Personen, sondern geht von der multiplen Unterschiedlichkeit der Positionierungen aus. Erst mit dem Zustand von *gleichberechtigter Unterschiedlichkeit*[139] in mehrere Richtungen – das kann Sprechweisen betreffen, Diskurszugehörigkeiten, Differenzlinien entlang von Geschlecht, Klasse oder natio-ethno-kultureller Herkunft – können bestehende Oppositionsmuster und Dominanzen zurückgewiesen werden.

Auch die partielle Unsichtbarkeit von Vermittlung, die die Metapher des Sacks involviert, bildet eine Schnittmenge zu Günther. So argumentiert Mörsch, dass durch die Soft-Logics »weniger Überblick und Kontrolle« als durch die ›harte‹ Logik des Binären möglich seien.[140] Auch Günthers Vermittlungsbegriff, den er n-wertig entwirft, impliziert immer ein Nicht-Anwesendes, einen nicht-mitgedachten Zusammenhang, von dem ausgegangen werden muss, dass dieser alles Bestehende potentiell umzuschreiben vermag.[141]

---

138 Mörsch/Sturm: »Vermittlung – Performance – Widerstreit«, S. 5.

139 Vgl. zum Zusammenhang zwischen Vielstimmigkeit und Gleichberechtigung Benhabib, Seyla: *Kulturelle Vielfalt und demokratische Gleichheit. Politische Partizipation im Zeitalter der Globalisierung.* Frankfurt/Main: Fischer 1999. Vgl. auch PdU, S. 97.

140 Mörsch: »Verfahren, die Routinen stören«, S. 23.

141 Offenheit und Unvorhersehbarkeit dieser Konzepte von Vermittlung lassen sich auch an die mythologische Figur des Tricksters anschließen, der als immer ganz *Andere*r* beständig die Auflösung von Konflikten stört und an andere Stellen verschiebt. Vgl. hierzu etwa Schüttpelz, Erhard: »Der Trickster«. In: Eßlinger, Eva/Schlechtriemen, Tobias/Schweitzer, Doris et al. (Hg.): *Die*

Eine Voraussetzung für Vermittlung, die Günther und Mörsch teilen, ist, dass sie nur in Gang kommt, wenn keine der Beteiligten auf der Evidenz einer vermeintlich einfachen, unveränderlichen Identität beharrt. So schreibt David Köpf zu Günther: »Solange die in einem Verhältnis zu vermittelnden Pole eine eigene, verhältnisunabhängige Substanz behaupten, kann zwischen ihnen keine Vermittlung stattfinden, aus der beide verändert hervorgehen.«[142] Auch für Mörsch gilt, dass die angestrebte »Decodierung und Umschreibung der Texte der Institution« funktionieren kann, wenn die beteiligten Institutionen und Akteur*innen sich selbst als nicht-einfache, kontextgebundene Beteiligte verstehen.

Zuletzt will ich an Serres' und Mörschs Verknüpfung der Metapher vom Sack mit dem Begriff der Genauigkeit anknüpfen, an die Möglichkeit einer »Tastbewegung«, die »genau und konzentriert« ist. An dieser Stelle geht die Vermittlungslogik Günthers über die Metapher hinaus, weil sie ein präzises Instrument des Tastens bereitstellt. Denn worin die genaue Tastbewegung bestehen soll, schreibt Mörsch hier nicht. Nun gilt es zu prüfen, ob die Logik der Vermittlung als Werkzeug fungieren kann, mit dem das komplexe Spiel von Relata und Werten sowie transformative Effekte genauer untersucht und benannt werden kann. Nicht im Sinne einer Identifizierung von Objekten, sondern in der genauen Beobachtung des Zerfalls von Identitäten, gestreuten Konstellationen und

---

Figur des Dritten 2010, S. 208–224. Vgl. zur Rezeption der Figur des Tricksters in der Kunstvermittlung etwa Carmen Mörsch (DBdA, S. 131), sowie Deniz Sözen, die »Vermittler_innen als Trickster« beschreibt. Sözen, Deniz: »Reflexion zum Workshop ›Zwischenräume‹«. In: ifa/IAE/ZHdK et al. (Hg.): *Kunstvermittlung in der Migrationsgesellschaft*, S. 80–83, hier S. 83.

142 Köpf: »Mit dem Weltgeist rechnen«, S. 230. Vgl. Kap. 7.1 *Das Dritte der Vermittlung – Vermittlung als Vorspiel*.

Voraussetzungen, die für ein solches offenes Spiel der Vermittlung nötig sind. Zur Erprobung des Beobachtungsinstruments ›transformativer Vermittlungsbegriff‹ will ich von einem Beispiel aus einem Text zur Kunstvermittlung ausgehen.

Ein Beispiel

Ich werde nun mehrmals aus dem Text *Atelier* (A) von Nora Landkammer und Felipe Polania zitieren, in dem beide über ein gemeinsam initiiertes und durchgeführtes Kunstvermittlungsprojekt schreiben. Ich unterstelle dem Projekt selbst Komplexität, beziehe mich aber auf den Text *über* dieses Projekt. Ich gehe davon aus, dass die Komplexität von Kunstvermittlung sich in diesem Text besonders anschaulich abbildet und sich mit Hilfe eines transformativen Vermittlungsbegriffs besonders gut ertasten lässt. Insofern unterbreche ich die Nacherzählung des Projekts immer wieder, um zentrale Aspekte des transformativen Vermittlungsbegriffs herauszustellen.

Das Projekt *Atelier*[143] wurde 2010 als »Kooperationsprojekt zwischen dem Museum für Gestaltung Zürich, dem Verein Bildung für Alle oder Autonome Schule Zürich und dem Institute for Art Education initiiert«. (A 212) Ausgangspunkt war eine Ausstellung des Museums mit dem Titel *Global Design*. Landkammer und Polania luden Teilnehmer*innen von Deutschkursen der Autonomen Schule, einer prekär finanzierten Organisation, zu einem Programm mit »offenem Ausgang« (A 212) und unbestimmtem Anfang ein, bei dem zu Beginn nur der Raum

143 Die Gruppe hat sich inzwischen in *AntiKulti Atelier* umbenannt. Vgl. den Blog der Gruppe: http://antikultiatelier.blogspot.de/ (abgerufen am 1.7.2019).

feststand, sowie »die Beschäftigung mit der Ausstellung und, dass es Workshops zu Fotografie und anderen Medien geben würde«. (A 217) Fest stand auch der Anspruch der Leiter*innen, in diesem von ungleichen Verhältnissen und Interessen geprägten Kontext eine Ausgangsbasis zu schaffen »für ein gemeinsames Arbeiten, das versucht, Handlungsräume zwischen unterschiedlichen Organisationslogiken, Wissensformen und politischen Perspektiven zu öffnen«. (A 215) Es ging also

> zunächst darum [...], ein ›Gleichgewicht‹ in ungleichen Verhältnissen anzustreben. Denn die Zusammenarbeit geht von Ungleichheiten aus: zwischen MehrheitsschweizerInnen und MigrantInnen, gesicherter Finanzierung und keiner Finanzierung, Räumlichkeiten und räumlicher Prekarität, anerkannter Institution und Organisation, deren Existenz permanent bedroht ist. (A 219)

Zwischen beiden Aspekten, dem Anspruch auf ›Gleichgewicht‹ und der Unbestimmtheit des Anfangs, kann mit Günther ein Zusammenhang hergestellt werden, der sich nicht in eine kausale Ordnung auftrennen lässt. Wenn sich, wie oben dargestellt, Vermittlung nicht als ›das Spiel selbst‹, sondern als Vor-Spiel vollzieht, als gemeinsame Bühne, auf der noch-nicht entschieden ist welche Beteiligten in welche Richtung wirken, dann sind Unbestimmtheit und Heterarchie Voraussetzungen für diese Bühne. In diesem Sinne bringt auch Landkammer den »Anspruch einer Kunstvermittlung als Transformation« auf den Punkt, der darin liege,

> möglichst gute Bedingungen für [...] nicht planbare Momente zu schaffen, in denen das Handeln die vorgesehenen Bahnen, wie etwa den Entwurf des ›Besuchers‹, der ›Besucherin‹ im Museum, verlässt und in ein Verhandeln unterschiedlicher Perspektiven und Wissensformen möglich wird und auch Wirkung entfaltet. (A 220)

Offenheit und Heterarchie sind »möglichst gute Bedingungen« für transformative Kunstvermittlung, die sich komplex entfaltet.

Polania und Landkammer zeigen auch, dass dieses Vor-Spiel namens Vermittlung nicht nur einmal, am ›Anfang‹, sondern permanent gespielt werden muss, weil sich die Machtkonstellationen permanent, an vielen Stellen und auf vielen Ebenen zeigen bzw. (wieder-)herstellen, weil sich Gleichgewicht in ungleichen Verhältnissen nur partiell herstellt und hier dennoch den Horizont des Handelns bildet.

Neben den Voraussetzungen für Vermittlung nennen die Autor*innen mehrere Effekte von transformativer Kunstvermittlung. Ein möglicher Effekt liege in der »Verschiebung von Verhältnissen, von zugewiesenen Rollen«. (A 220) Eine solche Verschiebung machen Polania und Landkammer in der Wiedererzählung einer Situation aus, die sich im Gespräch zwischen Teilnehmer*innen und der Kuratorin über eine Arbeit der Ausstellung ereignet hat:

> In der Ausstellung *Global Design* gab es eine Arbeit von Didier Faustino, einen grauen asymmetrisch geformten Koffer, der zusätzlich auf Fotografien zu sehen war: unter einem Flugzeug, und in transparenter Ansicht mit einem zusammen gekauerten, in den Koffer eingepassten Menschen. Die Arbeit sollte auf die Versuche von MigrantInnen aus dem globalen Süden hinweisen, im Fahrwerk von Flugzeugen als blinde Passagiere zu reisen. Beim Ausstellungsbesuch mit der Kuratorin Angeli Sachs formulierte John Njuguna seine Interpretation der Arbeit: Er deutete den Koffer als neues Polizei-Design für die Ausschaffungen,[144] beziehungsweise ironische Auseinandersetzung mit der Ausschaffungspraxis.

144 ›Ausschaffung‹ ist im Schweizer Sprachraum gleichbedeutend mit ›Abschiebung‹.

> Hier wird die Bedingtheit der Perspektiven auf Migration sehr klar: das Objekt mit Einreise zu assoziieren, oder mit Ausschaffung, ist eine Frage der Perspektive, der Art, wie man vom aktuellen Migrationsdiskurs ›angerufen‹ wird. Auch Angeli Sachs hat [...] erzählt, dass die zweite Interpretation in der Folge in ihre Vermittlungsarbeit eingeflossen ist. Ich denke, die Verschiebung von Verhältnissen, von zugewiesenen Rollen, findet in solchen kleinen Momenten statt. (A 219 f., Herv. i.O.)

Diese Situation kann formal betrachtet als transsubjektives Verhältnis mit Objektbezug gelesen werden, als, auf Günther bezogen, Verhältnis zwischen Ich, Du und Es.[145] Angewandt auf den Kontext Kunstvermittlung involviert diese Situation genau das, was in Kap. 6 als ›Verlust‹ angemeldet wurde, als Fehlen eines Vermittlungsbegriffs, der sowohl den Zusammenhang zu Objekten, d.h. Kunstwerken mitreflektiert, also auch den zwischen den beteiligten Subjekten.[146] Gelesen als Zusammenhang zwischen Ich, Du und Es kann das Kunstwerk im Sinne unterschiedlicher Relation ambivalent gelesen werden. Das ist für sich genommen nichts Neues und wurde in Kap. 3 von Eva Sturm markiert als Kunstvermittlung des Widerstreits, bei der es gerade darum geht, widerstreitenden

---

145 Vgl. hierzu Inga Eremjan, die gleichfalls den Begriff der Kunstvermittlung über binäre Logiken hinaus verortet, dabei aber das binäre gegen ein triadisches Konzept austauscht, Vermittlung als »Verknüpfung zwischen Ich, Du und [...] Welt« versteht. Eremjan: *Transkulturelle Kunstvermittlung*, S. 258. Der Begriff ›Welt‹ in diesem Zusammenhang erscheint dann einerseits unterdeterminiert, als universales Alles und Nichts und gleichzeitig als Abschluss der logischen Möglichkeiten. Dagegen – von Günther aus – statt der unbestimmten Welt ein bestimmtes Es zu setzen öffnet die Möglichkeit, genauer zu werden und gibt gleichzeitig an, dass hier kein Abschluss zu erwarten ist.

146 Vgl. Kap. 6.3 *Kritische Kunstvermittlung gegen Adorno*.

Positionen Raum, eine Sprechweise der Ambivalenz zu verschaffen.[147] Eine solche Sprechweise vermag dabei nicht nur unterschiedliche und widerstreitende Positionalitäten von Sprecher*innen zu involvieren, sondern dadurch auch die Ansprüche des Kunstwerks als Kunstwerk aufzunehmen, das, mit Adorno und Sturm verstanden, nach einer nichtfestsetzenden, ambivalenten Sprache verlangt.[148] Sprechweisen der Ambivalenz machen die Kunstspezifik der geschilderten Vermittlungssituation mit aus.

Was hingegen mit der Vermittlungslogik Günthers zusätzlich herausgearbeitet werden kann, ist die Möglichkeit, dass der Wert der Ambivalenz keinen lösenden Abschluss im Dreieck zwischen zwei widerstreitenden Sprechweisen bildet, sondern selbst wieder zu einem Problem werden kann, wenn weitere, bisher nicht mitbedachte Relata hinzutreten. So bezieht sich Landkammer bei ihrer »spezifischen Form des ›vermittelnden‹ Sprechens in Ausstellungen« (A 224) explizit auf Sturm, wendet den Stellenwert einer Sprache der Ambivalenz aber auch kritisch:

> Was mir beim Nachdenken über die gescheiterten Kommunikationssituationen mit der Atelier-Gruppe aufgefallen ist, ist, dass Aussagen, die ich in Ausstellungen mache, oft ambivalent sind. Ich gebe nicht eine Erklärung, sondern zeige verschiedene, gerade auch widersprüchliche Anhaltspunkte auf, entlang derer über das Ausgestellte nachgedacht werden kann. [...] Während sich diese Art der Produktion von Ambivalenz oder des Sprechens mit Bedeutungslücken in meiner bisherigen Vermittlungspraxis als produktiv erwiesen hat, um Teilnehmende zu

147 Vgl. Kap. 3.3 *Kunstvermittlung ist möglich.*

148 Vgl. Kap. 6.3 *Kritische Kunstvermittlung mit Adorno.*

> einer eigenen Bedeutungsbildung einzuladen, war die Erfahrung im Projekt, dass dieses ambivalente Sprechen auch ausschließend wirken kann. [...] Um eine mehrdeutige Aussage »gelten zu lassen«, muss man sich in einer Sprache sehr sicher bewegen. (A 224 f.)

Der logische Wert der Ambivalenz einer vermittelnden Sprache vermag sich in dem Moment umzukehren, indem die Vermittlungssituation im Sinne weiterer Relationen gelesen werden muss, zu denen auch die Sprache der Teilnehmer*innen, Kunstvermittler*in und Institutionen gehört. Für Landkammer und Polania bedeutet das nicht, »auf Ambivalenz zu verzichten oder Komplexität zu reduzieren«, sondern dem Problem »mit einer didaktischen Aufbereitung« (A 225), mit Unterricht in Deutsch als Fremdsprache zu begegnen. Es ist demnach auch die »Ebene der *Wissensvermittlung*« (A 223, meine Herv.), die konstitutiv beteiligt ist an der Möglichkeit offener, nichtlinearer Vermittlung.

Was nun als Konsequenz festgehalten werden kann, ist, dass die Vermittlungsstruktur nicht auf die Unentschiedenheit zwischen zwei oder drei Aspekten angewiesen ist, sondern sich auf strukturreichere Konstruktionen beziehen kann. Ein sogenanntes ›Dreieck‹ der Vermittlung, etwa zwischen Kurator*in, Kunstvermittler*innen und Atelier, erlangt eine reichere Struktur, faltet sich in sein Umfeld hinein, wenn das Relatum ›Deutschkurs‹ einbezogen wird.[149] Die Beobachtung von Polania und Landkammer macht es möglich, diese nicht nur als Hilfe für die Teilnehmer*innen zu lesen, sondern als Relatum, das

149 Vgl. Kap. 7.2 *Komplexe Vermittlung – über das Dreieck hinaus.*

zu allen anderen Relata in ein Verhältnis tritt und auf diese auch Wirkung entfaltet. Sie verweist auf die Sprache der Institution, die sich etwa in Vorträgen, Ausstellungstexten und Flyern zeigt. Das Relatum ›Deutschkurs‹ wirkt auch auf die Position der Kunstvermittler*in und deren vermittlungsbedürftige Sprache.

Mit dieser nicht-binären Konstruktion, die das Außen einbezieht, kann konkretisiert werden, *dass der Wert der Ambivalenz deutbar ist im Sinne mehrerer Relationen und sich die Unschärfe vertieft, je mehr Relationen im Spiel sind.* Die Ambivalenz der vermittelnden Position wird als Öffnung intendiert, wirkt zuweilen als Schließung, erscheint aber von dort aus wiederum als begehrenswerte Position, die nicht zuletzt auch symbolisches Kapital verspricht.

Der hier beschriebene streuende Effekt transformativer Vermittlung, der die plurale Wertung von Ambivalenz zur Folge hat, wirkt sich auch auf die Position der Kunstvermittler*innen aus. So beschreibt Landkammer die Hybridität ihrer Vermittler*innenposition als »immer auf der falschen Seite stehen« (A 218), als permanenten Widerspruch zwischen verschiedenen Sprachen und Ansprüchen, »zwischen der Logik langfristiger Planung und kuratorischer Definition des Raumes in Kulturinstitutionen und der Logik eines auf gemeinsamer Wissensproduktion basierenden Vermittlungsprojekts«. (A 218) Die immer »falsche Seite« der Vermittlung erscheint vor allem aus Sicht binärer Logiken als ›falsch‹. So habe ich oben mit Niklas Luhmann darauf verwiesen, dass die Figur der Schlichter*in in Konflikten nicht selten mit dem Verdacht konfrontiert wird, mit der anderen Seite solidarisiert zu sein; denn aus einer binären Ordnung heraus ist die Vermittler*in das hybride Dritte, das nicht sein sollte, ist, um auf Paul Mecheril zurückzugreifen, potentiell mit dem Vorwurf der »Aloyalität«[150] konfrontiert.

In struktureller Kongruenz[151] zu den hybriden *Anderen*, die aufgrund natio-ethno-kultureller Mehrfachzugehörigkeit mehrfachen Ausgrenzung in binär strukturierten Gesellschaftsordnungen ausgesetzt sind, ist die hybride Position der Kunstvermittler*in, wie sie Landkammer beschreibt, neben ihrer Abwertung auch eine begehrenswerte Position.[152]

Wenn Polania oben darauf verweist, dass die von Ambivalenz geprägte Sprache der Vermittler*in gleichfalls erstrebenswert ist, bildet dieser Wert, wenn er auch an anderen Positionen auftauchen kann, die Voraussetzung für die Beweglichkeit von Rollen und Relata. Besteht der transformative Aspekt der Vermittlung auch darin, dass alle an Vermittlung beteiligten Werte und Relata »sowohl vermittelnd[ ] als auch vermittelt[ ] sein« und alle

---

150 PdU, S. 22. Hier in Kap. 7.3 *Logik der Cyborgs*. Dieses Misstrauen gegen die hybride Position der Vermittler*in habe ich mehrfach beschrieben. Vgl. Kap. 2.2 *Hass auf Vermittlung*, Kap. 2.3 *Von Teilhabe zu Handel* sowie Kap. 2.3 *Vermittlung als Versöhnung*.

151 Mit ›struktureller Kongruenz‹ meine ich, dass sich hier einerseits deckende Ordnungsmuster zeigen, gleichwohl aber triftige Unterschiede in der Lebensrealität anzuzeigen sind. So können Kunstvermittler*innen theoretisch ihren Beruf aufgeben, um der ambivalenten Zuschreibung zu entkommen; was auf von Rassismus getroffene Menschen nicht zutrifft. Ich danke Carmen Mörsch für diesen Hinweis.

152 So beschreibt auch Kien Nghi Ha die Ambivalenz der Hybridität als einerseits »kulturelle Widerstandspraxis« und andererseits als inzwischen problemlos ökonomisch wie kulturell verwertbares Konsummuster. Ha, Kien Nghi: *Hype um Hybridität. Kultureller Differenzkonsum und postmoderne Verwertungstechniken im Spätkapitalismus*. Bielefeld: transcript 2005, S. 7 f. Ich danke Carmen Mörsch für diesen Hinweis.) Auch Homi K. Bhabha beschreibt diese Ambivalenz gegenüber dem hybriden ›Anderen‹, der »zugleich ein Objekt des Begehrens und der Verachtung« sei. Bhabha: *Die Verortung der Kultur*, S. 67.

die »Position der Unmittelbarkeit einnehmen« können,[153] dann müsste es Effekt von Vermittlung sein, dass die beteiligten Relata ihren Stellenwert verändern können. Ebensolche Effekte beschreiben Landkammer und Polania als »in kleinen Momenten« stattfindend – indem etwa die Institution lernt und die Teilnehmer*innen als »Subjekte der Wissensproduktion anerkennt«. (A 219)

Dieser Effekt der Disponibilität müsste sich, der Vermittlungslogik Günthers weiter folgend, erhöhen, je mehr Relata mit unterschiedlichen (und formal äquivalenten), bislang nicht mitbedachten Werten im Spiel sind. So beschreibt Landkammer auch die Fortsetzung des Projekts in das erweiterte Umfeld hinein; eine Fortsetzung, in der weitere Bewegungen von Rollen, diesmal der Vermittler*innenrolle, stattfinden und Teilnehmer*innen des Workshops selbst als Vermittler*innen in weiteren, bislang nicht involvierten Institutionen agieren. (Vgl. A 226) Die Faltung der Vermittlungsstruktur in ihr erweitertes Umfeld zieht auch die Bewegung der Vermittler*innenrolle mit sich. Was mit Günther dabei angenommen werden kann, ist, dass eine solche Erweiterung nicht einfach Addition, sondern Vertiefung von Komplexität mit sich bringt.

Das Verhältnis von Tiefe und Weite bzw. Breite ist, wie oben angezeigt, in die Geschichte des Kunstvermittlungsbegriffs eingeschrieben, meist aber mit anderen Vorzeichen. Die zunehmende Verbreitung durch Kunstvermittlung steht immer schon im Verdacht der mangelnden Tiefe.[154] Dem ist an dieser Stelle die Einsicht zu

153 GnT, S. X. Hier in Kap. 7.1 *Das Dritte der Vermittlung.*

154 Vgl. Kap. 1.1 *1900 bis 1945.*

entgegnen, dass ›Breite‹, also die Beteiligung möglichst vieler, gerade ein Mehr an Deutungsmöglichkeiten bieten und im Sinne einer »Vielheit als Differenz« (VKa 344) auftreten kann. Verbreitung von Kunst in vielen Publika mit deutlich unterschiedlichen Positionen kann, wenn sie von Unbestimmtheit und Heterarchie geprägt ist, gerade Tiefe, nämlich vertiefte – gesellschaftliche und ästhetische – Komplexität nach sich ziehen. Gesellschaftliche Komplexität zeigt sich etwa darin, dass die sozialen Räume, in denen Kunstvermittlung stattfindet, uneindeutig, durchlässig und potenziell erweiterbar sind.

Anhand dieser Betrachtung eines Beispieltexts zu transformativer Kunstvermittlung aus Perspektive eines transformativen Vermittlungsbegriffs werden Chancen und Risiken einer solchen, auf formaler Logik gründenden Betrachtungsweise deutlich. So besteht die Chance, logisch fundierten binären Funktionsweisen des ~~Kunstsystems~~ andere Logiken entgegenzusetzen, die ebenso formal darstellbar und operabel sind. Durch die ganze Begriffsgeschichte hindurch wird Vermittlung als zweiwertigen Logiken gegenüberstehender Diskurs begriffen. Mit Günther kann nun gezeigt werden, dass dieser Diskurs nicht unlogisch operiert, sondern gleichermaßen genau beschrieben und betrieben werden kann. Diese Einsicht ist auch deshalb so wichtig, weil, wie mit Donna Haraway gezeigt wurde, nicht-binäre Logiken ohnehin längst am Werk sind. Wie Carmen Mörsch und Bernadett Settele feststellen, sind Transformationen in der Kunstvermittlung längst im Gange. Diese Positionen machen deutlich, dass sich Kritik nicht mehr nur an binären Verhältnissen aufhalten, sondern ebenso nicht-binäre Ordnungen kritisch betrachten sollte. Diese der Analyse und Kritik zugänglich zu machen, dazu kann ein formal-logisch informierter (Kunst-)Vermittlungsbegriff dienen.

Eine weitere Option besteht darin, Vermittlung umzudenken, von der Vorstellung eines Dreiecks wegzukommen, die, wie ich gezeigt habe, den Begriff von Vermittlung nach wie vor bestimmt. Wenn es gerade Aufgabe von transformativer Kunstvermittlung sein soll, das Umfeld von Kunst und ihren Institutionen nicht nur einzubeziehen, sondern Durchlässigkeit, Veränderung und Wechsel der Positionen zu ermöglichen, dann müssen mehr Relata berücksichtigt werden als beispielsweise ›Kunstwerk‹, ›Vermittler*in‹, ›Betrachter*in‹. (Kunst-) Vermittlung in dieser Weise begriffen stellt gerade kein gültiges Schema bereit, sondern dient umgekehrt, der »Verflüssigung von Schemata« (PdU 99) und muss auch auf bislang dominante Muster der Kunstvermittlung angelegt werden können. (Vgl. AK, bes. 9 f.) Kunstvermittlung ist dann kein »Bindemittel«,[155] gibt kein Versöhnungsversprechen, sondern avisiert Überlegungen und Praktiken, die soziale Komplexität offenlegen und weitertreiben. Wenn Günther schreibt, dass nicht Versöhnung die Aufgabe von Vermittlung sei, sondern dass es darum gehe, »den Relationsgehalt und die Deutungskapazität der Wirklichkeit zu erweitern«,[156] dann vollzieht sich die Offenlegung von Komplexität auch darin, verschiedene, sich – von einer binären Sichtweise aus – widersprechende Perspektiven einnehmen zu können. Ein beständiger »Wechsel der Perspektive[n]«,[157] wie ihn auch

155 Schubert: »Kunst, bildende in der Erziehungsschule«, S. 185. Hier in Kap. 1.1 *1900 bis 1945*.

156 GnT, S. XIII. Hier in Kap. 7.2 *Komplexe Vermittlung*.

157 MfC, S. 40. Hier in Kap. 7.3 *Logik der Cyborgs*.

Haraway vorschlägt, zeigt dann an, dass nicht nur die binäre Ambiguität zwischen Öffnung und Schließung der Kunstvermittlung mitbedacht werden muss,[158] sondern dass darüber hinaus alle beteiligten und neu hinzutretenden Relata neue Perspektiven einbringen, die nicht folgenlos für bestehende Vermittlungsverhältnisse sind. Das Bestehen auf solche permanenten Perspektivwechsel muss zu einem Problem für Ordnungen werden, die auf die Reinheit ihrer Strukturen setzen. Das betrifft die Reinheitsvorstellungen vom ~~Kunstsystem~~ ebenso wie die, die auf Geschlecht oder natio-ethno-kultureller Identität beruhen und die Ordnung des ~~Kunstsystems~~ durchziehen. Eben diese Ordnungen in Bewegung zu versetzen, sie zu ›verschmutzen‹[159] und in komplexere Ordnungen zu übersetzen – darin kann die Funktion transformativer Kunstvermittlung liegen.

Gerade hier besteht aber das Risiko einer formal-logischen Betrachtungsweise, die Vermittlung über bestehende Schemata hinaus als n-wertiges und unabschließbares Kalkül denkt. Vermittlung n-wertig zu entwerfen bedeutet, dass jede Form als umformbar gedacht werden muss, ohne eine Grenze festlegen zu können.[160] Diese avisierte Grenzenlosigkeit der Vermittlung muss nicht nur selbst als ideologisch gelten. Die Ideologie der Grenzenlosigkeit

---

158 Vgl. Kap. 4.4 *Schließung und Öffnung. absolute Kunstvermittlung.*

159 Den Begriff der Verschmutzung beziehe ich hier einerseits auf die Kritik an binärer Systemlogik durch Peter Fuchs (vgl. Kap. 7.4 *Exkurs: ~~Kunstsystem~~*) und anderseits auf Paul Mecheril, der die Unreinheit der Hybridität gegen die Reinheit harmonistischer Ordnungen setzt. Vgl. PdU, S. 26 und Kap. 2.2 *Exkurs: Harmonie, Reinheit und Ausschluss der Ambivalenz.*

160 Zur Grenzenlosigkeit logischer Vermittlung vgl. Kap. 7.2 *Komplexe Vermittlung* und 7.3 *Ideologie der Leere.*

muss auch daraufhin befragt werden, ob ein Diskurs des Relativismus aufgerufen wird, in dem alles möglich, weil beliebig kontextualisierbar wäre, so dass eine partielle politische Position kaum eingenommen werden kann. Insofern gilt es im Folgenden, einem möglichen Relativismus transformativer Vermittlung weiter nachzugehen, und diesem partielle Perspektiven aus dem Diskurs transformativer Kunstvermittlung entgegenzusetzen.

7.5. Perspektiven transformativer Kunstvermittlung

Die Perspektive ›grenzenlos‹ birgt über ihre eigene Ideologiebesetztheit hinaus ein Moment der *Ungenauigkeit*, der Idee, alles sei möglich und könne im Zuge neuer Perspektiven neu bewertet werden. Eine solche Kritik an Günthers mehrwertigem Logikkalkül wurde mehrmals formuliert, etwa als Vermutung, dass sich hinter »dem ›Vielerlei‹ der Themen das ›Einerlei‹« einer inkonsistenten Theorie verberge.[161] Dieser Vorwurf mag, wie Joseph Ditterich und Rudolf Kaehr zeigen, auf formal-logischer Ebene auszuräumen sein.[162] In der Anwendung auf ein konkretes soziales Feld, wie dem der Kunstvermittlung, führt der Gedanke der Entgrenzung hingegen zum naheliegenden Vorwurf des Relativismus, in dem sich Konflikte, Gewalt und Machteffekte abgemildert darstellen und verhandeln lassen.

161 Joseph Dittrich und Rudolf Kaehr zitieren hier K.H. Ludwig. Ditterich, Joseph/Kaehr, Rudolf: »Einübung in eine andere Lektüre. Diagramm einer Rekonstruktion der Güntherschen Theorie der Negativsprachen«. In: *Philosophisches Jahrbuch* Hft. 86 (1979), S. 385–408, hier S. 385, Anm. *.

162 Vgl. ebd. Ich gehe dieser Frage hier nicht weiter nach, weil sie nicht im Interesse dieser Arbeit liegt.

Mit der Vorstellung einer relativierenden Kunstvermittlung würde jede politische Praxis obsolet, die auf einem bestimmten Standpunkt beharrt. Ein solcher Relativismus mündet nicht in einen grenzenlosen Raum einer für alle geltenden Freiheit, sondern kommt einem Diskurs zugute, der heteronormative wie rassisierende Ordnungsfunktionen der Gesellschaft als natürliche behauptet, die sich von selbst regulieren würden, und dabei verschleiert, wie sich dabei die immer selben Ordnungen umso strikter durchsetzen.[163] Donna Haraway bringt relativistische mit totalitaristischen Perspektiven in Zusammenhang: »Relativismus [ist] das perfekte Spiegelbild der Totalisierung: Beide leugnen die Relevanz von Verortung, Verkörperung und partialer Perspektive, beide verhindern eine gute Sicht.«[164] Demgegenüber votiert Haraway für partiale Perspektiven, die auf ihren Standpunkten beharren können, ohne die Sicht auf andere Perspektiven zu verlieren.[165] Dabei ist es nicht nur für die Schlagkraft einer politischen Position geboten, der scheinbaren Grenzenlosigkeit der Vermittlung partielle (Diskurs-)Grenzen zu setzen, sondern auch deshalb, weil es hier nicht um Technik, sondern um Gesellschaft geht. Scheinbar grenzenlose Öffnung bringt nicht selten strukturelle Ungleichheit hervor, die sich als Diskriminierung, als Rassismus oder Sexismus zeigt. So schreibt Nora Sternfeld in Bezug auf Geschichtsvermittlung, dass Öffnungen gerade auch

---

163 Vgl. zum Zusammenhang zwischen behaupteter Freiheit und dem Zwang, der sich dadurch auf Subjekte richtet. Foucault, Michel: »Subjekt und Macht« (1982), übers. von Michael Bischoff. In: Foucault, Michel: *Schriften in vier Bänden. Dits et Ecrits*, Bd. IV. Frankfurt/Main: Suhrkamp 2005, S. 269–293, hier S. 287.

164 Haraway: »Situiertes Wissen«, S. 84.

165 Vgl. Ebd.

von Grenzziehungen getragen werden müssen: »Wollen wir Handlungs- und Denkräume eröffnen und mehr sagbar machen, sind Rahmenbedingungen und Richtlinien notwendig«.[166] Um Grenzen zu Formen der Diskriminierung und Ungleichheit aufgrund sozialer Verhältnisse ziehen zu können, bedarf es, so Sternfeld weiter, differenzierter Perspektiven auf die Muster der Ausschlüsse.[167]

Spätestens nun zeigt sich, dass es einem Kunstvermittlungsbegriff der Differenz nicht darum gehen kann, die Kritik an binären Logikordnungen zum Selbstzweck zu erklären; genauso wenig darf ihr Anderes, die Ordnung in nicht-binären Logiken, ohne Kritik bleiben. Die soziale Konkretion nicht-binärer Ordnung bei gleichzeitiger Ungleichheit entlang binärer Trennlinien macht es nötig, Grenzen zu ziehen. Sich etwa im Sinne öffnender Kunstvermittlung prinzipiell gegen Gewalt auszusprechen bedeutet dann, binär zu operieren und die Möglichkeit der Rejektion in dieser Hinsicht auszuschließen. Ein solches Vorgehen bedeutet nicht unbedingt einen Rückfall in aristotelische Reinheitsdiskurse. Es bedeutet zunächst, nicht-binäre Logiken nicht als a-logisch zu begreifen. Daran anschließend bedeutet es, dass eine Kunstvermittlung der Differenz, die für Öffnung und soziale Komplexität votiert, auch auf den Einsatz binärer Operationen angewiesen ist, um so gegen Strukturen der Ungleichheit eintreten zu können. Erst von dort aus – das haben Landkammer und Polania herausgestellt – ist es möglich, in komplexere Strukturen einzusteigen und Prozesse der Transformation zu initiieren. Ein Surplus des Vermittlungs-

166 Sternfeld: *Kontaktzonen der Geschichtsvermittlung*, S. 220.

167 Vgl. ebd.

begriffs von Günther könnte also sein, die gleichzeitige Anwesenheit mehrerer Logikordnungen anzuerkennen, sie und ihre Wechselwirkung darstellen zu können sowie die Arbeit darin zu erleichtern. Es geht um eine Rejektion der Entscheidung zwischen binärer und nicht-binärer Logik. Es geht – mit Eva Sturm – um ein »Daneben neben Dagegen«. (VKa 294)

An diese Überlegungen anschließend will ich zwei solcher partiellen Perspektivierungen auf eine Kunstvermittlung der Transformation vorstellen: queere und postkoloniale Perspektiven. Beide Diskurse arbeiten sich nicht nur an binären Ordnungen ab, sondern bieten konkrete Alternativen an, in die sich mit Günthers Logik gut einsteigen lässt. Es geht nicht nur um Kritik epistemologischer Schemata, sondern um deren konkrete Veränderung. Handeln und Kritik werden zusammengedacht. Beide beziehen sich in ihrer Kritik an binären Strukturen auf soziale Trennlinien, die strukturelle Ungleichheiten hervorrufen. Diese zu bearbeiten und zu verändern kann – wiederum aus Sicht eines auf Heterarchie basierenden Vermittlungsbegriffs der Transformation – als Vor-Spiel gelten, muss Vorarbeit sein, um in komplexere Prozesse einsteigen zu können, aus denen kein Beteiligte*r unverändert hervorgeht, in denen kein Beteiligte*r am immer selben Platz bleibt oder über die immer selben ungleichen Ressourcen verfügt. Die sozialen Trennlinien, auf die sich beide Perspektiven jeweils beziehen, sind, das hat der Verlauf der Arbeit immer wieder durch schlaglichtartige Verknüpfungen gezeigt, historisch in den Begriff der Vermittlung eingeschrieben. Diskriminierungen und Ausschlüsse, etwa aufgrund von Geschlecht und *race*, sind untrennbar mit jenem Begriff verwoben, der sich gerade gegen eindeutige Ordnungen richtet.

Queere Perspektiven – logische und begriffliche Anschlüsse

»Queering Art Education«[168] stellt, so Nanna Lüth und Carmen Mörsch in einem gemeinsamen Text, »den Versuch dar, verschiedene soziale Fragen aus minorisierten Perspektiven zu betrachten und mit künstlerisch-edukativen Mitteln zu bearbeiten«.[169] Lüth und Mörsch schließen dabei an Paul Mecheril an und avisieren die »Verschiebung dominanter Zugehörigkeitsordnungen« durch »edukative Anwendungen von Kunst«.[170] Wie Lüth und Mörsch betonen, geht es ihnen nicht um *eine* bestimmte Trennlinie sozialer Ungleichheiten, sondern um eine plurale Sicht auf minorisierte Perspektiven, die sich als Intervention in einer »kapitalistischen, *weißen*, heteronormativen Ordnung« verstehen.[171] Den Begriff ›queer‹ dabei solchermaßen plural zu begreifen, sich also nicht nur auf Gendertrennlinien zu beziehen, ist begriffshistorisch zwar einerseits bedingt, andererseits in aktuellen Diskursen keine Selbstverständlichkeit.

Bevor ich queere Diskurse der Kunstvermittlung – hier sehr verkürzt – entfalte, will ich zunächst in einige begriffsgeschichtliche, politische wie logische Aspekte des Ausdrucks ›queer‹ einleiten, um von hier aus mit Aspekten einer nicht-aristotelischen Logik einsteigen zu können.

---

168 Zur Übersetzung von ›Kunstvermittlung‹ in ›Art Education‹ vgl. Kap. 1.3 *Der Begriff der Vermittlung im Audience Development*.

169 Lüth, Nanna/Mörsch, Carmen: »Queering (next) Art Education: Kunst/Pädagogik zur Verschiebung dominanter Zugehörigkeitsordnungen«. In: Meyer/Kolb (Hg.): *What's Next?*, S. 188–190.

170 Ebd.

171 Ebd., Herv. i.O.

Der Begriff ›queer‹ hat sich, so die Philosophin Gudrun Perko, in den USA als »Bezeichnung eines politischen Aktivismus und einer Denkrichtung, den Queer-Theorien« (QT 15) etabliert. ›Queer‹ galt dabei zunächst als Schimpfwort, als abwertende Bezeichnung aller, die gesellschaftlichen Normordnungen nicht entsprachen.[172] Ende der 1980er- und Anfang der 1990er-Jahre wurde der Begriff ›queer‹ im anglophonen Raum als positive Eigenbezeichnung gebraucht, um die von mehreren Ausschließungen betroffenen Position zu benennen: »Als InitiatorInnen dieser (Selbst)Bezeichnung gelten Schwarze und Colored, homosexuelle Frauen und Männer an den sozialen Rändern US-amerikanischer Metropolen«. (QT 15) Bezogen auf Donna Haraway geht es demnach um hybride Ausschließungsmuster aufgrund mehrerer Trennlinien, die besonders große Unterdrückung hervorgebracht hatten.[173] In der Folge queerer Diskurse war die Geschichte Schwarzer Emanzipation in den Hintergrund getreten – oder anders: sie wurde strategisch ausgelassen,[174] so dass gerade im deutschsprachigen Raum ›queer‹ in besonderem Maße auf die Felder »Sex, Gender und Begehren« bezogen wurde. (QT 14) Dieser Schwerpunkt richtet sich, so Perko, auf den »Körper und dessen Materialität« und wie dieser »als sozialer Geschlechtskörper erst hergestellt« wird. (QT 33) In dieser Schwerpunktsetzung geht es demnach nicht nur um die Performativität von *gender*, einem sozialen Geschlecht, sondern auch von *sex* in einer körperlichen Dimension.

172 Vgl. hierzu ausführlich Johnson, E. Patrick/Henderson, Mae (Hg.): *Black queer studies. A critical anthology*. Durham, NC: Duke University Press 2005.

173 Vgl. Kap. 7.3 *Logik der Cyborgs*.

174 Vgl. Anschütz, Elisabeth: Art. »Queer«. In: Arndt/Ofuatey-Alazard (Hg.): *Wie Rassismus aus Wörtern spricht*, S. 505–516, bes. S. 506 und 511.

Vor diesem begriffsgeschichtlichen Hintergrund kann die Aussage von Lüth und Mörsch, dass es um Verfahren gehe, »die eine anti-rassistische und anti-sexistische Agenda teilen« als Setzung begriffen werden, die für ein plurales Verständnis von ›queer‹ eintritt, statt den Begriff auf Sex, Gender und Begehren einzuengen.[175] Es geht um permanente Interventionen »gegen Herrschaftsverhältnisse, gegen eindeutige oder vermeintlich natürliche Identitäten«, die dabei, so Perko weiter, nicht nur den analytischen Blick, sondern auch die Aktion auf und gegen »Strukturen einer mit Identität operierenden Ordnung« richten. (QT 28) Insofern bildet ›queer‹ »keine einheitliche wissenschaftliche Theorie [ab], sondern«, auch »ein politisches und theoretisches Projekt«. (QT 15)

Diese begriffshistorischen und politischen Aspekte rufen, wie Perko zeigt, auch bestimmte logische Aspekte des Begriffs ›queer‹ auf. Als Hintergrundfolie »jeder Theorie, jeder Ethik und jeder Auffassung von Politik« fungieren, so Perko, immer »bestimmte Denkweisen, Denkschemata bzw. logische Strukturen«. (QT 10) Auch die verschiedenen Ausformungen queerer Diskurse zeigen, dass verschiedene Logiken am Werk sind. So lässt die Ausblendung Schwarzer Aktivist*innen aus vielen Erzählungen queerer Diskursgeschichte auf identitätslogische Ausgrenzungsmuster schließen, in denen zwar die Dominanz von ›männlich/heteronormativ‹, nicht aber von ›*weiß*‹ berücksichtigt wird.[176] Queere Diskurse, die von »Inter-Identitäten« ausgehen,

175 Genauer zum Begriffskonzept ›plural-queer‹ vgl. QT, bes. S. 19–21.

176 Zur Verknüpfung von Identitätspolitik mit Ausschlusspolitik und damit korrespondierend Identitätslogik mit Ausschlusslogik vgl. QT, S. 118.

würden dagegen etwa binäre Genderkategorien Mann/Frau in ihrer Eindeutigkeit aufbrechen, blieben dabei aber »auf der Skala der logischen Zweiwertigkeit« (QT 105), operierten, mit Gotthard Günther gedacht, mit einer intra-klassischen Logik.[177]

Mit einem pluralen Verständnis von ›queer‹ korrespondiere hingegen eine »queere Logik« (QT 10), die identitätslogische Zuschreibungskategorien überschreite und transformiere. Entgegen allen identitätslogischen Bemühungen festzustellen, ›was‹ jemand ›ist‹, operiere mit einer Logik der Transformation quer zu Identitätskategorien. Queere, nicht-identitäre Logik sei immer schon in sozialen Verhältnissen enthalten und rufe, entgegen der trennenden und ordnenden Funktionen der Identitätslogik, immer ein Mehr, ein Anderes auf – kein festgeschriebenes *Anderes*, das letztlich der Identität des Einen dient, sondern, mit Günther, ein ganz Anderes, das sich nicht aus den bisherigen Kategorien der Ordnung herstellen lässt, sondern diese rejiziert, sich außerhalb verortet. Ein drittes Anderes, das sich zur binären Geschlechterordnung verhält, ist dann kein neues festgeschriebenes Drittes, das sich etwa zwischen den Polen verortet, sondern eines, dass die binäre Ordnung selbst zurückweist, in dem es bisher Nicht-Mitbedachtes involviert. Ein Drittes setzt sich so permanent daneben, öffnet eine »unbegrenzte Dimension geschlechtlicher Variabilitäten und Lebensweisen«. (QT 10)

Mit queerer Logik sei es möglich, so Perko, die Vielheit der Differenz sozialer Beziehungen anzuerkennen. So werde der binäre Mechanismus durchquert, mit dem sich ein normalisiertes *Wir* aus den *Anderen* ableite. Stattdessen sähen

177 Vgl. Kap. 7.1 *Logik der Zurückweisung.*

sich alle Beteiligten in eine Vielzahl von Beziehungen verwickelt, die eindeutige Identitäten nicht zulassen, weil jede Position im Sinne verschiedener Beziehungen deutbar sei. Eine so verstandene queere Logik ist mit der Logik der Vermittlung vergleichbar, der zufolge Relata und Werte anstelle von Fixpunkten und Identitäten im Spiel sind.[178]

Trotz der Konzeption einer »unbegrenzten« Logik zieht Perko in ihrem Entwurf eines plural verstandenen Begriffs von ›queer‹ Grenzen. Sie schreibt, dass Pluralität »keine Beliebigkeit, keine solipsistische Individualisierung oder neoliberale Subjektivität bezeichnet«. (QT 8) Kein relativistisches Einerlei wird hier avisiert, in dem es egal wäre, wer wie gegenüber wem handelt; ›queer‹ plural verstanden sei gerade »kein Laissez-faire-Prinzip, das ökonomischen, ethischen, politischen oder sozialen Ungleichheiten oder Ungerechtigkeiten das Wort reden würde.« (QT 9) Damit benennt Perko eine Crux der Anwendung formal-logischer Probleme auf soziale Verhältnisse, die dieses Kapitel durchzieht. Denn die »unbegrenzte« logische Vielfalt sieht sie bedingt von politischen, durchaus binären Grenzziehungen:

> Ein Plädoyer für Pluralität grenzt sich von intendierten Identitätspolitiken und -logiken ab, mit denen homogene Ordnungen aufrechterhalten werden sollen, die den einen nützen, den anderen jedoch schaden. Zwar ist es logisch gesehen austauschbar, wer die Nutznießenden und wer die Geschädigten sind. Doch sind es aus gesellschaftspolitischer Perspektive Vertreter und Vertreterinnen einer bestehenden Ordnung, um deren Stärkung und Absicherung ihrer eigenen Identität es geht, ihrer eigenen materiellen, politischen und symbolischen Privilegien, die sie ihresgleichen vererben, welche sie wiederum tradieren. (QT 9)

---

178 Vgl. Kap. 7.2 *Komplexe Vermittlung.*

Wiederum geht es nicht (nur) um eine Kritik binärer Logiken an-sich, sondern erstens um eine Kritik der Verknüpfung binärer Logik mit den immer gleichen Herrschaftsverhältnissen, und zweitens um eine Kritik der Dominanz binärer Logik. Hier steigt Vermittlung ein, die, anlehnend an Zedlers ›Mittler‹, konkret Partei ergreift, wenn Ungleichheit die Verhältnisse dominiert.[179]

Gleichwohl wird mit dem Begriff ›queer‹ kein Seinszustand, keine ontologische Größe benannt. Wenn sich ›queer‹ gegen Ungleichheit aufgrund von normierenden Zuschreibungen quer zu den Trennlinien *gender*, *race*, *class* und *ability* richtet, wird kein positive Seinszustand benannt, sondern der Möglichkeitshorizont des Handelns. So schreibt José Esteban Muñoz einleitend in *Cruising Utopia*:

> We may never touch queerness, but we can feel it as the warm illumination of a horizon imbued with potentiality. We have never been queer, yet queerness exists for us as an ideality that can be distilled from the past and used to imagine a future.[180]

So zeigt sich auch im Begriff ›queer‹ die Thematisierung von Gleichheit wiederum in ihrer negativen Form, als kritisch gegen Ungleichheit gerichtet. Gleichwohl wird eine normative Orientierung formuliert. So votiert Muñoz durchaus für konkretes Handeln statt für die bloße Formulierung einer unerreichbaren Utopie. Er schreibt von der Möglichkeit einer performten Utopie, die zwar die utopischen Versprechen

---

179 Vgl. Kap. 2.1 *›mittel‹ und ›mitte‹*.

180 Muñoz, José Esteban: *Cruising Utopia. The Then and There of Queer Futurity.* New York/London: New York University Press 2009, S. 1. Zum Begriff des Horizonts vgl. bes. ebd., S. 19–32. Ich folge hier einem Hinweis von Simon Harder und Carmen Mörsch.

nicht vollständig einlöst, aber die gegenwärtigen Möglichkeiten für ein Handeln in der Zukunft auslotet.[181]

Kunstvermittlung – queer perspektiviert

Von hier aus lassen sich mehrere Knotenpunkte benennen, die Korrespondenzen zwischen queerer Kunstvermittlung und Logiken der Transformation sichtbar machen. Ein möglicher Einstieg in queere Perspektiven auf Kunstvermittlung ist der Einbezug körperlicher Aspekte. Es gehe darum, so Bernadett Settele, den »Körper zurück ins Spiel« der Vermittlung zu rücken.[182] Diesen nicht als ontologische Größe gedacht, sondern berücksichtigt als Körperlichkeit in ihrer Konstruiertheit, ihrem Gewordensein und ihrer nicht auf den Punkt zu bringenden Performanz. Am Körper bildeten sich Positionalitäten wie Fremdzuschreibungen ab, »interdependente [...], sich kreuzende [...] Kategorien wie Geschlecht, soziale und kulturelle Herkunft, Ethnie, Alter, Sexualität, Aussehen etc.«.[183]

Der Körper sei ein Feld, auf dem sich Widerstreitendes, nicht auf den Punkt zu Bringendes abbilde. Damit rücken gleichzeitig jene diskursiven Praxen mit in die Kritik, die – auch im Kontext pädagogischer Settings – Körperlichkeit und Subjektivität mit Normanforderungen und der Verschleierung von Dominanzordnungen verbinden. Queere Kunstvermittlung kritisiere die »Blindheit gegenüber der Tatsache, dass auch kunstpädagogische Lehr- und Versuchsanordnungen Subjekte unter gegebenen Regeln

181 Vgl. ebd., bes. S. 97–113.

182 Settele, Bernadett: »Queer Art Education«. In Meyer/Kolb (Hg.): *What's Next?*, S. 308–311, hier S. 310.

183 Ebd., S. 308.

vor- und aufführen«.[184] Die Blindheit gegenüber der eigenen Beteiligung an der Konstruktion von normierten Vorstellungen von Körper, Geschlecht und Sexualität verstärke sich, je mehr die Wirkung heteronormativer Positionalisierungen und Regelhaftigkeiten im Feld von Repräsentation und Performanz verschleiert werde.[185]

Queere Perspektiven auf Körperlichkeit und normierende Zuschreibungen müssten dabei auch die jeweiligen beteiligten Relata, beteiligten Positionierungen bzw. Positioniertheiten in den Blick nehmen. Wenn – wieder auf Günthers Vermittlungsbegriff Bezug nehmend – Vermittlung heißen soll, eine Bühne bereitzustellen, auf der sich ein unbestimmtes Spiel zwischen den Beteiligten entfalten kann, dann ist auch danach zu fragen, was vor Beginn des Spiels – etwa vor einer Kunstvermittlungsaktion – explizit oder implizit festgelegt wurde und zu Einschränkungen, Dominanzen und Ausschlüssen führt. Gewendet auf Kunstunterricht in der Schule und normierende Zuschreibungen aufgrund von Ability lässt sich etwa fragen, welches Wissen bzw. welche Körpernormen Lehrpläne bereits voraussetzen, und wie sie auf diese Weise Ausschlüsse herstellen: »Die Herstellung/Reproduktion von Ableismus bleibt zu oft die ›geheime‹ Voraussetzung für Wissens-, Kunst- und Kulturproduktion.«[186]

Nicht nur normierte Körpervorstellungen über die potenziellen Adressat*innen von Kunstvermittlung geraten durch queere Perspektivierungen in den Blick, auch die der

184 Ebd., S. 309 f.

185 Vgl. ebd.

186 Arztmann, Doris/Egermann, Eva: »Cyborg Exits im Klassenzimmer. Körper-Vielsprachigkeit und Crip-Materialien für schmutziges Wissen im Kunstunterricht«. In: *Art Education Research*, Nr. 10 (2015), S. 3.

beteiligten Vermittler*innen. Dieser Punkt ist auch deshalb so wichtig, weil er, je nach Vermittlungsbegriff, von höchst unterschiedlicher Relevanz ist. So stellt sich etwa (Kunst-) Vermittlung in Anschluss an Adorno als auf begriffliches Arbeiten reduzierter Prozess zwischen Subjekt und Kunstwerk dar, in dem stille, gleichsam körperlose Kontemplation als höchstes Gut erscheint.[187] Ein Drittes, gar ein konkretes Drittes, das sich zwischen Kunst und Rezipient*in schiebt, lehnt Adorno auf allen Ebenen kritischer Vermittlung ab. Über die pure relationale Begrifflichkeit zu verhandeln bedeutete dann, die beteiligten Körper, deren Begehrlichkeiten und Performanzen im Nachdenken über Vermittlung auszuschließen. Demgegenüber lässt sich nicht nur Günthers Vermittlungsbegriff setzen, der sich erst in der Aufeinanderbezogenheit konkreter Relata entfaltet. Auch frühe Texte feministischer Kunsttheorie weisen sowohl darauf hin, dass in Kunstmuseen eine Menge konkreter Kunstvermittlerinnen arbeiten, als auch darauf, dass diese auch körperlich adressiert werden, nämlich mehrheitlich mit dem Geschlecht ›Frau‹.[188] Die Offenlegung dieser Dominanz in der Geschlechtszuschreibung

---

187 Vgl. Kap. 6.3 *Kritische Kunstvermittlung gegen Adorno.*

188 Vgl. etwa Wenk, Silke: Einleitung zum Kap. »Mäzenin – Muse – Museumspädagogin. Kunstvermittlung als Frauenarbeit«. In: Lindner, Ines/Schade, Siegrid/dies. (Hg.): *Blick-Wechsel. Konstruktionen von Männlichkeit und Weiblichkeit in Kunst und Kunstgeschichte.* Berlin: Reimer 1989, S. 109–112. Die hier kritisch beobachtete Normalisierung aufgrund von *gender* wäre von einer queer-pluralen Perspektive aus zu erweitern, um Normalisierungen auf weiteren Ebenen zu ermöglichen. So spielt in die binäre Unterscheidung zwischen Männlichkeit und Weiblichkeit eine heteronormative Logik hinein. Dass insbesondere *weiße* Akademiker*innen als Kunstvermittler*innen adressiert werden, muss zudem die Beobachtung von Normalisierungen aufgrund von *race* und *class* aufrufen.

»Kunstvermittlung als Frauenarbeit«,[189] hat dazu geführt, die dadurch entstehenden Ungleichheiten der Analyse zugänglich zu machen. So korrespondiert die Abwehr und Abwertung des Kunstfelds gegenüber Kunstvermittlung mit einer Abwehr und Abwertung von Vermittlung, die erstens als ›kundennahe‹ Dienstleistungstätigkeit weiblich konnotiert ist, und zweitens als ›Zirkulationstätigkeit‹ einem männlich konnotierten Feld – künstlerischer bzw. kuratorischer – Produktion gegenübersteht.[190]

Vor dem Hintergrund dieser binären, ungleichen Ordnung rücken Körper und Begehren spätestens dann in den Vordergrund, wenn, wie Sandra Ortmann schreibt, »›Normalisierungsleistungen‹« explizit vom Kunstbetrieb und/oder vom Publikum vorausgesetzt werden,[191] wenn etwa Geschlecht an eindeutig erscheinendes Auftreten und Kleidungsstile geknüpft wird.[192] In dieser Konstellation lässt sich ein queer-feministischer Blick auf die Rolle der Kunstvermittlerin als ›Objekt‹ männlichen Begehrens richten. So schreibt Ortmann über ihre Tätigkeit als Kunstvermittlerin auf der *documenta 12*:

> Die Tätigkeit im Kontakt mit den zahlreichen männlichen Geschäftsreisenden, oft begleitet von einer Sekretärin

---

189 Ebd., S. 109.

190 Für die Feminisierung und daran gekoppelte Abwertung von Vermittlung vgl. Kap. 2.3 *Von Teilhabe zu Handel*. Vgl. hier auch Carmen Mörsch in DBdA, bes. S. 215, sowie Lüth, Nanna: »Reparaturmaßnahmen, um nicht dermaßen regiert zu werden. Looks der Vermittlung, Gender Performance und sexuelle Arbeit in der Kunstvermittlung«. In: Mörsch, Carmen/Schade, Sigrid/Vögele, Sophie (Hg.): *Kunstvermittlung zeigen. Über die Repräsentation pädagogischer Arbeit im Kunstfeld*. Wien: zaglossus 2018, S. 197–252.

191 Ortmann: »›Das hätten Sie uns doch gleich sagen können‹«, S. 261.

192 Vgl. ebd., S. 262. Vgl. hierzu auch Landkammer: »Rollen Fallen«.

> oder Koordinatorin, lässt sich wohl am besten mit Renate Lorenz als sexuelle Arbeit beschreiben.[193]

»Leicht« sei die Arbeit als »›hübsche junge Frau‹ oder ›junge Dame‹« gewesen,[194] die klug mit zustimmendem Lächeln auftrete und es dem Gegenüber erleichtere, sich in eine väterliche Rolle zu begeben, wenn die Verhältnisse von Geschlecht und Begehren also eindeutig geklärt zu sein schienen und von dieser Seite keine Komplexität zu erwarten war. Aus queer-feministischer Sicht besteht die Ungleichheit dieser Anordnung nicht nur in der Abwertung der ›weiblichen‹ Position, sondern auch darin, dass die binäre Vorstellung von Geschlecht und Begehren bereits eine Ungleichheit erzeugende *Voraussetzung* dieser Anordnung ist und damit alle ausschließt, die im binär-heteronormativen Setting als *Andere* wahrgenommen werden.

Entscheidender Aspekt für queere Perspektiven auf Kunstvermittlung ist, eben »nicht (nur) ›kritisch‹« und analytisch mit Herrschaftsverhältnissen,[195] wie sie sich etwa an körperlichen Zuschreibungen abbilden, zu verfahren, sondern ist ebenso Arbeit an und Eingriff in herrschaftliche Verhältnisse. Bei diesen Unternehmungen spielt eine zentrale Rolle, Körper, Geschlecht, Begehren sowie an *race* adressierende Zuschreibungen nicht als natürliche, unveränderliche Gegebenheiten, sondern als kulturelle Konstrukte zu begreifen. Erst mit dieser analytischen Voraussetzung kann ein Spiel der Vermittlung in Gang kommen, in dem Körper,

193 Ortmann: »›Das hätten Sie uns doch gleich sagen können‹«, S. 264. Zum Begriff ›sexuell Arbeiten‹ von Renate Lorenz vgl. Kap. 2.3 *Von Teilhabe zu Handel* dieser Arbeit.

194 Ortmann: »›Das hätten Sie uns doch gleich sagen können‹«, S. 264.

195 Lüth/Mörsch: »Queering (next) Art Education«, S. 188.

Geschlecht und das Wissen darüber in Bewegung geraten. In Anlehnung an Günther kann es darum gehen, Geschlecht, Körper und Herkunft nicht als Zustand eines einzelnen Subjekts anzunehmen, sondern als Resultat der Verflechtung von Position, Negation und Rejektion, in der verschiedene Plätze eingenommen werden.

Insofern ist es folgerichtig, wenn Theorien der Kunstvermittlung an Praktiken der »Maskerade«,[196] an queere Rollenspiele anknüpfen, um die Disponibilität von scheinbar unveränderlichen Positionen zu thematisieren.

So schlägt Nanna Lüth im Aufsatz *queens of kunstvermittlung* vor, normalisiert erscheinende Rollenmuster im ~~Kunstsystem~~ mit »experimentelle[n] Rollenwechsel[n] aller Beteiligten« zu bearbeiten.[197] Dabei geht sie vom Begriff ›Realness‹ aus, der innerhalb der Dragqueen-Szene im Sinne einer »glaubwürdige[n] Darstellung von stereotyper Weiblichkeit« verwendet wird.[198] So gilt Realness mit Lüth als Beurteilungskriterium besonders genauer Darstellung von eindeutig weiblich oder männlich erscheinenden Posen und Ritualen. Dabei kann eine analytische Nähe entstehen, die nicht in vollständiges Identifizieren mündet, sondern Reste zwischen ›Original‹ und dessen Aufführung belässt. Dieser Rest ist es, in dem Lüth das widerständige Potential dieser Operation verortet. Lüth spricht vom »Widerstand, der durch Unvollständigkeit der Maskerade nicht perfekte Nachahmung der Stereotypen, sondern deren Störung beabsichtigt«: »Gelungene widerständige Bearbeitungen von vorfabrizierten Role Models erzeugen Realness und negieren

196 Ebd.

197 Lüth, Nanna: »queens of kunstvermittlung«. In: NGBK (Hg.): *Kunstcoop©*, S. 59–74, hier S. 67.

198 Ebd., S. 66.

dabei die Existenz unhintergehbarer Originale.«[199] Auf diese Weise wird die Maskerade – logisch betrachtet – nicht zu einer einfachen Negation, welche die männliche Position gegen die weibliche (um)tauscht, sondern zu einer Rejektion, mit der die binäre Rahmung als minderkomplex zurückgewiesen wird, ohne dabei gänzlich zu verschwinden.

Angewandt auf Kunstvermittlung ergibt sich für Lüth daraus eine doppelte Perspektive, die einen kritisch-analytischen und einen transformativen Aspekt enthält. Die Position von Akteur*innen im ~~Kunstsystem~~ als eingeübte Role Models zu betrachten, erleichtert einerseits ein »Bewusstsein für Rollen- und Machtverteilung«, ermöglicht den Blick auf die performative Herstellung von Positionen durch Kleidung, Accessoires oder Sprechweisen.[200] Es muss auch im Kunstfeld von Positionalitäten anstelle von Identitäten die Rede sein. Andererseits ergibt sich eine aktivistische Perspektive, mit der zumindest situativ Rollen und Erwartungsmuster getauscht und im besten Falle verändert werden können: »Ähnlich Dragqueens, stellen wir und alle an der Inszenierung Beteiligten in der Aufführung von Kunstvermittlung mögliche Varianten von Rollen dar und her und erweitern so das Rollenspektrum.«[201] Auch hier besteht das Spiel der Vermittlung vor allem darin, eine Bühne bereitzustellen, auf der vermeintlich eindeutige Platzierungen (z.B. Künstler*in, Kurator*in, Kunstvermittler*in, Teilnehmer*in) und vermeintlich vorbestimmte Wirkungsrichtungen aufgehoben werden, um in eine noch-nicht-feststehende Bewegung zu geraten.

199 Ebd., Anm. 27.

200 Vgl. hierzu auch Eva Sturm in IE, bes. S. 36–44.

201 Lüth: »queens of kunstvermittlung«, S. 73.

Das hier von Lüth formulierte Potential von (queeren) Maskeraden und Rollenspielen hat sich für das Feld der Kunstvermittlung als produktiv erwiesen.[202] Gleichzeitig gilt es, aus herrschaftskritischen Perspektiven Skepsis anzumelden. Aus rassismuskritischer Perspektive lässt sich etwa anmerken, dass nicht jede Maskerade per se als Kritik an normierten Verhältnissen gilt,[203] sondern genauso gut, etwa im drastischen Fall des *blackfacing*, umgekehrt *weiße* Vorherrschaft und Normierung markieren kann. Skepsis gegenüber einer ungebrochenen Anwendung von queeren Techniken der Maskerade auf Handlungsfelder der Kunstvermittlung ist auch deshalb anzuzeigen, weil die vermittelte Position der Rejektion bzw. der Ambivalenz erneut als riskantes Unterfangen gelten muss, die nicht einfach eingenommen werden kann, sondern häufig auch Resultat von Zuschreibungen ist, die mit Ablehnung und Ausschluss belegt sind.[204] Die avisierte Selbstverständlichkeit hybrider, ambivalenter und beweglicher Positionalitäten impliziert nicht von vornherein herrschaftsfreien Raum, sondern – das habe ich oben mit Donna Haraway ausgeführt – hat sich im Zuge einer modernen kapitalistischen Agenda ohnehin schon längst hergestellt.[205] Die Transformation und Überschreitung binärer Logiken in sozialen Verhältnissen ist längst vollzogen und birgt neue, komplexere Herrschaftsvarianten. In diesem Sinne fragt auch Ortmann, ob nicht queere Diskurse

202 Vgl. hierzu etwa Landkammer: »Rollen Fallen«, Ortmann: »›Das hätten Sie uns doch gleich sagen können‹«, sowie Sato, Hansel: »Performing Essentialismus auf der documenta 12«. In: Mörsch et al. (Hg.): *Kunstvermittlung* 2, S. 67–78.

203 Das behauptet Nanna Lüth auch nicht.

204 Vgl. Kap. 2.2 *Hass auf Vermittlung*, Kap. 2.3 *Vermittlung als Versöhnung*, sowie Kap. 7.3 *Logik der Cyborgs*.

205 Vgl. Ha: *Hype um Hybridität*, sowie Kap. 7.3 *Logik der Cyborgs*.

gerade unterstützend auf neoliberale Transformationsprozesse wirken. Sie sei

> misstrauisch, was von queer als (Denk-)Bewegung übrigbleiben wird. Einige Aspekte fügen sich zu gut in neoliberale Subjektanforderungen: von den wandelbaren Identitätskonstruktionen bis hin zu flexibilisierten Liebesbeziehungen. [...] Queers scheinen ebenso wie KünstlerInnen als »role models« für entgrenzte Arbeitsverhältnisse zu funktionieren.[206]

An dieser Stelle ist erneut die Anmerkung von Mörsch und Settele einzubringen, wonach sich Kunstvermittlung bereits in Transformation befindet: »Das Berufsfeld expandiert und verändert die Anforderungen an die Professionalität und Feldkompetenz seiner AkteurInnen.«[207] Kunstvermittlung ist damit auch Teil globaler Transformation, in der, so zitiert Ortmann die Philosophin Antke Engel, »eine Ideologie der freien Gestaltbarkeit des eigenen Lebens« gerade im Sinne eines flexibilisierten und entgrenzten Arbeitsmarkts ist.[208]

Diese Nähe der Logik queerer und neoliberaler Diskursen habe ich oben bereits mit Gudrun Perko aufgegriffen, mit der sich eine Entgegnung formulieren lässt: Queer sei kein

---

206 Ortmann: »›Das hätten Sie uns doch gleich sagen können‹«, S. 276. Vgl. hierzu auch Ziese, Maren: »Kunstvermittlung. Voraussetzungen und zeitgemäßes Verständnis«. In: Hausmann, Anke (Hg.): *Handbuch Kunstmarkt. Akteure, Management und Vermittlung.* Bielefeld: transcript 2014, S. 381–396, hier S. 390.

207 Mörsch/Settele: »Vorwort«, S. 4. Vgl. Kap. 7.4 *Nicht-binäre Logik in der Kunstvermittlung.*

208 Engel, Antke: »Gefeierte Vielfalt. Umstrittene Heterogenität. Befriedete Provokation. Sexuelle Lebensformen in spätmodernen Gesellschaften«. In: Bartel, Rainer/Horwarth, Ilona/Kannonier-Finster, Waltraud et al. (Hg.): *Heteronormativität und Homosexualitäten.* Innsbruck/Wien/Bozen: Studien-Verlag 2008, S. 43–64, hier S. 48. Vgl. Ortmann: »›Das hätten Sie uns doch gleich sagen können‹«, S. 276.

»Laissez-faire-Prinzip, das ökonomischen, ethischen, politischen oder sozialen Ungleichheiten oder Ungerechtigkeiten das Wort reden würde.« Ihr Plädoyer für Pluralität grenze sich auch von jenen Politiken ab, die gerade durch die Auflösung und Flexibilisierung solidarischer Systeme die immer selben Nutznießenden hervorbringe. So sei es zwar »logisch gesehen austauschbar«, wer Nutzen und wer Schaden habe, aus gesellschaftspolitischer Perspektive aber eben nicht. Eine Anwendung eines nicht-aristotelischen Logikkalküls auf soziale Verhältnisse kann nur dann verantwortungsvoll geschehen, wenn die Machtverhältnisse permanent auf den Prüfstein gebracht werden, wenn etwa queere Kunstvermittlung sich permanent quer zu Ungleichheiten gegenüber minorisierten Positionen stellt; auch zu denen, die im Zuge gesellschaftlicher Transformationen hervorgebracht werden.

Für die Kunstvermittlung kann eine solche Reflexion von Ungleichheiten in Permanenz vor allem dann gelingen, wenn sie das Kunstfeld immer wieder verlässt, etwa mit politischen Communities und lokalen Gruppen zusammenarbeitet. Ein solcher Schritt – aus Sicht der Institutionen – neben-sich ins Umfeld hinein ermöglicht nicht nur eine variantenreichere Deutbarkeit der eigenen Ausschlussmechanismen. Ein Schritt neben die Gepflogenheiten des ~~Kunstsystems~~ ermöglicht tiefere gesellschaftliche Komplexität, die Versuche durcheinanderbringt, Kunstvermittlung als eindeutig loyal oder illoyal zur Kunst zu positionieren. Ähnliches gilt, so Mörsch und Lüth, für Versuche, queere Kunstvermittlung als eindeutig ›pädagogisch‹ zu verorten (und damit aus Sicht des ~~Kunstsystems~~ abzuwerten und auszuschließen).[209] So interveniere »Queering Art Education« einerseits in den

209 Vgl. Kap. 7.4 *Exkurs: ~~Kunstsystem~~.*

> Autonomiediskurs der Kunst, der künstlerische Verfahren und Haltungen grundsätzlich als nicht erlernbar/vermittelbar postuliert und sich selbst die pädagogische Arbeit als das abgewertete »Andere« entgegensetzt, das sie verschmutzt, respektive korrumpiert, simplifiziert, sie ihrer Eigen- und Widerständigkeit beraubt.[210]

Andererseits gelte es, ebenjene Verfahren von Kunst aufzugreifen und weiterzutreiben, mit denen sich der Begriff der Autonomie auch im Sinne einer »kritischen Unverdaulichkeit, Ungesteuertheit und Unplanbarkeit« verstehen lässt.[211] »Versuche«, so Lüth und Mörsch, queere Kunstvermittlung »binär-oppositionell zu strukturieren und entweder der Pädagogik oder Kunst als dominanter Leitdisziplin zuzuschlagen, erweisen sich seit vielen Jahren als Zeitverschwendung«.[212] Für queer perspektivierte Kunstvermittlung »ließe sich demgegenüber Unabhängigkeit behaupten, solange sie weder gemäß de[n] Regeln und Maßstäbe[n] des Kunstsystems noch des Erziehungswesens agiert, sondern sich [...] beide für eigene Zwecke einverleibt.«[213] Auch hier ist Kunst nicht einfach zu negieren, sondern Kunst und Pädagogik in ihrer jeweiligen systemischen Spielart zu rejizieren, d.h. deren binäre Anlage zurückzuweisen und die »Unverdaulichkeit« der Kunst zu nutzen und in Spannung zu »pädagogischer Operationalisierbarkeit« zu setzen.[214] Bezogen auf Kap. 1 kann diese doch wieder dichotom erscheinende Gegenüberstellung zwischen Kunst und Pädagogik

210 Lüth/Mörsch: »Queering (next) Art Education«, S. 188.

211 Ebd. Für den hier aufgerufenen Kunstbegriff vgl. Kap. 4.3 *Subjekt – Kunst betrachtend*, sowie Kap. 6.3 *Zum Verhältnis von Kunst und Gesellschaft bei Adorno.*

212 Lüth/Mörsch: »Queering (next) Art Education«, S. 188.

213 Ebd.

214 Ebd.

erweitert werden: Die Komplexität transformativer Kunstvermittlung geht nicht in den Diskursen der Kunst und Pädagogik auf, sondern besteht gerade darin, Diskurse der Kunst, der Pädagogik, aber auch der Ökonomie, Ethik und Politik in ein unauflösbares Spannungsverhältnis zu setzen, das auch durch die Rejektion eindeutiger gesellschaftlicher Zuordnungen besteht.

Postkoloniale Perspektiven – logische und begriffliche Anschlüsse

Postkoloniale Perspektiven auf Kunstvermittlung markieren – vergleichbar mit queeren Perspektiven – kein einheitliches und eindeutig eingrenzbares Theoriekonzept. Postkoloniale Kritik zeigt sich sowohl als transdisziplinäre akademische Unternehmung als auch als politischer Aktivismus. Kern der Kritik bildet der Bezug auf global ungleich verteilte Güter, Privilegien und Machtchancen, die auch Effekt europäischer Kolonisierungspolitiken sind.[215] Damit verknüpfte Ausgrenzungen und Diskriminierungen aufgrund nationaler, ethnischer oder kultureller Zuschreibungen müssen im Kunstdiskurs aufgriffen und bearbeitet werden.

Aus der Perspektive postkolonialer Kritik ist etwa zu fragen, inwieweit der aktuelle Kunstbetrieb koloniale Verhältnisse fortschreibt, indem er von *weißen* Positionen – als Künstler*innen, Kurator*innen, Kritiker*innen, Kunstvermittler*innen sowie als Publikum – dominiert wird, bei gleichzeitiger Konstruktion und Abwertung der Position der *Anderen.* »Dies verlangt«, so Castro Varela und Dhawan,

215 Zum Zusammenhang von kolonialer Geschichte und Kunstvermittlung vgl. bes. DBdA.

»nach einer Kunstvermittlung, die nicht simplifizierend auf transkulturelle Herangehensweisen zugreift, sondern auch die postkoloniale Verfasstheit unserer Welt ernst nimmt«. (BtR 340) Zu klären ist also zunächst, wie hier der Begriff ›postkolonial‹ verwendet wird, um Verknüpfungen zu einer nicht-aristotelischen Logik einerseits zu unternehmen und andererseits beispielhafte Aspekte für eine postkolonial und nicht-binär operierende Kunstvermittlung herauszuarbeiten.

Der Begriff des Postkolonialismus verweist weder auf eine klar einzugrenzende Genealogie noch auf einen einheitlichen Diskurs. In der Zeit nach dem Ende des Zweiten Weltkrieges wurde er zunächst, so Kien Nghi Ha, als »chronologischer Epochenbegriff« verwendet, um »Prozesse der formalen Dekolonisierung [zu beschreiben], die zur Entstehung unabhängiger ›postkolonialer Staaten‹ in Asien, Afrika, den Amerikas sowie Australien/Ozeanien führte«.[216] Neben diesem deskriptiven Begriffsverständnis führt Ha eine »kritisch-analytische Kategorie« des Begriffs an,[217] die die hier avisierte Perspektive ausmacht.

Die Bedeutung des Präfixes ›post‹ sei aus dieser Sicht gerade nicht, so Homi K. Bhabha, der Index einer nach- bzw. nicht-mehr-kolonialen Epoche. Vielmehr gehe es darum, die historischen Bedingungen der Gegenwart mitzulesen, anzuerkennen, dass die gesellschaftlichen Strukturen einer aktuellen globalisierten Welt, mitsamt ihrer Hierarchien und ungleich verteilten Privilegien, ohne die Geschichte der Kolonisierung nicht zu verstehen sei. Der Ausdruck ›post‹ sei in dieser Sicht »ein Zeichen dafür, daß Geschichte gerade

216 Ha, Kien Nghi: Art. »Postkolonialismus/Postkoloniale Kritik«. In: Arndt/Ofuatey-Alazard(Hg.): *Wie Rassismus aus Wörtern spricht*, S. 177–184, hier S. 178.

217 Ebd., S 179.

geschieht«.[218] Koloniale Verhältnisse seien demnach nicht als abgeschlossene Historie zu verstehen.

Postkoloniale Kritik richtet sich nicht nur auf die Geschichte militärischer Okkupation sowie die Ausbeutung und Ermordung von Millionen Menschen in den okkupierten Gebieten durch europäische Besatzer, »sondern zeigt auf«, so Castro Varela und Dhawan, »dass Kolonialismus auch eine intellektuelle, geistige und kulturelle Bewegung war, in deren Folge Europa und das Wissen über dieses und seinen *Anderen* entstand«. (BtR 340) Nicht nur die sogenannten Kolonialmächte sind hier als koloniale Akteur*innen zu verstehen. Auch jene Staaten, »die auf den ersten Blick nur marginal involviert waren, profitierten nicht nur im großen Stil von den Kolonien, sondern stellten auch das geistige Instrumentarium bereit, die imperialistischen Gewalttaten zu legitimieren«. (BtR 340) Ein entscheidender Dreh- und Angelpunkt der Entwicklung solcher epistemischen Instrumentarien war die Philosophie der Aufklärung bzw. des deutschen Idealismus. Kant und Hegel avisierten Freiheit und absolutes Recht für alle Menschen und sprachen Menschen, die sie als ›N.‹ bezeichneten, das Menschlichsein ab.[219] Damit etablierte und verfestigte sich ein *weißes* Wissen, das es erlaubte, Freiheit als absolutes Menschenrecht zu denken und gleichzeitig den ökonomischen und symbolischen Profit durch die Ausbeutung der *Anderen* in den Kolonien zu sichern. So stellt die Entwicklung des deutschen Idealismus gleich zwei zentrale Diskurse des Kolonialismus mit her: die Konstruktion der *Anderen* für die Bildung der

218 Bhabha: *Die Verortung der Kultur*, S. 38, Herv. i.O.

219 Vgl. Kap. 4.2 *Absolute Vermittlung im Aufklärungsdiskurs weißer Vorherrschaft*.

eigenen Identität und die Legitimierung *weißer* Herrschaft über die *Anderen*.[220]

Das dafür notwendige Wissen für die Performanz einer eindeutigen Trennung zwischen *Wir* und *Anderen* liegt tief in der europäischen Philosophiegeschichte begründet, auch in der Entwicklung der aristotelischen Logik. Als zentrales geistiges Instrumentarium erweist diese sich deshalb als so wirksam, so habe ich mit Klagenfurt oben argumentiert, weil sie als deskriptives Instrument behauptet wird und dabei den eigenen performativen bzw. operativen Zugriff auf soziale Realitäten verschleiert.[221] Damit korrespondiert sie mit einem Diskurs, der von ›Natürlichkeiten‹ ausgeht statt die Konstruiertheit gesellschaftlicher Ordnungen herauszustellen. Zudem ist ihr binäres Kalkül nicht nur auf die eindeutige Trennung zweier Seiten ausgerichtet, die Drittes, Ambivalentes und Uneindeutiges verbietet, sondern setzt auf eine Hierarchisierung dieser Ordnung, in der stets das *Eine* das *Andere* dominiert, bzw. das *Eine* dem *Anderen* vorzuziehen ist: Nicht nur der abendländische Umgang mit der Opposition zwischen wahr und falsch oder Objekt und Subjekt ist davon abhängig, sondern etwa auch die Trennung zwischen ›Helenen‹ und ›Barbaren‹.[222]

Hier lässt sich mit postkolonialer Kritik eine Logik rassistischer Ordnungen annehmen, die von der Anwendung aristotelischer Logik auf soziale Verhältnisse herrührt. Sofern postkoloniale Kritik auch als konkrete Intervention in soziale Verhältnisse der Ungleichheit verstanden wird, geht

220 Vgl. Kap. 3.2 *Unmittelbarkeit bei Fichte.*

221 Vgl. Kap. 7 *Transformative Vermittlung.*

222 Vgl. Arndt, Susan: Art. »›Barbar_in‹/›barbarisch‹«. In: Arndt/Ofuatey-Alazard (Hg.): *Wie Rassismus aus Wörtern spricht*, S. 619–623.

es nicht nur um eine Analyse und Kritik binärer Machtstrukturen in einer globalisierten Welt, sondern auch um die Störung fixierter Perspektivierungen und Veränderung der Verhältnisse.

Ähnlich wie im Diskurs queerer Kritik ist auch hier die Abwehr und Übersteigung binärer Logik von Ambivalenzen geprägt. So habe ich oben mit Donna Haraway angeführt, dass die Entwicklung des Kapitalismus längst Formen nicht-binärer Identitätskonstruktionen und multipler Abhängigkeitsverhältnisse mit sich gebracht hat, in denen die »organischen, hierarchischen Dualismen, die den ›westlichen‹ Diskurs seit Aristoteles regulieren [längst] ›technisch verdaut‹« sind.[223] Angesichts der Komplexität nicht mehr zu überblickender Herrschaftsverhältnisse sind dann, so habe ich mit Karin Stögner und Paul Mecheril argumentiert, von Hass und Misstrauen besonders jene getroffen, denen hybride Zugehörigkeitsverhältnisse zugeschrieben wurden und werden. Die Entwicklung des modernen Antisemitismus ist in diesem Zusammenhang als Versuch zu denken, die binäre Logik *weißer* Dominanz aufrechtzuerhalten, um damit auch den Schein der Einfachheit sozialer Verhältnisse zu bewahren. »Der Antisemitismus dient«, so habe ich Stögner oben zitiert, »der Herstellung einer repressiven Unmittelbarkeit, welche die undurchschaute und daher verunsichernde Komplexität moderner gesellschaftlicher Vermittlung reduziert«.[224]

Aber auch eine affirmative Bewertung von Vermittlung und nicht-binärer Logik war und ist kein Garant für nicht-rassistische, dekoloniale Politik, was sich insbesondere in Hegels

223 MfC; S. 51. Hier in Kap. 7.3 *Logik der Cyborgs.*

224 Stögner: *Antisemitismus und Sexismus*, S. 109. Hier in Kap. 2.2 *Hass auf Vermittlung.*

Entwicklung und Kontextualisierung des Vermittlungsbegriffs gezeigt hat. So habe ich zum Abschluss des Kapitels über die Entwicklung aristotelischer Logik das Schreiben Hegels über Vermittlung als Gegenerzählung zu binären Vorstellungen angeführt.[225] Mit Günther habe ich gezeigt, dass Vermittlung – wegen ihrer Zeitlichkeit, logischen Äquivalenz und Mehrwertigkeit – identifizierende Operationen unmöglich macht.[226] Hier zeigt sich wiederum die Crux in der Anwendung eines logischen Problems auf soziale Verhältnisse. So stellt Hegel zwar die unabschließbare Vermittlung etwa zwischen Staaten als permanenten Kampf um Anerkennung dar, als innereuropäisches Ringen um Differenzen. Diese Möglichkeit zwischenstaatlicher Vermittlung gilt ihm nicht, wie oben gezeigt, für nicht-westliche, speziell nicht für kolonisierte Subjekte. Stattdessen spricht er von »neuen Böden«, auf denen sich die europäischen Mächte durch »Kolonisation«[227] ausbreiten sollten, wenn deren inneren Konflikte nicht mehr ohne Gewalt zu lösen seien. Vermittlung, in dieser Weise als widerständig zu binären Wissensformationen gedacht, ist damit, so meine These oben, ein westliches bzw. *weißes* Privileg. Vermittlung als nicht-binäres Konzept entfaltet nur so lange eine nicht-aristotelische Logik, wie sie für alle gilt, die der europäischen Aufklärung als Menschen gelten. Für alle anderen wird im Umkehrschluss die harte Logik der Unmittelbarkeit direkter Herrschaft in Anschlag gebracht.[228]

Auch in expliziter Ablehnung von bzw. Abarbeit an Hegels Dialektik avisiert Homi K. Bhabha dagegen »eine Dialektik

225 Vgl. Kap. 3.1 *Antike: Vermittlung und binäre Logik.*

226 Vgl. Kap. 7.1 *Noch einmal Hegel – mit Günther gelesen.*

227 PdR, S. 196. Hier in Kap. 4.2 *Geschlossene Vermittlung.*

228 Zum Begriff der Unmittelbarkeit im Sinne direkter Herrschaftsausübung vgl. Kap. 3.2 *Vermittlung bei Kant.*

ohne die Entfaltung einer teleologischen oder transzendenten Geschichte«.[229] Statt einer versöhnenden Vermittlung des Zwangs, die ihr eigenes Ziel immer schon impliziert und Konflikte als selbstreferentiellen Wert bestimmt, beschreibt Bhabha Formen politischer Bewegungen, »die versuchen, widerstreitende (*antagonistic*) und einander entgegengesetzte (*oppositional*) Elemente ohne die erlösende Rationalität der Aufhebung [*sublation*] oder Transzendenz zu artikulieren.«[230] Im Zentrum dieser Überlegungen stehen sogenannte Dritte Räume, in denen Konflikte und Differenzen so verhandelt werden, dass Verhandlungen offen und unbestimmt, nicht auf ein weltgeschichtliches Ziel hin gedacht werden. Castro Varela und Dhawan schreiben dazu:

> Dritte Räume entsprechen dem Versuch, Formen der Kommunikation zu wagen, um die Prozesse des Othering, des zum ›Anderen-gemacht-Werden‹ zu irritieren. Dritte Räume entstehen, Bhabha folgend, dann, wenn versucht wird, die erstarrten kulturellen Differenzen herauszufordern. (BtR 346)

Dritte Räume sollen, mit Bhabha, als konkrete Eingriffe neben die auf binärem Kalkül basierende eurozentrische Ordnung und Dominanz gesetzt werden, um politische Veränderung zu ermöglichen.

> Der transformatorische Wert der Veränderung liegt [...] in der Neuartikulierung – oder Übersetzung – von Elementen, die *weder das Eine* [...] *noch das Andere* [...] sind, sondern etwas Weiteres neben ihnen, das die Begriffe und Territorien von beiden in Frage stellt.[231]

229 Bhabha: *Die Verortung der Kultur*, S. 39.

230 Ebd., Herv. i.O. Vgl. auch Kap. 4.2 *Geschlossene Vermittlung*.

231 Bhabha: *Die Verortung der Kultur*, S. 42, Herv. i.O.

Bezogen auf das Kalkül aristotelischer Logik stellt Bhabha so den Satz vom ausgeschlossenen Dritten und daraus folgend auch den Satz vom verbotenen Widerspruch und vom Satz der Identität zur Disposition.[232] Dritte Räume sind so Spielfelder, auf denen nicht nur fixe Grenzen, sondern auch Identifizierungsmechanismen und tradierte Fremdrepräsentationen verhandelt, infrage gestellt und verändert werden können.

Karin Ikas und Gerhard Wagner stellen von hier aus eine Verbindung zwischen Bhabhas Konzept der Dritten Räume und Gotthard Günthers nicht-Aristotelischer Logik her:

> Bhabha comes pretty close to Günther's line of reasoning when arguing that the third is neither the One nor the Other but something else besides that contests the terms and territories of both. The wording »which contests the terms and territories of both« is, by all means, comprehensible as a rejection of a contexture that refers to a third value – something else besides.[233]

Ein Dritter Raum, der die Differenz *Wir/Andere* verhandelt, würde ebendiese Differenz rejizieren, also die totale Alternative zwischen beiden zurückweisen. Nicht die Ersetzung der alten Opposition durch eine neue ist logischer Effekt der Rejektion, sondern die Ersetzung der strukturarmen Binarität durch einen komplexen Zusammenhang.[234] *Wir* und *Andere* sind dann durch die Operation der Rejektion vermittelt, stehen in einem Prozess zueinander, der keine eindeutigen Identitäten mehr zulässt, sondern mehrfache Zuschreibungen erfordert, aus dem alle Beteiligten verändert

---

232 Vgl. Kap. 3.1 *Antike: Vermittlung und binäre Logik.*

233 Ikas/Wagner: »Postcolonial Subjectivity and the Transclassical Logic of the Third«, S. 101.

234 Vgl. Kap. 7.1 *Logik der Zurückweisung.*

hervorgehen – so zumindest Gotthard Günthers logisches Kalkül.

Mit einer postkolonialen Perspektivierung lässt sich auch die Annahme rejizieren, die europäische Aufklärung habe sich eindeutig als kritische Negation zu binären Dominanzverhältnissen positioniert. Auch hier bedeutet eine zweite Negation im Sinne der Rejektion nicht, zur ursprünglichen Position zurückzukehren und Texte der Aufklärung als Texte der totalen Schließung abzulehnen.[235] Zugunsten eines komplexen Zusammenhangs wird vielmehr die strukturarme Idee einer reinen Emanzipationserzählung der europäischen Aufklärung des 18. und 19. Jahrhunderts abgelehnt. Was sich noch erstens in der Aufklärung, etwa mit Kant und Hegel, als offene Vermittlung der Differenz zeigt, gerät zweitens zur massiven Schließung, wenn sie durch koloniale Geschichte kontexturiert wird, lässt sich aber drittens aus einer kritischen Perspektive auf den aktuellen Gehalt zur Bearbeitung von neokolonialen Ungleichheitsverhältnissen befragen, wie es Jamila M. H. Mascat in Bezug auf Hegel durchgeführt hat.[236]

Eine Handlungsvariante für Bhabha ist etwa das Aufführen bereits bestehender Interventionen, die er besonders in Kunst und Literatur vorfindet. Davon ausgehend werde ich im Folgenden das Feld der Kunst aus einer postkolonialen Perspektive befragen, um von dort aus Aspekte postkolonial informierter Kunstvermittlung in Transformation exemplarisch herausstellen.

235 Vgl. die Kritik an den Mythen der Aufklärung durch Horkheimer/Adorno: *Dialektik der Aufklärung*. Vgl. Kap. 6.2 *Vermittlung als Kritik*.

236 Vgl. Mascat: »Hegel and the Black Atlantic«. Vgl. auch Brumlik: »Normative Grundlagen der Rassismuskritik« sowie Kap. 4.2 *Absolute Vermittlung im Aufklärungsdiskurs* weißer *Vorherrschaft*.

Kunstvermittlung – postkolonial perspektiviert

Kunst könne, sofern sie mit Bhabha gedacht als kulturelle »Grenz-Arbeit« agiert,[237] die Differenzen durcheinanderbringt, zu einer »Konfrontation mit dem Neuen« (BtR 346) auffordern. Durch das unbestimmte Ineinander-Lesen und Ineinander-Zeigen symbolischer Ordnungen und kultureller Codes könne Kunst einen Raum herstellen, in dem Differenzen mit offenem Ausgang verhandelt werden könnten, ohne dass ein letztgültiges Ziel zu erwarten wäre.[238] Auch deshalb ist Kunst ein mögliches, konkret genutztes Feld der Gegenerzählung zu eurozentrischen Weltvorstellungen. Dergestalt subsumiert Ha unter dem Begriff der postkolonialen Kritik nicht nur Formen akademischer Texte, sondern ebenso den »Bereich der performativen und darstellenden Künste«, die »für viele postkoloniale Künstler*innen wichtige Diskurs- und Arbeitsräume bilden«.[239] Die Künstlerin und Kuratorin Sandrine Micossé-Aikins schreibt: »People of Color [haben], seitdem es Rassismus gibt, Kunst als widerständiges Mittel der Aufdeckung, Kommunikation und Kritik, aber auch der Selbstdefinition und -bestimmung genutzt.«[240] Kunst als Feld der Intervention bietet sich, ähnlich wie im queeren Diskurs, auch deshalb an, weil hier visuelle Repräsentation und symbolische Ordnungen verhandelt werden und potentiell Störungen etablierter Perspektivierungen in Gang gesetzt werden können.

---

237 Bhabha: *Die Verortung der Kultur*, S. 10.

238 Vgl. ebd., und Kap. 7.1 *Das Dritte der Vermittlung – Vermittlung als Vorspiel.*

239 Ha: Art. »Postkolonialismus/Postkoloniale Kritik«, S. 178.

240 Micossé-Aikins, Sandrine: Art. »Kunst«. In: Arndt/Ofuatey-Alazard (Hg.): *Wie Rassismus aus Wörtern spricht*, S. 420–430, hier S. 420.

Neben diesen positiven Zuschreibungen für die Rolle der Kunst müssen mit einer postkolonialen Perspektive auch mit dem kolonialen Erbe verknüpfte Entstehungsbedingungen dessen, was im eurozentrischen Diskurs – auch in der vorliegenden Arbeit – Kunst genannt wird, in den Blick genommen werden.[241] So schreibt Micossé-Aikins, dass nicht nur die Wissenschaft der europäischen Geschichte und Gegenwart den Weg für koloniales Wissen bereitet habe. Auch Künstler*innen hätten »durch das Erschaffen von Bildern zur Entwicklung, Etablierung und damit zur Kanonisierung westlicher Weltvorstellungen und Ideengeschichten beigetragen und so kolonialrassistische Strukturen aufrecht erhalten und gestärkt«.[242] Aspekte *weißer* Dominanz durch Kunst lassen sich dabei, Micossé-Aikins weiter folgend, auf mindestens drei Ebenen verorten.

Erstens habe die Bildproduktion europäischer Kunst erheblich mit zur Kreation der *Anderen* beigetragen. Insbesondere um die Wende vom 19. zum 20. Jahrhundert haben zahlreiche Darstellungen von Persons of Color durch *weiße* Künstler dazu beigetragen, dass den *Anderen* nur ein bestimmter Raum zugewiesen wird, dem des europäischen Kulturraums gegenüberstehend: »Die Konstruktion der Kolonien und der in ihnen beheimateten Menschen

241 Vgl. etwa zum Zusammenhang zwischen Kunst, Geschmacksbildung und Kolonialität Gikandi, Simon: *Slavery and the Culture of Taste*. Princeton/Oxford: Princeton University Press 2011. Vgl. hier auch DBdA, S. 28. Zum Zusammenhang zwischen Ästhetik und Kolonialität vgl. den Vortrag vom 8.12.2016 von Ruth Sonderegger an der Fernuniversität Hagen: »Zur Kolonialität der europäischen Ästhetik«; online als Video unter https://www.fernuni-hagen.de/videostreaming/ksw/forum/20161208.shtml, aufgerufen am 1.9.2017. Ich folge hier jeweils einem Hinweis von Carmen Mörsch.

242 Micossé-Aikins: Art. »Kunst«, S. 420.

als geschichts- und kulturlos, oder als ursprünglich und wild-romantisch bilden dabei zentrale Themen.«[243]

Zweitens haben vor allem Künstler der klassischen Moderne, wie Pablo Picasso, Paul Klee oder Paul Gauguin, den Einfluss von Werken nicht-europäischer Künstler*innen auf ihre eigenen Arbeiten verschleiert. So waren gerade die Umbrüche im Bildverständnis der Wende vom 19. zum 20. Jahrhundert – etwa die Auflösung des Raums im Kubismus oder verschiedene Formen der Abstraktion – ohne die Kenntnis von beispielsweise »auf den Weltausstellungen gezeigten Kunstwerke aus Asien, Afrika und Ozeanien« kaum denkbar.[244] Dieser Einfluss der – ohnehin durch Raub anonymisierten – Arbeiten wurde verschleiert oder explizit verneint.

Der dritte Aspekt ist die Ausgrenzung und Diskriminierung von Künstler*innen of Color im aktuellen Kunstbetrieb. Die Tradition europäischer Moderne, Persons of Color als passive Objekte zu repräsentieren, statt sie als Akteur*innen anzuerkennen, korrespondiert mit dem »jahrhundertealten Konstrukt eines *weißen* männlichen Genies«.[245] Im *weiß* dominierten Kunstbetrieb äußert sich dieser Zusammenhang auch darin, dass Künstler*innen of Color Ausschließungen erfahren oder durch Zuschreibungen als exotisierte Akteur*innen stereotypen Erwartungen ausgesetzt sind.

Gleichwohl hält auch Micossé-Aikins Kunst für ein wichtiges Arbeits- und Interventionsfeld postkolonialer Kritik: Gerade »*weil* Kunstverständnis auch von den Standpunkten der Betrachtenden abhängig ist«,[246] biete Kunst Räume, die

243 Ebd., S. 422.

244 Ebd., S. 423.

245 Ebd., S. 426, Herv. i.O.

246 Ebd., S. 430, Herv. i.O.

die Verhandlung, Befragung, Verunsicherung und Verschiebung von Standpunkten und Positionalitäten ermöglicht.[247]

Einer postkolonial informierten Kunstvermittlung können aus diesen Kontextualisierungen mehrere Zugänge zugeschrieben werden. Dabei stellt sich eine Doppelperspektive aus Kritik und Analyse sowie konkretem Eingriff und Veränderung her. Auch Castro Varela und Dhawan lassen diese doppelte Perspektive durchblicken. Sie betonen einerseits die Notwendigkeit, durch Kunstvermittlung die Verwicklungen von Kunst in den kolonialen Diskurs aufzudecken: »Es sind immer wieder die Verwobenheit der Kunst mit Macht und Gewalt und ihre Möglichkeiten, diesen zu widerstehen, die im Mittelpunkt postkolonial inspirierter Kunstvermittlung stehen.« (BtR 343) Die Nennung von Möglichkeiten des Widerstands schließt andererseits an die Hoffnung an, bestehende Verhältnisse zu verändern. Castro Varela und Dhawan leiten diese auch aus Bhabhas Konzept der Dritten Räume ab: »Sie stehen metaphorisch für die Möglichkeit der Dekolonisierung durch Kunst und kritische Kunstvermittlung.« (BtR 346)

Gerade für die erste Perspektive, die der Kritik, spielt ein Vermittlungsbegriff eine entscheidende Rolle, der sich als Wissensvermittlung versteht. Einer postkolonial informierten Kunstvermittlung genügt es möglicherweise nicht, Vermittlung nur aus den jeweiligen Situationen heraus zu entwickeln, mit dem jeweils im Publikum vorhandenen Wissen zu operieren und dieses auf eine Bühne offener Vermittlung zu bringen. Gerade in Hinblick auf ein *weiß* dominiertes Publikum wäre so die Gefahr hoch, dass sich *weißes* Wissen in sich vermittelt und perpetuiert. Vermittlung wäre

247 Vgl. Kap. 4.3 *Subjekt – Kunst betrachtend.*

dann möglicherweise zwar offen, würde aber gleichzeitig massive Schließungen herstellen, nämlich da, wo etwa Wissen vonnöten wäre, um die repressive – oft unbekannte bzw. ignorierte – kolonial bedingte Entstehungsgeschichte vieler europäischer Kunstwerke mitzulesen und diese mit zu verhandeln. Postkolonial informierte Kunstvermittlung müsste so zuweilen die – aus binärer Sicht – widersprüchliche Handlung vollziehen, durch lineare Wissensvermittlung – etwa als Monolog aus einer autoritären Sprecher*inposition heraus – Wissen um koloniale Bedingungen von Kunst zur Verfügung zu stellen, um von dort aus offene Vermittlung in Gang bringen zu können, die das Territorium *weißer* Kunstvorstellungen infrage stellt. Eine linear verstandene Vermittlung von Wissen kann gerade dazu dienen, eine räumlich-komplexe Vermittlung der Transformation zu ermöglichen.

An diese Überlegung will ich an den oben eingeführten Begriff reflexiv-unentschiedener Vermittlung anschließen. Auch im postkolonialen Kontext können Operationen der Öffnung zu Schließungen führen, sowie Operationen der Schließung zu solchen der Öffnung. In Kapitel 4 war ich noch auf die Grundierung durch binäre Logik und binäre Metaphern angewiesen, so dass entweder der Aspekt der Öffnung oder der der Schließung aktualisiert wurde. Mit Günther lässt sich dieser Zusammenhang komplex darstellen, die totale Alternative zwischen Öffnung und Schließung rejizieren, und sagen, dass eine Kunstvermittlung des Dritten Raums Schließungen wie Öffnungen erfordert und impliziert. Beide Aspekte sind nicht gekoppelt an bestimmte Seiten einer Medaille, sondern stellen sich im Kontext vieler Positionalitäten jeweils unterschiedlich dar. Reflexiv-unentschiedene (Kunst-)Vermittlung erfordert die mehrfache (nicht nur doppelte) Perspektivierung von Zusammenhängen, in denen Aspekte der Schließung, der Öffnung oder ganz andere Aspekte gleichzeitig an unterschiedlichen Stellen unterschiedliche Werte produzieren.

Dem möglichen Wechsel von Perspektiven durch Kunstvermittlung, etwa beim Sprechen über Kunst, kommt dabei eine entscheidende Rolle zu. So können sich gerade beim gemeinsamen Sprechen, das dialogisch und von mehreren Stimmen geprägt ist, Diskurse *weißer* Dominanz abbilden. Kea Wienand stellt in Bezug auf die Kunstvermittlung der *documenta 12* fest, »dass Kunst Rassismen hervorrufen« kann und betont den ambivalenten Charakter dialogischer Vermittlung:[248]

> Die Aufforderung an das Publikum, sich in das Gespräch über die documenta 12 ›einzubringen‹, bot neben der Möglichkeit zu einem produktiven Austausch auch eine Ventilfunktion für rassisierende und normierende Äußerungen. Teilweise wurden diese explizit als rassistische Aggression formuliert, teilweise waren sie Reproduktion von nicht bewussten oder nicht reflektierten Stereotypen und hierarchisierenden Annahmen.[249]

Dass sich Rassismus beim gemeinsamen Sprechen über Kunst explizit wie implizit abbilden kann, bedeutet für Wienand nicht, den Monolog dem Dialog total vorzuziehen, sondern verweist auf das Potential der Kunstvermittlung, *weiße* dominante Vorstellungen und Ordnungen auch konkret verhandeln zu können. Verhandelbar werden solche Vorstellungen und Ordnungen dann, wenn »sie [die

248 Wienand, Kea: »Was darf ich denn überhaupt noch sagen? Überlegungen zu einer nicht normierenden und nicht rassisierenden Kunstvermittlungspraxis«. In: Mörsch et al. (Hg.): *Kunstvermittlung* 2, S. 125–143, hier S. 142.

249 Ebd., S. 125.

Kunstvermittlung] es ermöglicht, eigene Blickstrukturen und Dominanzverhältnisse zu reflektieren«.[250] Wie Dhawan, Castro Varela und Nora Sternfeld schließt Wienand hier an Gayatri C. Spivaks Konzept des Verlernens an, »sich der visuellen Darstellungsparameter in unseren Köpfen bewusst zu werden und sie nicht als alleingültige, sondern als in Machtstrukturen verstrickte zu betrachten.«[251]

Das Herausstellen der Standpunktabhängigkeit in der Kunstrezeption, wie es Micossé-Aikins zeigt, wird so zu einer zentralen Herangehensweise postkolonial informierter Kunstvermittlung. Mit dem situierten Wissen über koloniale Verhältnisse und der je eigenen Verortung darin wird nicht nur das Objekt des Kunstwerks zu einem Mehrdeutigen, sondern werden die damit verbundenen, historisch bedingten transsubjektiven Relationen gleichfalls thematisiert. Es geht darum, die scheinbare Eindeutigkeit der eigenen Positionen aufzulösen und in eine vielfältigere Form von Differenz einzusteigen. Das, was unmittelbar, eindeutig und nicht-vermittelt erscheint, gilt es durch Vermittlung in Komplexität zu überführen, durch den Eingang einer »nicht von ihr gesetzte[n] Voraussetzung«.[252] Das, was der einen Gruppe als unmittelbar gewiss erscheint und so möglicherweise nicht mehr wahrgenommen wird – die eurozentrische Prägung der eigenen Wahrnehmung oder auch die scheinbare Selbstverständlichkeit eigener Privilegien –, soll in einen komplexen Zusammenhang überführt werden, der die Veränderbarkeit der Voraussetzungen ermöglicht.

250 Ebd.

251 Ebd., S. 143. Vgl. auch Kap. 3.3 *Kunstvermittlung ist möglich.*

252 U, S. 49. Hier in Kap. 5.3 *Schein der Unmittelbarkeit bei Plessner.*

Geht man so davon aus, dass Dritte Räume in der Kunstvermittlung möglich sind, bleibt die Frage danach, so Castro Varela und Dhawan skeptisch, »für wen diese erreichbar sind« (BtR 346), bzw. von wem für wen, und mit welchen Erwartungen und Interessen diese etabliert werden. So entstehen vor dem Hintergrund eines *weiß* dominierten Kunstbetriebs zunehmend Programme, die etwa eigens für ›Migrant*innen‹ oder für ›Geflüchtete‹ konzipiert werden.[253] Hier stellen postkoloniale Perspektivierungen die Frage, ob solche Programme Schließungen und tradierte Herrschaftsordnungen perpetuieren oder versuchen, durch komplexe Aushandlungsprozesse einen offenen Raum unvorherbestimmter Vermittlung herzustellen.[254] Dabei ist relevant, wie und in welchen Positionierungen die jeweiligen Beteiligten zueinander stehen bzw. gestellt werden, welcher Platz wem zugewiesen wird, und wie beweglich die Platzverteilung ist.[255]

Auch die Position der, in deutschen Museen meist *weißen*, Kunstvermittler*in wird in den Blick genommen. Castro Varela und Dhawan stellen fest, dass eine Kunstvermittlung, die Positionalitäten wie auch Privilegien und Blickregime aufdecken, stören und – zumindest situativ – transformieren will, nur gelingen kann, »wenn diejenigen, die die Rolle der Vermittelnden übernehmen, sich als Teil des

253 Zur Beschreibung und Kritik vgl. hierzu etwa den Band Ziese, Maren/Gritschke, Caroline (Hg.): *Geflüchtete und Kulturelle Bildung. Formate und Konzepte für ein neues Praxisfeld*. Bielefeld: transcript 2016.

254 Vgl. Kap. 3.3 *Vermittelte Einheit zwischen Kunst und Publikum?*, Kap. 4.4 *Geschlossene Kunstvermittlung der Versöhnung*.

255 Für eine Kritik an Platzierungen in Repräsentationen von Kunstvermittlung, die Ausschluss wiederholen bzw. erst herstellen vgl. etwa Wienand, Kea: »Erst eingeladen, dann fotografiert. Bilder von Geflüchteten in Museen und anderen Institutionen«. In: Ziese/Gritschke (Hg.): *Geflüchtete und Kulturelle Bildung*, S. 217–224.

Gesamtproblems begreifen und sich zudem nicht der Rolle, auch Lernende zu sein, verschließen«. (BtR 347) Kritik ist nicht von einem scheinbar neutralen Außen aus zu äußern, sondern kann nur innerhalb der Verhältnisse, gegen die sie sich richtet, geäußert werden.[256]

Eine solche Voraussetzung führt aber, so weisen Castro Varela und Dhawan in Bezug auf Gayatri C. Spivak hin, zu Artikulationen (etwa einem Sprechen über Kunst), die sich unweigerlich in Selbstwidersprüche verstricken.[257] Nora Landkammer spitzt daran anschließend in ihrer Studie über Vermittlung in ethnologischen Museen zu, dass das Sprechen in Widersprüchen Vermittlungshandeln auszeichnet, das auf postkoloniale Kritik Bezug nimmt.[258]

Landkammer schließt diese These aus mehreren Interviews mit Vermittler*innen, in denen sich verschiedene Diskurspositionen abbilden. So stehen etwa serviceorientierte Positionen neben solchen, welche die hohe Relevanz einer Partizipation der Publikums herausstellen; die das Interesse der Besucher*innen nach der ›Faszination des Fremden‹ aufgreifen; die interkulturelle Vermittlung im Sinne einer Verschiedenheit der ›Kulturen‹ verstehen.[259] Immer dann aber, so eine zentrale These von Landkammer, wenn Positionen daneben gesetzt werden, die postkoloniale Kritiken involvieren – die etwa versuchen, kritisch mit

256 Vgl. Kap. 1.3 *Differenzorientierte Kunstvermittlung.*

257 Vgl. hierzu Castro Varela, María do Mar/Dhawan, Nikita: *Postkoloniale Theorie: Eine kritische Einführung.* Bielefeld: transcript 2005, S. 79 f.

258 Landkammer, Nora: »Das Museum als Ort des Verlernens? Widersprüche und Handlungsräume der Vermittlung in ethnologischen Museen«. In: Edenheiser, Iris/Förster, Larissa (Hg.): *Einführung in die Museumsethnologie.* Berlin: Reimer 2019, S. 284–301, hier bes. S. 286 und 293.

259 Vgl. ebd., S. 284.

rassisierenden Kommentaren umzugehen und dem Publikum Wissen über die den ethnologischen Sammlungen zugrunde liegende koloniale Ausbeutungspraxis zu ermöglichen –, verwickeln sich mehrere dieser Positionierungen in Widersprüche. Diese Widersprüche bilden sich dabei im Sprechen der Vermittler*innen ab.

Die genannten Widersprüche kennzeichnen dabei nicht nur die Position der Vermittlung, sondern den gesamten musealen Zusammenhang. Sie bilden sich aber an der Vermittlung als »machtvoller Tätigkeit« in besonderer Weise ab,[260] weil sich diese an der Schnittstelle zwischen verschiedensten Akteur*innen und Interessen befindet, etwa zwischen den Interessen der Institutionsleitungen, des Publikums, der Presseabteilungen, der Aufsichten und Restitutionsinteressen von Communities.

Im vielfältigen Neben- und Gegeneinander verschiedener Anforderungen und Diskurspositionen bleibt Landkammer nicht bei der Benennung einzelner binärer Widerspruchspaare – etwa kritische Vermittlung vs. Publikumsinteressen, oder Wissensvermittlung vs. Repräsentationskritik –, sondern formuliert einen komplexen Zusammenhang, indem sich mehrere Widerspruchslinien kreuzen. Vermittlung wird zu einem Handlungsraum, in dem sich mehrere Wissensordnungen und -logiken ergänzen, in Konkurrenz zueinander stehen, und die sich nicht auf separate binäre Widersprüche reduzieren lassen. Je genauer die zu beteiligenden Diskurspositionen berücksichtigt werden, die für eine postkoloniale Perspektivierung der Vermittlung nötig sind, desto komplexer stellt sich der Handlungsraum der Vermittlung dar.[261]

260 Vgl. ebd.

261 Vgl. ebd., S. 294.

Landkammers Studie führt zudem erneut zu dem Schluss, dass die Übersteigung binärer Operationen kaum von einzelnen Akteur*innen zu leisten sind. Einer einzelnen Akteur*in erscheint Vermittlung als Verknotung nicht aufzulösender Widersprüche, so dass es auch hier gilt, Vermittlung als Raum der »Vielstimmigkeit und Zusammenarbeit« zu entwerfen.[262]

Landkammers Studie ist ein weiterer Hinweis darauf, die Komplexität von (Kunst-)Vermittlung weiter zu denken als in binären Widersprüchen, den Begriff über die tradierte Vorstellung eines Dreiecks hinauszutreiben, in dem eine dritte Position zwischen zweien vermittelt und die Logik der Vermittlung so scheinbar abschließt. Queere und postkoloniale Perspektiven haben verdeutlicht, dass sich transformativ verstandene Kunstvermittlung weder im sich selbst evidenten ~~Kunstsystem~~ vollzieht, noch im binären Spagat zwischen Kunst und Pädagogik. Der Bezugsrahmen mag ›von Kunst aus‹ gehen, muss aber, wie schon in Kapitel 1 gezeigt, ökonomische, politische und ethische Rahmungen einbeziehen. Damit will ich keiner erneuten Diffusität des Kunstvermittlungsbegriffs das Wort reden. Es geht mir nicht darum, Kunstvermittlung als Unort, als überall und nirgendwo zugleich verortet darzustellen. Eine Situation oder ein Konzept unter der Maßgabe eines transformativen Vermittlungsbegriffs zu beobachten, bedeutet vielmehr, eine Logik anzuwenden, die hinter die binäre Ordnung der Eindeutigkeit zurücktritt und beginnt, die unabschließbare Komplexität gesellschaftlicher Verhältnisse und Machtkonstellationen mitzulesen.

Die Komplexität und Unmöglichkeit des Unterfangens der Kunstvermittlung äußert sich auch in dem Moment, in

262 Landkammer: »Das Museum als Ort des Verlernens?«, S. 295.

dem, wie mit Günthers Logik der Transformation, binäre Ordnungen (diskursiv) überwunden scheinen. Es hat sich gezeigt, dass an diesem Punkt keine Heilung ungleicher Verhältnisse per se zu erwarten ist, weil auch im höchsten Maße vermittelte, nicht-binäre soziale Ordnungen Herrschaftsverhältnisse generieren. Das hat in diesem Kapitel zu dem Widerspruch geführt, dass gerade nicht-binäre Vermittlungsverhältnisse es nötig machen können, eindeutige binäre Grenzen zu ziehen, um etwa sexismus- und rassismuskritisch zu agieren. Äquivalenz und wechselseitige Anerkennung sind dann gleichermaßen Ziel wie Bedingung für das Gelingen offener Vermittlung.

Erneut lässt sich die Frage stellen, ob Formen solidarischer, gerechter und gewaltfreier Kunstvermittlung nicht als uneinlösbare Utopien gelten müssen. Es ist sicher kein Zufall, dass Hegel, Adorno und Günther ihre Vermittlungsbegriffe abseits empirischer Beschreibungen in die Spekulation des absoluten Geistes, in die Utopie der Versöhnung und in die Science-Fiction bewusstseinsfähiger Maschinen hineingeschrieben haben. Die Kunstvermittlung aber, die ich meine, eine offene Vermittlung der Differenz, in der Verhältnisse unbestimmt ausgehandelt werden, in der gesellschaftliche Komplexität vertieft statt verflacht wird, in der Bewegung stattfindet im Spiel der Rollen und Positionalitäten, eine solche Kunstvermittlung findet bereits statt, wird beobachtet und beschrieben. Sie ist eben keine Utopie, also nicht ohne Ort, sondern realisiert sich immer wieder als Heterotopie, als anderer Orte gegenüber Ordnungen der Reinheit und Identität.[263] Sie findet aber nicht statt im Sinne

263 Vgl. hierzu auch Paul Mecheril, der über die Politik der Unreinheit schreibt und dabei gleichfalls Bezug auf Foucaults Begriff der Heterotopie nimmt: »Die Politik der Unreinheit knüpft [...] an

eines totalen Vollzugs, als sei sie total unterschieden von Kontrolle und Identität. Die selbstkritische Reflexion, dass der Versuch der Überwindung von Ungleichheit zuweilen wieder Ungleichheiten an anderen Stellen mit herstellt, ist vielmehr Kennzeichnung des Feldes einer Kunstvermittlung der Differenz, die sich als Theorie wie als empirische Praxis vollzieht. Für diese galt es einen Begriff der Kunstvermittlung zu entwickeln, der von seinen eigenen historischen Bezügen ausgehend der Komplexität des Feldes angemessen ist.

beobachtbaren Formen des Gelingens an. Sie nimmt ihren Ausgangspunkt an vorhandenen Anderen Orten. Die Utopie hat keinen Ort, sie ist der Unort, der Ohnort. Andere Räume hingegen sind Heterotopien, verwirklichte, verortete und verlandschaftete Utopien, real gewordene Räume eines anderen Lebens.« PdU, S. 93.

Schluss

Was bleibt vom Begriff der Kunstvermittlung? Was kann von einem Begriff erwartet werden, dem dermaßen widersprüchliche Konzepte und Ideologien eingeschrieben sind? Was kann dieser Begriff differenzorientierten Diskursen bieten, wenn er seine harmonisierenden Seiten nicht loswird? Was kann ein Begriff diskriminierungskritischen Politiken bieten, der selbst dann tradiertes *weißes* Wissen fortschreibt, wenn seine widerständigen Logiken offengelegt werden?

Diese Fragen müssen am Schluss dieser Arbeit mit einem erneuten Hinweis auf ihre eigenen eingeschränkten Perspektiven verknüpft werden. Der Gang durch die vornehmlich deutsche Geschichte, ihre Auswahl und Analysen sind Resultat von Entscheidungen, die auf den aktuell geführten Diskurs reagieren. Für diesen war es mir ein Anliegen, begriffshistorisch nachzuzeichnen, dass seine Wurzeln erheblich weiter zurückreichen als in die oft angeführten 1990er-Jahre.

Die genannten Entscheidungen sind aber auch meiner Situiertheit als forschendes Subjekt geschuldet. Mein Blick auf die Begriffsgeschichten ist alles andere als universell und objektiv. Er ist durch meine als *weiß*, männlich, heterosexuell und mehrheitsdeutsch gelesene Subjektposition ebenso geprägt, wie durch die Brüche und Mehrfachzugehörigkeiten, die sich durch meine Biografie der Herkunft, des Geschlechts und des Begehrens zieht. Mein Blick ist zudem geprägt von methodischen Entscheidungen wie auch von meiner Positionierung für einen Diskurs differenzorientierter Kunstvermittlung. Und nur so, als partiale statt universelle Perspektivierungen auf den Begriff der Kunstvermittlung, können am Schluss dieser Arbeit Antworten auf die oben genannten Fragen erfolgen.

Für diesen beschränkten Rahmen galt es, den Begriff der Kunstvermittlung, wie er heute zahlreich Verwendung findet, auf seine Geschichten zu prüfen und die heute so widersprüchlich und diffus erscheinenden Begriffssetzungen daraufhin zu befragen, ob sie nicht auf mehr gründen als auf Beliebigkeit und Opportunität für die je eigenen Interessenlagen. Dabei haben sich quer durch die hier dargestellte Geschichte redundante Muster herausgeschält, die vieles von dem, was heute beliebig erscheint, in einem anderen Licht erhellt haben. Diese Muster sind so triftig, dass sie in aktuellen Verwendungsweisen des Begriffs der Kunstvermittlung berücksichtigte werden sollten – sofern versucht wird, diesen kritisch zu lesen und zu verwenden.

Davon ausgehend nehme ich im Folgenden zunächst eine Zusammenführung der wichtigsten Haltepunkte der Arbeit vor, die ich nicht chronologisch, sondern entlang von fünf Themenschwerpunkten ordne: Ambivalenz, Äquivalenz, Komplexität, Offenheit und soziale Korrelation.

Diese fünf Themenschwerpunkte entsprechen den entscheidenden Deutungsmustern, die sich quer zu allen von mir aufgebrachten Begriffsgeschichten gezeigt und verdichtet haben, und bieten, nach meiner Lesart, maßgebliche Orientierungspunkte des Begriffs. Kunstvermittlung wird im beschränkten Rahmen dieser Arbeit also dadurch zum Begriff, wie das Wort quer durch die sozialhistorischen Zusammenhänge mit den aufgebrachten Deutungsmustern verknüpft wird, die aber selbst nicht unabhängig voneinander koexistieren, sondern aufeinander angewiesen sind und sich auch auf diese Weise im Begriff der Kunstvermittlung konzentrieren. Ich unterstelle dem Begriff der Kunstvermittlung also selbst Komplexität, nämlich insofern, wie in ihn unterschiedliche, zum Teil widersprüchliche Motive eingehen, die aufeinander bezogen und angewiesen sind, sich gegenseitig durchkreuzen und umdeuten. Dem Begriff der Kunstvermittlung Komplexität zu unterstellen bedeutet auch, mit dieser Auflistung von fünf Themenschwerpunkten keine Vollständigkeit zu behaupten, sondern anzuerkennen, dass sich im toten Winkel erheblich mehr befindet, als das, was hier berücksichtigt wurde.

Zu jedem dieser fünf Themenschwerpunkte will ich Antworten auf die Fragen versuchen, welche Orientierungen ein so verstandener Begriff der Kunstvermittlung bieten kann, besonders für jene Diskurszusammenhänge, die sich kritisch und differenzorientiert verstehen. Daran anschließend werde ich aufzeigen, welche Grenzen diese Arbeit und das daraus resultierende Begriffsverständnis von Kunstvermittlung begleiten, und welche Konsequenzen daraus gezogen werden könnten.

Ambivalenz

Der Begriff der (Kunst-)Vermittlung involviert Ambivalenz. Fichte hat die Ambivalenz der Vermittlung logisch fundiert: Vermittlung, die sich als Drittes zwischen zwei Extreme setzt, ist logisch nicht in der Lage, diesen Gegensatz aufzulösen.[1] Vermittlung schiebt den Widerspruch zwischen Extremen lediglich an andere Stellen, schiebt ihn auf und perpetuiert die Unentschiedenheit der Ausgangslage.[2] Dabei gilt mit Zygmunt Bauman Ambivalenz selbst als Kennzeichen einer modernen Gesellschaft – u.a. von Immanuel Kant beschrieben und von G.W.F. Hegel mit einem unentschiedenen Begriff der Vermittlung markiert.[3]

Die Ambivalenz der Vermittlung ist dem Begriff dabei nicht nur durch seine philosophische Ideengeschichte eingeschrieben, sondern auch durch die hier dokumentierte begriffshistorische Verflechtung von Wort- und Sozialgeschichte. Sinnfällig wird die Ambivalenz der Vermittlung etwa mit dem Umschlagen der Bedeutung des Ausdrucks ›Vermittlung‹ im Übergang vom Mittel- ins Neuhochdeutsche. Der zunächst als ›pure‹ Trennung gesetzte Begriff wird im 19. Jahrhundert zu einem der ›puren‹ Harmonisierung. Vermittlung avisiert im zweiten Sinn die »Verschmelzung aller Verhältnisse zur Einheit«[4] und hat begriffsgeschichtlich Teil an Phantasien natio-ethno-kultureller und heteronormativer Reinheit. Dass der Nebensinn der Vermittlung, der auf Störung und Trennung abhebt, zur jener Zeit des *nation-buildings* nicht verschwunden, sondern aufgeschoben, an anderen Stellen wieder aufgetaucht ist, habe ich mit Karin Stögner gezeigt.[5] Vermittelt galt Gesellschaft auch in dem Sinne, als sie sich im frühen Kapitalismus – der die

---

1 Vgl. Kap. 3.2 *Unmittelbarkeit bei Fichte.*

2 Vgl. Kap. 2.2 *Vermittlung als Aufschub*, und 2.3 *Quer gelesen.*

3 Vgl. 3.2 *Vermittlung bei Kant*, und 4.2 *Ein Vorschlag.*

4 Ancillon: *Zur Vermittlung der Extreme in den Meinungen*, Bd. 1, S. X f. Hier in Kap. 2.2 *Vermittlung als Harmonie.*

5 Vgl. Kap. 2.1 *Die Vorsilbe ›ver-‹ und ihr »übler Nebensinn«*, sowie Kap. 2.2 *Hass auf Vermittlung.*

Bildung der europäischen Nationen begleitete – als diffuse Komplexität der Machtverhältnisse und unübersichtlichen Ausbeutungsmuster vollzog. Getroffen wurden vom damit verbundenen Hass auf Vermittlung insbesondere Jüd*innen, markiert als hybride *Andere*, als hypostasierte Figuren der Vermittlung. Sie galten nicht nur als schuldige Repräsentant*innen der Ausbeutungssymptome des Kapitalismus, sondern auch, in ihrer Zuschreibung als hybride Dritte, als Gefährder*innen einer auf Eindeutigkeit und Reinheit gerichteten binären Unterscheidung zwischen natio-ethno-kulturellem *Wir* und *Anderen*.[6]

Diese begriffshistorische Gleichzeitigkeit von Aufwertung der Vermittlung im harmonistischen Sinne und Abwertung von Vermittlung im Sinne einer Störung ist dabei ein zentrales Motiv des Vermittlungsbegriffs.[7] Sie ist ein immer wiederkehrendes begriffliches Muster und Ausdruck für die uneinholbare Ambivalenz von Vermittlung.

Hegel hat der Ambivalenz der Vermittlung eine rhetorische Form gegeben, indem er sie unentschieden formulierte. Weder eine Vermittlung der puren Zucht der Versöhnung, noch eine der puren Zersetzung lässt sich aus dessen Texten ableiten. Vielmehr muss Vermittlung als Begriff gelten, der dasjenige, was er markiert – Öffnung oder Schließung, Harmonie oder Differenz –, mit seinem Gegenteil verknüpft. Von Hegel ausgehend habe ich einen reflexiv-unentschiedenen Vermittlungsbegriff vorgeschlagen, der einerseits anzeigt, dass Vermittlung prinzipiell ambivalent gedacht werden muss, und dass sich andererseits auf diese

6 Vgl. Kap 2.2 *Exkurs: Harmonie, Reinheit und Ausschluss der Ambivalenz*, Kap. 5.1 *Fundamentale Affirmation*, und Kap. 7.3 *Logik der Cyborgs*.

7 Vgl. etwa Kap. 2.3 *Vermittlung als Versöhnung*.

Ambivalenz sowie ihren Bedingungen und Konsequenzen reflexiv beziehen lässt. Vermittlung reflexiv-unentschieden zu denken bedeutet etwa, auf Absolutheit bezogene Postulate wie ›universelles Menschenrecht‹ daraufhin zu lesen, wie sie fehlgehen, weil sie etwa in einem kolonialen Kontext für einen auf *race* bezogenen Ausschluss sorgen, und dass es – unter Reflexion auf ebendiese und andere Ausschlüsse – dennoch geboten sein kann, sich an universellem Recht zu orientieren.[8]

Für Kunstvermittlung lassen sich aus dieser Anlage der begrifflichen Ambivalenz mehrere Orientierungsmöglichkeiten für kritisch-analytische Perspektiven ziehen. Historische Analysen von Kunstvermittlung, die mit der Orientierung auf Ambivalenz arbeiten, bringen das »historische Gewordensein dieser Ambivalenzen«[9] auf, befragen etwa – wie es Carmen Mörsch unternimmt – aus postkolonialer Perspektive die heute oft positiv besetzte Rolle von Kunst kritisch auf ihre kolonialen Effekte hin und stellen dennoch die möglichen widerständigen Momente von Kunst und Kunstvermittlung heraus.[10] Der Anschluss an bereits vorhandene Analysen lässt sich hier so herstellen, dass die Erkenntnis, dass der Begriff der Vermittlung selbst ambivalent gedacht werden muss, ein begrifflich unterstütztes Lektüreinstrument bietet.

Ein Lektürefokus auf Ambivalenzen der (Kunst-)Vermittlung erhellt auch, warum der Begriff von kritischer, also gerade nicht harmonistischer Warte aus zuweilen zwar aufgewertet, die Figur einer (Kunst-)Vermittler*in aber

---

8 Vgl. Kap. 4.2 *Ein Vorschlag*, sowie 4.2 *Absolute Vermittlung im Aufklärungsdiskurs weißer Vorherrschaft*.

9 Mörsch, Carmen: *Die Bildung der Anderen mit Kunst*. Hamburg: o.V. 2017, S. 22.

10 Vgl. Kap. 7.5 *Kunstvermittlung – postkolonial perspektiviert*.

abgewertet wird, wie es etwa durch Texte von Theodor W. Adorno, Christoph Türcke oder Oliver Marchart geschieht. So stellt Marchart aus kunsttheoretischer Sicht die Notwendigkeit kritischer Kunstvermittlung fest, nicht aber die Notwendigkeit einer kritischen Kunstvermittler*in. Die Letztere sei etwa dann nicht nötig, wenn eine Ausstellung bereits kritisch angelegt sei und eine ›neutrale‹ Vermittler*in benötige.[11] Adorno schließt die Figur des Dritten in der Vermittlung dort ganz aus, wo er von Vermittlung als Kritik spricht. Er schließt sie dort ein – und wertet sie gleichzeitig ab –, wo sich Vermittlung als kapitalistisches wie didaktisches Tauschprinzip realisiert, als »Diktat der Mittel« eines totalen Waren- und Informationsverkehrs.[12] Die Annahme einer Ambivalenz der Vermittlung zeigt sich dann weniger in der Form eines nicht aufzulösenden Widerspruchs zwischen Auf- und Abwertung der Vermittlung, sondern erhellt sich, wenn unterschiedliche begriffliche Voraussetzungen, theoretische Zugänge und Positionierungen der Autor*innen mitgelesen werden. Insofern kann es für weitere Diskursforschungen von Nutzen sein, bereits den Begriff der Kunstvermittlung auf seine ambivalenten Verwendungsweisen hin zu befragen.

Auch in der Analyse von aktuellen Texten und Handlungsformen der Kunstvermittlung ermöglicht die Annahme, dass der Begriff der Kunstvermittlung grundsätzlich das Aufrufen von ambivalenten Verhältnissen impliziert, immer auch auf die andere Seite dessen zu schauen, was etwa als Ziel, als Methode oder als Leitlinie von Kunstvermittlung

11 Vgl. Kap. 1.3 *Der Begriff der Vermittlung im educational turn kuratorischer Praxis.*

12 Adorno: »Theorie der Halbbildung«, S. 98. Hier in Kap. 6.2 *Vermittlung als Zwang.*

angegeben wird. Wie ich beschrieben habe, lassen sich explizit oder implizit formulierte Ziele von Kunstvermittlung auf deren ambivalenten Charakter hin befragen. Das meint sowohl harmonistische Ziele, die sich durch Kunstvermittlung eine Gemeinschaft des Gleichklangs erhoffen, als auch Forderungen nach Differenz, die Kunstvermittlung als Störung hegemonialer Ordnungen gerichtet sehen wollen. Dass die Ambivalenz auch Forderungen nach Differenz trifft, bedeutet, dass auch *diese* fehlgehen können und selbst zuweilen Formen von Homogenität und Reinheit entwickeln.[13]

Die Ambivalenz der Vermittlung trifft demnach auch – und das macht es so schwierig – Formen der Ambivalenz. Aus postkolonialer Perspektive haben etwa Kien Nghi Ha und Homi K. Bhabha, aus queer-feministischer Perspektive Antke Engel und Donna Haraway herausgestellt, dass sich mit ambivalenten Logiken nicht mehr nur widerständige Sozialformen markieren lassen, sondern – im Kontext einer schon lange nicht mehr als nur binär zu beschreibenden, postkolonial und globalisiert-kapitalistisch geprägten Gesellschaft – ebensolche der Ausbeutung und Herrschaft.[14]

Für den Kontext Kunstvermittlung habe ich mit Nora Landkammer und Felipe Polania eine solche Ambivalenz der Ambivalenz beschrieben: Erstens kann Sprechen über Kunst einfordern, eine Sprache der Ambivalenz anzuschlagen. Zweitens kann in einem bestimmten Kontext »dieses ambivalente Sprechen ausschließend wirken«.[15] Drittens bedeutet dies keinesfalls, dass eine Sprache der Ambivalenz

---

13 Vgl. Kap. 4.4 *Unentschiedene Kunstvermittlung der Reflexion*, sowie Kap. 7.4 *Ein Beispiel*.

14 Vgl. 7.3 *Logik der Cyborgs*, sowie Kap. 7.5 *Perspektiven transformativer Kunstvermittlung*.

15 A, S. 225. Hier in Kap. 7.4 *Ein Beispiel*.

aufzugeben wäre, um sich ganz der Vereindeutigung zu verschreiben. Es bedeutet vielmehr, dass es notwendig sein kann, kurzfristig in die Vereindeutigung bzw. in andere Kontexte zu wechseln, um von dort aus erneut Formen und Sprachen der Ambivalenz einbringen zu können.

Für differenzorientierte Kunstvermittlung, die über Kritik und Analyse hinausgehen will, stellt sich dann die Frage, wie angesichts der Ambivalenz des Begriffs der Kunstvermittlung mit diesem operiert werden kann, wenn, wie von Carmen Mörsch, Normativität eingefordert wird.[16] Denn die ambivalente Anlage des Begriffs kann nahelegen, in Relativismus zu verfallen und normativ-ethische Setzungen zu vermeiden.

Zwischen normativ-ethischen Setzungen und (Kunst-)Vermittlung scheint also zunächst eine Unverträglichkeit zu stehen, da sich normativ-ethisch zu orientieren ja gerade bedeutet, Entscheidungen zu fokussieren und der Begriff der Ambivalenz wiederum auf Unentschiedenheit abhebt. Ich will mich deshalb hier zunächst negativ nähern und fragen, was es bedeutet, angesichts der Ambivalenz der Vermittlung keine Entscheidungen zu treffen, keine Positionierungen vorzunehmen, keine Handlungsalternativen vorzuschlagen. All diese Möglichkeiten bedeuten, sich entweder aus dem Feld der (Kunst-)Vermittlung herauszuziehen, oder aber – eben durch ein Sich-nicht-Positionieren-wollen – doch wieder zu positionieren. Es gibt keine leere, keine interessenlose (Kunst-)Vermittlung. Auch eine neoliberal orientierte (Kunst-)Vermittlung, die von sich selbst behauptet, nicht-ideologisch zu sein, folgt wiederum einer Ideologie, mindestens der Ideologie der Leere.[17]

---

16 Vgl. Kap. 4.4 *Unentschiedene Kunstvermittlung der Reflexion.*

17 Vgl. Kap. 7.3 *Ideologie der Leere.*

Eine zweite Möglichkeit, sich negativ auf den normativen Aspekt der Ambivalenz zu beziehen, ist, diesen abzulehnen, Ambivalenz auszuschließen. Das geht aber nicht nur am Begriff vorbei, sondern hat wieder den zuweilen gewaltvollen Effekt einer Ordnung der Reinheit, die ausgrenzend wirkt.[18]

Ambivalenzen der (Kunst-)Vermittlung auszuschließen bedeutet zusätzlich, die ambivalente Anlage des Begriffs zu verschleiern. Gleichwohl ist eine (Kunst-) Vermittlung der Harmonie, der Nicht-Ambivalenz, ein Sprachspiel, das seine eigene Realität besitzt.[19] (Kunst-)Vermittlung, die sich ungebrochen an Harmonie und Reinheit orientiert, vollzieht sich dabei nicht nur als begriffliche, sondern auch als soziale Realität. Zugunsten eines möglichen Friedens und möglicher Ordnung nimmt sie die Ausgrenzung und Abwertung derer in Kauf, die als *Andere* markiert werden.

Demgegenüber kann im Sinne einer Kunstvermittlung der Differenz eine andere Entscheidung getroffen werden, die sich positiv an Ambivalenz orientiert. Kunstvermittlung, die sich einerseits an Ambivalenz orientiert und andererseits normative Leitlinien einbringt, muss dabei die eigene Positioniertheit sowie die Ambivalenz der eigenen Leitlinien mit reflektieren.[20] Sie muss, so Carmen Mörsch, »die Arbeit in der Ambivalenz betreiben – in einem Zustand des

18 Kap 2.2 *Exkurs: Harmonie, Reinheit und Ausschluss der Ambivalenz.*

19 Kap. 1.1 *1900 bis 1945*, Kap. 2.2 *Vermittlung als Harmonie*, Kap. 3.3 *Vermittelte Einheit zwischen Kunst und Publikum?*, sowie Kap. 5.1 *Fundamentale Affirmation.*

20 So schlägt es nicht nur Helmut Draxler für eine Ethik der Vermittlung vor (vgl. Draxler: *Abdrift des Wollens*, S. 298 f.). Die Forderung auf Reflexion der eigenen Positioniertheit wurde bereits mehrfach im Kontext Kunstvermittlung formuliert. Vgl. hierzu etwa Sturm: »Kunstvermittlung und Widerstand«, bes. S. 107, Sternfeld, Nora: *Verlernen Vermitteln*, oder Carmen Mörsch in Ssw, bes. S. 63 f.

permanenten Sich-selbst-Widersprechens.« (Ssw 75) Sofern mit ›Kunstvermittlung‹ ein konkretes Handeln gemeint ist, gilt es, immer wieder Entscheidungen in einem unentscheidbaren Raum zu treffen.

Äquivalenz

Der Begriff der (Kunst-)Vermittlung thematisiert Äquivalenz, bezieht also Konzepte der Gleichheit und Gleichwertigkeit mit ein.

Die Grundierung ›gleich‹ scheint der differenztheoretischen Anlage meiner Arbeit zu widersprechen. So ist hier ›gleich‹ im Sinne von *Homogenität* keine Kategorie, die als Orientierung für eine differenzinformierte Position gelten kann. Dem Zusammenhang zwischen Gleichheit, Vermittlung und Differenztheorie lässt sich zunächst auf logischer Ebene begegnen, im Sinne logischer Äquivalenz. Immer wieder haben sich Theorien der Differenz an der Ordnung der aristotelischen Logik abgearbeitet und diese nicht nur deshalb kritisiert, weil sie lediglich auf zwei Werten basiert, sondern auch deshalb, weil sie strikt hierarchisch organisiert ist und stets den einen Wert dem anderen vorzieht: ›wahr‹ sei ›falsch‹ vorzuziehen oder das ›Objekt‹ dem ›Subjekt‹.[21] Daran schließen vielfach Formen der Wertung und Abwertung im Rahmen sozialer, binärer Unterscheidungen an, wie ›männlich‹/›weiblich‹ oder ›*Wir*‹/›*Andere*‹. Die logische Ungleichheit der Werte wird im sozialen Kontext zur Regierungsform.

Der differenztheoretische Bezug auf Äquivalenz ist also zunächst ein negativer, vollzieht sich als Kritik an ungleichen

21 Vgl. Kap. 3.1 *Antike: Vermittlung und binäre Logik*, Kap. 4.1 *Erste Stellung*, sowie Kap. 7.1 *Heterarchie – logische Äquivalenz*.

Wertverhältnissen, die der aristotelischen Logik und ihrer sozialpolitischen Rezeption eingeschrieben sind. Auf logischer Ebene lässt sich aber auch ein positiver Begriff von Äquivalenz formulieren. So kann mit Kant der Begriff der Vermittlung als Ausdruck einer anderen Logik gedacht werden, als äquivalentes Verhältnis zwischen zwei Extremen, die weder als Kompromiss ein synthetisches Drittes produziert, noch zugunsten eines der Extreme entscheiden kann, weil sie eben gleichwertig, einander ebenbürtig sind.[22]

Gotthard Günther hat den Begriff der Vermittlung explizit auf heterarchische Verhältnisse angewandt, in denen mindestens drei Positionen gleichwertig zueinander stehen, ohne dass eines die anderen regieren könnte.[23] Ohne die Äquivalenz der Werte kommt Vermittlung im Sinne eines transformativen, unbestimmten Prozesses nicht in Gang, denn: »[W]o wir Gründe haben den einen Wert dem anderen vorzuziehen« (SM 170), geht bereits der Kontingenzcharakter einer offenen Vermittlung verloren. Insofern bedarf es für Vermittlung eines Vorspiels, der Herstellung einer Bühne, die ein ebenbürtiges Verhältnis zwischen den Positionen möglich macht, so dass das Spiel selbst offene Bahnen einschlagen kann, ohne dass eine Position den Ausgang des Spiels schon im Vorhinein bestimmt.[24] Dabei geht es nicht um die Gleichheit oder Ungleichheit der Positionen *an-sich*, sondern im Sinne ihrer Aufeinanderbezogenheit. Der Begriff der Vermittlung bezieht sich auf Relationen, nicht auf Substanzen.[25]

22 Vgl. Kap. 3.2 *Vermittlung bei Kant.*

23 Vgl. Kap. 7.1 *Heterarchie – logische Äquivalenz.*

24 Vgl. Kap. 7.1 *Das Dritte der Vermittlung – Vermittlung als Vorspiel.*

25 Vgl. Kap. 6.1 *Gegen Hegel.*

Von hier aus lässt sich von der logischen auf die soziale Bedeutungsebene von Äquivalenz wechseln. Damit meine ich keine ontologische Größe, die das Sein oder gar den ›Wert‹ eines Menschen bezeichnen würde. Es geht um *soziale* Äquivalenz, d.h. beide Bestimmungen beruhen auf bestimmten *Relationen* zwischen Menschen. Es geht nicht darum, ob und wie jemand gleich/ungleich *ist*, sondern ob und wie jemand durch bestimmte Verhältnisse gleich/ungleich *gemacht* wird.

Insofern aus diskriminierungskritischer Perspektive das Ungleichmachen kritisiert wird, geht es zunächst um einen negativen Bezug auf Äquivalenz. Zu fragen ist danach, wie ungleiche Verteilungen von Ressourcen (Güter, Bildungs- und Machtchancen) strukturell verknüpft sind mit Ordnungen aufgrund von Geschlecht, Begehren, Klasse, Ability oder natio-ethno-kulturellen Zuschreibungen.[26] Es geht um perpetuierte Muster sozialer Ungleichheit, die als Unrecht markiert werden, als ungleich verteiltes Recht etwa in Form von Rassismus oder Sexismus. Während der Begriff der Äquivalenz im logischen Sinn als Gleich*wertigkeit* spezifiziert wird, verstehe ich die Frage nach Äquivalenz im sozialen Kontext demnach als eine der Gleich*berechtigung*.

Welchen Stellenwert hat der Begriff der Vermittlung in diesem Kontext? Das Moment der Äquivalenz führt bereits Zedler in seinem Universallexikon ein, indem er den Mittler, der für Frieden und Vergleich sorgen soll, mit der Macht ausstattet, ungleiche Verhältnisse zwischen Kontrahent*innen mit Gewalt auszugleichen. Auch der zeitgenössische Mediationsbegriff enthält solch einen Ausgleich

26 Vgl. Kunz: »Ungleichheit«, S. 244, sowie Kap. 7.4 *Nicht-binäre Logik in der Kunstvermittlung*.

der Machtchancen, um Konflikte überhaupt erst kommunizierbar zu machen – wenn auch mit der Prämisse der Gewaltfreiheit. Vermittlung in diesem Sinne ist auf herrschaftsfreien Dialog angewiesen.[27]

Gleichwohl findet Vermittlung, wie ich sie hier diskutiert habe, stets in einem sozialen Raum statt. Der ist prinzipiell geprägt von Machtverhältnissen, von Ungleichheit. Vermittlung ist, sobald sie das Feld formalisierter Logik verlässt, Teil der Spannungen, die Soziales auszeichnen.[28] Dennoch ist dem Begriff der Vermittlung das Thema der Äquivalenz ganz prinzipiell eingeschrieben. Der Bezug darauf konfrontiert mit der Frage, wie gleich oder ungleich Recht und Ressourcen in einer sozialen Situation verteilt sind, die eine vermittelte genannt wird.

Das Thema der Äquivalenz involviert aber nicht nur, wie hier zunächst beschrieben, Momente der Gleichberechtigung, sondern auch – und das ist für differenzorientierte Diskurse schwerer zu verdauen – Momente der Gleichartigkeit. Mit Fichte, Hegel und Günther lässt sich noch so sehr auf die unreine Logik der Vermittlung abheben – die Logiken der Reinheit sind ihm ebenso eingeschrieben und lassen sich aus begriffshistorischer Sicht nicht hintergehen. Gleichheit wird zum Gleichklang, in dem disharmonische Misstöne stören. Sie findet ihren sozialen Widerhall in den oben beschriebenen nationalistischen und antisemitischen Diskursen der Reinheit, die sich von der Vermittlung ihrer verschiedenen Positionen die bruchlose Einheit eines Nationalgefühls erhoffen. Sie geht bis hin

27 Vgl. Kap. 2.1 *›mittel‹ und ›mitte‹*, sowie Kap. 2.3 *Vermittlung als Versöhnung*.

28 Vgl. Kap. 2.4 *Kunstvermittlung liegt quer zu gesellschaftlichen Verhältnissen*, sowie Kap. 7.4 *Nicht-binäre Logik in der Kunstvermittlung*.

zum Nationalsozialismus, der Gleichheit und Reinheit mit Gleichschaltung und Völkermord umsetzt; in dem Kunstvermittlung die Funktion zukommt, die NS-Ideologie durch totale Kontrolle von Kunstproduktion, Kunstkritik und Kunstrezeption entsprechend zu festigen und umgekehrt alle Formen vermeintlicher Störung auszuschließen.[29] Äquivalenz im Sinne von Gleichartigkeit als zentrales Motiv der Vermittlung hat spätestens ab der Mitte des 19. Jahrhunderts auch bedeutet, Ambivalenzen der Lebensweisen zugunsten einer Ordnung der Reinheit auszuschließen.[30]

Wie beide Motive der Äquivalenz, das der Gleichberechtigung und das der Gleichartigkeit, eine unselige Allianz eingehen können, hat der Rekurs auf die Aufklärung gezeigt, die Gleichheit der Menschen als universelles gleiches Recht ebenso postuliert wie eine Ungleichartigkeit zwischen *Weißen* und Schwarzen und Unrecht aufgrund von *race* damit erst institutionalisiert.[31]

Auf Kunstvermittlung bezogen lässt sich dieses Begriffsmotiv der Äquivalenz, das sowohl Gleichberechtigung als auch Gleichartigkeit umfasst, analytisch-kritisch beispielsweise auf solche Konzepte beziehen, die gesellschaftliche *diversity* als Zielsetzung angeben, dabei aber Einladungspolitiken vollziehen, die den vermeintlich *Anderen* keinen Spielraum lassen, die Regeln des Spiels mitzubestimmen und stattdessen darauf hinarbeiten, die *Anderen* sich selbst

29 Vgl. Kap. 1.1 *1900 bis 1945.*

30 Vgl. Kap. 2.2 Exkurs: *Harmonie, Reinheit und Ausschluss der Ambivalenz*, Kap. 3.3 *Unmittelbare Einheit zwischen Kunst und Publikum?*, sowie Kap. 5.1 *Fundamentale Affirmation.*

31 Vgl. Kap. 4.2 *Absolute Vermittlung im Aufklärungsdiskurs weißer Vorherrschaft.*

gleichzumachen, einzupassen in Ordnungen der Reinheit.[32] Umgekehrt habe ich in der Geschichte des Begriffs der Kunstvermittlung vielfach Punkte ausgemacht, in denen ebendas eingefordert wird: eine Teilhabe an Ressourcen und Kommunikationsformen, die nicht unidirektional von den machtvollen Positionen ausgeht, sondern die – wie etwa in der Arbeiterbewegung des ›roten Wien‹ oder den Demokratisierungsprozessen der 1970er-Jahre – von den vermeintlich marginalisierten Positionen aus eingefordert und bestimmt werden, ohne dabei selbst unterzugehen, einverleibt zu werden von den mächtigeren Institutionen.[33]

Um trotzdem nicht auf »Einladungspolitiken und auf die Arbeit an Inklusionen zu verzichten« (Ssw 75) gilt es demnach, die Arbeit in der Ambivalenz anzunehmen, also anzuerkennen, dass es auch von einer Kunstinstitution aus gesehen wichtig sein kann, Einladungen auszusprechen, sich den damit verbundenen ungleichen Machtverteilungen bewusst zu sein und darin vermittelnd zu agieren. ›Vermittelnd agieren‹ bedeutet hier, »ein ›Gleichgewicht‹ in ungleichen Verhältnissen anzustreben«.[34] Ebenso gilt es, die harmonistischen Tendenzen von Vermittlungslogiken mit zu bedenken, die dazu neigen, *Andere* erst abzusondern und zu markieren, um sie sich dann selbst gleichzumachen und einzuverleiben.

In der Orientierung nach Äquivalenz der Vermittlung das Motiv der Ambivalenz einzutragen heißt demnach nicht, dass angesichts der Nichtentscheidbarkeit der Ausgangslage nicht mehr gehandelt werden kann. Kunstvermittlung

---

32 Kap. 4.4 *Geschlossene Kunstvermittlung der Versöhnung.*

33 Vgl. Kap. 1.1 *1900 bis 1945*, 1.2 *1945 bis 1980*, sowie 7.4 *Ein Beispiel.*

34 A, S. 219. Hier in Kap. 7.4 *Nicht-binäre Logik in der Kunstvermittlung.*

reflexiv-unentschieden zu orientieren heißt, die Nichtentscheidbarkeit der Ausgangslage zunächst hinzunehmen und trotzdem bestmöglich zu handeln, das Fehlgehen reflexiv aufzugreifen, um zukünftige Handlungsweisen anzupassen, zu verändern, so dass, wie Paul Mecheril schreibt, »weniger Gewalt und Macht ausgeübt wird«.[35]

Komplexität

Der Begriff der (Kunst-)Vermittlung involviert Komplexität. Mit dieser Orientierung lassen sich die ersten zwei Punkte, Ambivalenz und Äquivalenz, zusammenführen –zunächst auf logischer Ebene. Während Gotthard Günther die Aufeinanderbezogenheit zweier antagonistischer und äquivalenter Momente als letzte Einfachheit binärer Logik begreift, sieht er die Aufeinanderbezogenheit mindestens dreier antagonistischer Positionen als eines der Vermittlung. Vermittlung ist demnach »das Vehikel von Komplexität«,[36] erzeugt Komplexität in dem Sinn, dass sich durch Vermittlung Verhältnisse ergeben, in denen mehrere Positionen einerseits äquivalent nebeneinanderstehen, und andererseits jedes der teilhabenden Momente von mehreren Bezügen getroffen wird, deutbar wird im Sinne mehrerer Verhältnisse – eben weil es, in der Vermittlungslogik Günthers, mindestens drei sein müssen. Die Komplexität der Vermittlung impliziert nicht nur die Mehrdeutigkeit des Verhältnisses, sondern der Positionen selbst.

Diese Orientierung des Begriffs der Vermittlung auf nicht-binär angelegte Komplexität lässt sich in Richtung eines

35 Mecheril: *Migrationspädagogik*, S. 190.

36 SM, S. 167. Hier in Kap. 7.2 *Komplexe Vermittlung*.

pluralistischen Verständnisses von Gesellschaft hin übersetzen, in Richtung einer gleichberechtigten Vielstimmigkeit, in der niemand ›einfach‹ ist, sondern stets ein *Andere*r* in wechselnden Verhältnissen.[37] Das Motiv der Gleichheit, das sich hinter der Äquivalenz der Vermittlung verbirgt, würde vor dem Hintergrund gesellschaftlicher Komplexität dann weniger als Gleichklang gemeint sein, sondern müsste eher als dissonante Vielstimmigkeit gelesen werden, in der die Beteiligten unter- und zueinander möglichst gleichberechtigt sein sollen.[38] Die Übersicht, wer in einem sozialen Verhältnis als Ich, als *Anderer* oder als Nicht-*Anderer* auftritt, zerfällt, wenn statt binärer Ordnungen der Reinheit plurale Ordnungen der Unreinheit zugrunde gelegt werden. (Vgl. PdU 101) In diesem Sinne ist Vermittlung, die sich an Komplexität orientiert, eine, die nicht nur die Nichtentscheidbarkeit des ambivalenten Begriffs berücksichtigt, sondern über binäre Konstruktionen hinausgehen muss.

Für Kunstvermittlung lassen sich daraus mehrere Konsequenzen ziehen. Zum einen können Analysen von Kunstvermittlung, die sich an Komplexität orientieren, thematisieren, in welchen komplexen Verhältnissen Vermittlung jeweils agiert bzw. welche diese mit hervorbringt. Mit Günthers n-wertiger Vermittlung wird dabei nahegelegt, weiter als in zweiwertigen Oppositionen zu denken. Weder in der binären Opposition zwischen Produktion und Rezeption, noch in der zwischen Institution und Publikum, noch in der zwischen Kunstwerk und Publikum geht der Begriff der Kunstvermittlung auf. Kunstvermittlung komplex zu begreifen heißt, diese hinter das Zusammenspiel mehrerer Interessen,

37 Vgl. Kap. 7.3 *Logik der Cyborgs.*

38 Vgl. Kap. 7.4 *Nicht-binäre Logik in der Kunstvermittlung.*

Institutionen und Akteur*innen zu bringen, die nicht alle auf Kunst bezogen werden können.[39] So hat sich auch gezeigt, dass es, je tiefer in Geschichte hineingetastet wird, keine Anhaltspunkte dafür gibt, den Begriff der Kunstvermittlung auf die Bezugsfelder Kunst und/oder Pädagogik zu beschränken. Im Gegenteil: Von Anfang an markiert Kunstvermittlung das Feld, in dem sich unterschiedliche Interessen und Perspektivierungen überschneiden und gegenseitig verunreinigen. Eine Befragung von Kunstvermittlung, die analytisch Komplexität thematisiert, muss demnach darauf zielen, sich nicht dermaßen an systemischen Grenzen zu orientieren, ökonomische, pädagogische, künstlerische und ethische Interessen nicht dermaßen voneinander zu trennen.[40] Mit diesem Buch will ich nicht den Bezug von Kunstvermittlung zu pädagogischen oder künstlerischen Feldern ablehnen. Abgelehnt, d.h. rejiziert werden Perspektiven der Eindeutigkeit, die Kunstvermittlung ausschließlich der Pädagogik oder der Kunst zuordnen oder es bei einer nicht minder eindeutigen Zweierbeziehung belassen.

Sich an Komplexität zu orientieren heißt auch, dass Kunstvermittlung sich nicht auf ein unvermittelt-unmittelbares Erleben von Kunst bezieht, sondern dass die Erfahrung von Kunst immer schon in ein komplexes gesellschaftliches

39 Vgl. Kap. 3.3 *Binäres in der Kunstvermittlung*, Kap. 6.3 *Kritische Kunstvermittlung gegen Adorno*, sowie Kap. 7.4 *Exkurs: ~~Kunstsystem~~*. Zu Potentialen und Schwierigkeiten von Analysen, die auf diskursive, personelle und institutionelle Komplexität angelegt sind vgl. im Kontext Kunstvermittlung bes. Landkammer, Nora: »Vermittlung als kollaborative Wissensproduktion und Modelle der Aktionsforschung«. In: Settele/Mörsch: *Kunstvermittlung in Transformation*, S. 199-211, bes. S. 204.

40 Komplexität zu veranschlagen heißt auch, dieser Liste keine Vollständigkeit zu attestieren. Vgl. Kap. 1.4 *Zusammenfassung und Ausblick*, sowie Kap. 7.2 *Komplexe Vermittlung*.

Gefüge eingebunden ist, unter dessen Bedingungen Kunst zu sehen und zu erfahren gegeben wird.[41] In dieses Gefüge muss Kunst selbst mit hineingedacht werden. Sie auszublenden bedeutet – im Fall einer negativen Wertung ihrer Rolle –, ihre »tiefe Verstricktheit in das kapitalistische und das koloniale Projekt« zu verschleiern. (Ssw 73) Bei einer positiven Rollenwertung nimmt das Ausblenden von Kunst die Chance, ›von Kunst aus‹ weiter an gesellschaftlichen Komplexitäten arbeiten zu können.[42]

Für den diskursiven Zusammenhang der Kunstvermittlung könnte dies bedeuten, auf der Ebene der Komplexität zwei partiale Perspektiven differenzorientierter Kunstvermittlung zusammenzudenken: Nämlich auf der einen Seite eine Kunstvermittlung, die sich ›von Kunst aus‹ begreift und dem Kunstwerk eine konstitutive Rolle bei der Initiierung von Differenz zuspricht (wie bei Pierangelo Maset, Karl-Josef Pazzini, Rahel Puffert, Eva Sturm). Und eine Kunstvermittlung auf der anderen Seite, die von den Institutionen und sozialen Verhältnissen ausgeht, die institutionellen Rahmungen zentral für ihre Beobachtungen, Analysen und Konsequenzen setzt (wie etwa in den Texten von Carmen Mörsch und Nora Sternfeld). Mit ›zusammendenken‹ ist nicht gemeint, einen harmonisierten Kunstvermittlungsdiskurs der Differenz heraufzubeschwören. Es gilt nicht, die genannten Perspektiven zugunsten einer konfliktfreien dritten Position aufzulösen. Ohnehin stellen sich die genannten Positionen weniger als auseinanderfallende Extreme dar als mehr

41 Vgl. Kap. 3.3 *Unmittelbare Einheit zwischen Kunst und Publikum?*, sowie Kap. 5.4 *~~Lösung~~: Unmittelbarkeit als Moment von Kunstvermittlung.*

42 Vgl. Kap. 6.3 *Kritische Kunstvermittlung mit Adorno*, und Kap. 7.3 *Perspektiven transformativer Kunstvermittlung.*

durch verwandtschaftliche[43] Verhältnisse. Es bedarf beider partialer Perspektiven *und* der Überlegungen, was es jeweils bedeutet, multiperspektivisch auf das komplexe Handlungsfeld der Kunstvermittlung zuzugreifen, ohne anzunehmen, dass dabei ein quasi universaler Zugriff ohne neue tote Winkel erfolge.

Was ich mit ›komplexem Handlungsfeld der Kunstvermittlung‹ meine, will ich mit einem imaginierten Beispiel verdeutlichen und aufzeigen, wie der Begriff der Vermittlung (sowie sein Gegenbegriff, der der Unmittelbarkeit) und die Figur der Kunstvermittler*in hier hineinspielen können.

Es sei eine Kunstausstellung angenommen, die nicht nur einen ›Wert‹ vertritt, sich also nicht unmittelbar verhält, sondern Vermittlung bereits auf der Ausstellungsebene sinnfällig werden lässt. Das könnte sich etwa durch ein äquivalentes Gefüge zwischen unterschiedlichen Kunstwerken, Saaltexten, Hängungen und Raumkonzeptionen bereitstellen lassen. Sofern dies nicht nahelegt, in der Ausstellung ›die eine‹ Lösung zu suchen, sondern ein komplexes Gefüge inszeniert wird, das sich durch die je eigene Lektüre der Besucher*innen rejizieren lässt, so kann bereits hier von Vermittlung als Vehikel von Komplexität die Rede sein. Aus Sicht eines *educational turn in curating* könnte daraus der Schluss gezogen werden, dass sich die Position einer (kritischen) Kunstvermittler*in erübrigt, weil bereits die Ausstellung die Vermittlung sei: »Was ausgestellt ist, ist vermittelt.«[44] Diese Annahme geht allerdings davon aus, dass eine solche Ausstellung *jeder* Besucher*in als vermittelt erscheint. Sie geht

43 Zum Begriff diskursiver Verwandtschaft vgl. Haraway: »Situiertes Wissen«.

44 Heller: »Eine Welt dazwischen«, S. 27. Hier in Kap. 1.3 *Der Begriff der Vermittlung im educational turn kuratorischer Praxis.*

von einem Publikum aus, das es gewohnt ist, Ambivalenzen zwischen Kunstwerken und kuratorischen Konzepten herauszulesen und beidem die jeweils eigenen Lektüren entgegenzusetzen. Sie geht also von einem Publikum aus, das darin geübt ist, die Vermitteltheit von Kunstausstellungen aufzudecken. Gleichwohl kann jedoch ein Publikum angenommen werden, dem sich eine solche Ausstellung gerade nicht in komplexer Vermitteltheit zeigt, sondern als hermetische Einheit, als Gebilde aus einem Guss – möglicherweise auch wegen deren ausschließenden Charakters. Nicht Vermittlung, sondern (scheinbare) Unmittelbarkeit wird dann virulent.[45] Hier kommt die Figur der Kunstvermittler*in ins Spiel, die personell und in der jeweiligen Situation mit dem jeweiligen Publikum das Vermittelte herausarbeitet, dem Vermittelten eine Bühne gibt, und zwar auch so, wie es nicht von den Künstler*innen, Kurator*innen oder Kunstvermittler*innen vorgedacht oder vorgeschrieben ist.[46] Dazu kann es nötig sein, Kunstvermittlung als Brücke zu begreifen, Hilfe beim Verständnis anzubieten, um von dort aus an neuen Rissen zu arbeiten. Oder es kann nötig sein, mit einem Riss zu beginnen und Widerstand zu formulieren.[47]

Effekte scheinbarer Unmittelbarkeit auszublenden beinhaltet demnach die Gefahr, nicht zu sehen, wie unmittelbar ein akademisch, heteronormativ und *weiß* geprägter Kunstbetrieb wirken kann. Dieser Betrieb kann unmittelbar *treffen*, und zwar im Sinne konkreter diskriminierender Effekte für konkrete Personen und Gruppen.

---

45 Vgl. Kap. 5.3 *Schein der Unmittelbarkeit bei Plessner.*

46 Vgl. Puffert: »Vorgeschrieben oder ausgesprochen?«.

47 Vgl. Kap. 4.4 *Unentschiedene Kunstvermittlung der Reflexion.*

Dem entgegenzuwirken, Kunstvermittlung also immer wieder an anderer, unvorhergesehener Stelle zu verorten, bedeutet nicht, Kunst ihrer ›Tiefe‹ zu berauben, sondern im Gegenteil, die »Deutungskapazität«[48] der Kunst und durch diese – so die Hoffnung – die Deutungskapazität der Gesellschaft zu erhöhen.[49]

So wie ich hier annehme, dass eine pluralistische Gesellschaft auf Komplexität angewiesen ist, auf eine vielstimmige, nicht-eindeutige und möglichst gleichberechtigte Aufeinanderbezogenheit von Menschen, so muss, da der ambivalente Begriff der Vermittlung hier mit hineinspielt, folglich diese Ambivalenz in die Wertung von Komplexität eingetragen werden. So habe ich etwa mit Donna Haraway gezeigt, dass gerade die Entwicklung technischer und ökonomischer Komplexität neue Ausbeutungsmuster hervorbringt und es zuweilen nötig ist, partiale Perspektiven des Widerstands einzunehmen. Auch dies ist eine Form der Reduktion von Komplexität, weil sie Grenzziehungen vornimmt, zu binären Ausschlüssen greift.[50]

Komplex und nicht-binär begriffene Kunstvermittlung bringt nicht nur plurale Offenheit, sondern ebenso neue Muster der Herrschaft hervor. So sind etwa die hybriden Dritten, als die Kunstvermittler*innen häufig adressiert werden, gleichfalls *role models* für einen entgrenzten Kapitalismus und flexibilisierte Arbeitsverhältnisse.[51] Sich für eine Kunstvermittlung zu entscheiden, die sich als Vehikel für Komplexität begreift, muss also zuweilen auch bedeuten, unterkomplex und grenzziehend zu agieren.

48 GnT, S. XIII. Hier in Kap. 7.2 *Komplexe Vermittlung.*

49 Vgl. Kap. 6.2 *Vermittlung als Versöhnung.*

50 Vgl. Kap. 7.5 *Perspektiven transformativer Kunstvermittlung.*

51 Vgl. Kap. 7.5 *Kunstvermittlung – queer perspektiviert.*

Offenheit

(Kunst-)Vermittlung thematisiert Offenheit. Das gilt insbesondere für Begriffskonzeptionen, die über Produktion von Eindeutigkeit hinausgehen. Doch auch Begriffe von Vermittlung, die etwa auf die Vereindeutigung von Kommunikationsprozessen oder auf die harmonistische Schließung von Räumen ausgerichtet sind, entkommen der Ambivalenz der Vermittlung nicht, produzieren ungewollte Formen der Offenheit im Sinne von Unbestimmtheit, Unvorhersehbarkeit.[52] Es wäre zu einfach, anzunehmen, Vermittlung produziere ohnehin und an jeder Stelle Unbestimmtheit. Denn gleichwohl können durch Vermittlung Unbestimmtheiten übersehen, ignoriert oder verschleiert werden, so dass wieder Schließungen entstehen. Deshalb gilt es auch hier, Differenzierungen vorzunehmen.

Sofern ›Offenheit‹ zunächst im Sinne von Unbestimmtheit verstanden wird, geht es im Rahmen von Kunstvermittlung etwa um die analytische Perspektive, wer auf welche Weise und mit welchen Ressourcen an Prozessen der Vermittlung beteiligt ist, und darum, ob durch diese Konstellationen ein Spiel in Gang kommen kann, das nicht schon durch eine der Positionen vorherbestimmt ist. Insofern ist die Orientierung an Offenheit abhängig von der an Äquivalenz. Damit rückt eine weitere Bedeutung von ›Offenheit‹ in den Fokus: die im Sinne eines »Zugangs zu Räumen«, (PdU 97) in denen Spielregeln ausgehandelt werden. Im Sinne eines Verständnisses von Kunstvermittlung, das sich als Teilhabe[53] begreift,

52 Vgl. hierzu Pazzini: »Nachträglich unvorhersehbar«, Eva Sturm in VKa, bes. S. 200 f., sowie Maset: »Ästhetische Operationen«, S. 17 f.

53 Kap. 1.1 *1900 bis 1945*, sowie Kap. 2.3 *Von Teilhabe zu Handel*.

ist damit wiederum eine normative Ebene aufgerufen. D.h. Kunstvermittlung, die offen sein soll, sollte zwar Zugang zu Räumen der Aushandlungsprozesse schaffen, in denen ihre eigenen Bedingungen festgelegt werden, müsste aber gleichzeitig den Ausgang ebendieser Prozesse im Unbestimmten lassen.[54] Kunstvermittlung in diesem Sinne muss gerade um der Kunst willen mit unbestimmten, offenen Formen arbeiten, weil sie sonst an der Kunst vorbeigeht, auf die sie sich bezieht.[55]

Am letzten Punkt lassen sich wieder Ambivalenzen an der Orientierung des Vermittlungsbegriffs an Offenheit festmachen. Dass Kunst weder in ihren Formen als Kunstwerke, noch in ihrer systemischen Spielart *per se* für Offenheit sorgt, sondern ebenso massive, elitäre Zuschlüsse sowie Eindeutigkeit statt Unbestimmtheit produziert, habe ich mehrmals dargelegt. Sofern sich Kunstvermittlung an Kunst orientiert, kann hierfür das Gleiche in Anschlag gebracht werden. Umgekehrt kann aus der ambivalenten Ausgangslage wiederum Orientierung gezogen werden, nach der Kunstvermittlung, die öffnen *sollte*, dies zuweilen verfehlt oder aber Formen der Schließung bedarf, um sich weiter an den Horizont der Öffnung halten zu können.[56]

Soziale Korrelation

(Kunst-)Vermittlung involviert soziale Korrelation. Diesen Begriff habe ich in dieser Arbeit selbst nicht eingeführt – er verdichtet sich aber durch einen Themenkomplex, der sich quer durch die Arbeit und quer durch verschiedene

54 Vgl. Kap. 7.4 *Ein Beispiel.*

55 Vgl. Kap. 4.3 *Bedingte Kunstvermittlung der Differenz*, und Kap. 6.3 *Kritische Kunstvermittlung mit Adorno.*

56 Vgl. Kap. 4.4 *Unentschiedene Kunstvermittlung der Reflexion.*

Begrifflichkeiten, Motive und Politiken herstellt. Gemeint ist hier ein Überbegriff für verschiedene Konzepte sozialer Aufeinanderbezogenheit, wie ›Gemeinschaft‹, ›Allianzen‹, ›Solidarität‹, ›*Wir*‹, ›Gemeinsinn‹ oder ›Transsubjektivität‹. Bei aller Verschiedenheit dieser und anderer Konzepte ist zunächst festzuhalten, dass der Begriff der Vermittlung generell gegen Vereinzelung spricht. Während Plädoyers für Vereinzelung und Rückzüge aus zwischenmenschlicher Kommunikation auf den Begriff unvermittelter Unmittelbarkeit angewiesen sind,[57] stellt »die Möglichkeit der Vermittlung eine zwar ständig bedrohte, oft scheiternde, aber auf jeden Fall nur gemeinsame Möglichkeit von Menschen dar«.[58] Vermittlung ist keine Leistung eines als einheitlich gedachten Subjekts, sondern eine der verteilten Subjektivität, an Günther anschließend ein transsubjektiver Prozess. Vermittlung involviert einen Prozess, der über mehrere Positionen verteilt stattfindet. Insofern damit kein technischer, sondern ein sozialer Zusammenhang gemeint ist, involviert Vermittlung mehrere Akteur*innen, kann aber – unter den Bedingungen von Günthers Vermittlungsbegriff – auch Objekte wie Maschinen, Texte oder Kunstwerke mit einbeziehen: in seiner Minimalform als Zusammenspiel von Ich, Du und Es.[59]

Für Kunstvermittlung bedeutet das mindestens, dass sich der Begriff auf einen, wie Eva Sturm schreibt, »kommunikativen Raum«[60] bezieht, auf ein soziales Verhältnis, auf

57 Kap. 5.2 *Wiederholung gegen Vermittlung*, sowie Kap. 5.4 *Notwendigkeit der Unmittelbarkeit*.

58 Rentsch: *Negativität und praktische Vernunft*, S. 262. Hier in Kap. 4.1 *Dritte Stellung*.

59 Vgl. Kap. 7.1 *Transsubjektivität*.

60 VKa, S. 89. Hier in Kap. 2.4 *Kunstvermittlung liegt quer zu gesellschaftlichen Verhältnissen*.

eine – zunächst – wie auch immer geartete Korrelation von Menschen, die sich gegenüber Kunst zueinander verhalten, in Beziehung aufeinander gestellt werden oder sich verständigen. Mit der Maßgabe der oben genannten Orientierungspunkte kann dieser Begriff von sozialer Korrelation jedoch spezifiziert werden. Für einen differenzorientierten Begriff der Kunstvermittlung muss es um Korrelate gehen, die von Ambivalenz und Unreinheit geprägt sind, die im Rahmen eines möglichst äquivalenten, vielstimmigen und offenen Gefüges Komplexität erlauben.

Sofern damit zunächst verschiedene, mögliche Gemeinschaften angesprochen sind, geht es um verschiedene Formationen von *Wir*, die sich wiederum miteinander vermitteln lassen, die demnach selbst wieder durchsetzt und uneindeutig werden (können): »Das ist auch eine wichtige Ebene der Vermittlung«, so Landkammer über das Atelier-Projekt, »dass sich die ›Wirs‹ in dieser Gruppe nie ganz schließen können.« (A 218)

Dabei ist die Orientierung auf soziale Korrelation nicht nur eine begriffliche Rahmung von Vermittlung, die thematisiert werden muss. Sie gibt auch Hinweise, wie mit logischen Problemen, die Vermittlung aufwirft, umgegangen werden kann. So steht (Kunst-)Vermittlung qua Begriff immer schon vor Zielsetzungen, die einerseits notwendig und andererseits nicht einzulösen sind, weil sich mit Vermittlung mehrwertige Logikprobleme stellen.[61] Für den Kontext Kunstvermittlung wurde immer wieder darauf verwiesen, dass es nicht produktiv ist, Ambivalenzen der Vermittlung einzelnen Akteur*innen zu überlassen, sondern stattdessen, wie etwa Mörsch vorschlägt, Allianzen zu bilden, »im

61 Vgl. Kap. 7.1 *Transsubjektivität.*

Sinne eines gemeinsamen Reflektierens und Entwickelns von Handlungsmöglichkeiten«. (Ssw 75) Subjektivität, die sich als verteilte begreift, vermag mehr logische Kapazität aufzunehmen als vereinzelte Akteur*innen oder homogenisierte Gruppierungen.[62]

Mit dem Ausdruck ›soziale Korrelation‹ habe ich hier bewusst einen eher vorsichtigen und etwas diffusen Begriff gewählt, um anzuzeigen, dass die Konzepte, mit denen die soziale Aufeinanderbezogenheit von Menschen begriffen wird, höchst unterschiedlich differenziert werden können. Exemplifizieren lässt sich das etwa am Konzept des Gemeinsinns, das spätestens mit Hegel mit dem Vermittlungsbegriff verwoben ist und auch in aktuellen Debatten um Kunstvermittlung auftaucht.

Dezidiert auf Kunst bezogen schlägt Pierangelo Maset einen »ästhetischen Gemeinsinn« vor,[63] der auf gemeinschaftliche Kunstbezogenheit abzielt. Der Begriff des Gemeinsinns benennt für Maset die »Fähigkeit, mit Anderen in einen Dialog um Differenz zu treten«,[64] sich also, wie es auch Sandrine Micossé-Aikins vorschlägt, gemeinschaftlich an abweichenden Wahrnehmungen abzuarbeiten und gerade die Standpunktabhängigkeit der Kunst für solche Prozesse zu nutzen.[65] Die Aufgabe der Kunstvermittler*innen muss, so Rahel Puffert, »darin bestehen, für jede Wertbeziehung, die durch die Zusammensetzung einer Gruppe in Konfrontation

62 Vgl. Kap. 2.4 *Kunstvermittlung als multiples Handlungsfeld*, Kap. 3.3 *Kunstvermittlung ist möglich*, Kap. 4.1 *Dritte Stellung*, sowie Kap. 7.1 *Transsubjektivität*.

63 Maset, Pierangelo: »Vorwort«. In: ders.: *Praxis Kunst Pädagogik*, S. 7–11, hier S. 8.

64 Ebd., S. 9.

65 Vgl. Kap. 7.5 *Kunstvermittlung postkolonial perspektiviert*.

mit einem spezifischen Werk zwangsläufig entsteht, eine Art Auditorium zu bieten«.[66] Kunstvermittlung, die sich an Gemeinsinn orientiert, ist wiederum Vehikel von Komplexität; und zwar, als gesellschaftliche Komplexität, die sich in Kunstwerken als Komplex zeigen kann.[67]

Dabei betont Maset, dass er den Begriff des Gemeinsinns nicht als »Unterordnung unter eine Allgemeinheit«[68] versteht. Dennoch muss, im Rahmen der vorliegenden Arbeit, ›Gemeinsinn‹ in notwendiger Bezogenheit auf ein Konzept von Allgemeinheit verstanden werden. So hat Hegel den Begriff des *common sense* verwendet, um die Orientierung der absoluten Vermittlung auf Allgemeinheit anzuzeigen. Gemeinsinn ist damit ein Konzept, das nur in Zusammenhang mit Allgemeinheit zu haben ist, zu einem, zumindest von Hegel aus gedacht, gesellschaftlichen, unabschließbaren Ganzen, das kein Außen hat. Die Orientierung auf Gemeinsinn geht demnach weiter als die Wendung an einzelne Gemeinschaften und Allianzen. ›Gemeinsinn‹ avisiert ein universelles *Wir*, das aber nicht universell *sein* kann und das beim Gang durch die Geschichte mal mehr, mal weniger explizite Ausschlüsse aus diesem scheinbaren universellen vollzieht. Der Begriff absoluter Vermittlung hebt auf einen Gemeinsinn ab, der sich universal denkt, gegen partikulare Interessen wendet – im sozialhistorischen Bezug aber permanent partikulare Interessen durchsetzt.[69]

66 Puffert: »Vorgeschrieben oder ausgesprochen?«, S. 69. Puffert bezieht sich hier auf den Sprachwissenschaftler Valentin N. Vološinov.

67 Vgl. ebd.

68 Maset: »Vorwort«, S. 9.

69 Vgl. Kap. 4.1 *Dritte Stellung*, sowie Kap. 4.2 *Absolute Vermittlung im Aufklärungsdiskurs weißer Vorherrschaft*.

Durch die Geschichte der *Kunst*vermittlung hindurch lässt sich entsprechend der Bezug auf Allgemeinheit immer wieder als Ankerpunkt ausmachen, von dem aus hegemoniale Interessen legitimiert wurden und werden.[70] Eine an Gemeinsinn orientierte Kunstvermittlung hat immer wieder die Stellung der Polizei im Hegel'schen Sinn übernommen und damit an der Zurichtung des Besonderen, Differenten zugunsten einer zwar partikulären, sich selbst aber als universal verstehenden Gemeinschaft mitgewirkt. So weist Carmen Mörsch in ihrer historischen Kartierung der Kunstvermittlung in Großbritannien nach, dass das Konzept des *common sense* auch dort die Funktion übernommen hat, Sinn für eine imaginierte gemeinsame Nation zu stiften, die es vor der Gründung des Empire so nicht gab. Die »Ausrichtung der eigenen Interessen am Gemeinwohl« (DBdA 49) wurde zum Kennzeichen eines »bürgerlichen Habitus britischer Prägung« (DBdA 122) und damit gleich doppelt zur Distinktion partikulärer Interessen, die sich am Allgemeinen zu orientieren scheinen: zur Distinktion entlang von Klasse und von Nation. Auch hier gilt wieder: Der Begriff der Kunstvermittlung stellt für sich keine Lösung dar, sondern zwingt zunächst, sich zu den historischen Einlassungen zu verhalten, zu denen auch das Konzept des Gemeinsinns zählt. Kunstvermittlung reflexiv-unentschieden zu begreifen kann hier heißen, sich an sozialer Korrelation zu orientieren und gleichzeitig anzuerkennen, dass auch hegemoniale Motive des Gemeinsinns mitschwingen, wenn von Vermittlung die Rede ist. Die Ausdrücke ›Vermittlung‹ und

70 Vgl. hierzu etwa Mörsch, Carmen: *Die Bildung der Anderen mit Kunst*, S. 14, Sternfeld, Nora: »Plädoyer: Um die Spielregeln spielen« (2012), S. 120, sowie Kap. 4.4 *Geschlossene Kunstvermittlung der Versöhnung*.

›Kunstvermittlung‹ thematisieren Gemeinschaftliches und Allgemeines – das lässt sich nicht hintergehen. Welche Ziele aber daraus resultieren sollten, muss gerade in dem Wissen formuliert werden, das jedwede Orientierung fehlgehen und Gewalt hervorbringen kann. So gilt es aus Sicht einer Kunstvermittlung der Differenz, sich am Horizont einer auf Ambivalenz, Äquivalenz, Komplexität, Offenheit und sozialer Korrelation verdichteten Kunstvermittlung zu orientieren. Auch dieser Horizont muss sich mit seinen eigenen Mängeln beschäftigen, die aus der Beschränktheit der je eigenen Positionierung resultieren. Diese sind in Analysen wie Handlungsformen reflexiv mit einzubeziehen.

Grenzen und Chancen, Ausgänge und Anschlüsse

Die hier am Schluss aufgegriffene Kontroverse um den Begriff des Gemeinsinns legt noch einmal das ganze Dilemma um den Begriff der Kunstvermittlung offen. Genauso wie der Begriff des Gemeinsinns ist der Begriff der Kunstvermittlung historisch mit Einschreibungen verbunden, die einer kritischen Praxis eher zu widersprechen als ihr zuzuarbeiten scheinen. Der Blick auf Hegels Idee absoluter Vermittlung, die universelle Allgemeinheit der Menschen und ihrer Rechte avisiert und zeitgleich für kolonisierte Subjekte unvermittelte Gewalt legitimiert; der Blick auf die Abwertung der Figur der Vermittler*in durch kritische Diskurse; der Blick auf die technoide Vermittlung des kybernetischen Kapitalismus, in der sogar Unkontrollierbares der Kontrolle nicht-binärer Operationen zugeführt werden kann; der Blick auf die Verwobenheit des Begriffs der Vermittlung mit der Geschichte deutsch-nationaler Reinheit, die noch längst nicht zu Ende erzählt ist; der Blick darauf, dass der Begriff der Vermittlung, egal von welcher erkenntnistheoretischen oder historischen Perspektive aus belichtet, seine harmonistischen Züge nicht loswird: All diese Perspektiven sind gute Gründe, den Begriff der Kunstvermittlung fallen zu lassen und sich aus Sicht eines differenzorientierten und diskriminierungskritischen Feldes anderen Bezeichnungsvarianten zuzuwenden, die mit anderen Sozial- und Erkenntnisgeschichten verwoben sind, die nicht einem vermeintlichen europäischen Zentrum der Erkenntnistheorie entspringen und den damit eingeschriebenen Politiken der Harmonie und Ausgrenzung.

Der Begriff, den ich hier entwickelt und vorgeschlagen habe, ist demnach nicht nur methodisch und perspektivisch begrenzt, sondern zeitigt auch politisch-erkenntnistheoretische Grenzen. Die Entscheidung für Günthers Logik statt für bestehende dekoloniale Logikkonzepte schreibt die Einheitlichkeit *weißen* Wissens ebenso fort, wie der hier zentral gesetzte Aufklärungsdiskurs des Deutschen Idealismus, statt nicht-*weiße* Philosoph*innen der Aufklärung einzubeziehen.[71] Die Öffnung in diese Richtungen wird im Rahmen dieser Arbeit auch dadurch erschwert, am Begriff wörtlich festzuhalten und damit bestehende Grenzen zu festigen.

In Hinblick auf diese Grenzen plädiere ich jedoch gerade nicht für Ablehnung oder Ausblendung, sondern für weitere Verwendung und Bearbeitung des Begriffs der Kunstvermittlung unter der Voraussetzung von mehr Genauigkeit. Die oben genannten Einschreibungen, welche einem kritischen

71 Exemplarisch für eine dekoloniale Perspektive auf Logik vgl. Rivera Cusicanqui: *Ch'ixanakax utxiwa*. Für nicht-*weiße* Perspektiven auf das Konzept der Aufklärung vgl. exemplarisch die Aufklärungsphilosophie von Anton Wilhelm Amo: Ette: *Anton Wilhelm Amo*. Vgl. auch Williams, Eric Eustace: *Capitalism and Slavery*. Chapel Hill: University of North Carolina Press 1944. Vgl. hier auch Broeck: Art. »Aufklärung«, S. 239.

Diskurs nicht zuarbeiten, sind trotz alledem gleichermaßen Gründe dafür, den Begriff *nicht* fallenzulassen, weil dies auch bedeuten würde, die sozialhistorischen Bedingungen des aktuellen Feldes weniger zu berücksichtigen als es notwendig wäre, und eher ihrer Verschleierung statt ihrer kritischen Berücksichtigung zuzuarbeiten. Anzuerkennen, dass der Begriff der Kunstvermittlung von so viel mehr Geschichten geprägt ist, als es die Narrative der 1990er-Jahre erzählen, heißt, Verantwortung zu übernehmen für die damit verwobenen ambivalenten Ideologien und Politiken des Feldes, die sich in den temporalen Schichten des Begriffs mit abbilden.

Den Begriff der Kunstvermittlung fallen zu lassen würde bedeuten, sein kritisches Potential, seine Geschichten der Widerständigkeit und seine Logiken der Differenz fallen zu lassen, statt auf diesen zu beharren. Das würde nur dazu führen, dass die harmonistische Lesart des Begriffs, die nach wie vor dominant vertreten ist, sich ihrer Reinheit versichern kann.

Mit Eva Sturm plädiere ich also dafür, »*mit* dem Begriff zu arbeiten, ihn weiter zu benutzen, um seine Unmöglichkeit wissend«.[72] Es ist gerade die Unmöglichkeit seiner impliziten Logik, die jeden ungebrochenen absoluten Standpunkt sabotiert, die die Chance birgt, einer kritischen Perspektive zuzuarbeiten und den Begriff so in Bewegung zu halten.

Mit Jacques Derrida habe ich bereits einleitend für Begriffskritik plädiert statt für vorauseilende Ablehnung. Statt »von einem Begriff zu einem anderen überzugehen« brauche es zunächst eine Untersuchung seiner begrifflichen,

72 Mörsch/Sturm: »Vermittlung – Performance – Widerstreit«, S. 1, Herv. i.O.

etymologischen Bedingungen.[73] Eine solche Untersuchung habe ich hier vorgelegt, die aufgrund ihrer vielfältigen Beschränkung nur ein Teil seines solchen Programms sein kann. In einer erweiterten Arbeit am Begriff könnte es, in Anlehnung an Derrida, um Umkehrung und Verschiebung der Begriffe und ihrer Ordnungen gehen.

Umkehrung allerdings, auch das habe ich gezeigt, hat ihre Grenzen, nämlich dort, wo die gegenteiligen Sprachspiele der Kunstvermittlung wechselseitig nicht wegzudenken sind, sich der Begriff der Kunstvermittlung also nicht einfach in Differenz umdeuten lässt. Was ich mit dieser Arbeit versucht habe, ist weniger Umkehrung und mehr Verschiebung – in dem Sinn, wie die differentielle Deutung von Kunstvermittlung an die Stelle der Differenz zwischen Identität und Differenz, Ambivalenz und Harmonie geschoben wird. Egal wie man den Begriff der Kunstvermittlung dreht, er verweist stets auf seine anderen Seiten.

Begriffsverschiebung habe ich auch in dem Sinn unternommen, wie ich Hegels Schriften zur Vermittlung und die damit verbundenen eurozentrischen Epistemologien ins Zentrum der Aufmerksamkeit gerückt habe – in der Hoffnung, die ohnehin immer latent mitschwingenden Beziehungen auf diese Wurzeln offenzulegen, um sie dann aus dem Zentrum in die Peripherie rücken zu können, um daneben Platz für andere Geschichten, Logiken und Begriffe zu machen.

Die letztgenannte Verschiebung ist für dieses Buch allerdings nur als Ausblick zu formulieren und gleichzeitig Kern des Angebots, das ich hier vorlege. Dieses besteht nicht

73 Derrida: »Signatur Ereignis Kontext«, S. 350. Vgl. die *Einleitung* in diesem Band.

darin, einen universalisierten und normierten Begriff der Kunstvermittlung zu verordnen. Es besteht auch nicht darin, dem Begriff der Kunstvermittlung Unübersetzbarkeit zu attestieren, ihn wegen seines Bezugs auf Deutschen Idealismus, deutsche Geschichte und deutsche Etymologie als Produkt nationaler Reinheit vorzustellen, das gegen die vielfältigen Unreinheiten der Übersetzung geschützt werden müsste. Das Angebot besteht vielmehr darin, dieses Buch als Anschluss zu benutzen, als möglichen Teil erweiterter Diskursverwandtschaften, in denen andere Sozial- und Erkenntnisgeschichten und andere Logiken kursieren, die sich an anderen Begriffen abbilden. Es besteht darin, andere Begriffe zur wechselseitigen Übersetzung zu nutzen und so für mehr Genauigkeit ebenso zu sorgen wie für die Erweiterung der Begriffsperspektiven.

Der Ausgang aus dieser Arbeit heraus führt also nicht über eine erneute Idee von Eindeutigkeit und einem festgezurrten Begriff, der sich in den oben genannten Orientierungspunkten erschöpft. Der Ausgang soll vielmehr als Einladung gedacht sein, den Begriff weiter zu irritieren, insbesondere aus Perspektiven, die in dieser Arbeit nicht berücksichtigt worden sind.

Das Brechen des Begriffs der Kunstvermittlung wird fortzuschreiben sein – nur so lässt sich an ihm festhalten.

Nachwort

Während der Forschungsarbeiten, die diesem Buch zugrunde liegen und den Arbeiten am Text selbst, habe ich immer wieder verschiedene Rollen eingenommen – mindestens die des Forschers und die des Kunstvermittlers. Das sind Rollen, die sich zuweilen gegenseitig im Wege stehen. Als Forscher habe ich mich immer wieder um Distanz zu einem Feld bemüht, in dem ich als Kunstvermittler selbst agiere. Das Ergebnis dieser Mehrfachrolle ist ein Text, der sich selbst um Vermittlung bemüht – und das mindestens in einem vierfachen Sinn: um die reflexiv-unentschiedene Vermittlung ambivalenter Rollenanforderungen, um Wissensvermittlung, um Intervention und um die Inszenierung von Komplexität.

Keine dieser Sinnebenen von Vermittlung wird von einem Subjekt allein ›gemacht‹, alle sind auf das Zusammenspiel mehrere Personen angewiesen. Beim Verfassen des vorliegenden Textes war ich über die Jahre hinweg angewiesen auf Hilfen vielfältigster Art, auf Hilfen von vielen Personen und Institutionen, denen ich hier danken möchte.

Allen voran gilt mein Dank den Betreuer*innen meiner Doktorarbeit – ganz besonders Carmen Mörsch, die meine

Arbeit in dreizehn Jahren, vom ersten Exposé bis zur Drucklegung, produktiv-kritisch und mit großer Theorieoffenheit begleitet und gefördert hat. Ohne Eva Sturm und ihre wichtigen Impulse hätte ich die Arbeit an diesem Projekt wohl nicht begonnen und bin dankbar für viele Jahre der Begleitung und Unterstützung. Ohne die Beratung von Paul Mecheril hätte es entscheidende Wendungen in meiner Arbeit nicht gegeben, für die ich mich ebenfalls herzlich bedanken will. Wolfgang Schneider hat mir in den ersten Jahren den Rahmen ermöglicht, mein Dissertationsprojekt überhaupt beginnen zu können – auch dafür möchte ich mich bedanken.

Darüber hinaus gilt mein Dank allen, die die Entstehung des Buches in verschiedenster Weise gestützt haben: ganz besonders den Kollegiat*innen und Betreuer*innen des Doktoratsprogramms *Art Education*. Unterstützt wurde ich zudem durch Svea Kellner, Myriam Gerhard, Rahel Puffert, Claudia Reiche, Wiebke Trunk, Nicole Suzuki vom Verlag Zaglossus, Manuel Zahn sowie den Mitgliedern des philosophischen Kolloquiums der Universität Hildesheim und den Kolleg*innen des Instituts für Kulturpolitik der Universität Hildesheim. Für vielfältige und genaue Arbeit am Text in Lektorat und Korrektorat danke ich Sarah Mainka und Susanne Steinfeltz. Dem Institute for Art Education der Zürcher Hochschule der Künste danke ich für die großzügige finanzielle Unterstützung der Buchproduktion.

Nadja Susemichel danke ich für so Vieles – auch für das Vertrauen, dass eine Doktorarbeit eine reale Möglichkeit sein könnte.

Literaturverzeichnis

1. Siglenverzeichnis

A	Landkammer, Nora/Polania, Felipe: »Atelier. Ein Dialog über die Zusammenarbeit«. In: Settele, Bernadett/Mörsch, Carmen (Hg.): *Kunstvermittlung in Transformation. Perspektiven eines Forschungsprojektes*. Zürich: Scheidegger & Spiess 2012, S. 212–227.
ÄaV	Brock, Bazon: *Ästhetik als Vermittlung. Arbeitsbiographie eines Generalisten*, hrsg. von Karla Fohrbeck. Köln: DuMont 1977.
AK	Mörsch, Carmen: »Am Kreuzungspunkt von vier Diskursen: Die documenta 12 Vermittlung zwischen Affirmation, Reproduktion, Dekonstruktion und Transformation«. In: dies. et al. (Hg.): *Kunstvermittlung 2. Zwischen kritischer Praxis und Dienstleistung auf der documenta 12. Ergebnisse eines Forschungsprojekts*. Zürich/Berlin: diaphanes 2009, S. 9–33.
ÄT	Adorno, Theodor W.: *Ästhetische Theorie*. Frankfurt/Main: Suhrkamp 1996 (1970).
BtR	Castro Varela, María do Mar/Dhawan, Nikita: »Breaking the Rules. Bildung und Postkolonialismus«. In: Mörsch, Carmen et al. (Hg.): *Kunstvermittlung 2. Zwischen kritischer Praxis und Dienstleistung auf der documenta 12. Ergebnisse eines Forschungsprojekts*. Zürich/Berlin: diaphanes 2009, S. 339–353.
DBdA	Mörsch, Carmen: *Die Bildung der A_n_d_e_r_e_n durch Kunst. Eine postkoloniale und feministische historische Kartierung der Kunstvermittlung*. Wien: Zaglossus 2019.

DSH Adorno, Theodor W.: »Drei Studien zu Hegel« (1956, 1959, 1971). In: ders.: *Gesammelte Schriften*, Bd. 5, hrsg. von Gretel Adorno und Rolf Tiedemann. Frankfurt/Main: Suhrkamp 1971, S. 247–380.

DuW Deleuze, Gilles: *Differenz und Wiederholung*, übers. von Joseph Vogl. Paderborn: Fink 2007 (1968).

E Hegel, Georg Wilhelm Friedrich: *Enzyklopädie der philosophischen Wissenschaften im Grundrisse*, hrsg. von der Rheinisch-Westfälischen Akademie der Wissenschaften. Hamburg: Felix Meiner 1992 (1830).

GnT Günther, Gotthard: *Grundzüge einer neuen Theorie des Denkens in Hegels Logik*. Hamburg: Felix Meiner 1978 (1933).

IE Sturm, Eva: *Im Engpaß der Worte. Sprechen über moderne und zeitgenössische Kunst*. Berlin: Reimer 1996.

IuG Günther, Gotthard: *Idee und Grundriß einer nicht-Aristotelischen Logik*. Hamburg: Felix Meiner 1959.

MfC Haraway, Donna: »Ein Manifest für Cyborgs. Feminismus im Streit mit den Technowissenschaften« (1984), übers. von Fred Wolf und Barbara Ege. In: Haraway, Donna: *Die Neuerfindung der Natur. Primaten, Cyborgs und Frauen*, hrsg. von Ulrike Teubner. Wiesbaden: VS 2005, S. 33–72.

ND Adorno, Theodor W.: *Negative Dialektik*. Frankfurt/Main: Suhrkamp 1980 (1966).

PdR Hegel, Georg Wilhelm Friedrich: *Grundlinien der Philosophie des Rechts*, hrsg. von der Nordrhein-Westfälischen Akademie der Wissenschaften und der Künste. Hamburg: Felix Meiner 2011 (1821).

PdU Mecheril, Paul: *Politik der Unreinheit. Ein Essay über Hybridität*. Wien: Passagen 2003.

QT Perko, Gudrun: *Queer-Theorien. Ethische, politische und logische Dimensionen plural-queeren Denkens*. Köln: PapyRossa 2005.

SM Günther, Gotthard: »Strukturelle Minimalbedingungen einer Theorie des objektiven Geistes als Einheit der Geschichte« (1968). In: ders.: *Beiträge zur Grundlegung einer operationsfähigen Dialektik*, Bd. 3. Hamburg: Felix Meiner 1980, S. 136–181.

Ssw Mörsch, Carmen: »Sich selbst widersprechen. Kunstvermittlung als kritische Praxis innerhalb des educational turn in curating«. In: Jaschke, Beatrice/Sternfeld, Nora (Hg.): *Educational turn. Handlungsräume der Kunst- und Kulturvermittlung*. Wien: Turia + Kant 2012, S. 55–78.

U Arndt, Andreas: *Unmittelbarkeit*. Bielefeld: transcript 2004.

V Adorno, Theodor W.: »Vermittlung« (1968). In: ders.: *Gesammelte Schriften*, Bd. 14. Frankfurt/Main: Suhrkamp 1973, S. 394–421.

VaG Türcke, Christoph: *Vermittlung als Gott. Kritik des Didaktik-Kults*. Lüneburg: zu Klampen 1986.

VKa Sturm, Eva: *Von Kunst aus. Kunstvermittlung mit Gilles Deleuze*. Wien: Turia + Kant 2011.

2. Weitere Literatur

Adorno, Theodor W.: *Minima Moralia. Reflexionen aus dem beschädigten Leben*, hrsg. von Rolf Tiedemann. Frankfurt/Main: Suhrkamp 1980 (1951).

Adorno, Theodor W.: »Zur Metakritik der Erkenntnistheorie. Studien über Husserl und die phänomenologischen Antinomien« (1956). In: ders.: *Gesammelte Schriften*, Bd. 5, hrsg. von Gretel Adorno und Rolf Tiedemann. Frankfurt/Main: Suhrkamp 1971, S. 7–245.

Adorno, Theodor W.: *Ästhetik (1958/1959)*, hrsg. von Eberhard Ortland. Frankfurt/Main: Suhrkamp 2009.

Adorno, Theodor W.: »Einführung in die Dialektik« (1958). In: ders.: *Nachgelassene Schriften*, Abt. 4, Bd. 2, hrsg. von Christoph Ziermann. Frankfurt/Main : Suhrkamp 2010, S. 9–12.

Adorno, Theodor W.: »Theorie der Halbbildung« (1959). In: ders. *Gesammelte Schriften*, Bd. 8, hrsg. von Rolf Tiedemann. Frankfurt/Main: Suhrkamp 1972, S 93–121.

Adorno, Theodor W.: »Zur Logik der Sozialwissenschaften« (1962). In: ders *Gesammelte Schriften*, Bd. 8, hrsg. von Rolf Tiedemann. Frankfurt/Main: Suhrkamp 1972, S. 547-565.

Adorno, Theodor W.: »Tabus über den Lehrberuf« (1965). In: ders.: *Stichworte. Kritische Modelle* 2. Frankfurt/Main: Suhrkamp 1970, S. 68–84.

Adorno, Theodor W.: »Zur Musikpädagogik« (1966). In: ders.: *Gesammelte Schriften*, Bd. 14, hrsg. von Rolf Tiedemann. Frankfurt/Main: Suhrkamp 1973, S. 102–120.

Adorno, Theodor W.: »Einleitung zum ›Positivismusstreit in der deutschen Soziologie‹« (1969). In: ders.: *Gesammelte Werke*, Bd. 8, hrsg. von Rolf Tiedemann. Frankfurt/Main: Suhrkamp 1972, S. 280–353.

Adorno, Theodor W: »Zu Subjekt und Objekt«. In: ders.: *Stichworte. Kritische Modelle* 2. Frankfurt/Main: Suhrkamp 1969, S. 151–168.

Adorno, Theodor W.: *Philosophische Terminologie*, Bd. 2, hrsg. von Rudolf zur Lippe. Frankfurt/Main: Suhrkamp 1974.

Aichele, Alexander: »Einleitung« (2001). In: Fichte, Johann Gottlieb: *Reden an die deutsche Nation*, hrsg. von Alexander Aichele. Hamburg: Felix Meiner 2008 (1808), S. VII–LXXXIX.

Akbaba, Yalız/Bräu, Karin/Zimmer, Meike: »Erwartungen und Zuschreibungen. Eine Analyse und kritische Reflexion der bildungspolitischen Debatte zu Lehrer/innen mit Migrationshintergrund«. In: Bräu, Karin/Georgi, Viola B./Karakaşoğlu, Yasemin et al. (Hg.): *Lehrerinnen und Lehrer mit Migrationshintergrund. Zur Relevanz eines Merkmals in Theorie, Empirie und Praxis.* Münster/New York/München et al.: Waxmann 2013, S. 37–57.

Allmanritter, Vera: »Migranten als Kulturpublikum. Der aktuelle Forschungsstand sowie Anregungen zur weiteren Beschäftigung«. In: Mandel, Birgit/Renz, Thomas (Hg.): *Mind the gap! Zugangsbarrieren zu kulturellen Angeboten und Konzeptionen niedrigschwelliger Kulturvermittlung.* Hildesheim: o.V. 2014, S. 35–41; online unter https://www.uni-hildesheim.de/media/fb2/kulturpolitik/publikationen/Tagungsdokumentation_Mind_the_Gap_2014.pdf.

Ancillon, Friedrich: *Zur Vermittlung der Extreme in den Meinungen*, Bd. 1. Berlin: Duncker und Humblot 1828.

Ancillon, Friedrich: *Zur Vermittlung der Extreme in den Meinungen*, Bd. 2. Berlin: Duncker und Humblot 1831.

Angerer, Marie-Luise: Art. »Feminismus und künstlerische Praxis«. In: Butin, Hubertus (Hg.): *Begriffslexikon zur zeitgenössischen Kunst.* Köln: DuMont 2002), S. 81–85.

Anschütz, Elisabeth: Art. »Queer«. In: Arndt, Susan/Ofuatey-Alazard, Nadja (Hg.): *Wie Rassismus aus Wörtern spricht. (K)Erben des Kolonialismus im Wissensarchiv deutsche Sprache. Ein kritisches Nachschlagewerk.* Münster: Unrast 2011, S. 505–516.

AntiDiskriminierungsBüro Köln/Öffentlichkeit gegen Gewalt e.V. (Hg.): *Leitfaden für einen rassismuskritischen Sprachgebrauch. Handreichung für Journalist_innen.* Köln: 2013; online unter http://criticalwalks.net/wp-content/uploads/2017/02/Leitfaden_PDF_2014.pdf.

Aristoteles: *Metaphysik*, Bd. 1, hrsg. von Horst Seidel, übers. von Hermann Bonitz. Hamburg: Felix Meiner 1978 (348–322 v.u.Z.).

Aristoteles: *Metaphysik*, Bd. 2, hrsg. von Horst Seidel, übers. von Hermann Bonitz. Hamburg: Felix Meiner 1980 (348–322 v.u.Z.).

Arndt, Andreas: Art. »Unmittelbarkeit«. In: Ritter, Joachim/Gründer, Karlfried/Gabriel, Gottfried (Hg.): *Historisches Wörterbuch der*

Philosophie, Bd. 11. Darmstadt: Wissenschaftliche Buchgesellschaft 2011, Sp. 236–241.

Arndt, Andreas: Art. »Vermittlung«. In: Ritter/Gründer/Gabriel (Hg.): *Historisches Wörterbuch der Philosophie*, Bd. 11. Darmstadt: Wissenschaftliche Buchgesellschaft 2011, Sp. 722–726.

Arndt, Susan: Art. »›Barbar_in‹/›barbarisch‹«. In: dies./Ofuatey-Alazard, Nadja (Hg.): *Wie Rassismus aus Wörtern spricht. (K)Erben des Kolonialismus im Wissensarchiv deutsche Sprache. Ein kritisches Nachschlagewerk*. Münster: Unrast 2011, S. 619–623.

Arztmann, Doris/Egermann, Eva: »Cyborg Exits im Klassenzimmer. Körper-Vielsprachigkeit und Crip-Materialien für schmutziges Wissen im Kunstunterricht«. In: *Art Education Research*, Nr. 10 (2015).

Aschenbrenner, Thomas/Thulin, Oskar: Art. »Bilderfrage«. In: Schmitt, Otto (Hg.): *Reallexikon zur Deutschen Kunstgeschichte*, II. Band. Stuttgart-Waldsee: Alfred Druckenmüller 1948, Sp. 561–572.

Autor*innenKollektiv Rassismuskritischer Leitfaden: »Rassismuskritischer Leitfaden – zur Reflexion bestehender und Erstellung neuer didaktischer Lehr- und Lernmaterialien für die schulische und außerschulische Bildungsarbeit zu Schwarzsein, Afrika und afrikanischer Diaspora«, Hamburg/Berlin 2015; online unter https://www.elina-marmer.com/wp-content/uploads/2015/03/IMAFREDU-Rassismuskritischer-Leiftaden_Web_barrierefrei-NEU.pdf.

Babias, Marius: »Vorwort«. In: ders. (Hg.): *Im Zentrum der Peripherie. Kunstvermittlung und Vermittlungskunst in den 90er Jahren*. Hamburg: philo 1995, S. 9–26.

Baecker, Dirk: »Kybernetik zweiter Ordnung«. In: Foerster, Heinz von: *Wissen und Gewissen. Versuch einer Brücke*. Frankfurt/Main: Suhrkamp 1993, S. 17–23.

Bauman, Zygmunt: *Moderne und Ambivalenz. Das Ende der Eindeutigkeit*. Hamburg: Junius 1992.

Bayrhuber, Horst et al.: *Auf dem Weg zu einer allgemeinen Fachdidaktik*. Münster: Waxmann 2016.

Below, Irene: »Kunstwissenschaft und Kunstvermittlung. Vorbemerkungen zu diesem Band«. In: dies. (Hg.): *Kunstwissenschaft und Kunstvermittlung*. Gießen: Anabas 1975, S. 5–8.

Below, Irene: »Probleme der ›Werkbetrachtung‹ – Lichtwark und die Folgen«. In: dies. (Hg.): *Kunstwissenschaft und Kunstvermittlung*. Gießen: Anabas 1975, S. 83–136.

Below, Irene: »›Berlins demokratischer Modellkunstverein [...] eine linke Bastion wie im Theaterleben die Schaubühne‹ – Wie alles anfing«. In: NGBK (Hg.): *NGBK 40 Jahre*. Berlin: o.V. 2009, S. 31–52.

Benhabib, Seyla: *Kulturelle Vielfalt und demokratische Gleichheit. Politische Partizipation im Zeitalter der Globalisierung*. Frankfurt/Main: Fischer 1999.

Bering, Kunibert: *Kunst und Kunstvermittlung als dynamisches System*. Münster/Hamburg: LIT 1993.

Besemer, Christoph: *Mediation – Vermittlung in Konflikten*. Baden: Stiftung Gewaltfreies Leben/Werkstatt für Gewaltfreie Aktion 2007.

Beuth, Patrick: »Microsoft: Twitter-Nutzer machen Chatbot zur Rassistin«. In: *Die Zeit*, 24.3.2016.

Bhabha, Homi K.: *Die Verortung der Kultur*, übers. von Jürgen Freudl. Tübingen: Stauffenburg 2000 (1994).

Bindman, Jo: »Redefining Prostitution as Sex Work on the International Agenda«, Vancouver 1997; online unter www.walnet.org/csis/papers/redefining.html.

Bisky, Jens: »Kapitalismuskritik als Betrug«. In: *Süddeutsche Zeitung*, 14./15. August 2014, S. 14.

Bismarck, Beatrice von: »Curating«. In: Butin, Hubertus (Hg.): *DuMonts Begriffslexikon zur zeitgenössischen Kunst*. Köln: DuMont 2002, S. 56–59.

Bitter, Gottfried: Art. »Erlösung«. In: *Lexikon für Theologie und Kirche*, Bd. 3, hrsg. von Walter Kasper, et al. Freiburg: Herder 1995, Sp. 799–814.

Block, Friedrich W.: »Dich im Unendlichen zu finden ... Der Vermittlungsbegriff und seine Anwendung in Kunst und Erziehung«. In: ders./Funk, H. (Hg.): *Kunst Sprache Vermittlung*. München: Goethe Institut 1995, S. 29–42.

Bourdieu, Pierre: »Ästhetische Disposition und künstlerische Kompetenz« (1971), übers. von Hella Beister. In: ders.: *Kunst und Kultur. Kunst und künstlerisches Feld. Schriften zur Kultursoziologie* 4, hrsg. von Franz Schultheis und Stephan Egger. Konstanz: UVK 2011, S. 111–153.

Bourdieu, Pierre: *Die feinen Unterschiede. Kritik der gesellschaftlichen Urteilskraft*, übers. von Bernd Schwibs und Achim Russe. Frankfurt/Main: Suhrkamp 2012 (1979).

Bourdieu, Pierre: »Ökonomisches Kapital, kulturelles Kapital und soziales Kapital«, übers. von Reinhard Kreckel. In: Kreckel, Reinhard (Hg.): *Soziale Ungleichheiten*. Göttingen: Schwartz 1983, S. 183–198.

Brock, Bazon: *Besucherschule d7. Die Hässlichkeit des Schönen*. Kassel: D+V Paul Dierichs 1982.

Broeck, Sabine: Art. »Aufklärung«. In: Arndt, Susan/Ofuatey-Alazard, Nadja (Hg.): *Wie Rassismus aus Wörtern spricht. (K)Erben des*

Kolonialismus im Wissensarchiv deutsche Sprache. Ein kritisches Nachschlagewerk. Münster: Unrast 2011, S. 232–241.

Brumlik, Micha: »Normative Grundlagen der Rassismuskritik«. In: Broden, Anne/Mecheril, Paul (Hg.): *Solidarität in der Migrationsgesellschaft. Befragung einer normativen Grundlage*. Bielefeld: transcript 2014, S. 23–36.

Buck-Morss, Susan: *Hegel und Haiti*, übers. von Laurent Faasch-Ibrahim. Frankfurt/Main: Suhrkamp 2011 (2009).

Buddrus, Michael: *Totale Erziehung für den totalen Krieg. Hitlerjugend und nationalsozialistische Jugendpolitik*, hrsg. vom Institut f. Zeitgeschichte. München: K.G. Saur 2003.

Bundesministerium für Finanzen (Hg.): BMF-Schreiben IV A 6 - S 7160-a/07/0001 vom 29.11.2007, Berlin 2007; online unter http://datenbank.nwb.de/Dokument/Anzeigen/281211/.

Bundesministerium für Unterricht und Kunst (Hg.): *StörDienst. Verein zur Schaffung kultureller Interaktionen im Bereich bildender Kunst*. Wien: o.V., o.J.

Bürger, Peter: *Vermittlung – Rezeption – Funktion. Ästhetische Theorie und Methodologie der Literaturwissenschaft*. Frankfurt/Main: Suhrkamp 1979.

Butler, Judith: *Das Unbehagen der Geschlechter*, übers. von Kathrina Menke. Frankfurt/Main: Suhrkamp 1991 (1990).

Castro Varela, María do Mar / Dhawan, Nikita: *Postkoloniale Theorie: Eine kritische Einführung*. Bielefeld: transcript 2005.

Chemnitz, Martin: *Erörterung Deß Trientischen Concilii*. Frankfurt/Main: Feyerabend 1576.

Conrads, Martin: »Der Fetisch beobachtet zurück. Überlegungen zur Zukunft der Re-Kreativität«. In: *springerin* Hft. 2 (2009), online unter https://springerin.at/2009/2/der-fetisch-beobachtet-zuruck/.

Cube, Felix: »Die kybernetisch-informationstheoretische Didaktik«. In: *Westermanns Pädagogische Beiträge* 32. Jahrgang Hft. 3 (1980), S. 120–124.

Daniel, Claus: *Hegel verstehen. Einführung in sein Denken*. Frankfurt/Main/New York: Campus 1983.

Dany, Hans-Christian: *Morgen werde ich Idiot. Kybernetik und Kontrollgesellschaft*. Hamburg: ed. Nautilus 2014.

De Vos, Lu: Art. »Geist«. In: Cobben, Paul et al. (Hg.): *Hegel-Lexikon*. Darmstadt: Wissenschaftliche Buchgesellschaft 2006, S. 222–227.

Deininger, Roman: »Am Ende eines Experiments«. In: *Süddeutsche Zeitung* vom 30./31. Juli 2011, S. 5.

Demirović, Alex: *Der nonkonformistische Intellektuelle. Die Entwicklung der Kritischen Theorie zur Frankfurter Schule*. Frankfurt/Main: Suhrkamp 1999.

Demirović, Alex: »Hegemonie und das Paradox von privat und öffentlich«. In: Raunig, Gerald/Wuggenig, Ulf (Hg.): *Publicum. Theorien der Öffentlichkeit*, Wien: Turia + Kant 2005, S. 42–55.

Deleuze, Gilles: *Unterhandlungen. 1972–1990*, übers. von Gustav Roßler. Frankfurt/Main: Suhrkamp 1991.

Deleuze, Gilles/Guattari Félix: *Was ist Philosophie?*, übers. von Joseph Vogl. Frankfurt/Main: Suhrkamp 2000 (1991).

Derrida, Jacques: *Grammatologie*, übers. von Hans-Jörg Rheinberger und Hanns Zischler. Frankfurt/Main: Suhrkamp 1974 (1967).

Derrida, Jacques: *Glas. Totenglocke*, übers. von Hans D. Gondek und Markus Sedlacek. München: Wilhelm Fink 2006 (1971).

Derrida, Jacques: »Das Supplement der Kopula. Die Philosophie vor der Linguistik« (1971), übers. von Gerhard Ahrens. In: ders.: *Randgänge der Philosophie*, hrsg. von Peter Engelmann. Wien: Passagen 1999, S. 195–227.

Derrida, Jacques: »Signatur Ereignis Kontext« (1971), übers. von Gerhard Ahrens. In: ders.: *Randgänge der Philosophie*, hrsg. von Peter Engelmann. Wien: Passagen 1999, S. 325–351.

Derrida, Jacques: »Die différance« (1972), übers. von Gerhard Ahrens. In: ders.: *Randgänge der Philosophie*, hrsg. von Peter Engelmann. Wien: Passagen 1999, S. 31–56.

Derrida, Jacques: *As If I were dead – Als ob ich tot wäre*, hrsg. und übers. von U. O. Dunkelsbühler, T. Frey, D. Jäger et al. Wien: Turia + Kant 2000.

Dilly, Heinrich: »Lichtbildprojektion – Prothese der Kunstbetrachtung«. In: Below, Irene (Hg.): *Kunstwissenschaft und Kunstvermittlung*, Gießen: Anabas 1975, S. 153–172.

Ditterich, Joseph / Kaehr, Rudolf: »Einübung in eine andere Lektüre. Diagramm einer Rekonstruktion der Güntherschen Theorie der Negativsprachen«. In: *Philosophisches Jahrbuch*, Hft. 86 (1979), S. 385–408.

Draxler, Helmut: *Abdrift des Wollens. Eine Theorie der Vermittlung*. Wien: Turia + Kant 2016.

Dudenredaktion (Hg.): *Duden. Das große Wörterbuch der deutschen Sprache*, Bd. 8. Mannheim/Leipzig/Wien/Zürich: Dudenverlag 1995.

Dudenredaktion (Hg.): *Duden. Das große Wörterbuch der deutschen Sprache*, Bd. 3. Mannheim/Leipzig/Wien/Zürich: Dudenverlag 1999.

Dudenredaktion (Hg.): *Duden. Deutsches Universalwörterbuch*. Mannheim/Zürich: Dudenverlag 2011.

Ehmer, Hermann K.: »Kunstvermittlung. Über pädagogische Kunstvermittlung und ihre verborgene Opposition gegen die kunstgeschichtliche Kunstrezeption«. In: *Kunst und Unterricht* Hft. 109 (1987), S. 13–16.

Elster, Jon: *Logik und Gesellschaft. Widersprüche und mögliche Welten*, übers. von Walter Rosenthal. Frankfurt/Main: Suhrkamp 1981 (1978).

Engel, Antke: »Gefeierte Vielfalt. Umstrittene Heterogenität. Befriedete Provokation. Sexuelle Lebensformen in spätmodernen Gesellschaften«. In: Bartel, Rainer/Horwarth, Ilona/Kannonier-Finster, Waltraud et al. (Hg.): *Heteronormativität und Homosexualitäten*. Innsbruck/Wien/Bozen: Studien-Verlag 2008, S. 43–64.

Eremjian, Inga: *Transkulturelle Kunstvermittlung. Zum Bildungsgehalt ästhetisch-künstlerischer Praxen*. Bielefeld: transcript 2016.

Ette, Ottmar: *Anton Wilhelm Amo. Philosophieren ohne festen Wohnsitz. Eine Philosophie der Aufklärung zwischen Europa und Afrika*. Berlin: Kadmos 2014.

F.A. Brockhaus (Hg.): *Brockhaus. Die Enzyklopädie*, Bd. 23. Leipzig/Mannheim: 1999.

Fereidooni, Karim: *Diskriminierungs- und Rassismuserfahrungen von Referendar*innen und Lehrer*innen ‚mit Migrationshintergrund' im deutschen Schulwesen. Eine quantitative und qualitative Studie zu subjektiv bedeutsamen Ungleichheitspraxen im Berufskontext*, Dissertation an der Universität Heidelberg 2015; online unter http://archiv.ub.uni-heidelberg.de/volltextserver/20203/1/Dissertation%20Karim%20Fereidooni%281%29.pdf.

Fichte, Johann Gottlieb: *Grundlage der gesamten Wissenschaftslehre als Handschrift für seine Zuhörer*, hrsg. von Reinhard Lauth/Hans Gliwitzky. Stuttgart/Bad Cannstatt: Fromman/Holzboog 1965 (1794).

Fichte, Johann Gottlieb: *Versuch einer neuen Darstellung der Wissenschaftslehre*, hrsg. von Jacob, Hans/Lauth, Reinhard. Stuttgart/Bad Cannstatt: Frommann/Holzboog 1970 (1797).

Fichte, Johann Gottlieb: *Reden an die deutsche Nation*, hrsg. von Alexander Aichele. Hamburg: Felix Meiner 2008 (1808).

Figal, Günter: Art. »Negative Dialektik«. In: Volpi, Franco (Hg.): *Großes Werklexikon der Philosophie*, Bd. 1. Stuttgart: Kröner 2004, S. 10–11.

Foerster, Heinz von: »Über das Konstruieren von Wirklichkeiten« (1973). In: ders.: *Wissen und Gewissen. Versuch einer Brücke*, hrsg. von Siegfried J. Schmidt. Frankfurt/Main: Suhrkamp 1993, S. 25–49.

Foerster, Heinz von: *Observing Systems*. Seaside: Intersystems Publications 1981.

Foerster, Heinz von/Pörksen, Bernhard: *Wahrheit ist die Erfindung eines Lügners. Gespräche für Skeptiker*. Heidelberg: Auer 2004.

Foucault, Michel: »Über die Archäologie der Wissenschaften. Antwort auf den Cercle d' épistémologie« (1968), übers. von Michael

Bischof. In: Foucault, Michel: *Schriften in vier Bänden. Dits et Ecrits*, Bd. I. Frankfurt/Main: Suhrkamp 2001, S. 887–931.

Foucault, Michel: »Nietzsche, die Genealogie, die Historie« (1970), übers. von Michael Bischoff. In: Foucault, Michel: *Schriften. Dits et Ecrits*, Bd. II, 1970–1975. Frankfurt/Main: Suhrkamp 2002, S. 166–191.

Foucault, Michel: *Was ist Kritik?*, übers. von Walter Seitter. Berlin: Merve 1992 (1978).

Foucault, Michel: »Subjekt und Macht« (1982), übers. von Michael Bischoff. In: Foucault, Michel: *Schriften in vier Bänden. Dits et Ecrits*, Bd. IV. Frankfurt/Main: Suhrkamp 2005, S. 269–293.

Fuchs, Peter: *Luhmann beobachtet. Eine Einführung in die Systemtheorie*. Opladen: Westdeutscher Verlag 1992.

Fuchs, Peter: »Die Metapher des Systems – Gesellschaftstheorie im dritten Jahrtausend«. In: Burckhardt, Wolfram (Hg.): *Luhmann Lektüren*. Berlin: Kadmos 2010, S. 53–69.

Gadamer, Hans-Georg: *Die Begriffsgeschichte und die Sprache der Philosophie*. Opladen: Westdeutscher Verlag 1971.

Gamm, Gerhard: *Der deutsche Idealismus. Eine Einführung in die Philosophie von Fichte, Hegel und Schelling*. Stuttgart: Reclam 1997.

Gehring, Petra: »Der Parasit. Figurenfülle und strenge Permutation«. In: Eßlinger, Eva/Schlechtriemen, Tobias/Schweitzer, Doris et al. (Hg.): *Die Figur des Dritten. Ein kulturwissenschaftliches Paradigma*. Frankfurt/Main: Suhrkamp 2010, S. 180–192.

Gianotti, Donato: *Wahrhaffte eigentliche und kurze Beschreibung der herrlichen und weltberühmten Statt Venedig*, übers. von Heinrich Kellner. Frankfurt/Main: o.V. 1574.

Gikandi, Simon: *Slavery and the Culture of Taste*. Princeton/Oxford: Princeton University Press 2011.

Girnth, Heiko: *Sprache und Sprachverwendung in der Politik. Eine Einführung in die linguistische Analyse öffentlich-politischer Kommunikation*. Berlin: De Gruyter 2015.

Goebl, Renate: »Wissenschaftliche Untersuchung und Evaluierung von Vermittlungsarbeit: Fragmente und Ideenskizzen«. In: AdKV (Hg.): *Kunstvermittlung zwischen partizipatorischen Kunstprojekten und interaktiven Kunstaktionen*. Berlin: Vice Versa 2002, S. 38–44.

Goldammer, Eberhard von/Paul, Joachim: »Einführung zur Neuauflage«. In: Günther, Gotthard: *Das Bewusstsein der Maschinen. Eine Metaphysik der Kybernetik*, hrsg. von Eberhard von Goldammer und Joachim Paul. Baden-Baden: AGIS 2002 (1957), S. 11–43.

Görland, A.: »Das Wesen des volkstümlichen Liedes«. In: *Die deutsche Schule. Monatsschrift* Bd. 9. (1905), S. 415–427.

Grasskamp, Walter: »Die Malbarkeit der Geschichte«. In: ders.: *Die unästhetische Demokratie. Kunst in der Marktgesellschaft*. München: C.H. Beck 1992, S. 100–126.

Grimm, Jacob/Grimm, Wilhelm: Art. »erklären«. In: dies.: *Deutsches Wörterbuch*, Bd. 3, hrsg. Deutsche Akademie der Wissenschaften. Leipzig: S. Hirzel 1862, Sp. 875.

Grimm, Jacob/Grimm, Wilhelm: Art. »genau«. In: dies.: *Deutsches Wörterbuch*, Bd. 4, Abt. 1/2, hrsg. Deutsche Akademie der Wissen schaften. Leipzig: S. Hirzel 1897, Sp. 3348–3360.

Grimm, Jacob/Grimm, Wilhelm: Art. »Harmonie«. In: dies.: *Deutsches Wörterbuch*, Bd. 4, Abt. 2, hrsg. Deutsche Akademie der Wissenschaften. Leipzig: S. Hirzel 1877, Sp. 484–485.

Grimm, Jacob/Grimm, Wilhelm: Art. »Mittel«. In: dies.: *Deutsches Wörterbuch*, Bd. 6, hrsg. Deutsche Akademie der Wissenschaften. Leipzig: S. Hirzel 1885, Sp. 2386 f.

Grimm, Jacob/Grimm, Wilhelm: Art. »vermitteln«. In: dies.: *Deutsches Wörterbuch*, Bd 12, 1. Abt., hrsg. von der Deutschen Akademie der Wissenschaften. Leipzig: S. Hirzel 1956, Sp. 877–878.

Gruschka, Andreas: *Didaktik. Das Kreuz mit der Vermittlung. Elf Einsprüche gegen den didaktischen Betrieb*. Wetzlar: Büchse der Pandora 2002.

Günther, Gotthard: »Die ›zweite‹ Maschine«. In: Asimov, Isaac: *Ich, der Robot*, hrsg. von Gotthard Günther. Düsseldorf/Bad Salzig: Karl Rauch 1952, S. 219–241.

Günther, Gotthard: »Die philosophische Idee einer nicht-aristotelischen Logik« (1953). In: ders. *Beiträge zur Grundlegung einer operationsfähigen Dialektik*, Bd. 1. Hamburg: Felix Meiner 1976, S. 24–30.

Günther, Gotthard: »Seele und Maschine« (1956). In: ders.: *Beiträge zur Grundlegung einer operationsfähigen Dialektik*, Bd. 1. Hamburg: Felix Meiner 1976, S. 75–90.

Günther, Gotthard: *Das Bewusstsein der Maschinen. Eine Metaphysik der Kybernetik*, hrsg. von Eberhard von Goldammer und Joachim Paul. Baden-Baden: AGIS 2002 (1957).

Günther, Gotthard: »Metaphysik, Logik und die Theorie der Reflexion« (1957). In: ders.: *Beiträge zur Grundlegung einer operationsfähigen Dialektik*, Bd. 1. Hamburg: Felix Meiner 1976, S. 31–74.

Günther, Gotthard: »Die aristotelische Logik des Seins und die nicht-aristotelische Logik der Reflexion« (1958). In: ders.: *Beiträge zur Grundlegung einer operationsfähigen Dialektik*, Bd. 1. Hamburg: Felix Meiner 1976, S. 141–188.

Günther, Gotthard: »Die gebrochene Rationalität« (1958). In: ders.: *Beiträge zur Grundlegung einer operationsfähigen Dialektik*, Bd. 1. Hamburg: Felix Meiner 1976, S.115–140.

Günther, Gotthard: »Logistischer Grundriss und Intro-Semantik« (1963). In: ders.: *Beiträge zur Grundlegung einer operationsfähigen Dialektik*, Bd. 2. Hamburg: Felix Meiner 1979, S. 1–115.

Günther, Gotthard: »Das metaphysische Problem einer Formalisierung der transzendental-dialektischen Logik« (1964). In: ders.: *Beiträge zur Grundlegung einer operationsfähigen Dialektik*, Bd. 1. Hamburg: Felix Meiner 1976, S. 189–247.

Günther, Günther: »Logik, Zeit, Emmanation und Evolution« (1967). In: ders.: *Beiträge zur Grundlegung einer operationsfähigen Dialektik*, Bd. 3. Hamburg: Felix Meiner 1980, S. 95–135.

Günther, Gotthard: »Die historische Kategorie des Neuen« (1970). In: ders: *Beiträge zur Grundlegung einer operationsfähigen Dialektik*, Bd. 3. Hamburg: Felix Meiner 1980, S. 183–209.

Günther, Gotthard: »Cognition and Volition – Erkennen und Wollen. Ein Beitrag zu einer kybernetischen Theorie der Subjektivität« (1971), übers. von Peter Frenz. In: ders.: *Das Bewusstsein der Maschinen. Eine Metaphysik der Kybernetik*, hrsg. von Eberhard von Goldammer und Joachim Paul. Baden-Baden: AGIS 2002 (1957), S. 229–285.

Günther, Gotthard: »Die Theorie der ›mehrwertigen‹ Logik« (1971). In: ders. *Beiträge zu einer operationsfähigen Dialektik*, Bd. 2. Hamburg: Felix Meiner 1979, S. 181–202.

Günther, Gotthard: »Vorwort« (1976). In: ders.: *Beiträge zur Grundlegung einer operationsfähigen Dialektik*, Bd. 1. Hamburg: Felix Meiner 1976, S. IX–XVI.

Günther, Gotthard: »Identität, Gegenidentität und Negativsprache«. In: *Hegel-Jahrbuch* (1979), S. 22–88.

Ha, Kien Nghi: *Hype um Hybridität. Kultureller Differenzkonsum und postmoderne Verwertungstechniken im Spätkapitalismus*. Bielefeld: transcript 2005.

Ha, Kien Nghi: Art. »Postkolonialismus/Postkoloniale Kritik«. In: Arndt, Susan/Ofuatey-Alazard, Nadja (Hg.): *Wie Rassismus aus Wörtern spricht* (2011), S. 177–184.

Haftmann, Werner: »Das Museum in der Gegenwart«. In: Bott, Gerhard (Hg.): *Das Museum der Zukunft*. Köln: DuMont 1970, S. 107–115.

Han, Byŏng-ch'ŏl: *Psychopolitik. Neoliberalismus und die neuen Machttechniken*. Frankfurt/Main: Fischer 2014.

Häntzschel, Jörg: »Die Geiseln des Buchhändlers«. In: *Süddeutsche Zeitung*, 14./15. Juli 2014, S. 13.

Haraway, Donna: »Situiertes Wissen. Die Wissenschaftsfrage im Feminismus und das Privileg einer partialen Perspektive« (1987), übers. von Helga Kelle. In: Haraway, Donna: *Die Neuerfindung der*

Natur. Primaten, Cyborgs und Frauen. Frankfurt/Main: Campus 1995, S. 73–97.

Hartwig, Helmut: »sprache macht kunst los«, Wien 1995; online unter http://www.helmut-hartwig.de/pdf/sprache_macht_kunst_los.pdf.

Haug, Frigga: »Die Prekarität ist von Natur aus weiblich. Überlegungen zum Verhältnis von Produktionsweise, Geschlechterverhältnissen und dem großen Magen des Neoliberalismus«. In: Fink, Dagmar/Krondorfer, Birge/Prokop Sabine et al. (Hg.): *Prekariat und Freiheit? Feministische Wissenschaft, Kulturkritik und Selbstorganisation.* Münster: Westfälisches Dampfboot 2013, S. 46–55.

Hegel, Georg Wilhelm Friedrich: »Differenz des Fichtschen und des Schellingschen Systems der Philosophie« (1801). In: ders.: *Jenaer kritische Schriften*, hrsg. von Hartmut Buchner u. Otto Pöggeler. Hamburg: Felix Meiner, 1968 (1801), S. 1–92.

Hegel, Georg Wilhelm Friedrich: *Phänomenologie des Geistes*, hrsg. von der Rheinisch-Westfälischen Akademie der Wissenschaften. Hamburg: Felix Meiner 1980 (1807).

Hegel, Georg Wilhelm Friedrich: *Wissenschaft der Logik. Zweiter Band: Die subjektive Logik*, hrsg. von Friedrich Hogemann u. Walter Jaeschke. Hamburg: Felix Meiner 1981 (1816).

Hegel, Georg Wilhelm Friedrich: *Vorlesungen über die Philosophie der Geschichte*, hrsg. von Eva Moldenhauer und Karl Markus Michel. Frankfurt/Main: Suhrkamp 1970 (1823 ff.).

Hegel, Georg Wilhelm Friedrich: *Wissenschaft der Logik. Erster Teil: Die Objektive Logik. Erster Band: Die Lehre vom Sein*, hrsg. von Friedrich Hogemann u. Walter Jaeschke. Hamburg: Felix Meiner 1985 (1832).

Heller, Martin: »Eine Welt dazwischen«. In: Heiz, André Vladimir/Pfister, Michael (Hg.): *Dazwischen. Beobachten und Unterscheiden.* Zürich: Museum für Gestaltung Zürich 1998, S. 25–31.

Henschel, Alexander: »Der – unmögliche – Wunsch nach unmittelbarer Vermittlung«. In: Mörsch et al. (Hg.): *Kunstvermittlung 2. Zwischen kritischer Praxis und Dienstleistung auf der documenta 12. Ergebnisse eines Forschungsprojekts.* Zürich/Berlin: diaphanes 2009, S. 159–168.

Henschel, Alexander: »Treten und Vertreten«. In: Mörsch/Carmen et al. (Hg.): *Kunstvermittlung 2. Zwischen kritischer Praxis und Dienstleistung auf der documenta 12. Ergebnisse eines Forschungsprojekts.* Zürich/Berlin: diaphanes (2009), S. 225.

Henschel, Alexander: »Wen meint ›alle‹? Zur Möglichkeit der Totalinklusion im Rahmen kultureller Prozesse«. In: Schneider, Wolfgang (Hg.): *Kulturelle Bildung braucht Kulturpolitik. Hilmar Hoffmanns*

»Kultur für alle« reloaded. Hildesheim: Universität Hildesheim 2010, S. 185–192.

Henschel, Alexander: »The term ›mediation‹ in the context of art. An attempt at translation«. In: *Život umjetnosti*, Hft. 88 (2011), S. 22–33.

Henschel, Alexander: »Das ›Wir‹ ist die sichere Seite. Logische Zusammenbrüche und ihr politischer Kitt«. In: ifa et al. (Hg.): *Kunstvermittlung in der Migrationsgesellschaft*. Berlin/Stuttgart: ifa 2012, S. 66-74, bes. S. 66-70; online unter https://www.kultur-vermittlung.ch/zeit-fuer-vermittlung/download/materialpool/MFE0404.pdf.

Henschel, Alexander: »Das Neue liegt im Alten. Historische Perspektiven auf einen Kunstvermittlungsbegriff der Differenz«. In: Meyer, Torsten/Kolb, Gila (Hg.): *What's next? Art Education*, München: kopaed 2015, S. 125–127.

Henschel, Alexander: »Die Brücke als Riss. Reproduktive und transformative Momente von Kunstvermittlung«. In: Mandel, Birgit/Renz, Thomas (Hg.): *Mind the gap! Zugangsbarrieren zu kulturellen Angeboten und Konzeptionen niedrigschwelliger Kulturvermittlung*. Hildesheim: o.V. 2014, S.141-154; online unter https://www.uni-hildesheim.de/media/fb2/kulturpolitik/publikationen/Tagungsdokumentation_Mind_the_Gap_2014.pdf.

Herzig, Arno: »Judenhaß und Antisemitismus bei den Unterschichten und in der frühen Arbeiterbewegung«. In: Heid, Ludger/Paucker, Arnold (Hg.): *Juden und deutsche Arbeiterbewegung bis 1933. Soziale Utopien und religiös-kulturelle Traditionen*. Tübingen: J.C.B. Mohr 1992, S. 1–18.

Heß, Moses: »Die europäische Triarchie« (1841). In: ders: *Philosophische und sozialistische Schriften*, hrsg. von Wolfgang Mönke. Vaduz: Topos 1980.

Heuyse, Johann C. A.: *Handwörterbuch der Deutschen Sprache*, Bd. 3. Magdeburg: Lokay 1849, S. 1580.

Hoffmann, Hilmar: *Kultur für alle. Perspektiven und Modelle*. Frankfurt/Main: S. Fischer 1979.

Hofmann, Michael: »Original und Demokratisierung. Ökonomische Determinanten der Kunstvermittlung in der bürgerlichen Gesellschaft«. In: Neue Gesellschaft für bildende Kunst (NGbK) (Hg.): *Theorie und Praxis demokratischer Kulturarbeit*. Berlin: o.V. 1975, S. 98–153.

Hofmann, Werner: »Die Ausstellung produziert Ausstellungskunst«. In: Brackert (Hg.): *Kunst im Käfig. Thesen zum Thema Kunstausstellung*. Frankfurt/Main: Black Spring 1970, S. 89–104.

Höllwart, Renate: »Entwicklungslinien der Kunst- und Kulturvermittlung«. In: ARGE Schnittpunkt (Hg.): *Handbuch Ausstellungstheorie und -praxis*. Wien/Köln/Weimar: Böhlau 2013, S. 37–48.

Hoppe-Sailer, Richard: »Kunstvermittlung heute – ein kritischer Überblick«. In: Schöppinger Forum der Kunstvermittlung (Hg.): *Transfer. Beiträge zur Kunstvermittlung*, Bd. 2. Schöppingen: Stiftung Künstlerdorf Schöppingen 2003, S. 10–20.

Horkheimer, Max/Adorno, Theodor W.: *Dialektik der Aufklärung. Philosophische Fragmente*, hrsg. von Rolf Tiedemann. Frankfurt/Main: Suhrkamp 1981 (1944).

Hubig, Christoph: *Mittel*. Bielefeld: transcript 2002.

Hubin, Andrea: »›Und so meinen wir auch, dass das Gespräch ohne Worte sein muss‹. documenta 1 und die Abwehr von Vermittlung«. In: Mörsch, Carmen/Forschungsteam der documenta 12 Vermittlung (Hg.): *Kunst Vermittlung 2. Zwischen kritischer Praxis und Dienstleistung auf der documenta 12. Ergebnisse eines Forschungsprojekts*. Zürich/Berlin: diaphanes 2009, S. 311–331.

Ikas, Karin/Wagner, Gerhard: »Postcolonial Subjectivity and the Transclassical Logic of the Third«. In: dies. (Hg.): *Communication in the Third Space*. New York: Routledge 2009, S. 96–103.

Jaeschke, Walter: *Hegel Handbuch. Leben-Werk-Wirkung*. Stuttgart/Weimar: J.B. Metzler 2003.

Jacobi, Friedrich Heinrich: *Schriften zum Spinozastreit*, hrsg. von Klaus Hammacher und Irmgard-Maria Piske. Hamburg: Felix Meiner 1998 (1789).

Jaschke, Beatrice/Sternfeld, Nora: »Einleitung. Ein educational turn in der Vermittlung«. In: dies. (Hg.): *educational turn. Handlungsräume der Kunst- und Kulturvermittlung*. Turia + Kant: Wien 2012, S. 13–23.

Johnson, E. Patrick/Henderson, Mae (Hg.): *Black queer studies. A critical anthology*. Durham, NC: Duke University Press 2005.

Kade, Jochen: »Vermittelbar/nicht vermittelbar. Vermitteln: Aneignen. Im Prozeß der Systembildung des Pädagogischen«. In: Lenzen, Dieter/Luhmann, Niklas (Hg.): *Bildung und Weiterbildung im Erziehungssystem*. Frankfurt/Main: Suhrkamp 1997, S. 30–70.

Kager, Reinhard: *Herrschaft und Versöhnung. Einführung in das Denken Theodor W. Adornos*. Frankfurt/Main/New York: Campus 1988.

Kallhardt, Reiner: »›Poesie muß von allen gemacht werden!‹ oder: Die Grenzen institutioneller Kunstvermittlung«. In: *Magazin Kunst* Heft. 43 (1971), S. 2386–2404.

Kant, Immanuel: *Kritik der reinen Vernunft*, hrsg. von Raymund Schmidt. Hamburg: Felix Meiner 1993 (A 1781/B 1787).

Kant, Immanuel: »Über Pädagogik« (1803). In: ders.: *Ausgewählte Schriften zur Pädagogik und ihrer Begründung*. Paderborn: Schöningh 1963, S. 7–74.

Kamper, Dietmar: »Zwischen der Logik des Selben und der Wahrnehmung des Anderen«. In: *Kunst + Unterricht* Hft. 1976 (1993), S. 42–45.

Karakayali, Serhat: »Solidarität mit den Anderen. Gesellschaft und Regime der Alterität«. In: Broden, Anne/Mecheril, Paul (Hg.): *Solidarität in der Migrationsgesellschaft* (2014), S.112–125.

Kemp, Wolfgang: »Kunstwissenschaft und Rezeptionsästhteik«. In: ders. (Hg.): *Der Betrachter ist im Bild. Kunstwissenschaft und Rezeptionsästhetik*. Köln: DuMont 1985, S. 7–27.

Kierkegaard, Søren Aabye: *Abschließende unwissenschaftliche Nachschrift zu den philosophischen Brocken. Erster Teil*, übers. von Hans M. Junghans, Emanuel Hirsch und Hayo Gerdes. Düsseldorf/Köln: Eugen Diederichs 1957 (1846).

Kierkegaard, Søren Aabye: *Abschließende unwissenschaftliche Nachschrift zu den philosophischen Brocken. Zweiter Teil*, übers. von Hans M. Junghans, Emanuel Hirsch und Hayo Gerdes. Düsseldorf/Köln: Eugen Diederichs 1958 (1846).

Kiesewetter, Hubert: *Von Hegel zu Hitler. Die politische Verwirklichung einer totalitären Machtstaatstheorie in Deutschland (1815-1945)*. Frankfurt/Main: Peter Lang 1995 (1974).

Kimpel, Harald: *documenta. Mythos und Wirklichkeit*. Köln: DuMont 1997.

Kiyonaga, Nobumasa: »Alfred Lichtwarks Kunstbetrachtungsunterricht«. In: Meyer, Torsten/Sabisch, Andrea (Hg.): *Kunst Pädagogik Forschung. Aktuelle Zugänge und Perspektiven*. Bielefeld: transcript 2009, S. 123–136.

Kimmerle, Heinz: *Philosophien der Differenz. Eine Einführung*. Würzburg: Königshausen & Neumann 2000.

Kirschenmann, Johannes/Stehr, Werner: »Die Kuh muß zurück aufs Eis. Gegenwartskunst, Kunstbetrieb und Vermittlung am Beispiel der documenta X«. In: dies. (Hg.): *Materialien zur documenta X. Ein Reader für Unterricht und Studium*. Osterfildern-Ruit: Cantz 1997, S. 7–15.

Klagenfurt, Kurt: *Technologische Zivilisation und transklassische Logik. Eine Einführung in die Technikphilosophie Gotthard Günthers*. Frankfurt/Main: Suhrkamp 1995.

Klein, Armin: »Besucherorientierung als Basis des exzellenten Kulturbetriebs«. In: Mandel, Birgit (Hg.): *Audience Development. Kulturmanagement, Kulturelle Bildung. Konzeptionen und Felder der Kulturvermittlung*. München: kopaed 2008, S. 88–95.

Klein, Iris: *Vom kosmologischen zum völkischen Eros. Eine sozialgeschichtliche Analyse bürgerlich-liberaler Kunstkritik in der Zeit von 1917 bis 1936*. München: tuduv 1991.

Klein, Josef: »Wortschatz, Wortkampf, Wortfelder in der Politik«. In: ders. (Hg.): *Politische Semantik. Bedeutungssanalytische und sprachkritische Beiträge zur politischen Sprachverwendung*. Opladen: Westdeutscher Verlag 1989, S. 3–50.

Klein, Josef: »Kann man ›Begriffe besetzen‹? Zur linguistischen Differenzierung einer plakativen politischen Metapher«. In: Liedtke, Frank/Wengeler, Martin/Böke, Karin (Hg.) *Begriffe besetzen. Strategien des Sprachgebrauchs in der Politik*. Opladen: Westdeutscher Verlag 1991, S. 44–69.

Kluge: *Etymologisches Wörterbuch der deutschen Sprache*. Berlin/New York: de Gruyter 2011.

Knoll, Heiko/Ritsert, Jürgen: *Das Prinzip der Dialektik. Studien über strikte Antinomie und kritische Theorie*. Münster: Westfälisches Dampfboot 2006.

Koch, Lutz: »Pädagogik und Urteilskraft. Ein Beitrag zur Logik pädagogischer Vermittlungen«. In: *Vierteljahresschrift für wissenschaftliche Pädagogik*, 74. Jhg. (1998), S. 387–399.

Köpf, David: »Mit dem Weltgeist rechnen. Über Gotthard Günther«. In: Baecker, Dirk (Hg.): *Schlüsselwerke der Systemtheorie*. Wiesbaden: VS 2005, S. 225–242.

Koselleck, Reinhart: »Einleitung«. In: Brunner, Otto/Conze, Werner/ders. (Hg.): *Geschichtliche Grundbegriffe: Historisches Lexikon zur politisch-sozialen Sprache in Deutschland*, Bd. 1. Stuttgart: Klett-Cotta 1972, S. XIII–XXVII.

Koselleck, Reinhart: »Hinweise auf die temporalen Strukturen begriffsgeschichtlichen Wandels«. In: Bödeker, Hans E./Bevir, Mark: *Begriffsgeschichte, Diskursgeschichte, Metapherngeschichte*. Göttingen: Wallstein 2002, S. 29–48.

Koselleck, Reinhart: *Begriffsgeschichten*. Frankfurt/Main: Suhrkamp 2006.

Krauss, Annette: »Tricksen in der Schule kennt jeder, aber geht das auch auf der documenta?«. In: Wieczorek, Wanda et al. (Hg.): *Kunstvermittlung 1. Arbeit mit dem Publikum, Öffnung der Institution. Formate und Methoden der Kunstvermittlung auf der documenta 12*. Zürich/Berlin: diaphanes 2009, S. 183–187.

Krug, Wilhelm Traugott: Art. »Vermittlung. – Zusatz: Zur *logischen* Vermittlung«. In: ders.: *Allgemeines Handwörterbuch der philosophischen Wissenschaften nebst ihrer Literatur und Geschichte*, Bd. 5. Leipzig: F.A. Brockhaus 1838, S. 422.

Kühnhold, Christa: *Der Begriff des Sprunges und der Weg des Sprachdenkens. Eine Einführung in Kierkegaard*. Berlin/New York: de Gruyter 1975.

Kunz, Thomas: »Ungleichheit«. In: Mecheril, Paul (Hg.) *Handbuch Migrationspädagogik*. Weinheim/Basel: Beltz 2016, S. 243–260.

Laabs, H.-J.: *Pädagogisches Wörterbuch*. Berlin: Volk und Wissen 1987.

Laclau, Ernesto: »Macht und Repräsentation« (1996). In: ders.: *Emanzipation und Differenz*, übers. von Oliver Marchart. Wien: Turia + Kant 2002, S. 125–149.

Lamizet, Bernard: *La médiation culturelle*. Paris: L'Harmattan 1999.

Landkammer, Nora: »Rollen Fallen. Für Kunstvermittlerinnen vorgesehene Rollen, ihre Gender-Codierung und die Frage, welcher taktische Umgang möglich ist«. In: Mörsch, Carmen et al. (Hg.) *Kunst Vermittlung* 2 (2009), S. 148–158.

Landkammer, Nora: »Vermittlung als kollaborative Wissensproduktion und Modelle der Aktionsforschung«. In: Settele, Bernadett/ Mörsch, Carmen: *Kunstvermittlung in Transformation. Perspektiven eines Forschungsprojektes*. Zürich: Scheidegger & Spiess 2012, S. 199–211.

Landkammer, Nora: »Das Museum als Ort des Verlernens? Widersprüche und Handlungsräume der Vermittlung in ethnologischen Museen«. In: Edenheiser, Iris/Förster, Larissa (Hg.): *Einführung in die Museumsethnologie*. Berlin: Reimer 2019, S. 284–301.

Lange, Konrad: »Das Wesen der künstlerischen Erziehung«. In: *Kunsterziehung. Ergebnisse und Anregungen des Kunsterziehertages in Dresden am 28. und 29. September 1901*. Leipzig: Voigtländer 1902, S. 27–38.

Lauth, Reinhard: »Einleitung«. In: Johann Gottlieb Fichte: *Reden an die deutsche Nation*, S. IX-XLI.

Leibowitz, Jeshajahu: *Gespräche über Gott und die Welt. Mit Michael Shashar*. Frankfurt/Main: Alibaba 1990.

Leopold, Max: *Die Vorsilbe ver- und ihre Geschichte*, Breslau: M. & H. Marcus 1907.

Lexer, Matthias: *Mittelhochdeutsches Handwörterbuch*, Bd. 1–3. Leipzig: S. Hirzel 1872–1878.

Lichtwark, Alfred: *Übungen in der Betrachtung von Kunstwerken*. Berlin: Bruno Cassierer 1902 (1897).

Lichtwark, Alfred: »Die Übungen in der Betrachtung der Kunstwerke«. In: *Versuche und Ergebnisse der Lehrervereinigung für die Pflege der künstlerischen Bildung in Hamburg*. Hamburg: Janssen 1901, S. 1–7.

Liebeskind, Uta: »Arbeitsmarktsegregation und Einkommen. Vom Wert ›weiblicher Arbeit‹«. In: *Kölner Zeitschrift für Soziologie und Sozialpsychologie* Jg. 56 Hft. 4 (2004), S. 630–652.

Liesse, André: *Die soziale Frage*. Zittau: Pahl'sche Buchhandlung 1896.

Lingner, Michael: »›Kunstvermittlung als künstlerische Aufgabe?‹ – Formate partizipatorischer Kunst(auf)führungen/ Ein Projektbericht«. In: team*partake (Hg.): »*Kunstvermittlung als künstlerische Aufgabe?*«. Hamburg: Selbstverlag 2009, S. 5–7.

Lorenz, Renate/Kuster, Brigitta: *Sexuell arbeiten. Eine queere Perspektive auf Arbeit und prekäres Leben*. Berlin: b-books 2007.

Lorenzen, Paul/Schwemmer, Oswald: *Konstruktive Logik, Ethik und Wissenschaftstheorie*. Mannheim: Bibliographisches Institut 1973.

Ludwig, Ralf: *Hegel für Anfänger. Phänomenologie des Geistes*. München: dtv 2009.

Luhmann, Niklas: *Soziale Systeme. Grundriß einer allgemeinen Theorie*. Frankfurt/Main: Suhrkamp 1987.

Luhmann, Niklas: *Die Kunst der Gesellschaft*. Frankfurt/Main: Suhrkamp 1995.

Luhmann, Niklas: *Die Gesellschaft der Gesellschaft*, Bd. 1. Frankfurt/Main.: Suhrkamp 1998.

Luhmann, Niklas: *Die Gesellschaft der Gesellschaft*, Bd. 2. Frankfurt/Main: Suhrkamp 1998.

Luhmann, Niklas: »Ich sehe was, was Du nicht siehst« (1990). In: ders.: *Soziologische Aufklärung*, Bd. 5. Wiesbaden: VS 2005, 220–226.

Luhmann, Niklas: »Identität – was oder wie«. In: ders.: *Soziologische Aufklärung*, Bd. 5. Wiesbaden: VS Verlag 2005, S. 15–30.

Lüth, Nanna: »queens of kunstvermittlung«. In: NGBK (Hg.): *Kunstcoop©* (2002), S. 59–74.

Lüth, Nanna: »Kunstvermittlung als ungehorsames Sehen. Über pazifistische Trickfilme und Portraits der Verstörung«. In: dies./Himmelsbach, Sabine/Edith-Ruß-Haus für Medienkunst (Hg.): *medien kunst vermitteln*. Berlin: Revolver 2009, S. 77–87.

Lüth, Nanna/Mörsch, Carmen: »Queering (next) Art Education: Kunst/Pädagogik zur Verschiebung dominanter Zu-gehörigkeitsordnungen«. In: Meyer/Kolb (Hg.): *What's Next? Art Education*. München: kopaed 2015, S. 188–190.

Lüth, Nanna: »Reparaturmaßnahmen, um nicht dermaßen regiert zu werden. Looks der Vermittlung, Gender Performance und sexuelle Arbeit in der Kunstvermittlung«. In: Mörsch, Carmen/Schade, Sigrid/Vögele, Sophie (Hg.): *Kunstvermittlung zeigen. Über die Repräsentation pädagogischer Arbeit im Kunstfeld*. Wien: zaglossus 2018, S. 197–252.

Lyotard, Jean-François: *Der Widerstreit*, übers. von Joseph Vogel. München: Fink 1987 (1984).

Mandel, Birgit (Hg.): *Kulturvermittlung zwischen kultureller Bildung und Kulturmarketing*. Bielefeld: transcript 2005.

Mandel, Birgit: »Vorwort«. In: dies. (Hg.): *Audience Development, Kulturmanagement, Kulturelle Bildung. Konzeptionen und Felder der Kulturvermittlung*. München: kopaed 2008, S. 9–16.

Mandel, Birgit: »Kulturvermittlung als Schlüsselqualifikation auf dem Weg in eine Kulturgesellschaft«. In: dies. (Hg.): *Audience Development, Kulturmanagement, Kulturelle Bildung. Konzeptionen und Felder der Kulturvermittlung*. München: kopaed 2008, S. 17–72.

Marchart, Oliver: »Die Institution spricht. Kunstvermittlung als Herrschafts- und als Emanzipationstechnologie«. In: schnittpunkt – Jaschke, Beatrice/Martinz-Turek/Sternfeld, Nora (Hg.): *Wer spricht? Autorität und Autorschaft in Ausstellungen*. Wien: Turia + Kant 2005, S. 34–58.

Marchart, Oliver: *Hegemonie im Kunstfeld. Die documenta-Ausstellungen dX, D11, d12 und die Politik der Biennalisierung*. Köln: Walther König 2008.

Marx, Karl: *Grundrisse der Kritik der politischen Ökonomie*. Berlin: Dietz 1983 (o.J.).

Marx, Karl: *Kritik des Hegelschen Staatsrechts*, hrsg. von Rolf Dublek et al. Berlin: Dietz 1956 (1843).

Marx, Karl: »Kritik der Hegelschen Dialektik und Philosophie überhaupt« (1844). In: ders./Engels, Friedrich: *Werke*, Ergänzungsband, hrsg. von Rolf Dublek et al. Berlin: Dietz 1985, S. 568–588.

Marx, Karl: »Ökonomisch-philosophische Manuskripte« (1844). In: ders./Engels, Friedrich: *Werke*, Ergänzungsband, Erster Teil, hrsg. von Rolf Dublek et al. Berlin: Dietz 1985, S. 465–588.

Marx, Karl: *Zur Kritik der politischen Ökonomie*. Berlin: Dietz 1953 (1859).

Mascat, Jamila M. H.: »Hegel and the Black Atlantic: Universalism, Humanism and Relation«. In: Dhawan, Nikita (Hg.): *Decolonizing Enlightenment: Transnational Jusitce, Human Rights and Democracy in a Postcolonial World*. Opladen: Barbara Budrich 2014, S. 94–114.

Maset, Pierangelo: *Ästhetische Bildung der Differenz. Kunst und Pädagogik im technischen Zeitalter*. Stuttgart: Radius 1995.

Maset, Pierangelo: »Ästhetische Operationen«. In: ders. (Hg.): Praxis Kunst Pädagogik. Lüneburg: edition HYDE 2001, S. 12–34.

Maset, Pierangelo: »Kunstvermittlung im System Kunst«. In: *The Educational Complex. Vermittlungsstrategien von Gegenwartskunst*. Wolfsburg: Kunstmuseum Wolfsburg 2003, S. 30–41.

Maset, Pierangelo: »Vorwort«. In: ders./Reuter, Rebekka/Steffel, Hagen (Hg.): *Corporate Difference. Formate der Kunstvermittlung*. Lüneburg: edition HYDE 2006, S. 7–10.

Maset, Pierangelo: »Fortsetzung Kunstvermittlung«. In: ders./Reuter/Steffel (Hg.): *Corporate Difference. Formate der Kunstvermittlung*. Lüneburg: edition HYDE 2006, S. 11–24.

Maset, Pierangelo: *Kunstvermittlung heute: Zwischen Anpassung und Widerständigkeit*, hrsg. von Henschel, Alexander/Sturm, Eva/Zahn, Manuel. Hamburg: o.V. 2012.

Mathesius, Johann M.: *Auslegung und gründliche Erklärung der Anderen Episteln des heiligen Apostels Pauli an die Corinther*. Leipzig: Johan Beyer 1557.

Mbembe, Achille: *Kritik der schwarzen Vernunft*, übers. von Michael Bischof. Berlin: Suhrkamp 2014 (2013).

Mecheril, Paul: *Migrationspädagogik*, hrsg. von Andresen, Sabine/Hurrelmann, Klaus/Palentien, Christian et al. Weinheim/Basel: Beltz 2010.

Menge, Hermann: *Langenscheidts Großwörterbuch Griechisch unter Berücksichtigung der Etymologie*, Bd. 1. Berlin/München/Zürich: Langenscheidt 1970.

Merkel, Angela: »Rede anlässlich der Festveranstaltung ›10 Jahre Beauftragter der Bundesregierung für Kultur und Medien‹«, Berlin: 2008; online unter http://www.miz.org/downloads/dokumente/482/MF_018_Bundeskanzlerin_Rede_10Jahre_BKM_2008.pdf.

Micossé-Aikins, Sandrine: Art. »Kunst«. In: Arndt, Susan/Ofuatey-Alazard, Nadja (Hg.): *Wie Rassismus aus Wörtern spricht. (K)Erben des Kolonialismus im Wissensarchiv deutsche Sprache. Ein kritisches Nachschlagewerk*. Münster: Unrast 2011, S. 420–430.

Mitzka, Walter: *Trübners Deutsches Wörterbuch*, Bd. 7. Berlin: de Gruyter 1956.

Mörsch, Carmen: »Gallery Education in Großbritannien: Beispiele guter Praxis für die Kunstvermittlung in Deutschland«. In: AdKV und NGbK (Hg.): *Kunstvermittlung*, S. 19–25.

Mörsch, Carmen: »Eine kurze Geschichte von KünstlerInnen in Schulen«. In: dies./Lüth, Nanna (Hg.): *Kinder machen Kunst mit Medien*. München: kopäd 2005, Text auf DVD. Online unter https://www.kultur-vermittlung.ch/zeit-fuer-vermittlung/download/materialpool/MFV0105.pdf.

Mörsch, Carmen: »Der Wechsel der Vokabulare: Das Pro-jekt im Zwischenraum von Pragmatismus und Dekonstruktion«. In: Szope, Dominika/Freiburghaus, Pius (Hg.): *Pragmatismus als Katalysator kulturellen Wandels. Erweiterung der Handlungsmöglichkeiten durch liberale Utopien*. Berlin/Wien/Zürich: LIT 2006, S. 201–232.

Mörsch, Carmen: »Künstlerische Kunstvermittlung: Die Gruppe *Kunstcoop©* im Zwischenraum von Pragmatismus und Dekonstruktion«. In: Kittlausz, Viktor/Pauleit, Winfried (Hg.): *Kunst – Museum – Kontexte. Perspektiven der Kunst- und Kulturvermittlung*. Bielefeld: transcript 2006, S. 177–193.

Mörsch, Carmen: »Verfahren, die Routinen stören«. In: Baumann, Sabine/Baumann, Leonie (Hg.): *Wo laufen S(s)ie denn hin?! Neue Formen der Kunstvermittlung fördern*. Wolfenbüttel: Bundesakademie Wolfenbüttel 2006, S. 20–34.

Mörsch, Carmen: »Extraeinladung. Kunstvermittlung auf der documenta 12 als kritische Praxis«. In: documenta u. Museum Fridericianum Veranstaltungs-GmbH (Hg.): *Documenta Magazine Nr. 3, 2007. Education*. Köln: Taschen 2007, S. 223–224.

Mörsch, Carmen: »Educational Einverleibung, oder: Wie die Kunstvermittlung vielleicht von ihrem Hype profitieren könnte«. In: NGBK (Hg.): *40 Jahre NGBK*, S. 244–257.

Mörsch, Carmen: »Glatt und widerborstig: Über Legitimationsstrategien für Kulturelle Bildung, über Kritiken an diesen und über Konsequenzen aus diesen Kritiken«. In: Bundesverband Alphabetisierung und Grundbildung e.V./Bothe, Joachim (Hg.): *Das ist doch keine Kunst! Kulturelle Grundlagen und künstlerische Ansätze von Alphabetisierung und Grundbildung*. Münster/New York/München et al.: Waxman 2010, S. 75–88.

Mörsch, Carmen/Sturm, Eva: »Vermittlung – Performance – Widerstreit«. In: *Art Education Research* Nr. 2 (2010); online unter https://intern.zhdk.ch/fileadmin/data_subsites/data_iae/ejournal/no_2/Art_Education_Research_1__2__Moersch_Sturm.pdf.

Mörsch, Carmen: »Allianzen zum Verlernen von Privilegien: Plädoyer für eine Zusammenarbeit zwischen kritischer Kunstvermittlung und Kunstinstitutionen der Kritik«. In: Lüth, Nanna/Himmelsbach, Sabine/Edith-Ruß-Haus f. Medienkunst (Hg.): *medien kunst vermitteln*. Berlin: revolver 2011, S. 19–31.

Mörsch, Carmen: »In Verhältnissen über Verhältnisse forschen: Kunstvermittlung in Transformation als Gesamtprojekt«. In: Settele, Bernadett/Mörsch, Carmen/Anderegg, Elfi et al. (Hg.): *Kunstvermittlung in Transformation. Perspektiven und Ergebnisse eines Forschungsprojekts*. Zürich: Scheidegger & Spiess 2012, S. 299–317.

Mörsch, Carmen/Settele, Bernadett: »Vorwort«, in: Settele, Bernadett/Mörsch, Carmen/Anderegg, Elfi et al. (Hg.): *Kunstvermittlung in Transformation, Perspektiven und Ergebnisse eines Forschungsprojekts*. Zürich: Scheidegger & Spiess 2012, S. 4–6.

Mörsch, Carmen: »Methods for De/Liberation. Historical tensions in action research and their negotiation in the co-research of Art.School. Differences«, o.O. 2016; online unter https://another-roadmap.net/

articles/0002/8279/iae-methods-for-de-liberation-carmen-morsch-eng.pdf.

Mörsch, Carmen: *Die Bildung der Anderen mit Kunst: Ein Beitrag zu einer postkolonialen Geschichte der Kulturellen Bildung*. Hamburg: o.V. 2017.

Mörsch, Carmen/Schade, Sigrid/Vögele, Sophie (Hg.): *Kunstvermittlung zeigen. Über die Repräsentation pädagogigscher Arbeit im Kunstfeld*. Wien: Zaglossus 2018.

Müller, Albert: »Eine kurze Geschichte des BCL. Heinz von Foerster und das Biolocical Computer Laboratory«. In: *Österreichische Zeitschrift für Geschichtswissenschaft* Nr. 11 (2000), S. 9–30.

Müller, Stefan: *Logik, Widerspruch und Vermittlung. Aspekte der Dialektik in den Sozialwissenschaften*. Bielefeld: Springer 2011.

Muñoz, José Esteban: *Cruising Utopia. The Then and There of Queer Futurity*. New York/London: New York University Press 2009.

Nikolchina, Miglena: »Sexual Difference and the Case of Aufhebung«. In: Reiche, Claudia/Sick, Andrea (Hg.): *Do not ~~exist~~. Europe, woman, digital medium*. Bremen: Thealit 2008, S. 93–110.

Nowotny, Stefan: »Polizierte Betrachtung. Zur Funktion und Funktionsgeschichte von Ausstellungstexten«. In: schnittpunkt – Jaschke, Beatrice/Martinz-Turek/Sternfeld, Nora (Hg.): *Wer spricht? Autorität und Autorschaft in Ausstellungen*. Wien: Turia + Kant 2005, S. 72–92.

o.A.: *Zu Hülfe wider die Juden! Ein Nothruf und Beitrag zur Gesetzgebung*. Nürnberg: Riegel und Wießner 1832.

o.A.: Art. »Ambivalenz«. In: Schulz, Hans/Basler, Otto: *Deutsches Fremdwörterbuch*, Bd. 1. Berlin/New York: de Gruyter 1995, S. 435–440.

o.A: Art. »Harmonie«. In: Schulz, Hans/Basler, Otto: *Deutsches Fremdwörterbuch*, Bd. 7. Berlin/New York: de Gruyter 2010, S. 89–106.

o.A.: »Problem Kunstvermittlung«. In: *Kunstforum International* Bd. 6/7, 1974, S. 124–134.

O'Doherty, Brian: *Inside the White Cube. The Ideology of the Gallery Space*. Santa Monica/San Francisco: The Lapis Press 1976.

Oliveira, Manfredo Araújo de: *Subjektivität und Vermittlung. Studien zur Entwicklung des transzendentalen Denkens bei I. Kant, E. Husserl und H. Wagner*. München: Wilhelm Fink 1973.

Ort, Nina: *Reflexionslogische Semiotik*. Weilerswist: Velbrück 2007.

Ortmann, Sandra: »›Das hätten Sie uns doch gleich sagen können, dass der Künstler schwul ist!‹ Queere Aspekte der Kunstvermittlung auf der documenta 12«. In: Mörsch et al. (Hg.) *Kunstvermittlung 2. Zwischen kritischer Praxis und Dienstleistung auf der documenta 12. Ergebnisse eines Forschungsprojekts*. Zürich/Berlin: diaphanes 2009, S. 258–277.

Pädagogischer Dienst der Bundesmuseen (Hg.): *Kolibri flieg. Ein pädagogisches Projekt im Rahmen des Museums Moderner Kunst in Wien.* Wien: o.V. 1987.

Pazzini, Karl-Josef: »Über die Produktivität von Unsinn. Ex- und Implosionen des Imaginären«. In: Warzecha, Birgit (Hg.): *Hamburger Vorlesungen über Psychoanalyse und Erziehung*, Bd. 6. Hamburg: LIT 1999, S. 137–159.

Pazzini, Karl-Josef: »Kunst existiert nicht, es sei denn als angewandte«. In: *Thesis* Hft. 2 (2000), S. 9–10.

Pazzini, Karl-Josef: »Vermittlung ist Anwendung – Ohne Anwendung keine Kunst«. In: Kunstmuseum Wolfsburg (Hg.): *The Educational Complex. Vermittlungsstrategien von Gegenwartskunst.* Wolfsburg: o.V. 2003, S. 84–94.

Pazzini, Karl-Josef: »Nachträglich unvorhersehbar«. In: ders./ Busse, Klaus-Peter (Hg.) *(Un) Vorhersehbares Lernen: Kunst-Kultur-Bild.* Dortmund: Dortmunder Schriften zur Kunst 2008, 43–68.

Pazzini, Karl-Josef: *Sehnsucht der Berührung und Aggressivität des Blicks.* Hamburg: o.V. 2012.

Penzel, Joachim: *Der Betrachter ist im Text: Konversations- und Lesekultur in deutschen Gemäldegalerien zwischen 1700 und 1914.* Berlin: LIT 2007.

Pilz, Wolfgang: »Kunst, Kunstwissenschaft und Kunstpädagogik – Vorschläge zur Fächerintegration an der Gesamthochschule«. In: Below (Hg.): *Kunstwissenschaft und Kunstvermittlung.* Gießen: Anabas 1975, S. 209–246.

Plessner, Helmuth: »Grenzen der Gemeinschaft. Eine Kritik des sozialen Radikalismus« (1924). In: ders: *Gesammelte Schriften*, Bd. 5, hrsg. von Günter Dux, Odo Marquard und Elisabeth Stöker. Frankfurt/Main: Suhrkamp 1981, S. 7–133.

Plessner, Helmuth: *Die Stufen des Organischen und der Mensch. Einleitung in die philosophische Anthropologie.* In: ders: *Gesammelte Schriften*, Bd. 4, hrsg. von Günter Dux, Odo Marquard und Elisabeth Stöker. Frankfurt/Main: Suhrkamp 1981 (1928).

Pollack, Oskar: »Warum haben wir keine sozialdemokratische Kunstpolitik«. In: *Der Kampf. Sozialdemokratische Monatsschrift* Bd. 24 (1929), S. 83–86.

Popper, Karl: *Vermutungen und Widerlegungen. Das Wachstum der wissenschaftlichen Erkenntnis*, hrsg. von Herbert Keuth. Tübingen: Mohr Siebeck 2009 (1963).

Priester, Klaus: »IMSF-Tagung Entwicklung der kulturellen Lebensbedingungen und Kampfziele der Arbeiterklasse der BRD«. In: *Marxistische Blätter* Heft. 1 (1978), S. 76–78.

Pritz, Anna/Sattler, Elisabeth: »›Was jetzt ... – Pädagogik, Kunst, Vermittlung, Kultur?‹«. In: Gaugele, Elke/Kastner, Jens (Hg.): *Critical Studies. Kultur- und Sozialtheorie im Kunstfeld*. Wiesbaden: Springer VS 2016, S. 143–165.

Preuss, Rudolf: »Kunstpädagogik im institutionellen Kontext. Zauberwort Kunstvermittlung?«. In: Engels, Sidonie/Preuss, Rudolf/Schnurr, Ansgar (Hg.). *Feldvermessung Kunstdidaktik. Positionsbestimmungen zum Fachverständnis*. München: kopaed 2013, S. 49–63.

Puffert, Rahel: »Vorgeschrieben oder ausgesprochen? Oder: was beim Vermitteln zur Sprache kommt«. In: schnittpunkt – Jaschke, Beatrice/Martinz-Turek/Sternfeld, Nora (Hg.): *Wer spricht? Autorität und Autorschaft in Ausstellungen*. Wien: Turia + Kant 2005, S. 59–71.

Puffert, Rahel: *Die Kunst und ihre Folgen. Zur Genealogie der Kunstvermittlung*. Bielefeld: transcript 2013.

Puffert, Rahel: »Geschmack als Differenz, die den Unterschied macht? Urteilsbildung und soziale Ungleichheit in der Kunstvermittlung«. In: *Art Education Research*, Nr. 10 (2015); online unter http://oops.uni-oldenburg.de/2720/1/AER10_puffert.pdf.

Rancière, Jaques: »The emancipated Spectator. Ein Vortrag zur Zuschauerperspektive«. In: *Texte zur Kunst* Hft. 58 (2005), S. 35–51.

Rath, Norbert: *Adornos Kritische Theorie. Vermittlungen und Vermittlungsschwierigkeiten*. Paderborn/ München/Wien et al.: Schöningh 1982.

Raunig, Gerald: »Spacing the Lines. Konflikt statt Harmonie. Differenz statt Identität. Struktur statt Hilfe«. In: Rollig, Stella/Sturm, Eva: *Dürfen die das? Kunst als sozialer Raum*. Wien: Turia + Kant 2002 *Kunst als sozialer Raum*. Wien: Turia + Kant 2002, S. 118–127.

Raunig, Gerald: »Jenseits der Öffentlichkeit«. In: ders./Wuggenig, Ulf: *Publicum. Theorien der Öffentlichkeit*. Wien: Turia + Kant 2005, S. 225–232.

Rebentisch, Juliane: *Ästhetik der Installation*. Frankfurt/Main: Suhrkamp 2003.

Reinhold, Karl Leonhard: *Über das Fundament des philosophischen Wissens*, hrsg. von Wolfgang H. Schrader. Hamburg: Felix Meiner 1978 (1791).

Rentsch, Thomas: *Negativität und praktische Vernunft*. Frankfurt/Main: Suhrkamp 2000.

Renz, Thomas: »Besuchsverhindernde Barrieren im Kulturbetrieb. Ein Überblick des aktuellen Forschungsstands und ein Ausblick«. In: Mandel, Birgit/ ders. (Hg.): *Mind the gap!Zugangsbarrieren zu kulturellen Angeboten und Konzeptionen niedrigschwelliger Kulturvermittlung*. Hildesheim: o.V. 2014, S. 22–33; online unter https://www.

uni-hildesheim.de/media/fb2/kulturpolitik/publikationen/Tagungsdokumentation_Mind_the_Gap_2014.pdf.

Richter-Reichenbach, Karin Sophie: *Grundlagen einer museumsdidaktischen Konzeption zur Vermittlung zeitgenössischer Kunst an Jugendliche und Erwachsene*. Kastellaun: Aloys Henn 1977.

Rivera Cusicanqui, Silvia: *Ch'ixanakax utxiwa: una reflexión sobre prácticas y discursos descolonizadores*. Buenos Aires: Tinta Limón 2010.

Rohrbacher, Stefan: »Deutsche Revolution und antijüdische Gewalt (1815-1848/49)«. In: Alter, Peter/Bärsch, Claus-Ekkehard/Berghoff, Peter (Hg.): *Die Konstruktion der Nation gegen die Juden*. München: Wilhem Fink 1999, S. 29–48.

Röttgers, Kurt: Art. »Der Dritte«. In: Sandkühler (Hg.): *Enzyklopädie Philosophie*, Bd. 1. Hamburg: Felix Meiner 2010, S. 446–450.

Ryan, Paul: »Zwei ist keine Zahl«. In: documenta GmbH (Hg.): *dOCUMENTA (13). Das Buch der Bücher*. Osterfildern: Hatje Cantz 2012, S. 143–149.

Salber, Wilhelm: *Kunst=Vermittlung. documentaprobleme*. Köln: Walther König 1977.

Sato, Hansel: »Performing Essentialismus auf der documenta 12«. In: Mörsch, Carmen et al. (Hg.): *Kunstvermittlung 2. Zwischen kritischer Praxis und Dienstleistung auf der documenta 12. Ergebnisse eines Forschungsprojekts*. Zürich/Berlin: diaphanes 2009, S. 67–78.

Saussure, Ferdinand de: *Grundfragen der allgemeinen Sprachwissenschaft*, hrsg. von Charles Bally und Albert Sechehaye, übers. von Hermann Lommel. Berlin/Leipzig: de Gruyter 1931 (1916).

Schade, Sigrid/Wenk, Silke/Werner, Gabriele et al. (Hg.): *Blick-Wechsel. Konstruktion von Männlichkeit und Weiblichkeit in Kunst und Kunstgeschichte*. Berlin: Reimer 1989.

Schade, Sigrid: »Zu sehen geben: Reflexionen kuratorischer Praxis«. In: Richter, Dorothee/Schmidt, Eva (Hg.): *Curating Degree Zero*. Nürnberg: Verlag für moderne Kunst 1999, S. 9–11.

Schäfer, Julia: »Puzzle. Vermittlung als kuratorische Praxis«. In: Mörsch, Carmen/Sachs, Angeli/Sieber, Thomas (Hg.): *Ausstellen und Vermitteln im Museum der Gegenwart*. Bielefeld: transcript 2017, S. 57–68.

Schmincke, Imke: »Kritik und Erfahrung. Zur Logik des Körpers im Denken Adornos und Foucaults«., In: Weiß, Volker/Speck, Sarah (Hg.): *Herrschaftsverhältnisse und Herrschaftsdiskurse* (2007), S. 73–86.

Schneede, Uwe M.: »Sieben Abschnitte über Kunst, ihre Vermittlung und ihre gesellschaftliche Funktion sowie über notwendige Veränderungen«. In: Brackert, Gisela (Hg.): Kunst im Käfig. Thesen zum Thema Kunstausstellung. Frankfurt/Main: Black Spring 1970, S. 34–46.

Schneede, Uwe M.: »Wozu Ausstellungen?«. In: Kunst und Unterricht Hft. 8 (1970), S. 45–46.

Schneider, Karin: »Das Ziel ist im Weg«. In: Jaschke, Beatrice/Sternfeld, Nora (Hg.): *Educational turn. Handlungsräume der Kunst- und Kulturvermittlung*. Wien: Turia + Kant 2012, S. 153–158.

Schneider, Karin/Hubin Andrea: »Rätselflüge – Denkbewegungen durch ein schwieriges Erbe progressiver Kunstvermittlung in Österreich«. In: *Art Education Research* Nr. 15 (2019); online unter https://blog.zhdk.ch/iaejournal/files/2019/02/AER15_Hubin_Schneider_D_20190221.pdf.

Schorch, Günther: »›Pädagogische Vermittlung‹ unter grundschulpädagogischer Perspektive«. In: Fuchs, Brigitta/Schönherr, Christian (Hg.): *Urteilskraft und Pädagogik. Beiträge zu einer pädagogischen Handlungstheorie*. Würzburg: Königshausen & Neumann 2007, S. 251–264.

Schötker, Ulrich: »Das ist doch nicht neu. Das gab's doch früher schon«. In: Kunstverein Wolfsburg (Hg.) *Lokale Liaison 2008-2009. Kunstvermittlung im Kunstverein Wolfsburg*. Wolfsburg: o.V. 2010, S. 6–7.

Schubert, Conrad: Art. »Kunst, bildende in der Erziehungsschule«. In: Rein, J. (Hg.): *Encyklopädisches Handbuch der Pädagogik*, Bd. 5. Langensalza: Hermann Beyer & Söhne 1906, S. 175–224.

Schultz, Helmut: *Johann Vesque von Püttlingen. 1803-1883*. Regensburg: Gustav Bosse 1928.

Schürmann, Volker: Art. »Vermittlung/Unmittelbarkeit«. In: Sandkühler, Hans Jörg (Hg.): *Enzyklopädie Philosophie*, Bd. 3. Hamburg: Felix Meiner 2010, S. 2886–2891.

Schüttpelz, Erhard: »Der Trickster«. In: Eßlinger, Eva/Schlechtriemen, Tobias/Schweitzer, Doris et al. (Hg.): *Die Figur des Dritten. Ein kulturwissenschaftliches Paradigma*. Frankfurt/Main: Suhrkamp 2010, S. 208–224.

Schwarz, Gerhard: »Mediation und Sachlogik«. In: Falk, Gerhard/Heintel, Peter/Krainz, Ewald E. (Hg.): Handbuch Mediation und Konfliktmanagement. Wiesbaden: VS-Verlag 2005, S. 57–62.

Seegers, Ulli: »Vermitteln. Eine Einführung«. In: dies. (Hg.): *Was ist Kunstvermittlung? Geschichte – Theorie – Praxis*. Düsseldorf: Düsseldorf University Press 2017, S. 7–15.

Serres, Michel: *Rome. The First Book of Foundations*, übers. von Randolph Burks. London/Oxford/New York et al.: Bloomsbury 2015 (1983).

Settele, Bernadett: »Queer Art Education«. In: Meyer, Torsten/Kolb, Gila (Hg.): *What's next? Art Education*. München: kopaed 2015, S. 308–311.

Shannon, Claude E./Weaver, Warren: *The Mathematical Theory of Communication*. Urbana/Illinois: University of Illinois Press 1949.

Sonderegger, Ruth: »Ästhetische Theorie«. In: *Adorno-Handbuch. Leben - Werk - Wirkung*. Stuttgart/Weimar: Metzler 2011, S. 414–427.

Sözen, Deniz: »Reflexion zum Workshop ›Zwischenräume‹«. In: ifa/IAE/ZHdK et al. (Hg.): *Kunstvermittlung in der Migrationsgesellschaft*. Berlin/Stuttgart: ifa 2012, S. 80–83; online unter https://www.kultur-vermittlung.ch/zeit-fuer-vermittlung/download/materialpool/MFE0404.pdf.

Spencer Brown, George: *Laws of Form. Gesetze der Form*, hrsg. und übers. von Thomas Wolf. Lübeck: Bohmeier 1999 (1969).

Steinfeld, Thomas: »Leere Lehre«. In: *Süddeutsche Zeitung*, 8. Juli 2008, S. 13.

Sternfeld, Nora: »Wem gehört der Universalismus?«. In: *Transversal*, Nr. 6 (2007); online unter eipcp.net/transversal/0607/sternfeld/de.

Sternfeld, Nora: »Um die Spielregeln spielen. Partizipation im post-repräsentaiven Museum«. In: Gesser, Susanne/Handschin, Martin/Jannelli, Angela et al. (Hg.): *Das partizipative Museum. Zwischen Teilhabe und User Content. Neue Anforderungen an kulturhistorische Ausstellungen*. Bielefeld: transcript 2012, S. 119–126.

Sternfeld, Nora: *Kontaktzonen der Geschichtsvermittlung. Transnationales Lernen über den Holocaust in der postnazistischen Migrationsgesellschaft*. Wien: zaglossus 2013.

Sternfeld, Nora: *Verlernen vermitteln*. Hamburg: o.V. 2014.

Stöger, Gabriele: »Museen, Orte für Kommunikation. Einige Aspekte aus der Geschichte der Bildungsarbeit von Museen«. In: Seiter, Josef et al. (Hg.): *Auf dem Weg. Von der Museumspädagogik zur Kunst- und Kulturvermittlung*, *Schulheft* Nr. 111 (2003), S. 14–28.

Stögner, Karin: *Antisemitismus und Sexismus. Historisch-gesellschaftliche Konstellationen*. Baden-Baden: Nomos 2014.

Strub, Christian: »Absonderung des ›Volks der lebendigen Sprache‹ in deutscher Rede. Die Performanz von Fichtes *Reden an die deutsche Nation*«. In: *Philosophisches Jahrbuch*, Bd. 111 (2004), S. 384–415.

Stünke, Hein: »Die Hitlerjugend«. In: Benze, Rudolf/Gräfer, Gustav (Hg.): *Erziehungsmächte und Erziehungshoheit im Großdeutschen Reich als gestaltende Kräfte im Leben des Deutschen*. Leipzig: von Quelle & Meyer 1940, S. 77–92.

Sturm, Eva: »Kunstvermittlung als Dekonstruktion«. In: NGBK (Hg.): *Kunstcoop©. Künstlerinnen machen Kunstvermittlung*. Berlin: vice versa 2001, S. 27–36.

Sturm, Eva: »Woher kommen die Kunst-VermittlerInnen? Versuch einer Positionsbestimmung«. In: Rollig, Stella/dies (Hg.): *Dürfen die das? Kunst als sozialer Raum*. Wien: Turia + Kant 2002, S. 198–211.

Sturm, Eva: »Zum Beispiel: StörDienst und trafo.K. Praxen der Kunstvermittlung aus Wien«. In: AdKV und NGbK (Hg.): *Kunstvermittlung zwischen partizipatorischen Kunstprojekten und interaktiven Kunstaktionen*. Berlin: Vice Versa 2002, S. 26–37.

Sturm, Eva: »Kunstvermittlung und Widerstand«. In: Schöppinger Forum der Kunstvermittlung (Hg.): *Transfer. Beiträge zur Kunstvermittlung*, Bd. 2. Schöppingen: Stiftung Künstlerdorf Schöppingen 2003, S. 92–110.

Sturm, Eva: *Vom Schießen und Getroffen-Werden. Kunstpädagogik und Kunstvermittlung »Von Kunst aus«*. Hamburg: University Press 2005.

Tanner, Jakob: »Komplexität, Kybernetik, Kalter Krieg. ›Information‹ im Systemantagonismus von Markt und Plan«. In: Hagner, Michael/Hörl, Erich (Hg.): *Die Transformation des Humanen. Beiträge zur Kulturgeschichte der Kybernetik*, Frankfurt/Main: Suhrkamp 2008, S. 377–413.

Tiqqun: *Kybernetik und Revolte*, übers. von Ronald Voullié. Zürich/Berlin: diaphanes 2007 (2001).

Ueberweg, Friedrich: *System der Logik und Geschichte der logischen Lehren*. Bonn: Adolph Marcus 1874.

Van den Berg, Karen: »Postaffirmatives Kulturmanagement. Überlegungen zur Neukartierung kulturmanagerialer Begriffspolitik«. In: Bekmeier-Feuerhahn, Sigrid/Van den Berg, Karen/Höhne, Steffen et al. (Hg.): *Forschen im Kulturmanagement. Jahrbuch für Kulturmanagement 2009*. Bielefeld: transcript 2009, S. 97–125.

Vidal, Francesca: *Kunst als Vermittlung von Welterfahrung. Zur Rekonstruktion der Ästhetik von Ernst Bloch*. Würzburg: Königshausen & Neumann 1994.

Voigt, Friedemann: *Vermittlung im Streit. Das Konzept theologischer Vermittlung in den Zeitschriften der Schulen Schleiermachers und Hegels*. Tübingen: Mohr Siebeck 2006.

Watzlavick, Paul/Beavin, Janet H./Jackson, Don D.: *Menschliche Kommunikation. Formen, Störungen, Paradoxien*, übers. von Paul Watzlavick. Bern/Göttingen/Toronto et al.: Hans Huber 1996 (1969).

Wellmer, Albrecht: *Zur Dialektik von Moderne und Postmoderne. Vernunftkritik nach Adorno*. Frankfurt/Main: Suhrkamp 1985.

Wenk, Silke: Einleitung zum Kap. »Mäzenin – Muse – Museumspädagogin. Kunstvermittlung als Frauenarbeit«. In: Lindner, Ines/Schade, Siegrid/dies. (Hg.): *Blick-Wechsel. Konstruktionen von Männlichkeit und Weiblichkeit in Kunst und Kunstgeschichte*. Berlin: Reimer 1989, S. 109–112.

Werntgen, Cai: *Kehren: Martin Heidegger und Gotthard Günther. Europäisches Denken zwischen Orient und Okzident*. München: Wilhelm Fink 2006.

Wieczorek, Wanda: »documenta 12 Halle. Die Ausstellung als Produktionsformat«. In: dies et al. (Hg.): *Kunstvermittlung 1. Arbeit mit dem Publikum, Öffnung der Institution. Formate und Methoden der Kunstvermittlung auf der documenta 12.* Zürich/Berlin: diaphanes 2009, S. 191–203.

Wiede, Wiebke: »Subjekt und Subjektivierung«. In: *Docupedia-Zeitgeschichte. Begriffe, Methoden und Debatten der zeithistorischen Forschung.* Potsdam 2010; online unter http://docupedia.de/zg/Subjekt_und_Subjektivierung.

Wienand, Kea: »Was darf ich denn überhaupt noch sagen? Überlegungen zu einer nicht normierenden und nicht rassisierenden Kunstvermittlungspraxis«. In: Mörsch, Carmen et al. (Hg.): *Kunstvermittlung 2. Zwischen kritischer Praxis und Dienstleistung auf der documenta 12. Ergebnisse eines Forschungsprojekts.* Zürich/Berlin: diaphanes (2009), S. 125–143.

Wienand, Kea: »Erst eingeladen, dann fotografiert. Bilder von Geflüchteten in Museen und anderen Institutionen«. In: Ziese, Maren/Gritschke, Caroline (Hg.): *Geflüchtete und Kulturelle Bildung. Formate und Konzepte für ein neues Praxisfeld.* Bielefeld: transcript 2016, S. 217–224.

Williams, Eric Eustace: *Capitalism and Slavery.* Chapel Hill: University of North Carolina Press 1944.

Wimmer, Michael: »Lehren und Bildung. Anmerkungen zu einem problematischen Verhältnis«. In: ders./Schuller, Marianne/Pazzini, Karl-Josef (Hg.): *Lehren bildet? Vom Rätsel unserer Lehranstalten.* Bielefeld: transcript 2010, S. 13–37.

Wittgenstein, Ludwig: »Philosophische Untersuchungen« (1945). In: ders.: *Werkausgabe,* Bd. 1. Frankfurt/Main: Suhrkamp 1984, S. 225–580.

Wynreb, Bernard D.: *Neueste Wirtschaftsgeschichte der Juden in Rußland und Polen,* Bd. 1. Hildesheim: Georg Olms 1934.

Zedler, Johann Heinrich: *Zedlers großes vollständiges Universal-Lexikon,* Bd. 21. Leipzig/Halle: Zedler 1738.

Ziese, Maren: »Kunstvermittlung. Voraussetzungen und zeitgemäßes Verständnis«. In: Hausmann, Anke (Hg.): *Handbuch Kunstmarkt. Akteure, Management und Vermittlung.* Bielefeld: transcript 2014, S. 381–396.

Ziese, Maren/Gritschke, Caroline (Hg.): *Geflüchtete und Kulturelle Bildung. Formate und Konzepte für ein neues Praxisfeld.* Bielefeld: transcript 2016.

Zima, Peter: *Die Dekonstruktion. Einführung und Kritik.* Tübingen/Basel: A. Francke 1994.

3. Abbildungsnachweis

Abb. 1: Grafik aus Günther, Gotthard: *Grundzüge einer neuen Theorie des Denkens in Hegels Logik*. Hamburg: Felix Meiner 1978 (1933), S. XI.